MIŁOŚĆ PEONII

MIŁOŚĆ PEONII

Z angielskiego przełożyła
Anna Dobrzańska-Gadowska

Świat Książki

Tytuł oryginału
PEONY IN LOVE

Redaktor prowadzący
Ewa Niepokólczycka

Redakcja merytoryczna
Jadwiga Fąfara

Konsultacja sinologiczna
Monika Twardziak

Redakcja techniczna
Julita Czachorowska

Korekta
Elżbieta Jaroszuk
Paulina Surowców

Świat Książki
Warszawa 2007
Bertelsmann Media sp. z o.o.
ul. Rosoła 10, 02-786 Warszawa

Skład i łamanie
Joanna Duchnowska

Druk i oprawa
GGP Media GmbH, Pössneck

Oprawa twarda
ISBN 978-83-247-0704-1
Nr 5997
Oprawa miękka
ISBN 978-83-247-0897-0
Nr 6188

Dla Boba Loomisa
z najlepszymi życzeniami z okazji
pięćdziesięciu lat pracy
w wydawnictwie Random House

W 1644 roku upadła dynastia Ming i na tron wstąpiła mandżurska dynastia Qing. Na okres trzydziestu lat kraj pogrążył się w chaosie i niepokoju. Niektóre kobiety traciły domy w wyniku działań wojennych, inne opuszczały rodzinne gniazda z własnej woli. Tysiące kobiet publikowało swe utwory wierszem i prozą. Część z nich to zakochane panny. Do dziś zachowały się utwory ponad dwudziestu z nich.

Starałam się trzymać tradycyjnego chińskiego sposobu podawania dat. Cesarz Kangxi panował w latach 1662–1722. Opera Tang Xianzu *Pawilon Peonii* została najpierw wystawiona, a następnie wydana w 1598 roku. Chen Tong (Peonia z tej powieści) przyszła na świat około 1649 roku, Tan Ze – 1656, a Qian Yi – 1671. W 1694 roku wydano *Komentarz trzech żon,* pierwszą na świecie książkę napisaną i opublikowaną przez kobiety.

Źródło miłości pozostaje nieznane, lecz uczucie to z czasem nabiera głębi. Zdarza się, że za jego sprawą żywi umierają, a zmarli wracają do życia. Miłość nie jest miłością w pełnym rozkwicie, jeśli ten, kto nosi ją w sercu, nie jest gotowy za nią umrzeć, albo jeśli to uczucie nie jest w stanie przywrócić do życia tego, kto umarł. Czy miłość, która nawiedza nas we śnie, naprawdę jest nierzeczywista? Przecież na świecie nie brak pogrążonych w snach zakochanych... Miłość jest kwestią wyłącznie cielesną tylko dla tych, którzy szukają jej spełnienia w pościeli i odczuwają ją głębiej dopiero po zakończeniu aktu.

Wstęp do *Pawilonu Peonii*
Tang Xianzu, 1598

CZĘŚĆ 1
W ogrodzie

Z wiatrem

Dwa dni przed swoimi szesnastymi urodzinami obudziłam się tak wcześnie, że służąca spała jeszcze na podłodze w nogach mego łóżka. Powinnam była ostro skarcić Wierzbę, ale nie zrobiłam tego, zależało mi bowiem na paru chwilach niczym niezakłóconego spokoju, aby w samotności nacieszyć się podnieceniem i uczuciem wyczekiwania. Wieczorem miałam obejrzeć w naszym ogrodzie *Pawilon Peonii*. Uwielbiałam tę operę i udało mi się nawet stworzyć kolekcję złożoną z jedenastu (spośród trzynastu) wydrukowanych wersji, dostępnych na rynku. Lubiłam leżeć w łóżku i czytać o pannie Liniang oraz jej wymarzonym ukochanym, o ich przygodach i ostatecznym zwycięstwie. Teraz zaś przez trzy kolejne wieczory, z kulminacją przypadającą na Święto Podwójnej Siódemki – siódmy dzień siódmego miesiąca, święto zakochanych i moje urodziny – miałam oglądać operę, która normalnie była zakazanym owocem dla dziewcząt i kobiet. Mój ojciec zaprosił na obchody także inne rodziny. Czekały nas rozmaite konkursy i przyjęcia, a wszystko to razem zapowiadało się na niezwykłe, zdumiewające wydarzenie.

Wierzba usiadła i przetarła oczy. Kiedy zobaczyła, że nie śpię i przyglądam jej się uważnie, zerwała się z podłogi i złożyła mi najlepsze życzenia. Ogarnęła mnie kolejna fala radosnego podniecenia i pewnie dlatego byłam bardzo wymagająca, gdy Wierzba kąpała mnie, pomagała włożyć szatę z lawendowego jedwabiu i czesała moje włosy. Chciałam wyglądać idealnie; pragnęłam zachowywać się bez zarzutu.

Dziewczyna tuż przed szesnastymi urodzinami doskonale wie, jak bardzo jest ładna, więc kiedy patrzyłam w lustro, dosłownie płonęłam świadomością własnej urody. Włosy miałam czarne i jedwabiste. Gdy Wierzba je szczotkowała, czułam dotknięcia szczotki od czubka głowy aż do pasa. Moje oczy przypominały kształtem liście bambusa, brwi wydawały się delikatnie nakreślone piórkiem kaligrafa, policzki promieniały łagodnym różem płatków peonii. Ojciec i matka z przyjemnością mawiali, że ten odcień różu doskonale do mnie pasuje, ponieważ moje imię, Peonia, jest nazwą kwiatu. Starałam się wyglądać i zachowywać tak, jak przystało dziewczynie o cudownym, subtelnym imieniu. Wargi miałam pełne i miękkie, talię smukłą, a piersi gotowe na przyjęcie dotyku dłoni męża. Nie nazwałabym siebie próżną, byłam po prostu typową piętnastolatką. Miałam przyjemną świadomość swojej urody, ale i dość rozwagi, aby wiedzieć, że fizyczne piękno jest rzeczą ulotną.

Rodzice bardzo mnie kochali i zadbali, abym była osobą wykształconą – wysoko wykształconą. Wiodłam bezpieczne życie ukochanej córki – układałam kwiaty, ładnie wyglądałam i śpiewałam, aby zapewnić rozrywkę rodzicom. Urodziłam się w tak uprzywilejowanej rodzinie, że nawet moja służąca miała krępowane stopy. Jako mała dziewczynka wierzyłam, że wszystkie spotkania oraz uczty, obfitujące w cudowne przysmaki w czasie Święta Podwójnej Siódemki odbywają się na moją cześć. Nikt nie wyprowadzał mnie z błędu, ponieważ byłam darzona wielką miłością i bardzo, bardzo rozpuszczona.

Wzięłam głęboki oddech i powoli wypuściłam powietrze – szczęśliwa. Miały to być moje ostatnie urodziny w domu przed wstąpieniem w związek małżeński i zamierzałam cieszyć się każdą chwilą uroczystości.

Opuściłam swoją komnatę w budynku dziewcząt i wyruszyłam w kierunku Sali Przodków, aby złożyć dary babce. Tyle czasu poświęciłam na przygotowania, że teraz wykonałam tylko szybki ukłon. Nie chciałam spóźnić się na śniadanie. Stopy niosły mnie wolniej, niżbym tego pragnęła, ale kiedy ujrzałam rodziców siedzących w Pawilonie z Widokiem na Ogród, zwolniłam. Skoro Mama spóźniała się, ja także mogłam sobie na to pozwolić.

– Panny nie powinny być widywane publicznie – usłyszałam głos matki. – Niepokoi mnie nawet obecność moich szwagierek. Wiesz, że nie jestem zwolenniczką prywatnych wycieczek... A na to przedstawienie zostali przecież zaproszeni także i obcy...

Zawiesiła głos. Powinnam była iść dalej, ale opera znaczyła dla mnie tak dużo, że zwlekałam, ukryta za powykręcanymi pniakami wistarii.

– Nie ma mowy o wystawianiu panien na widok publiczny – odparł ojciec. – Nie będzie to jedna z tych imprez, na które wstęp jest otwarty i kobiety poniżają same siebie, zasiadając wśród mężczyzn. Będziecie siedziały za parawanami.

– Jednak na terenie naszej posiadłości znajdą się ludzie z zewnątrz. Całkiem możliwe, że spod parawanu dostrzegą nasze pończochy i pantofle. Mogą poczuć zapach naszych włosów i pudru. Na dodatek ze wszystkich oper wybrałeś tę o romansie, tę, której nie powinna słuchać żadna dziewczyna!

Matka była bardzo staroświecka w swoich przekonaniach i sposobie bycia. W okresie społecznych niepokojów po Kataklizmie, kiedy dynastia Ming upadła i władzę przejęli najeźdźcy, Mandżurowie, wiele kobiet z elity z radością opuszczało swoje rezydencje, aby wodnymi kanałami odbywać podróże w lekkich stateczkach, pisać o tym, co widziały, a następnie publikować swoje obserwacje. Mama zdecydowanie sprzeciwiała się takiemu stylowi życia. Była lojalistką, nadal całym sercem popierała pozbawionego tronu cesarza z dynastii Ming, ale i pod innymi względami opowiadała się za podtrzymywaniem tradycji. Podczas gdy znaczna część kobiet w delcie Jangcy na nowo interpretowała Cztery Cnoty – prawość, właściwe zachowanie, obowiązkowość i poczucie wstydu – matka stale mnie upominała, abym pamiętała o ich pierwotnym znaczeniu.

– Zawsze trzymaj język za zębami – lubiła powtarzać. – A jeśli już musisz przemówić, zaczekaj na odpowiednią chwilę. I nikogo nie obrażaj.

Podchodziła do tych spraw z wielkim przejęciem, ponieważ rządziły nią siły *qing*: czułość, namiętność i miłość. To one wiążą i podtrzymują świat, rodząc się w sercu, siedzibie świadomości i sumienia. Ojciec natomiast podlegał wpływom *li** – zdrowego rozsądku i ujarzmionych emocji, dlatego też prychnął teraz wzgardliwie, lekceważąc niepokoje matki związane z przybyciem obcych.

– Jakoś nie narzekasz, kiedy odwiedzają nas członkowie mojego klubu poetyckiego – zauważył.

– Ale moja córka i bratanice nie siedzą wtedy w ogrodzie, nie powstają więc okoliczności sprzyjające niewłaściwym zachowaniom! A co z innymi rodzinami, które zaprosiłeś?

– Dobrze wiesz, dlaczego zaprosiłem tych ludzi – rzucił ostro, nie kryjąc zniecierpliwienia. – Przychylność komisarza Tan wiele w tej chwili dla mnie znaczy. Nie spieraj się ze mną dłużej na ten temat!

Nie widziałam ich twarzy, ale wyobraziłam sobie, jak Mama blednie, zaskoczona jego nagłą surowością. Nie odezwała się więcej.

Mama rządziła naszym domowym królestwem. W fałdach spódnic zawsze trzymała kłódki w kształcie ryb, wykonane z kutego metalu na wypadek, gdyby trzeba było zamknąć drzwi, aby ukarać konkubinę, zabezpieczyć miejsce złożenia bel jedwabiu, które do domowego użytku właśnie

---

* *Li* (chiń.) – etykieta, obyczaje, obrzędy, przyzwoitość (przyp. konsult.).

przywieziono z jednej z naszych fabryk, zamknąć spiżarnię, tkalnię albo pomieszczenie, gdzie służba składała swoje rzeczy przeznaczone do oddania pod zastaw. Nigdy nie była w swych poczynaniach niesprawiedliwa, dzięki czemu zaskarbiła sobie szacunek i wdzięczność wszystkich, którzy mieszkali w izbach dla kobiet, ale kiedy denerwowała się, tak jak w tej chwili, nerwowo podzwaniała kłódkami.

Fala gniewu Taty szybko opadła. Ostry ton zastąpiła ugodowa nuta, którą często słyszałam, gdy rozmawiał z Mamą.

– Nikt nie zobaczy naszych córek i bratanic, wszystkie reguły zostaną zachowane. To wyjątkowa okazja. Muszę wykazać się uprzejmością i hojnością. Jeżeli ten jeden raz otworzymy drzwi naszego domu, wkrótce przed nami otworzą się inne...

– Musisz robić to, co najlepsze dla rodziny – przyznała Mama.

Wykorzystałam ten moment, aby przebiec za pawilonem. Nie zrozumiałam wszystkiego, o czym mówili, ale w gruncie rzeczy nie bardzo mnie to interesowało. Liczyło się dla mnie tylko to, że w naszym ogrodzie zostanie wystawiona opera, a moje kuzynki i ja będziemy pierwszymi dziewczętami w całym Hangzhou, które ją obejrzą. Oczywiście nie zajmiemy miejsc wśród mężczyzn, będziemy siedziały ukryte za parawanami, tak jak powiedział mój ojciec.

Kiedy Mama przyszła do Wiosennego Pawilonu na śniadanie, była już spokojna i opanowana jak zwykle.

– Szybkie pochłanianie jedzenia nie należy do oznak dobrego wychowania – ostrzegła moje kuzynki i mnie, przechodząc obok naszego stołu. – Wasze teściowe nie będą zadowolone, kiedy zobaczą, że połykacie potrawy jak wygłodniałe karpie, z chciwie otwartymi ustami. No, moje drogie, od razu po śniadaniu musimy przygotować się na przybycie gości...

Zjadłyśmy więc śniadanie tak szybko, jak się dało, starając się zachowywać niczym dobrze wychowane młode damy.

Kiedy służba sprzątnęła ze stołu, podeszłam do Mamy.

– Mogę podejść do głównej bramy? – spytałam z nadzieją, że uda mi się przywitać gości.

– Tak, w dzień twojego ślubu – odparła z czułym uśmiechem, jak zwykle, gdy zadałam jakieś głupie pytanie.

Czekałam, tłumiąc zniecierpliwienie i ciekawość. Wiedziałam, że palankiny minęły już próg naszego domu i znalazły się w Sali Siedzenia, gdzie goście wysiądą i napiją się herbaty przed wejściem do głównej części rezydencji. Potem mężczyźni przejdą do Sali Wielkiej Elegancji, gdzie przyjmie ich mój ojciec, a kobiety udadzą się do naszych izb na tyłach domu, z dala od oczu mężczyzn.

Wreszcie usłyszałam melodyjne głosy zbliżających się kobiet. Kiedy do pomieszczenia weszły dwie szwagierki Mamy z córkami, upomniałam samą siebie, aby dbać o skromność w zachowaniu i ruchach. Za pierwszymi dwiema stryjenkami weszły następne dwie, za nimi zaś kilka żon przyjaciół ojca. Osobą najważniejszą wśród nich była pani Tan, małżonka człowieka, o którym Tata wspomniał w czasie sprzeczki z Mamą. (Mandżurowie przyznali ostatnio jej mężowi wysoki urząd komisarza cesarskich rytuałów). Była wysoka i bardzo szczupła. Jej mała córka Tan Ze z zaciekawieniem rozglądała się dookoła. Zalała mnie fala gorzkiej zazdrości. Ja nigdy nie przekroczyłam głównej bramy rezydencji rodziny Chen. Ciekawe, czy komisarz Tan często pozwalał córce na opuszczenie rodzinnej siedziby...

Ucałowania. Uściski. Wymiana podarunków – świeżych fig, dzbanów z ryżowym winem Shaoxing, jaśminowej herbaty. Odprowadzanie kobiet i ich córek do przeznaczonych dla nich pokojów. Rozpakowywanie rzeczy. Zmiana kostiumów podróżnych na świeże szaty. Znowu pocałunki. Znowu uściski. Kilka łez i mnóstwo śmiechu. Później przeszłyśmy do Sali Kwitnącego Lotosu, głównej dużej komnaty dla kobiet w naszym domu. Sklepienie było tu wysokie, rzeźbione na kształt rybiego ogona, podparte pomalowanymi na czarno okrągłymi kolumnami. Okna i drzwi z rzeźbionymi framugami z jednej strony wychodziły na prywatny ogród, a z drugiej na staw porośnięty lotosem. Na ołtarzu pośrodku sali stał mały parawan i wazon. Kiedy oba te słowa wymawia się razem, mają podobne brzmienie jak wyraz „bezpieczny", co jest ogromnie ważne dla mieszkańców. Teraz, zajmując krzesła w sali, wszystkie czułyśmy się tu naprawdę bezpiecznie.

Usiadłam, starając się prawie nie dotykać skrępowanymi stopami chłodnej kamiennej podłogi, i rozejrzałam się po sali. Byłam zadowolona, że poświęciłam tyle czasu, aby dobrze wyglądać, ponieważ inne kobiety i dziewczęta miały na sobie najwspanialsze gazowe jedwabie, haftowane w kwiaty. Porównując się z nimi, musiałam przyznać, że moja kuzynka Kwiat Lotosu wygląda niezwykle pięknie, ale cóż, ona zawsze się tak prezentowała. Szczerze mówiąc, wszystkie dosłownie promieniałyśmy podnieceniem i entuzjazmem w oczekiwaniu na uroczyste wydarzenia. Nawet moja pulchna kuzynka Miotła wyglądała ładniej niż zazwyczaj.

Służący rozstawili na stolikach malutkie miseczki ze słodyczami, a potem Mama ogłosiła rozpoczęcie konkursu hafciarskiego, pierwszego z kilku zaplanowanych na najbliższe trzy dni. Ułożyłyśmy nasze projekty na dużym stole, aby moja matka mogła je obejrzeć i znaleźć najbardziej skomplikowane i wykwintne pomysły oraz najpiękniej wykonane ściegi. Kiedy stanęła nad moim haftem, przemówiła szczerze i sprawiedliwie, jak przystało osobie z jej pozycją.

– Umiejętności mojej córki stale się poprawiają. Widzicie, jak wyhaftowała chryzantemy? – Przerwała i uniosła haft w górę. – Bo są to chryzantemy, prawda?

Przytaknęłam szybkim skinieniem głowy.

– Dobrze sobie poradziłaś – powiedziała.

Lekkim pocałunkiem musnęła moje czoło, lecz każdy mógł się zorientować, że na pewno nie wygram hafciarskiego konkursu, ani tym razem, ani w przyszłości.

Późnym popołudniem – między herbatą, konkursami

i oczekiwaniem na wieczór – wszystkie byłyśmy już mocno rozstrojone. Oczy Mamy co jakiś czas ogarniały salę – kręcące się niecierpliwie małe dziewczynki, ich zdenerwowane matki, podskakującą stopę Czwartej Stryjenki i krępą Miotłę, próbującą rozluźnić zbyt ciasny kołnierzyk. Mocno splotłam palce obu dłoni i starałam się siedzieć jak najspokojniej, lecz w głębi serca chciało mi się skakać do góry, machać rękami i krzyczeć z podniecenia.

Mama odchrząknęła. Parę kobiet spojrzało w jej stronę, ale przyciszony gwar nie ustawał. Zakasłała znowu, postukała paznokciem w stół i przemówiła melodyjnym głosem:

– Pewnego dnia siedem córek Boga Kuchni brało kąpiel w stawie, kiedy zaskoczył je Pasterz i jego wodny bawół...

Bez trudu rozpoznałyśmy początek ukochanej opowieści wszystkich dziewcząt i kobiet i w sali zapanowała cisza. Kiwnęłam głową w odpowiedzi na spojrzenie matki, dając jej do zrozumienia, jak bardzo podziwiam mądrość, która kazała jej wybrać właśnie tę historię. Uważnie słuchałyśmy, jak bezczelny Pasterz ukradł szaty najpiękniejszej córki bóstwa, Tkaczki, zostawiając ją nagą w stawie.

– Kiedy na las spadł chłód nocy, musiała udać się do domu Pasterza, aby odzyskać ubranie, a cała natura z zażenowaniem zasłaniała oczy – opowiadała Mama. – Tkaczka doskonale wiedziała, że istnieje tylko jeden sposób, by uratować reputację, postanowiła więc poślubić Pasterza. Jak myślicie, co stało się później?

– Córka Boga Kuchni i Pasterz zakochali się w sobie – wysokim głosikiem odpowiedziała Tan Ze, córka pani Tan.

W tej części opowieści krył się element zaskoczenia, nikt bowiem nie spodziewał się, że istota nieśmiertelna pokocha zwykłego śmiertelnika, skoro nawet w naszym świecie mężowie i żony często nie znajdowali miłości w zaaranżowanych dla nich związkach.

– Mieli dużo dzieci – ciągnęła Ze. – I wszyscy byli szczęśliwi!

– Do chwili, gdy...? – zagadnęła moja matka, tym razem oczekując na odpowiedź z ust innej dziewczyny.

– Do chwili, gdy bogowie zorientowali się, co się stało – znowu odezwała się Ze, ignorując oczywiste życzenie Mamy. – Zatęsknili za dziewczyną, która tkała leciutki jak obłoki jedwab na ich szaty, i zapragnęli ją odzyskać.

Moja matka ściągnęła brwi. Ta cała Tan Ze kompletnie się zapomniała! Musiała mieć jakieś dziewięć lat, nie więcej. Zerknęłam na jej stopy i przypomniałam sobie, że przed południem weszła do sali bez niczyjej pomocy. Znaczyło to, że dwuletni okres bandażowania stóp miała już za sobą. Niewykluczone, że jej entuzjazm wynikał ze świeżo uświadomionej możliwości samodzielnego poruszania się. Ale co za maniery...!

– Proszę mówić dalej – nalegała Ze. – Proszę mówić!

Mama skrzywiła się leciutko i podjęła opowieść, tak jakby wcale nie doszło do kolejnego pogwałcenia Czterech Cnót.

– Królowa Niebios sprowadziła Tkaczkę i Pasterza do siebie, a potem szpilką do włosów narysowała między nimi Mleczną Drogę, wszystko po to, aby ich rozdzielić. W ten sposób Tkaczka mogła skupić się wyłącznie na pracy, a Królowa Niebios dostała przepiękny jedwab na szaty... W Święto Podwójnej Siódemki bogini pozwoliła, by wszystkie sroki na ziemi utworzyły ze swych skrzydeł niebiański most, na którym kochankowie wreszcie mogliby się spotkać. Za trzy noce, jeżeli nie będziecie spały między północą i świtem i usiądziecie pod winną pergolą w blasku księżyca, na pewno usłyszycie, jak Tkaczka i Pasterz szlochają, nie chcąc się rozstać...

Była to bardzo romantyczna myśl, która przeniknęła nas do głębi ciepłym wzruszeniem, lecz przecież żadna z nas nie miała szans siedzieć samotnie pod winną pergolą w środku nocy, nawet na całkowicie bezpiecznym terenie naszej rezydencji. I, przynajmniej dla mnie, nie miało to wielkiego znaczenia. Nie mogłam już doczekać się opery. Jak długo jeszcze? – myślałam niecierpliwie.

Gdy nadeszła pora kolacji w Wiosennym Pawilonie, kobiety potworzyły małe grupki – siostry z siostrami, kuzynki z kuzynkami. Tylko pani Tan i jej córka były tu zupełnie obce. Ze usiadła obok mnie przy stole dla dziewcząt, jakby nie była małą dziewczynką, tylko prawie dorosłą panną, która niedługo ma wyjść za mąż. Wiedziałam, że Mama chciałaby, abym uprzejmie zajęła się gościem, ale szybko pożałowałam przyjaznego gestu.

– Mój ojciec może kupić mi wszystko, co zechcę – przechwalała się Ze, informując mnie i wszystkich, którzy znaleźli się w zasięgu jej piskliwego głosu, że jej rodzina posiada większy majątek niż klan Chen.

Ledwo skończyliśmy posiłek, gdy z zewnątrz rozległy się dźwięki bębenków i cymbałów, zwołujące nas do ogrodu. Pragnęłam zademonstrować swoją subtelność i wyjść z sali ostatnia, lecz przy drzwiach znalazłam się pierwsza. Latarnie migotały, kiedy szłam korytarzem z Wiosennego Pawilonu, mijając Środkowy Staw i Zawsze Przyjemny Pawilon. Przeszłam przez księżycową bramę, z obu stron ozdobioną artystycznymi aranżacjami z bambusa, cymbidium w donicach oraz pięknie przyciętymi gałęziami. W miarę jak muzyka rozbrzmiewała coraz głośniej, starałam się iść coraz wolniej. Musiałam zachować ostrożność, w pełni świadoma, że tego wieczoru na terenie naszej posiadłości znajdowali się nienależący do rodziny mężczyźni. Gdyby jeden z nich przypadkiem mnie zobaczył, wina za to zdarzenie spadłaby na mnie i na mojej opinii pojawiłaby się czarna plama. Okazało się, że ostrożność i wymuszony brak pośpiechu wymagały znacznie większego opanowania, niż sądziłam. Spektakl miał się wkrótce rozpocząć, a ja pragnęłam cieszyć się każdą jego sekundą.

Dotarłam do wyznaczonego dla kobiet miejsca i usiadłam na poduszce pod jednym z parawanów, tuż obok przerwy między fałdami, żebym mogła zerkać na scenę. Nie miałam szans zobaczyć wszystkiego, ale i tak było to więcej, niż liczyłam. Pozostałe kobiety i dziewczęta przyszły po mnie i usadowiły się na poduszkach. Byłam tak podekscytowana, że nie przeszkadzało mi nawet, kiedy Tan Ze usiadła obok mnie.

Przez wiele tygodni mój ojciec, jako reżyser spektaklu, codziennie spędzał długie godziny zamknięty w jednej z sal razem z obsadą. Wynajął wędrowną trupę teatralną złożoną z ośmiu członków, samych mężczyzn, co bardzo niepokoiło Mamę, ponieważ aktorzy należeli do najniższej, najbardziej prymitywnej klasy. Zachęcił także osoby ze służby – Wierzbę oraz kilkoro innych – aby przyjęli różne role.

– Wasza opera ma pięćdziesiąt pięć scen i czterysta trzy arie! – z podziwem oznajmiła mi pewnego dnia Wierzba.

Zupełnie jakbym sama tego nie wiedziała... Wystawienie całej opery zajęłoby ponad dwadzieścia godzin, ale chociaż pytałam i pytałam, Wierzba nie chciała zdradzić, które sceny Tata zdecydował się wyciąć.

– Twój ojciec chce, żeby była to niespodzianka – oświadczyła, wyraźnie zadowolona, że może wykorzystać ten pretekst, aby mnie nie posłuchać.

W miarę jak reżim prób stawał się coraz ostrzejszy, dom pogrążał się w lekkim zamęcie i pewnego dnia wszystkich ogarnęła konsternacja, gdy jeden z moich stryjów kazał podać sobie fajkę, lecz zaraz odkrył, że nie ma nikogo, kto mógłby spełnić jego polecenie. Zdarzyło się też, że stryjenka kazała zagrzać wodę na kąpiel i musiała bardzo długo czekać. Nawet ja cierpiałam pewne niewygody, bo Wierzba, jako odtwórczyni ważnej roli Wiosennego Zapachu, służącej głównej bohaterki, była teraz naprawdę zajęta.

Zabrzmiała muzyka. Narrator wysunął się naprzód i przedstawił krótki zarys wątków opery, podkreślając, że tęsknota trwała przez trzy wcielenia, zanim Liu Mengmei i Du Liniang spełnili swoją miłość. Potem poznaliśmy młodego bohatera, zubożałego uczonego, który musiał opuścić rodzinny dom, aby przystąpić do cesarskich egzaminów. Jego nazwisko rodowe brzmiało „Liu", czyli „Wierzba". Liu przypomina sobie, że śnił o pięknej dziewczynie, stojącej pod śliwą. Po przebudzeniu przyjmuje przydomek Mengmei, „Sen o Śliwie". Śliwa, z jej obfitym listowiem i dojrzewającymi owocami, nasuwa skojarzenia z witalnymi siłami przyrody, co nawet mnie zasugerowało namiętny aspekt charakteru Mengmei. Słuchałam uważnie, lecz moje serce od początku podbiła postać Liniang i niecierpliwie czekałam na jej pojawienie się.

Liniang poznajemy w scenie zatytułowanej *Karcenie córki*. Ubrana była w szatę ze złocistego, haftowanego czerwoną nicią jedwabiu, a z nakrycia głowy sterczały puchate kłębki jedwabnych nici, naszywane cekinami motyle oraz kwiaty poruszające się przy każdym jej ruchu.

– *W naszych oczach córka jest jak najcenniejsza perła* – śpiewa pani Du, zwracając się do swego męża, lecz jednocześnie karci córkę: – *Chyba nie chcesz być ignorantką, prawda?*

A prefekt Du, ojciec Liniang, dodaje:

– *Każda cnotliwa młoda panna na wydaniu powinna być wykształcona. Zostaw hafty i czytaj książki, które czekają na półkach.*

Jednak napomnienia nie wystarczyły, aby zmienić postępowanie Liniang, więc wkrótce edukacją jej samej oraz Wiosennego Zapachu zajął się nauczyciel Chen. Lekcje były męczące, pełne dobrze mi znanych zasad i reguł, których należało się uczyć na pamięć. „Jest dobrze, jeśli córka o pierwszym pianiu koguta umyje ręce, wypłucze usta, rozczesze włosy, upnie je i pójdzie pokłonić się matce i ojcu".

Codziennie słuchałam takich rzeczy. „Nie odsłaniaj zębów, kiedy się uśmiechasz". „Stąpaj powoli i z godnością". „Wyglądaj niewinnie i ładnie". „Okazuj szacunek stryjenkom i ciotkom". „Używaj nożyczek do przycinania nici, które strzępią się na szwie sukni".

Biedna Wiosenny Zapach nie może znieść wszystkich tych nauk i pyta, czy może wyjść, żeby się wysiusiać. Mężczyźni po drugiej stronie parawanu rechotali, kiedy Wierzba zgięła się wpół, zaczęła przestępować z nogi na nogę i w końcu chwyciła się za brzuch, żeby powstrzymać mocz. Zawstydziłam się, patrząc na jej gesty, chociaż oczywiście robiła tylko to, co kazał jej robić mój ojciec.

Czując się nieswojo, rozejrzałam się po widowni i dostrzegłam mężczyzn. Większość z nich była odwrócona do mnie plecami, lecz niektórzy siedzieli z boku, więc mogłam przyjrzeć się ich profilom. Byłam panną, ale przyglądałam się im. Było to niewłaściwe, lecz przez całe piętnaście lat życia nie popełniłam ani jednego czynu, za sprawą którego mogłabym uznać się za niegodną miana dobrej córki.

Moje oczy spoczęły na mężczyźnie, który właśnie odwrócił głowę, żeby spojrzeć na pana siedzącego tuż obok. Miał wysokie kości policzkowe, szeroko osadzone oczy o miłym wyrazie i włosy czarne jak głęboka jaskinia. Ubrany był w długą ciemnoniebieską szatę o prostym kroju. Jego czoło zostało wygolone na znak szacunku dla cesarza z mandżurskiej dynastii, a długi warkocz luźno opadał na jedno ramię. Zasłonił usta dłonią, żeby rzucić jakąś uwagę sąsiadowi, ja zaś wyobraziłam sobie, że w tym prostym geście kryje się łagodność, subtelność, wyrafinowanie i umiłowanie poezji. Uśmiechnął się, odsłaniając idealnie białe zęby; oczy zalśniły wesoło. Jego elegancja i leniwy wdzięk nasunęły mi skojarzenie z kotem – smukłym, długonogim, zadbanym, mądrym, opanowanym i pewnym siebie. Był bardzo przystojny, miał prawdziwie męską urodę. Gdy znowu zwrócił się twarzą ku scenie, uświadomiłam sobie, że przez parę chwil wstrzymywałam oddech. Teraz powoli wypuściłam powietrze z płuc i spróbowałam skupić uwagę na następnej scenie – Wiosenny Zapach, używszy sobie, wraca właśnie do swej pani z wieścią o ogrodzie, którego istnienie odkryła.

Kiedy czytałam ten fragment opery, ogarnęła mnie fala współczucia dla Liniang, odciętej od świata do tego stopnia, że nie wiedziała nawet, iż jej rodzina ma ogród. Całe życie spędzała w domu. Teraz Wiosenny Zapach kusi swą panią, aby wyszła na zewnątrz i popatrzyła na kwiaty, wierzby i pawilony. Liniang jest bardzo zaciekawiona, lecz starannie ukrywa to przed służącą.

Subtelny nastrój rozmowy dwóch dziewcząt zakłócają fanfary zwiastujące początek sceny zatytułowanej *Przyśpieszyć orkę*. Prefekt Du przybywa na wieś, aby zachęcić rolników, hodowców stad, dziewczyny pracujące w morwowych sadach oraz zbieraczy herbacianych liści do ogromnego wysiłku w czasie zbliżającego się sezonu. Akrobaci skaczą, klauni piją wino z flaszek, mężczyźni w barwnych kostiumach chodzą po ogrodzie na szczudłach, a nasza służba wykonuje wiejskie piosenki oraz tańce. Jest to scena w atmosferze *li*, przepełniona wszystkim, co kojarzyło mi się z zewnętrznym światem należącym do mężczyzn – dziką, nieopanowaną gestykulacją, przesadnie wyrazistą mimiką, dysonansami gongów, bębnów i talerzy. Zamknęłam oczy, aby uciec od kakofonii dźwięków, i spróbowałam wycofać się w głąb siebie, aby odnaleźć swój wewnętrzny spokój. Moje serce ucichło. Kiedy otworzyłam oczy, przez szparę między fałdami znowu zobaczyłam tamtego mężczyznę. Miał zamknięte oczy. Czy możliwe, aby czuł to samo co ja?

Ktoś pociągnął mnie za rękaw. Spojrzałam w prawo i zobaczyłam drobną, ostrą w wyrazie twarz Tan Ze, która wpatrywała się we mnie uważnie.

– Przyglądasz się tamtemu chłopcu? – zagadnęła.

Zamrugałam kilka razy i spróbowałam wrócić do równowagi, robiąc kilka płytkich wdechów.

– Ja także patrzyłam na niego – wyznała Ze, zachowując się zdecydowanie zbyt śmiało jak na jej wiek. – Ty na pewno jesteś już zaręczona, ale mój ojciec... – lekko pochyliła głowę, nie spuszczając ze mnie bystrych, sprytnych oczu. – Mój ojciec nie zaaranżował jeszcze małżeństwa dla mnie. Mówi, że w kraju nadal panuje wielki niepokój, więc nie należy śpieszyć się z tymi sprawami... Nie wiadomo przecież, który ród zyska większe znaczenie, a który podupadnie... Ojciec uważa, że wydanie córki za przeciętnego człowieka to okropna rzecz...

Czy istniał jakiś sposób, aby zamknąć usta tej dziewczynie? Nie pierwszy raz zadawałam dziś sobie to pytanie, niestety.

Ze odwróciła się i zbliżyła twarz do szczeliny w parawanie.

– Poproszę ojca, żeby dowiedział się czegoś o rodzinie tego chłopaka...

Tak jakby mogła wybierać, kogo poślubi! Nie mam pojęcia, jak to się stało, ale nagle ogarnęła mnie złość i uczucie zazdrości, że Ze chce ukraść tego młodzieńca, schwytać go w swoją sieć. Oczywiście nie mogłam mieć nadziei, że cokolwiek połączy mnie z tym młodym człowiekiem, gdyż, jak celnie zauważyła Ze, byłam już zaręczona. Jednak przez trzy noce opery chciałam snuć romantyczne marzenia i wyobrażać sobie, że także w moim życiu może zdarzyć się szczęśliwe, pełne miłości zakończenie, takie jak w historii Liniang...

Wyrzuciłam Ze ze swoich myśli i przeniosłam się w świat opery, w scenę *Przerwany sen*. Liniang wreszcie odważa się wyjść do swojego – naszego – ogrodu. Następuje przepiękna chwila – dziewczyna pierwszy raz ogarnia wzrokiem trawę i kwiaty, całym sercem żałuje, że ich piękno pozostaje ukryte w miejscu, którego nikt nie odwiedza, ale dostrzega także w ogrodzie obraz i symbol samej siebie, rozkwitającego, niezauważonego kwiatu. Dobrze rozumiałam, co czuła. Emocje, które rozbudziły się w jej sercu, budziły się i we mnie za każdym razem, gdy czytałam tę część opery.

Liniang wraca do swojego pokoju, przebiera się w szatę haftowaną w kwiaty peonii i siada przed lustrem, rozważając ulotną naturę kobiecej urody, tak samo jak ja tego ranka.

– *Płaczcie nad tą, której uroda jest cudnym kwiatem, bo życie trwa nie dłużej niż świeżość liści na drzewie* – śpiewa, rozumiejąc, jak niepokojący i ulotny może być urok wiosny. – *Teraz już rozumiem, o czym piszą poeci... Wiosną ich serca porusza namiętność, jesienią tylko żal. Och, czy kiedykolwiek dane mi będzie zobaczyć mężczyznę? W jaki sposób odnajdzie mnie miłość? Gdzie mogę ujawnić moje prawdziwe pragnienia?*

Zmęczona przeżyciami, zasypia. We śnie znajduje drogę do Pawilonu Peonii i tam pojawia się przed nią duch Liu Mengmei, odziany w szatę z tkaniny haftowanej w liście wierzby, z wierzbową witką w dłoni. Delikatnie muska Liniang listkami gałązki. Wymieniają czułe słowa i Liu prosi dziewczynę, aby ułożyła wiersz o wierzbie. Potem tańczą. Liniang porusza się tak pięknie i lekko, że patrząc na nią, czuję się tak, jakbym obserwowała śmierć bezbronnego, wrażliwego na każdy dotyk jedwabnika.

Mengmei prowadzi Liniang do skalistej groty w naszym ogrodzie. Obydwoje znikają z oczu widzów, słychać tylko uwodzicielski głos Mengmei.

– *Rozepnij zapinkę pod szyją, rozwiąż szarfę w talii i zasłoń oczy ramieniem... Może będziesz musiała zacisnąć zęby na tkaninie...*

Leżąc w łóżku, daremnie usiłowałam wyobrazić sobie, co działo się w tej scenie *Pawilonu Peonii*. Teraz także nie widziałam, co się dzieje, i musiałam czekać na pojawienie się Ducha Kwiatu, który tłumaczył poczynania bohaterów.

– *Ach, jak męska siła wzbiera i unosi się potężną falą...*

Jednak te słowa również nie były dla mnie wyjaśnieniem. Jako panna, słyszałam o chmurach i deszczu*, ale nikt nie powiedział mi, co to naprawdę znaczy.

W chwili spełnienia nad skały wzlatuje deszcz płatków peonii. Liniang śpiewa o rozkoszy, jaką znalazła w ramionach swego uczonego.

Kiedy Liniang budzi się ze snu, uświadamia sobie, że znalazła prawdziwą miłość. Wiosenny Zapach, zgodnie z poleceniem pani Du, każe Liniang jeść, lecz dziewczyna nie jest w stanie przełknąć ani kęsa. W trzech posiłkach dzien-

---

* Określenie „chmury i deszcz" pochodzi z poematu Song Yu (III w. p.n.e.) i jest symbolem stosunku płciowego (przyp. konsult.).

nie nie kryje się żadna obietnica, w jedzeniu nie ma ani cienia miłości. Liniang ucieka służącej i wraca do ogrodu, podążając za swoim sennym marzeniem. Widzi usłaną płatkami ziemię, gałązki janowca chwytają jej spódnicę, starając się zatrzymać ją w ogrodzie. Przypomina sobie sceny ze snu.

– *O nagą skałę oparł moje mdlejące ciało* – śpiewa.

Wspomina, jak kochanek ułożył ją na ziemi, jak sama rozłożyła fałdy szaty, *przykrywając trawę w lęku przed oczami Niebios,* i jak w końcu doznała słodkiego połączenia z ukochanym.

Liniang stoi pod oblepioną owocami śliwą, nie jest to jednak zwyczajne drzewo. Śliwa symbolizuje tajemniczego kochanka Liniang, pełnego żywotnych sił.

– *Uważałabym się za szczęśliwą, gdyby pogrzebano mnie tutaj po śmierci* – wyznaje.

Matka nauczyła mnie ukrywać emocje, ale kiedy czytałam *Pawilon Peonii,* czułam się bezradna wobec uczucia miłości, smutku i szczęścia. Teraz, śledząc rozgrywającą się przed moimi oczami historię, wyobrażając sobie, co wydarzyło się w naszej grocie między uczonym i Liniang, oraz po raz pierwszy widząc młodego mężczyznę, który nie należał do mojej rodziny, byłam zupełnie oszołomiona. Musiałam oddalić się na chwilę, ponieważ drążące Liniang niepokoje stały się moimi własnymi.

Wstałam powoli i ostrożnie przeszłam między poduszkami do jednej z ogrodowych ścieżek. Słowa Liniang napełniły moje serce tęsknotą. Próbowałam uspokoić myśli, wpatrując się w krzewiącą się dookoła zieleń. W naszym ogrodzie nie było kwiatów, tylko trawa, krzewy i drzewa, a wszystko po to, aby picie herbaty o smaku lekkim, lecz trwałym, odbywało się w atmosferze relaksu. Pokonałam zygzakowaty mostek nad jednym z mniejszych stawów, porośniętych wodnymi liliami, i weszłam do Pawilonu z Wiatrem, zaprojektowanego w taki sposób, aby łagodny wietrzyk w duszne, upalne letnie wieczory przyjemnie chłodził rozpalone twarze lub serca. Usiadłam i spróbowałam uspokoić się, bo przecież takiemu celowi miał służyć ten pawilon. Szczerze pragnęłam chłonąć każdą sekundę opery, nie byłam jednak przygotowana na potężne uczucia, jakie mną owładnęły.

Arie i muzyka docierały do mnie poprzez noc, przekazując mi troskę, z jaką pani Du obserwowała niespokojne zachowanie córki. Pani Du nie wie jeszcze, o co chodzi, nie zdążyła odgadnąć, że Liniang jest chora z miłości. Zamknęłam oczy, wzięłam głęboki oddech i pozwoliłam, aby ta świadomość wniknęła w moje serce.

Wtedy nagle usłyszałam zaskakujący odgłos innego oddechu. Otworzyłam oczy i zobaczyłam stojącego przede mną młodego mężczyznę, któremu wcześniej przyglądałam się przez lukę między fałdami parawanu.

Cichutki okrzyk zdumienia wyrwał się z moich ust, zanim udało mi się opanować. Jakże mogłam zachować kontrolę nad sobą? Oto znalazłam się sam na sam z mężczyzną, który nie był moim krewnym, gorzej, był dla mnie zupełnie obcym człowiekiem.

– Przepraszam... – Młodzieniec złożył ręce i kilka razy skłonił się przede mną.

Serce waliło mi jak szalone, ze strachu, podniecenia, niezwykłości całej tej sytuacji. Byłam przekonana, że jest to jeden z przyjaciół mojego ojca. Musiałam zachować się uprzejmie, lecz z godnością.

– Nie powinnam była oddalać się z ogrodu... – powiedziałam z wahaniem. – To moja wina.

– Ja także nie powinienem był schodzić z widowni. – Postąpił krok naprzód, a moje ciało, kierowane automatyczną reakcją, odchyliło się do tyłu. – Ale miłość tamtych dwojga... – Potrząsnął głową. – Proszę, wyobraź sobie, pani, jak by to było – odnaleźć prawdziwą miłość...

– Wyobrażałam to sobie wiele razy.

Natychmiast pożałowałam swoich słów. Nie tak należało mówić do mężczyzny, niezależnie od tego, czy był kimś obcym, czy mężem. Wiedziałam o tym, lecz to zdanie po prostu wyfrunęło z moich ust. Przytknęłam trzy palce do warg, mając nadzieję, że powstrzymają inne niepotrzebne i niedopuszczalne wyznania.

– Ja także – oświadczył i zrobił jeszcze jeden krok w moją stronę. – Ale Liniang i Mengmei odnajdują się we śnie i dopiero później zakochują się w sobie...

– Nie znasz chyba opery, panie – odezwałam się. – Spotykają się, to prawda, lecz Liniang podąża za Mengmei dopiero wtedy, gdy staje się duchem.

– Znam tę historię, ale nie zgadzam się z tobą, pani. Uczony musi pokonać swój strach przed duchem dziewczyny...

– Strach, który budzi się, gdy ona uwodzi jego.

Jak to możliwe, że takie słowa wymknęły się z moich ust?

– Musisz mi wybaczyć, panie – powiedziałam szybko. – Jestem tylko głupią dziewczyną i już najwyższy czas, żebym wróciła na swoje miejsce...

– Nie, zaczekaj! Nie idź jeszcze, proszę...

Spojrzałam przez ciemność w kierunku sceny. Całe życie czekałam, żeby obejrzeć tę operę. Słyszałam, jak Liniang śpiewa: *Drżę w cienkiej szacie, otulona przed porannym chłodem tylko żalem, iż nie mogę zobaczyć, jak czerwone łzy płatków opadają z gałązek...* Chora z miłości, stała się tak szczupła i krucha, więcej, po prostu wychudzona, że postanawia namalować swój autoportret na jedwabiu. Chce, aby na wypadek jej odejścia ze świata pozostał po niej obraz Liniang z tamtego snu – pięknej, pełnej życia i niespełnionego pożądania. Ten akt jest namacalnym objawem wielkiej miłości i straszliwej tęsknoty, zapowiada także jej śmierć. Liniang delikatnymi pociągnięciami pędzla maluje gałązkę śliwy w swojej dłoni, przywołując postać kochanka ze snu i mając nadzieję, że jeśli Mengmei kiedykolwiek zobaczy portret, bez trudu ją rozpozna. Dodaje również wiersz, w którym wyraża pragnienie poślubienia mężczyzny o imieniu Liu.

Jak to się stało, że dałam się odwieść od oglądania opery? I to mężczyźnie? Gdybym w ogóle była wtedy zdolna do myślenia, uświadomiłabym sobie, że niektórzy ludzie mają rację, kiedy mówią, że *Pawilon Peonii* zachęca młode kobiety do nieodpowiednich zachowań.

Musiał wyczuć moje wahanie (jakżeby mogło być inaczej...), ponieważ w jego głosie pojawiła się uspokajająca nuta.

– Nikomu nie powiem o naszym spotkaniu, więc proszę, zostań... Nigdy dotąd nie miałem możliwości poznać opinii kobiety o tej operze...

Kobiety? Sytuacja komplikowała się coraz bardziej. Przesunęłam się w bok, uważając, aby żaden skrawek mojej szaty nie dotknął jego ubrania.

– Zamiarem autora było obudzenie w nas kobiecych uczuć *qing* – miłości i czułego wzruszenia. Czuję tę historię, nie jestem jednak pewna, czy to, co przeżywam, jest prawdziwe...

Staliśmy bardzo blisko siebie. Odwróciłam się i spojrzałam w jego twarz. Rysy miał szlachetniejsze i subtelniejsze, niż mi się wcześniej wydawało. W przyćmionym świetle malejącego księżyca widziałam jego wysokie kości policzkowe, łagodny wyraz oczu, pełne wargi.

– Ja... – zaczęłam, ale mój głos ucichł, gdy on badawczo zajrzał mi w oczy. Odchrząknęłam. – Jak dziewczyna, wychowana w odosobnieniu, pochodząca z wysoko postawionego rodu...

– Dziewczyna taka jak ty – wtrącił.

– Jak taka dziewczyna może sama wybrać męża? W moim przypadku jest to zupełnie niemożliwe i tak samo było przecież z Liniang...

– Sądzisz, że rozumiesz ją lepiej niż jej twórca?

– Jestem w jej wieku i wierzę w konieczność wypełniania obowiązków, jakie ma każda dobra córka – powiedziałam. – Dlatego pójdę drogą, którą wytyczył mi ojciec, ale wszystkie dziewczęta mają marzenia, nawet jeżeli nasz los jest przesądzony...

– Więc masz takie same marzenia jak Liniang? – spytał.

– Nie jestem jedną z tych dziewczyn, które dostarczają

mężczyznom przyjemności na malowanych łodziach na jeziorze, jeśli o to pytasz!

Na policzki wypełzł mi palący rumieniec zażenowania. Powiedziałam za dużo. Utkwiłam wzrok w ziemi. Moje buciki wyglądały na maleńkie i delikatne obok jego haftowanych pantofli. Czułam na sobie jego spojrzenie i pragnęłam podnieść oczy, ale nie mogłam tego zrobić. Nie chciałam. Skłoniłam głowę i bez słowa opuściłam pawilon.

– Spotkasz się ze mną jutro? – zawołał za mną.

Było to pytanie, lecz sekundę później usłyszałam słowa wypowiedziane bardziej zdecydowanym tonem:

– Spotkajmy się jutro wieczorem, tutaj!

Nie odpowiedziałam, nie obejrzałam się. Wróciłam prosto do głównego ogrodu i znowu między siedzącymi na ziemi kobietami przedostałam się do swojego miejsca tuż obok szczeliny w parawanie. Rozejrzałam się dookoła z nadzieją, że nikt nie zauważył mojej nieobecności. Usiadłam i zmusiłam się, żeby popatrzeć na scenę, ale trudno mi było skupić uwagę. Kiedy zobaczyłam, jak młody mężczyzna wraca na swoje krzesło, zamknęłam oczy. Postanowiłam, że nie będę na niego patrzeć. Siedziałam bardzo długo, z mocno zaciśniętymi powiekami, pozwalając, aby muzyka i słowa przeniknęły mnie do głębi.

Liniang umiera z miłości. Sprowadzono maga, aby przepisał jej odpowiednie talizmany i odczynił czary, lecz nic z tego nie wynika. Gdy nadchodzi Święto Środka Jesieni, Liniang jest już bardzo słaba i czuje dziwne odrętwienie. Jej kości drżą w obawie przed jesiennymi chłodami. Zimny deszcz dobija się do okien, wysoko pod niebem przemykają klucze melancholijnych gęsi. Kiedy do Liniang przychodzi matka, dziewczyna przeprasza, że nie będzie służyć rodzicom do końca ich dni. Próbuje skłonić się z szacunkiem i nagle mdleje. Pewna, że niedługo umrze, błaga najbliższych, aby pochowali ją w ogrodzie, pod śliwą. W tajemnicy prosi Wiosenny Zapach, by ukryła jej portret w grocie, tam, gdzie ona i jej kochanek przeżyli spełnienie miłości.

Pomyślałam o młodym mężczyźnie, którego poznałam. Nie dotknął mnie, ale teraz, siedząc po kobiecej stronie parawanu, mogłam przyznać się sama przed sobą, że pragnęłam, aby to zrobił.

Liniang umarła. Żałobnicy gromadzą się na scenie, żeby wyśpiewać swój żal, rodzice dziewczyny zawodzą z rozpaczy. I wtedy, zupełnie niespodziewanie, przybywa goniec z listem od cesarza. Prefekt Du dostaje awans. Rozpoczyna się wielka feta, która, jak zorientowałam się teraz, jest wspaniałym spektaklem i doskonałym akcentem na koniec wieczoru. Jednak jak rodzice Liniang mogli tak łatwo wyrzucić rozpacz z serca, przecież twierdzili, że kochają córkę mocno i szczerze? Ojciec zapomniał nawet postawić kropkę na jej tabliczce, co w przyszłości miało być źródłem nie lada kłopotów.

Później, leżąc w łóżku, poczułam, jak moje serce wypełnia tęsknota tak wielka, że prawie nie mogłam oddychać.

Klatka z lakierowanych pędów bambusa

Następnego ranka dużo myślałam o mojej babce. Byłam rozdarta między pragnieniem, aby wieczorem znowu spotkać się z moim tajemniczym nieznajomym, a zaleceniami, jak powinnam się zachowywać, które od najwcześniejszego dzieciństwa wbijano mi do głowy. Ubrałam się i wyruszyłam do Sali Przodków. Był to długi spacer. Patrzyłam na wszystko tak, jakbym nigdy wcześniej tego nie widziała. Rezydencja rodziny Chen miała wspaniałe budynki i sale, duże dziedzińce i prześliczne pawilony, które schodziły aż na brzeg Zachodniego Jeziora. Naturalna dzikość jaskiń i skalnych krawędzi przypominała mi, co w życiu trwałe i godne zachowania. W naszych sztucznych stawach i strumykach widziałam rozległe jeziora i szerokie rzeki, w starannie hodowanych bambusowych gajach gęste lasy. Minęłam Pawilon Rosnącego Piękna z tarasem widokowym, z którego niezamężne dziewczęta z naszej rodziny mogły niepostrzeżenie obserwować gości w ogrodzie. Tu usłyszałam dźwięki dobiegające z zewnętrznego świata – tryl fletu płynący nad powierzchnią stawu aż do drugiego jego brzegu i ponad murem przenikający na teren naszej posiadłości. Słyszałam także, jak jakiś handlarz głośno reklamuje naczynia kuchenne, jak dwaj żeglarze kłócą się zażarcie i jak kobiety na łodzi przyjemności śmieją się cicho i melodyjnie. Słyszałam to wszystko, ale nie widziałam ludzi, którzy byli źródłem tych odgłosów.

Weszłam do sali, gdzie znajdowały się tabliczki moich przodków. Tabliczki – kawałki drewna, na których złotymi znakami wypisano imiona przodków – wisiały na ścianach. Tu byli moi dziadkowie, dziadkowie stryjeczni, niezliczone kuzynki i kuzynowie, którzy przyszli na świat, mieszkali i umarli w domu rodziny Chen. W chwili śmierci ich dusze rozdzielały się na trzy części i podążały do nowych siedzib, mieszczących się w innym świecie, w grobie oraz tabliczce. Patrząc na ściany, mogłam odnaleźć wszystkich moich przodków aż do dziewiątego pokolenia, wpłynąć na cząstki dusz, mieszkających w tabliczkach, i błagać je o pomoc.

Zapaliłam kadzidełko, uklękłam na poduszce i spojrzałam na dwa duże zwoje z portretami przodków, wiszące nad ołtarzem. Po lewej znajdował się portret mojego dziadka, cesarskiego uczonego, który ozdobił naszą rodzinę godnością i majątkiem, a także zapewnił jej bezpieczeństwo. Odziany w uroczysty strój, siedział wyprostowany, z otwartym wachlarzem w jednej ręce. Jego twarz była surowa, a skóra wokół oczu pokryta zmarszczkami mądrości i troski. Umarł, kiedy miałam cztery lata. Zapamiętałam go jako człowieka, który wolał, abym raczej milczała, niż szczebiotała, i często reagował zniecierpliwieniem na obecność mojej matki oraz innych kobiet z rodziny.

Po prawej, na długim zwoju, znajdował się portret babki. Ona także miała surowy wyraz twarzy. Zajmowała wyjątkową pozycję w naszej rodzinie i całym kraju, ponieważ zginęła męczeńską śmiercią w czasie Kataklizmu. Wcześniej dziadek pracował jako minister robót w Yangzhou. Babka opuściła rodzinną rezydencję w Hangzhou i odbyła dwudniową podróż łodzią oraz w palankinie, aby do niego dołączyć. Nieświadomi, że katastrofa czyha tuż za progiem, moi rodzice wybrali się do nich w odwiedziny. Niedługo po ich przybyciu na Yangzhou napadli maruderzy z mandżurskich wojsk.

Zawsze, gdy pytałam Mamę o tamten okres, odpowiadała: „Nie powinnaś o to pytać". Kiedyś, jako pięciolatka, wykazałam się bezczelnością i zapytałam, czy była obecna przy śmierci Babci Chen. Mama uderzyła mnie wtedy tak mocno, że upadłam na ziemię. „Nigdy nie mów przy mnie o tamtym dniu!" – zawołała. Nie uderzyła mnie nigdy więcej, nawet w czasie bandażowania stóp, a ja nigdy więcej nie pytałam o babkę.

Ale inni ciągle nam o niej przypominali. Najgodniejszym celem, jaki kobieta może osiągnąć w życiu, jest pozycja cnotliwej wdowy, która nie bierze pod uwagę drugiego małżeństwa, nawet w obliczu zagrożenia życia. Moja babka dokonała czegoś jeszcze bardziej niezwykłego – postanowiła zabić się, żeby nie wpaść w łapy mandżurskich wojowników. Okazała się tak idealnym ucieleśnieniem konfucjańskich cnót, że gdy Mandżurowie podporządkowali sobie dwór, wybrali ją jako przykładną damę, której postać zaczęła pojawiać się w przeznaczonych dla kobiet historiach i książkach. Ich autorzy zalecali kobietom naśladowanie mojej babki, jeśli chciały zostać doskonałymi żonami i matkami oraz szerzyć uniwersalne wartości, takie jak lojalność i posłuszeństwo wobec rodziców. Mandżurowie pozostali naszymi wrogami, ale posłużyli się moją babką i innymi kobietami, które poświęciły same siebie w czasie Kataklizmu, aby zdobyć nasz szacunek i przywrócić spokój i ład w izbach dla niewiast.

Położyłam na ołtarzu dar – białe brzoskwinie o idealnie czystej skórce.

– Mam się z nim spotkać czy nie? – szepnęłam z nadzieją, że Babcia mną pokieruje. – Pomóż mi, Babciu, proszę cię...

Skłoniłam się głęboko, dotknęłam czołem podłogi, podniosłam głowę, popatrzyłam na portret, żeby oceniła szczerość moich intencji, i znowu ją opuściłam. Wstałam, wygładziałam fałdy szaty i opuściłam salę, pozostawiając moje prośby, płynące ku babce razem z kadzidlanym dymem. Zrobiłam, co do mnie należało, ale wcale nie czułam się pewniej i nadal nie wiedziałam, co począć.

Wierzba czekała na mnie pod drzwiami.

– Matka panienki mówi, że spóźniła się panienka na śniadanie w Wiosennym Pawilonie – oznajmiła. – Proszę podać mi ramię, Mała Panienko, musimy iść...

Była moją służącą, ale to ja słuchałam jej poleceń.

Korytarze roiły się od ludzi. Rezydencja rodziny Chen zapewniała mieszkanie dziewięciuset czterdziestu palcom: dwieście dziesięć należało do moich krewnych w linii prostej, trzysta trzydzieści do konkubin oraz ich dzieci (samych dziewczynek), a pozostałe czterysta do naszych kucharzy, ogrodników, mamek, nianiek, służących i tak dalej. Teraz, w czasie Święta Podwójnej Siódemki, z wizytą przybyło do nas jeszcze więcej palców. Nasza rezydencja została zaprojektowana w taki sposób, aby każdy właściciel wspomnianych palców miał w niej swoje własne miejsce. Tego ranka, jak zawsze, dziesięć konkubin wraz z dwudziestoma trzema córkami zasiadło do śniadania we własnej sali. Trzy kuzynki, które przeżywały przełomowy moment bandażowania stóp, przebywały w swoich pokojach. Kobiety obecne w Wiosennym Pawilonie zajmowały miejsca zgodnie ze swoją rangą. Moja matka, jako żona najstarszego z braci, zasiadała na honorowym miejscu. Razem z czterema szwagierkami siedziała przy jednym stole, pięć moich małych kuzynek spożywało posiłek przy drugim, razem z niańkami, a trzy kuzynki w moim wieku i ja miałyśmy trzeci stół dla siebie. Także i nasi goście zostali usadzeni według wieku i pozycji. W kącie niańki i mamki zajmowały się niemowlętami oraz dziewczynkami, które nie skończyły jeszcze pięciu lat.

Chwiejąc się leciutko jak lilia na wietrze, bez pośpiechu dotarłam na swoje miejsce. Kiedy usiadłam, kuzynki udały, że nie zauważają mojego przybycia. Zwykle wcale mi to nie przeszkadzało – powtarzałam sobie, że jestem już zaręczona i będę musiała znosić ich towarzystwo jeszcze tylko pięć miesięcy, ale po dziwnym spotkaniu w Pawilonie z Wiatrem zaczęłam zadawać sobie pytania co do mojej przyszłości.

Mój ojciec i przyszły teść przyjaźnili się od dziecka. Kiedy ich pożeniono, przysięgli sobie, że któregoś dnia zjednoczą swoje rodziny przez związek dzieci. W rodzinie Wu od razu przyszło na świat dwóch synów, ja narodziłam się trochę później i bardzo prędko dopasowano moich Osiem Cech do młodszego syna przyjaciela Taty. Rodzice byli z tego bardzo zadowoleni, lecz mnie trudno było ekscytować się planowanym małżeństwem, szczególnie teraz. Nigdy nie spotkałam Wu Rena. Nie wiedziałam, czy jest ode mnie starszy o dwa lata, czy o dziesięć, nie mogłam wykluczyć, że ma dzioby po ospie, niski wzrost, rysę okrucieństwa w charakterze i jest otłuszczony, ale wszystko to działo się zgodnie z tradycją. Nie mogłam spodziewać się żadnego ostrzeżenia od matki czy ojca. Moim przeznaczeniem było małżeństwo z nieznajomym, i to niekoniecznie szczęśliwe.

– Dzisiaj Nefrytowa Panna nosi barwę nefrytu – odezwała się do mnie Miotła, córka drugiego brata mojego ojca.

Nosiła imię kwiatu, podobnie jak każda z nas, lecz nikt go nie używał. Na swoje nieszczęście urodziła się pechowego dnia, kiedy Gwiazda-Miotła emanowała największym wpływem, co oznaczało, że dom rodziny, do której wejdzie przez małżeństwo, zostanie wymieciony ze szczęścia. Na dodatek Druga Stryjenka miała miękkie serce i w rezultacie ciało Miotły było tak zaokrąglone jak u kobiety po kilku porodach. Inne stryjenki, także i Mama, starały się pohamować łakomstwo kuzynki w nadziei, że jeśli wyjdzie za mąż, jej pech opuści naszą posiadłość.

– Nie wiem, czy ten kolor przydaje uroku twojej skórze – słodko zauważyła Kwiat Lotosu, najstarsza córka Trzeciej Stryjenki. – Na pewno przykro jest to słyszeć Nefrytowej Pannie, ale cóż...

Uśmiechałam się nadal, lecz jej słowa mocno mnie zabołały. Ojciec zawsze nazywał mnie Nefrytową Panną, a mojego przyszłego małżonka Złotym Chłopcem, co stanowiło sugestię, że nasze rodziny posiadają porównywalny majątek oraz pozycję. Nie powinnam była tego robić, ale mimo woli znowu pomyślałam o młodym mężczyźnie, którego spotkałam ubiegłej nocy. Zaczęłam zastanawiać się, czy ojciec uznałby go za odpowiedniego kandydata na męża dla mnie.

– Ale podobno Złoty Chłopiec ma parę skaz – współczującym tonem ciągnęła Kwiat Lotosu. – Nieprawdaż, Peonio?

Kiedy mówiła takie rzeczy, zwykle ostro reagowałam i tym razem również musiałam się tak zachować, gdyż inaczej naraziłabym się na lekceważenie ze strony moich kuzynek.

– Gdyby mój przyszły małżonek urodził się w innych czasach, na pewno zostałby cesarskim uczonym, podobnie jak jego ojciec, lecz teraz nie jest to najbardziej odpowiednia kariera... Tata mówi zresztą, że Ren od dziecka był bardzo zdecydowany i nieustępliwy – przemówiłam, starając się nadać głosowi przekonywający ton. – Będzie idealnym mężem, nikt w to nie wątpi.

– Nasza kuzynka powinna prosić los o silnego, zdecydowanego męża – powiedziała Miotła do Kwiatu Lotosu. – Jej teść nie żyje, a chłopak Wu jest drugim synem, więc teściowa będzie miała nad nią wielką władzę...

To już było zbyt złośliwe.

– Ojciec mojego narzeczonego poniósł śmierć w czasie Kataklizmu! – rzuciłam ostro. – A moja przyszła teściowa jest dostojną wdową!

Czekałam, co teraz powiedzą, bo wydawały się doskonale poinformowane co do losów rodziny mojego narzeczonego. Czyżby po śmierci głowy domu rodzina Wu przeżywała ciężkie czasy? Ojciec zapewnił mi duży posag, w tym pola, przędzalnie jedwabiu, zwierzęta hodowlane, więcej pieniędzy, niż dostawały inne dziewczęta, bele jedwabiu oraz produkty spożywcze, ale związek, w którym żona miała za dużo pieniędzy, nie mógł być szczęśliwy. Aż nadto często mężowie takich kobiet stawali się przedmiotem drwin i gniewnych uwag, podczas gdy ich żony słynęły z okrucieństwa, złośliwości i potwornej zazdrości. Czy właśnie taką przyszłość zaplanował dla mnie Tata? Dlaczego nie mogłam się zakochać tak jak Liniang?

– Tylko nie przechwalaj się tą swoją doskonałą partią – z nieskrywanym zadowoleniem rzekła Miotła. – Bo wszyscy w domu wiedzą, że wcale nie jest ona taka doskonała...

Westchnęłam.

– Proszę, poczęstuj się jeszcze kluseczkami... – zaproponowałam, popychając półmisek w stronę Miotły.

Moja kuzynka pośpiesznie zerknęła w stronę stołu, przy którym siedziały nasze matki, uniosła kluskę pałeczkami i wpakowała sobie do ust. Dwie pozostałe patrzyły na mnie nieprzychylnie, ale na to nic nie mogłam przecież poradzić. Haftowały razem, razem siadały do posiłków i razem mnie obmawiały, ja miałam jednak swoje sposoby, aby się na nich zemścić, i niewiele obchodziło mnie, że świadczy to o małoduszności. Czasami robiłam złe rzeczy, na przykład popisywałam się swoimi ładnymi ubraniami, spinkami do włosów oraz biżuterią. Byłam niedojrzała, ale postępowałam złośliwie tylko po to, aby chronić samą siebie i swoje uczucia. Nie rozumiałam, że i moje kuzynki, i ja jesteśmy jak przynoszące szczęście świerszcze, uwięzione w lakierowanych bambusowych klatkach.

Do końca śniadania dotrwałam w milczeniu. Kuzynki ignorowały mnie z całym przekonaniem o słuszności swego postępowania, na jakie stać panny, natomiast ja ze wszystkich sił starałam się wierzyć, że jestem całkowicie niewrażliwa na ich zajadłe myśli. Ale w rzeczywistości było zupełnie inaczej i wkrótce opanowała mnie naznaczona lękiem świadomość własnych niedociągnięć. Pod wieloma względami przyniosłam rodzicom jeszcze większe rozczarowanie niż Miotła. Urodziłam się cztery lata po Kataklizmie, wtedy, gdy na Święto Głodnych Duchów przeznaczono aż cztery tygodnie, a więc w niezbyt szczęśliwym okresie. Byłam dziewczynką, koniecznym złem dla każdej rodziny, lecz zwłaszcza takiej jak nasza, która poniosła wielkie straty w czasie Kataklizmu. Jako najstarszy brat, mój ojciec powinien mieć syna, który kiedyś zostałby głową rodziny, odprawiał rytuały w świątyni przodków i składał ofiary dawno zmarłym krewnym, aby nadal obdarzali nas szczęściem i majątkiem, tymczasem los obarczył go odpowiedzialnością za bezużyteczną córkę. Może moje kuzynki miały słuszność, może ojciec rzeczywiście postanowił wymierzyć mi karę, wydając mnie za całkowicie nieodpowiedniego mężczyznę...

Zauważyłam, jak Miotła szepcze coś do ucha Kwiatu Lotosu. Zerknęły na mnie i szybko zasłoniły usta dłońmi, aby ukryć złośliwe uśmieszki. Gnębiące mnie wątpliwości natychmiast wyparowały i w myśli szczerze podziękowałam kuzynkom. Miałam sekret tak wielki, że gdyby go poznały, po prostu pękłyby z zazdrości.

Po śniadaniu przeszłyśmy do Sali Kwitnącego Lotosu, gdzie Mama ogłosiła rozpoczęcie konkursu gry na cytrze dla niezamężnych dziewcząt. Kiedy przyszła moja kolej, usiadłam na podwyższeniu przed widownią, podobnie jak pozostałe. Niestety, gra na cytrze nie należała do moich mocnych stron i ciągle myliły mi się palce, również dlatego, że praktycznie bez przerwy myślałam o młodym mężczyźnie, którego spotkałam poprzedniej nocy. Gdy skończyłam, Mama odprawiła mnie, proponując, żebym trochę pospacerowała w ogrodzie.

Uwolniona z izb dla kobiet! Szybko ruszyłam korytarzem w stronę biblioteki Taty. Ojciec był cesarskim uczonym rangi *jinshi*, najwyższej, jaka istniała, w dziewiątym pokoleniu uczonych z rodu Chen. Za panowania dynastii Ming był wicekomisarzem do spraw jedwabiu, lecz po nadejściu chaosu, niezadowolony z perspektywy służby nowemu cesarzowi, wrócił do domu. Poświęcił się zajęciom zalecanym człowiekowi wykształconemu i cnotliwemu – pisaniu poezji, grze w szachy, smakowaniu herbaty, paleniu kadzidełek, a ostatnio wystawianiu i reżyserowaniu oper. Można powiedzieć, że pod wieloma względami przyjął naszą kobiecą filozofię zwracania się ku własnemu wnętrzu. Nic nie czyniło go bardziej szczęśliwym niż rozwijanie zwoju w chmurze dymu z kadzidełka lub sączenie herbaty w czasie partii szachów, rozgrywanej z ulubioną konkubiną.

Tata pozostał lojalistą i nadal opowiadał się za dynastią Ming, obowiązywały go jednak panujące zwyczaje – nie chciał pracować dla nowego rządu, ale musiał golić sobie czoło i nosić warkocz, okazując w ten sposób posłuszeństwo wobec cesarza z nowej dynastii. Próbował wyjaśnić swoją kapitulację.

– Mężczyźni poważnie różnią się od kobiet – mówił. – My wychodzimy do zewnętrznego świata, gdzie zauważają nas i obserwują. Musiałem postąpić zgodnie z rozkazami Mandżurów albo pozwolić się ściąć. Gdybym zginął, co stałoby się z naszą rodziną, naszym domem, ziemią i wszystkimi ludźmi, którzy dla nas pracują? I tak tyle już przecież wycierpieliśmy...

Weszłam do biblioteki ojca. Przy drzwiach czuwał służący, gotowy spełnić każde polecenie pana. Na ścianach po mojej lewej i prawej stronie znajdowały się marmurowe „malowidła" – kawałki marmuru, odsłaniające ukryte pejzaże, przysłonięte chmurami góry na tle szarawego nieba. Całe pomieszczenie, nawet przy otwartych oknach, mocno pachniało czterema klejnotami nauki: papierem, tuszem, pędzelkami i ziemistą aurą atramentowego kamienia. Bibliotekę tę budowało dziewięć pokoleń uczonych. Drukowane książki leżały wszędzie – na biurku, na podłodze, na półkach. Mój ojciec wzbogacił kolekcję, gromadząc setki utworów, napisanych przez kobiety podczas panowania dynastii Ming, oraz grubo ponad tysiąc książek, które wyszły spod pióra kobiet w okresie Kataklizmu. Mawiał, że obecnie mężczyźni muszą szukać talentu w niezwykłych miejscach.

Tego ranka Tata nie siedział przy biurku. Spoczywał na drewnianej ławie z plecionym siedzeniem i przyglądał się, jak mgła podnosi się znad jeziora. Pod ławą dostrzegłam dwie jednakowe tace z dużymi kawałami lodu. Tata bardzo źle znosił upał, dlatego kazał służbie wykopywać przechowywany pod ziemią lód i chłodzić nim miejsca, gdzie zażywał odpoczynku. Na ścianie nad ławą wisiał kuplet, który głosił:

Nie dbaj o sławę. Bądź skromny.
Dzięki temu inni uznają cię za wyjątkowego człowieka.

– Peonio! – Pomachał do mnie z uśmiechem. – Podejdź bliżej i siadaj...

Przeszłam przez pokój, zbaczając w stronę okien, żeby spojrzeć na znajdującą się na jeziorze Samotną Wyspę. Nie powinnam wyglądać poza ściany domu, lecz dziś ojciec milcząco zezwolił mi na tę przyjemność. Usiadłam na jednym z krzeseł, które ustawiono przed jego biurkiem dla suplikantów.

– Przyszłaś tu, aby dziś także uciec przed nauczycielką? – spytał.

Od początku rodzina zapewniała mi doskonałych nauczycieli, przy czym zawsze były to kobiety, lecz odkąd skończyłam cztery lata, Tata pozwalał mi siadać na swoich kolanach i sam uczył mnie czytać, rozumieć i krytykować. Przekazał mi prawdę, że życie naśladuje sztukę. Uświadamiał, że dzięki lekturze mogę przekroczyć granice światów innych niż mój własny, że sięgając po pędzelek i zapisując myśli, mogę ćwiczyć swój intelekt oraz wyobraźnię. Uważałam go za swojego najlepszego nauczyciela.

– Nie mam dziś żadnych lekcji – przypomniałam mu nieśmiało.

Czyżby zapomniał, że następnego dnia przypadają moje urodziny? Zwykle rocznice swego przyjścia na świat obchodzili ludzie, którzy skończyli pięćdziesiąt lat, ale czy Tata nie wystawił dla mnie opery dlatego, że mnie kochał i cenił jak wielki klejnot?

Posłał mi wyrozumiały uśmiech.

– Oczywiście, oczywiście... – Nagle spoważniał. – Za dużo plotek w kobiecych izbach?

Potrząsnęłam głową.

– W takim razie na pewno przyszłaś powiadomić mnie o swoim zwycięstwie w jednym z tych konkursów, które zorganizowała twoja matka...

– Och, Tato... – westchnęłam, zrezygnowana.

Ojciec doskonale wiedział, że nie jestem mistrzynią w tego typu zajęciach.

– Jesteś już tak dorosła, że nawet nie mogę się z tobą podrażnić! – Klepnął się w udo i parsknął śmiechem. – Jutro kończysz szesnaście lat! Zapomniałaś o tym szczególnym dniu?

Uśmiechnęłam się w odpowiedzi.

– Dałeś mi najwspanialszy prezent...

Pytająco przekrzywił głowę. Chyba znowu trochę sobie ze mnie żartował, więc postanowiłam włączyć się do zabawy.

– Pewnie wystawiłeś operę, żeby sprawić radość komuś innemu – podsunęłam.

Tata zawsze przyklaskiwał mojej impertynencji, lecz dziś nie zareagował żadną błyskotliwą uwagą.

– Tak, tak, tak... – rzekł takim tonem, jakby z każdym słowem od nowa rozważał odpowiedź. – Oczywiście, właśnie tak, nie inaczej...

Dźwignął się do pozycji siedzącej i przerzucił nogi przez krawędź ławy. Potem wstał i chwilę poprawiał ubranie stylizowane na strój do konnej jazdy, typowe dla Mandżurów – spodnie i dopasowaną, zapinaną pod szyję tunikę.

– Mam dla ciebie jeszcze jeden prezent – rzekł. – I wydaje mi się, że ten jeszcze bardziej przypadnie ci do gustu...

Podszedł do skrzyni z drzewa kamforowego, otworzył ją i wyjął coś owiniętego w fioletowy jedwab przetykany motywem w liście wierzby. Kiedy podał mi pakunek, od razu odgadłam, że jest to książka. Głęboko w sercu piastowałam nadzieję, że zobaczę tom *Zakochanej Peonii*, opublikowany przez samego wielkiego autora, Tang Xianzu. Powoli rozwiązałam i odwinęłam jedwab. Było to wydanie *Zakochanej Peonii*, jakiego jeszcze nie miałam, nie to jednak, na którym najbardziej mi zależało. Mimo to z radością przycisnęłam je do piersi, wiedząc, jak rzadko spotykaną i cenną rzecz otrzymałam od ojca. Bez jego pomocy nigdy nie potrafiłabym urzeczywistnić swojej pasji, niezależnie od tego, jak bardzo byłam przedsiębiorcza.

– Tato, jesteś dla mnie za dobry...

– Otwórz – ponaglił.

Uwielbiałam książki. Uwielbiałam czuć ich ciężar w swoich dłoniach. Uwielbiałam zapach tuszu i dotyk ryżowego papieru.

– Nie zaginaj rogów – przypomniał mi ojciec. – Uważaj, żeby nie zadrapać znaków paznokciami, i nie zwilżaj opuszków palców śliną przed odwróceniem kartki. I nigdy nie podkładaj sobie książki pod głowę...

Ileż to razy przestrzegał mnie, żebym nie popełniała tych „wykroczeń"?

– Będę o tym pamiętać, Tato – obiecałam.

Moje oczy spoczęły na pierwszych wersetach tekstu. Poprzedniej nocy słyszałam z ust wypowiadającego je aktora, jak to trzy wcielenia doprowadziły Liniang oraz Mengmei do Pawilonu Peonii.

Zbliżyłam się do ojca i pokazałam mu świeżo przeczytany fragment.

– Tato, skąd wzięła się idea trzech wcieleń? Czy Tang Xianzu sam to wymyślił, czy też zapożyczył pomysł z jakiegoś poematu lub opowieści?

Ojciec uśmiechnął się jak zwykle, zadowolony z mojej ciekawości.

– Popatrz na trzecią półkę na tej ścianie. Poszukaj najstarszej książki, a znajdziesz odpowiedź...

Położyłam mój prezent na ławie i spełniłam polecenie ojca. Potem usiadłam i przeglądałam wskazaną książkę tak długo, aż znalazłam pierwotny pomysł trzech wcieleń. Okazało się, że za panowania dynastii Tang pewna dziewczyna pokochała mnicha; osiągnięcie idealnych warunków i dojście do miłości doskonałej zajęło im trzy oddzielne życia, trzy wcielenia. Zamyśliłam się. Czy miłość może być aż tak potężna, aby przetrwać śmierć nie raz, ale trzy razy?

Sięgnęłam po *Pawilon Peonii* i poszukałam sceny z Mengmei. Chciałam powtórnie przeżyć moje spotkanie z nieznajomym.

Odziedziczyłem upodobanie do klasycznych ksiąg – przeczytałam. – *Drążąc otwór w murze w poszukiwaniu światła, z włosami przywiązanymi do tyczki, aby nie osłabnąć i nie zapaść w sen, wydzieram sercu natury doskonałość zapisanych słów...*

– Co czytasz? – zagadnął Tata.

Przyłapana na gorącym uczynku! Krew gorącą falą napłynęła mi do policzków.

– Ja... Ja...

– W tej historii jest wiele momentów, których taka dziewczyna jak ty może nie zrozumieć. Mogłabyś porozmawiać o nich z matką...

Zaczerwieniłam się jeszcze mocniej.

– Nie, nie, nie o to mi chodzi... – wyjąkałam i przeczytałam mu fragment, który sam w sobie wydawał się całkowicie niewinny.

– Ach, więc chcesz poznać źródło także i tego pomysłu!

Kiedy kiwnęłam głową, podniósł się, podszedł do jednej z półek, zdjął z niej książkę i otworzył ją.

– Mam tu opisy dokonań sławnych uczonych. Chcesz, żebym ci pomógł?

– Dam sobie radę, Tato.

– Wiem – odparł, wręczając mi książkę.

Świadoma spoczywających na mnie oczu Taty, dość długo szukałam fragmentu dotyczącego Kuang Henga, uczonego tak ubogiego, że nie było go stać na olej do lampy. Wywiercił otwór w ścianie, aby korzystać ze światła w domu sąsiada.

– Kilka kartek dalej znajdziesz odniesienie do Sun Jinga, który przywiązywał sobie włosy do tyczki, żeby nie zasnąć w trakcie lektury – powiedział mój ojciec.

Z powagą skinęłam głową, zastanawiając się, czy młody człowiek, którego poznałam, był równie pilnym i żarliwym zdobywcą wiedzy jak tamci.

– Gdybyś była chłopcem, z całą pewnością zostałabyś wybitnym cesarskim uczonym – ciągnął Tata. – Być może nawet najlepszym, jakiego wydał nasz ród...

W jego zamyśle miał to być komplement i tak też przyjęłam jego słowa, chociaż usłyszałam w nich nutę żalu. Nie byłam chłopcem, nie mogłam wziąć na siebie roli syna.

– Jeśli zamierzasz spędzić tu trochę czasu, powinnaś mi pomóc – dodał pośpiesznie, chyba świadomy popełnionego nietaktu.

Wróciliśmy do jego biurka i usiedliśmy. Ojciec starannie ułożył fałdy swojej szaty i poprawił warkocz, aby zwisał pośrodku pleców. Przesunął palcami po wygolonym czole – podobnie jak noszenie ubioru w stylu Mandżurów, był to nawyk, który przypominał mu, że zdecydował się chronić rodzinę – i otworzył szufladę, pełną woreczków ze srebrnymi monetami. Popchnął jeden z nich w moją stronę.

– Muszę wysłać fundusze na wieś. Pomóż mi przeliczyć pieniądze.

Mieliśmy tysiące *mu**, obsadzonych morwami. W regionie Gudang, niedaleko stąd, całe wioski żyły z pracy na ziemi należącej do naszej rodziny. Tata dbał o ludzi, którzy hodowali drzewa, zbierali liście morwy, karmili jedwabniki i doglądali ich, wyciągali nić z kokonów, przędli i oczywiście tkali jedwab. Powiedział mi, ile potrzeba na poszczególne przedsięwzięcia, a ja zaczęłam odliczać odpowiednie kwoty.

– Wydaje mi się, że jesteś dziś jakaś nieswoja – zauważył Tata. – Co cię dręczy?

Nie mogłam powiedzieć mu o poznanym poprzedniego

---

* Chińska miara powierzchni równa 1/15 hektara (przyp. konsult.).

wieczoru młodzieńcu ani o tym, że zastanawiam się, czy powinnam dziś spotkać się z nim w Pawilonie z Wiatrem, jednak gdyby Tata pomógł mi zrozumieć moją babkę i wybory, jakich dokonała, może wiedziałabym, co mam zrobić.

– Ostatnio często myślę o Babci Chen – zaczęłam. – Czy była bardzo odważna? Czy przeżywała chwile niepewności?

– Rozważaliśmy tę historię...

– Historię tak, ale nie charakter Babci Chen. Jaka była?

Ojciec doskonale mnie znał i ja także, w przeciwieństwie do większości córek, mogłam powiedzieć, że bardzo dużo o nim wiem. W ciągu lat nauczyłam się rozpoznawać u niego pewne mimiczne gesty – sposób, w jaki unosił brwi, zaskoczony niektórymi moimi pytaniami o sławne poetki; grymas, który wykrzywiał jego usta, kiedy zadawał mi jakieś pytanie z dziedziny historii, a ja nie umiałam na nie poprawnie odpowiedzieć; pocieranie podbródka, gdy sam nie bardzo potrafił odpowiedzieć na moje pytanie. Teraz patrzył na mnie z takim wyrazem twarzy, jakby ważył garść srebra.

– Mandżurowie brali szturmem jedno miasto za drugim – przemówił w końcu. – Wiedzieli jednak, że gdy dotrą do delty Jangcy, natrafią na silny opór lojalistów dynastii Ming. Postanowili, że wydarzenia w Yangzhou staną się nauczką dla innych miast w tym regionie...

Słyszałam to już wiele razy, więc teraz zaczęłam zastanawiać się, czy usłyszę coś nowego.

– Generałowie, którzy wcześniej trzymali żołnierzy bardzo krótko, teraz spuścili ich ze smyczy, aby mogli pofolgować swoim pragnieniom. Pozwolili im brać wszystko, czego chcieli – kobiety, srebra, jedwab, antyki, zwierzęta... – Ojciec przerwał i zmierzył mnie uważnym spojrzeniem. – Rozumiesz, o co mi chodzi, gdy mówię o kobietach?

Szczerze mówiąc, nie miałam pojęcia, ale kiwnęłam głową.

– Przez dziesięć dni miasto spływało krwią – podjął. – Ogień pożerał domy, pałace, świątynie. Zginęło wiele tysięcy ludzi.

– Nie baliście się?

– Wszyscy byli przerażeni, ale twoja babka nauczyła nas, jak zachować odwagę. Musieliśmy być dzielni pod wieloma względami...

Znowu popatrzył na mnie badawczo, chyba zastanawiając się, czy mówić dalej. Najwyraźniej doszedł do wniosku, że nie jestem w stanie przyjąć całej prawdy, bo sięgnął po woreczek ze srebrem i znowu zabrał się do liczenia.

– Teraz wiesz, dlaczego wolę patrzeć tylko na to, co piękne – zakończył, nie odrywając wzroku od monet. – Czytać wiersze, ćwiczyć kaligrafię i słuchać oper...

Nie powiedział mi nic o Babci! Nie usłyszałam ani jednego słowa, które pomogłoby mi podjąć decyzję, co zrobić wieczorem, ani zrozumieć, co czuję!

– Tato... – zaczęłam nieśmiało.

– Tak – odparł, nie podnosząc oczu.

– Myślałam o operze i miłości Liniang – wyrzuciłam z siebie. – Myślisz, że coś takiego może zdarzyć się w życiu?

– Oczywiście! Słyszałaś przecież o Xiaoqing, prawda?

Naturalnie, że słyszałam. Była to najbardziej znana ze wszystkich chorych z miłości panien.

– Umarła bardzo młodo – powiedziałam. – Czy dlatego, że była piękna?

– Była podobna do ciebie – odrzekł Tata. – Pełna wdzięku, z wrodzonym wyczuciem elegancji. Jednak jej rodzice, którzy należeli do szlachty, stracili cały majątek. Matka została nauczycielką, więc Xiaoqing była dobrze wykształcona. Może aż za dobrze...

– Jak można być za dobrze wykształconym? – zagadnęłam.

Nie mogłam nie myśleć o tym, jak wielką radość sprawiłam ojcu, okazując zainteresowanie jego księgami.

– Kiedy Xiaoqing była małą dziewczynką, odwiedziła pewną mniszkę – odparł Tata. – W czasie tej jednej wizyty Xiaoqing nauczyła się recytować całą Sutrę Serca, nie pomijając ani jednego znaku. Jednak w czasie spotkania mniszka zorientowała się, że dziewczynka nie ma przed sobą dobrej przyszłości. Gdyby mała mogła powstrzymać się od czytania, miałaby szansę dożyć trzydziestego roku życia. Jeśli nie...

– Ale jak można umrzeć z miłości?

– Kiedy Xiaoqing skończyła szesnaście lat, pewien człowiek z Hangzhou kupił ją sobie na konkubinę i ukrył tam, na Samotnej Wyspie, aby trzymać ją z dala od swojej zazdrosnej żony. – Tata wskazał ręką okno. – Xiaoqing była sama i czuła się bardzo osamotniona. Jedyną pociechę czerpała z lektury *Pawilonu Peonii*. Ciągle wracała do tej opery, podobnie jak ty. Wpadła w obsesję, zaczęła tęsknić za prawdziwą miłością i traciła siły. Słabła coraz bardziej i pisała wiersze, w których porównywała siebie do Liniang... – Policzki Taty zarumieniły się, w jego głosie zabrzmiała miękka nuta. – Umarła, mając zaledwie siedemnaście lat...

Czasami rozmawiałam z kuzynkami o Xiaoqing. Razem zastanawiałyśmy się, co to może znaczyć, że dziewczyna „została posłana na ziemię, aby dawać uciechę mężczyznom". Słuchając ojca, uświadomiłam sobie, że kruchość, słabość i pozycja życiowa Xiaoqing w jakiś sposób podniecają go i fascynują. Nie był jedynym mężczyzną, zauroczonym historią jej życia i śmierci. Wielu pisało wiersze do Xiaoqing, a ponad dwudziestu stworzyło poświęcone jej utwory sceniczne. Nagle zdałam sobie sprawę, że w egzystencji tej dziewczyny oraz jej śmierci kryło się coś głęboko atrakcyjnego i pociągającego dla mężczyzn. Czy mój nieznajomy także miał podobne uczucie?

– Często myślę o Xiaoqing zbliżającej się do kresu swoich dni – rozmarzonym głosem dodał Tata. – Wypijała tylko jedną małą filiżankę gruszkowego soku dziennie, wyobrażasz sobie?

Poczułam się trochę nieswojo. Był moim ojcem i wcale nie podobała mi się myśl, że prześladują go uczucia i wrażenia podobne do tych, którym uległam minionego wieczoru. Zawsze uważałam, że moi rodzice są wobec siebie dość chłodni i że ojciec nie czerpie prawdziwej radości z przebywania ze swoimi konkubinami.

– Podobnie jak Liniang, Xiaoqing także pragnęła zostawić po sobie portret – ciągnął Tata, nieświadomy moich myśli. – Malarzowi udało się dobrze uchwycić jej urok dopiero za trzecim razem. Xiaoqing z każdym dniem stawała się coraz bardziej wiotka i eteryczna, ale nigdy nie zapominała o obowiązku bycia piękną. Codziennie rano starannie czesała włosy i wkładała szaty z najpiękniejszych jedwabi. Umarła, siedząc. Wyglądała tak cudnie, że ci, którzy przychodzili ją zobaczyć, byli przekonani, iż mają przed sobą żywą osobę. Potem okropna żona właściciela Xiaoqing spaliła wszystkie jej wiersze i portrety, z wyjątkiem jednego...

Tata wpatrywał się w widoczną za oknem Samotną Wyspę. Oczy miał błyszczące i pełne... Czego właściwie? Współczucia? Pożądania? Tęsknoty?

Przerwałam ciążące mi milczenie.

– Nie wszystko uległo zniszczeniu, Tato. Przed śmiercią Xiaoqing zawinęła część biżuterii w niepotrzebne kartki papieru i wręczyła paczkę córce swojej służącej. Kiedy dziewczyna rozwinęła papier, znalazła na tych kartkach jedenaście wierszy.

– Wyrecytuj mi jeden z nich, dobrze, Peonio?

Ojciec nie pomógł mi zrozumieć, co czułam, ale pozwolił dostrzec cień romantycznych myśli, które mogły nawiedzać tajemniczego nieznajomego w chwilach oczekiwania na moje przybycie. Wzięłam głęboki oddech i zaczęłam recytować.

– *Dźwięk zimnych kropel deszczu, uderzających w samotne okno, jest nie do zniesienia...*

– Zamilcz, proszę! – rozległ się głos Mamy.

Nigdy tutaj nie przychodziła, więc jej pojawienie się miało zaskakujący i niepokojący efekt. Jak długo słuchała naszej rozmowy?

– Opowiadasz naszej córce o Xiaoqing, chociaż doskonale wiesz, że nie ona jedna umarła po przeczytaniu *Pawilonu Peonii* – zwróciła się do Taty.

– Utwory literackie podpowiadają nam, jak żyć – odparł gładko, umiejętnie maskując zdziwienie, jakie wywołała w nim obecność Mamy oraz oskarżycielska nuta, brzmiąca w jej głosie.

– W historii Xiaoqing kryje się lekcja dla naszej córki? – Wysoko uniosła brwi. – Peonia przyszła na świat w jednej z najlepszych rodzin Hangzhou, podczas gdy tamta dziewczyna była chudą szkapą, kupowaną i sprzedawaną jak przedmiot! Jedna z nich jest czysta, druga...

– Wiem, jaka była profesja Xiaoqing – przerwał Mamie ojciec. – Nie musisz mi o tym przypominać... Jednak kiedy opowiadam naszej córce o Xiaoqing, myślę raczej o naukach, które można wyciągnąć z opery, a które stały się inspiracją także i dla tamtej dziewczyny. Nie dostrzegasz chyba w tym nic złego, prawda?

– Nic złego? Sugerujesz, że naszą córkę czeka przyszłość taka jak Du Liniang?

Kątem oka zerknęłam na stojącego przy drzwiach służącego. Ile czasu minie, zanim opowie całą tę scenę, być może ze zjadliwą uciechą, innym służącym, którzy czym prędzej rozpuszczą plotki po całym domu?

– Peonia mogłaby dużo się od niej nauczyć, ależ tak – spokojnie odrzekł Tata. – Liniang jest uczciwa, ma dobre i czyste serce, silną wolę, wybiega myślami daleko w przyszłość...

– Waaa! – zawołała Mama. – Ta dziewczyna przede wszystkim uparcie trwa przy swojej wydumanej miłości i za nic nie chce się odkochać! Ile dziewcząt musi umrzeć za sprawą tej historii, żebyś dostrzegł wynikające z niej zagrożenia?

Czasami późnym wieczorem szeptałam z kuzynkami o tych nieszczęśnicach, kiedy byłyśmy pewne, że nikt nas nie słyszy. Rozmawiałyśmy o Yu Niang, która zakochała się w operze, mając trzynaście lat, a umarła cztery lata później, nie wypuszczając z ręki wydrukowanej wersji *Pawilonu*. Wielki Tang Xianzu przyjął wieść o śmierci dziewczyny z głębokim smutkiem i napisał kilka wierszy na jej cześć.

Niedługo po odejściu Yu Niang wiele innych dziewcząt przeczytało historię, rozchorowało się z miłości i także umarło z nadzieją, że prawdziwa miłość odnajdzie je na tamtym świecie i przywróci im życie.

– Nasza córka to feniks – odezwał się Tata. – Zadbam o to, aby poślubiła smoka, nie wronę...

Taka odpowiedź bynajmniej nie wystarczyła Mamie. Kiedy była zadowolona, potrafiła przemienić kryształki lodu w kwiaty, ale gdy ogarniał ją smutek czy złość, jak teraz, umiała ożywić ciemne chmury i wygonić z nich całe roje boleśnie kąsających insektów.

– Zbyt wykształcona córka to martwa córka – oznajmiła dobitnie. – Talent nie jest darem, którego należałoby życzyć Peonii. Jak myślisz, czym skończy się to bezustanne czytanie – odnalezionym w małżeństwie szczęściem czy rozczarowaniem, galopującymi suchotami i śmiercią?

– Mówiłem ci już, że Peonia nie umrze z powodu słów.

Mama i Tata chyba zapomnieli o mojej obecności w pokoju, a ja nie śmiałam drgnąć, ponieważ nie chciałam, żeby zwrócili na mnie uwagę. Zaledwie dzień wcześniej także spierali się na ten temat. Rzadko widywałam rodziców razem. Najczęściej zdarzało się to przy okazji świąt lub religijnych rytuałów, które odbywały się w Sali Przodków, kiedy każde słowo i gest były zaplanowane i przygotowane z wyprzedzeniem. Teraz zaczęłam się zastanawiać, czy zawsze tak się kłócili.

– W jaki sposób ma nauczyć się być dobrą żoną i matką, jeśli ciągle tu przychodzi? – gniewnie rzuciła Mama.

– Dlaczego nie miałaby się tego nauczyć? – lekkim tonem odparł Tata.

I ku mojemu wielkiemu zaskoczeniu oraz widocznemu rozczarowaniu Mamy przytoczył luźny cytat z mowy prefekta Du.

– *Młoda dama musi posiąść umiejętność czytania i pisania, aby po ślubie nie wykazała się niedostatkami intelektu w konwersacji z mężem...* Peonia bierze na siebie rolę strażniczki moralności, nieprawdaż? Powinnaś się cieszyć, że niewiele dba o ładne szaty, nowe spinki do włosów czy kosmetyki do makijażu. Jest śliczna, ale musimy pamiętać, że tym, co wyróżnia ją spośród innych, wcale nie jest piękna twarz... Uroda Peonii stanowi odbicie cnót i zdolności, które nosi w sobie. Kiedyś ukoi i pocieszy duszę męża, czytając mu piękne słowa, poza tym przygotowujemy ją przecież do roli dobrej matki, ni mniej, ni więcej. Będzie uczyć swoje córki pisania wierszy i doskonalenia kobiecych umiejętności, a co najważniejsze, będzie pomagać w nauce naszemu wnukowi do chwili, gdy osiągnie wiek sposobny do opuszczenia kobiecych izb. Gdy chłopiec ukończy naukę, Peonia przeżyje swój wielki dzień, zalśni pełnym blaskiem, stanie się sławna i szanowana...

Moja matka nie mogła temu zaprzeczyć. Powoli skinęła głową.

– Chodzi mi tylko o to, aby czytanie nie zachęciło jej do przekroczenia wytyczonych granic. Nie chciałbyś chyba, aby stała się uparta i zbuntowana, prawda? Jeżeli musisz opowiadać naszej córce różne historie, może wybrałbyś kilka tych o bogach i boginiach...

Ojciec nie odpowiedział. Oczy matki spoczęły na mnie.

– Jak długo jeszcze będzie ci tu potrzebna? – zapytała.

– Jeszcze tylko chwilę – odparł.

Mama zniknęła równie cicho, jak się pojawiła. Pomyślałam, że ojciec odniósł zwycięstwo w tym sporze. Tak czy inaczej, nie wydawał się szczególnie poruszony. Zapisał coś w księdze rachunkowej, odłożył pędzelek, wstał i podszedł do okna, żeby popatrzeć na Samotną Wyspę.

Do biblioteki wszedł służący, skłonił się ojcu i podał mu zalakowany list z oficjalną czerwoną pieczęcią. Tata w zamyśleniu obracał list w palcach, zupełnie jakby wiedział, co znajduje się w środku. Ponieważ wszystko wskazywało na to, że nie chce otwierać go w mojej obecności, podniosłam się, jeszcze raz podziękowałam za wspaniały prezent i opuściłam bibliotekę.

Pożądanie

Kolejna cudowna, ciepła noc. W kobiecych izbach zasiadłyśmy do bankietu, na który złożyły się takie przysmaki jak fasola suszona w wiosennym słońcu, a następnie gotowana na parze z suszoną skórką pomarańczy oraz czerwone siedmiomiesięczne kraby wielkości kurzych jaj, łowione w naszych lokalnych wodach tylko o tej porze roku. Do potraw dla mężatek dodawano specjalne składniki i przyprawy, które sprzyjały zajściu w ciążę, natomiast tym, które były w ciąży lub dopiero podejrzewały u siebie ten stan, nie podawano pewnych rzeczy, na przykład mięsa królika, ponieważ mogło powodować powstanie zajęczej wargi, albo jagnięciny, która wywoływała rozmaite choroby u noworodków. Ja jednak nie czułam głodu. Myślami byłam już gdzie indziej – w Pawilonie z Wiatrem.

Kiedy cymbały i bębenki zaczęły zwoływać nas do ogrodu, zostałam z tyłu, starając się zachowywać, jak przystało pełnej wdzięku, uprzejmej młodej osobie. Gawędziłam o niczym ze stryjenkami, konkubinami i żonami gości Taty, w końcu przyłączyłam się do ostatniej grupy kobiet, które wychodziły do ogrodu. W tym czasie wolne były już tylko poduszki na skraju przeznaczonego dla nas miejsca. Usiadłam i rozejrzałam się dookoła, aby zyskać pewność, że dokonałam właściwego wyboru. Tak, moja matka, jako pani domu, siedziała pośrodku grupy. Dziś wszystkie młode dziewczęta poza mną zostały usadzone razem. Tan Ze, czy to z własnego wyboru, czy za sugestią Mamy, tym razem siedziała z dziewczynkami w jej wieku.

Mój ojciec znowu zdecydował się przedstawić na początku najważniejsze motywy spektaklu, który mieliśmy obejrzeć tego wieczoru. Akcja tej części opery zaczyna się trzy lata po śmierci Du Liniang. Uczony Liu Mengmei zapada na zdrowiu w czasie długiej podróży, której celem jest przystąpienie do cesarskich egzaminów. Stara nauczycielka Liniang udziela młodemu człowiekowi schronienia w swojej świątyni w pobliżu drzewa śliwy. Kiedy usłyszałam pierwsze nuty następnego utworu, odgadłam, że razem z Liniang udajemy się w zaświaty, na Piekielny Sąd. Ponieważ tego dnia nie widziałam aktorów, musiałam wyobrazić sobie sędziego o surowym, przerażającym obliczu, gdy mówił o reinkarnacji i o tym, jak dusze niczym iskry z fajerwerków rozpraszają się na wszystkie strony, skazane na jeden z czterdziestu ośmiu tysięcy losów w krainach pożądania, formy lub pozbawienia formy albo zesłanie do jednego z dwustu czterdziestu dwóch poziomów Piekła. Liniang błaga sędziego o litość, przekonując go, że padła ofiarą straszliwej pomyłki, ponieważ jest za młoda, aby trafić na sąd. Nie była mężatką, nie piła wina, uległa tylko tęsknocie i w następstwie tego straciła życie.

– Czy kiedykolwiek na tym świecie ktoś umarł z powodu sennego marzenia?

W moje myśli wdarł się głos sędziego, który domagał się wyjaśnień od Ducha Kwiatu, sprawcy choroby i śmierci Liniang. Zajrzawszy do rejestru małżeństw, sędzia ustala, że Liniang rzeczywiście była przeznaczona Mengmei oraz, biorąc pod uwagę, że na jej tabliczce przodków nie ma kropek, pozwala jej wędrować po świecie pod postacią ducha i szukać tego mężczyzny, z którym przeznaczenie miało ją związać. Potem obarcza Ducha Kwiatu odpowiedzialnością za zachowanie ziemskiej powłoki Liniang od zepsucia i rozkładu. Liniang jako duch wraca do naszego świata i zamieszkuje w pobliżu swego grobu pod śliwą. Kiedy Siostra Kamień, stara zakonnica opiekująca się grobem, składa ofiarę na ołtarzu pod drzewem, Liniang jest tak wdzięczna, że rozsypuje dokoła kwiaty śliwy, nasączone swoimi pełnymi miłości myślami.

Mengmei odzyskuje siły, jest coraz bardziej niespokojny i przechadza się po ogrodzie. Za sprawą przypadku, oczywiście pozornego, gdyż w rzeczywistości w wydarzeniu tym macza palce przeznaczenie, znajduje szkatułę, a w niej zwój z autoportretem Liniang. Przekonany, że w jego ręce dostał się wizerunek bogini Guanyin, zabiera zwój do swojej izby i pali przed nim kadzidło. Delektuje się widokiem miękkiego obłoku włosów domniemanej Guanyin, jej drobnych warg o kształcie różanego pączka oraz emanującego spomiędzy jej brwi pragnienia miłości, ale im dłużej przygląda się obrazowi, tym szybciej w jego sercu rodzi się pewność, że sportretowana na jedwabiu kobieta nie może być boginią. Guanyin powinna unosić się w powietrzu, tymczasem Mengmei widzi maleńkie lilie stóp dziewczyny, wystające spod kobiecych szat. W końcu dostrzega wypisany na jedwabiu wiersz i uświadamia sobie, że ma przed sobą autoportret namalowany przez zwykłą śmiertelniczkę.

Czytając wiersz, rozpoznaje siebie w Liu, wierzbie. Na dodatek dziewczyna z portretu trzyma w dłoni gałązkę śliwy, zupełnie jakby obejmowała Mengmei, Sen o Śliwie. Młodzieniec pisze w odpowiedzi wiersz i wzywa zachwycającą dziewczynę, aby zstąpiła z jedwabiu i dołączyła do niego.

Po naszej, przeznaczonej dla kobiet stronie parawanu zapanowała atmosfera cichego wyczekiwania, kiedy mroczny duch Liniang wyłonił się z grobu w ogrodzie, aby kusić i uwodzić uczonego.

Zaczekałam, aż Liniang zaczęła stukać do okna Mengmei, a on zapytał, kim jest, potem zaś wstałam i pośpiesznie się oddaliłam. Moje uczucia były takie same jak te, które nękały Liniang, gdy lekkim krokiem sunęła dookoła swego ukochanego, wołając do niego i kusząc słowami.

– *Jestem kwiatem, który dzięki tobie rozkwitł w ciemnościach nocy...* – usłyszałam jej śpiew. – *Bez wahania ofiarowuję ci to ciało, tysiąc sztuk srebra...*

Byłam niezamężną dziewczyną, ale pojmowałam jej pragnienie. Mengmei przyjmuje dar Liniang. Raz po raz pyta o jej imię, lecz ona odmawia odpowiedzi. Łatwiej przychodzi jej oddać mu swoje ciało niż wyjawić, kim jest naprawdę.

Zwolniłam kroku, gdy dotarłam do zygzakowatego mostka wiodącego do Pawilonu z Wiatrem. Wyobraziłam sobie lilie swoich stóp, ukryte pod szeroką spódnicą, rozkwitające z każdą chwilą. Wygładziłam jedwabne fałdy, sprawdziłam, czy wszystkie spinki w moich włosach znajdują się na właściwych miejscach i dość długo stałam nieruchomo, trzymając dłonie na sercu i próbując uspokoić jego rozpaczliwy, niespokojny rytm. Nie wolno mi było zapomnieć, kim jestem. Byłam jedyną córką rodu, który przez dziewięć pokoleń wydawał cesarskich uczonych najwyższej rangi. Byłam zaręczona. Miałam krępowane stopy. Gdyby wydarzyło się coś niewłaściwego, nie miałabym szans odwrócić się i uciec, jak mogłaby to zrobić dziewczyna o wielkich stopach, ani odpłynąć na obłoku jak Liniang. Gdyby mnie przyłapano, moje zaręczyny natychmiast zostałyby zerwane. Najgorszą rzeczą, jaką mogła zrobić dziewczyna, to sprowadzenie wstydu i niełaski na rodzinę, lecz ja byłam nierozważna i głupia, a mój umysł drzemał, uśpiony przez pożądanie.

Mocno przycisnęłam palce do powiek i z bólem pomyślałam o matce. Gdybym miała jeszcze chociaż odrobinę rozsądku, mogłabym przewidzieć, jak głęboko byłaby mną rozczarowana. Gdybym miała szczyptę mądrości, uświadomiłabym sobie, jak wielkim gniewem mogła zareagować. Ja jednak starałam się myśleć tylko o jej dostojeństwie, urodzie i postawie... To był mój dom, mój ogród, mój pawilon, moja noc, mój księżyc, moje życie...

Pokonałam zygzakowaty most i wbiegłam do Pawilonu z Wiatrem, gdzie on już na mnie czekał. Z początku nie zamieniliśmy ani słowa. Może był zaskoczony, że mimo wszystko przyszłam, co nie świadczyło zbyt dobrze o moim charakterze. Może bał się, podobnie jak ja, że zostaniemy przyłapani. Niewykluczone jednak, że po prostu oddychał moim zapachem, tak jak ja wpuszczałam go do swoich płuc, oczu i serca.

Przemówił pierwszy.

– Ten portret to nie tylko wizerunek Liniang – powiedział, uciekając się do formalnego tonu, aby uchronić nas oboje przed popełnieniem strasznej pomyłki. – Obraz zawiera klucz do przyszłości Mengmei i Liniang – kwiat śliwy w jej ręku, słowa zaproszenia, skierowane do kogoś o imieniu Wierzba, zawarte w jej wierszu... Mengmei widzi swoją przyszłą małżonkę w tym kruchym kawałku jedwabiu...

Trudno uznać to za romantyczne wyznanie, jakiego pragnęłam, ale jako dziewczyna postąpiłam zgodnie z jego sugestią.

– Uwielbiam kwiaty śliwy – odparłam. – Pojawiają się każdej wiosny i są bardzo piękne. Czy doczekałeś sceny, kiedy Liniang rozsiewa płatki kwiatu na ołtarzu pod drzewem śliwy?

Skinął głową.

– Czy płatki rozrzucone przez ducha Liniang wydawałyby się inne niż te przyniesione przez wiatr? – ciągnęłam.

Nie odpowiedział na moje pytanie.

– Popatrzmy razem na księżyc – rzekł niskim głosem.

Przywołałam odwagę Liniang i zbliżyłam się do niego drobnymi kroczkami. Następnego dnia miała rozpocząć się ostatnia kwadra księżyca, więc na niebie wisiał tylko wąski, malutki skrawek srebra. Nagły powiew wiatru znad jeziora ochłodził moją rozpaloną twarz. Pasemka włosów uwolniły się spod szpilek, muskając moją skórę i wywołując przebiegające po plecach dreszcze.

– Zimno ci? – spytał, stając za moimi plecami i kładąc dłonie na moich ramionach.

Miałam ochotę odwrócić się twarzą do niego, spojrzeć

mu w oczy i...? Liniang uwiodła swego ukochanego, lecz ja nie wiedziałam, co czynić.

Gdy opuścił ręce, ogarnęło mnie uczucie dziwnego zagubienia. Przed ucieczką lub zemdleniem powstrzymywało mnie tylko ciepło emanujące z jego ciała – oto jak blisko siebie staliśmy. Nie poruszyłam się.

Z oddali dobiegały dźwięki opery. Mengmei i Liniang spotykali się codziennie. On zawsze pytał o jej imię; ona zawsze odmawiała odpowiedzi. On zawsze próbował dowiedzieć się, jak to się dzieje, że nie słyszy jej kroków, ona zawsze przyznawała, iż rzeczywiście stąpa tak lekko, że jej stopy nie pozostawiają śladów na piasku czy w pyle. W końcu którejś nocy przerażona dziewczyna-duch przybyła na spotkanie z mocnym postanowieniem wyjawienia ukochanemu, kim jest naprawdę.

W Pawilonie z Wiatrem dwoje młodych ludzi stało nieruchomo. Czuli tak wielki lęk, że nie śmieli drgnąć, odezwać się ani rzucić do ucieczki. Na karku czułam ciepły oddech mojego młodzieńca.

– *Jesteś zaręczona?* – zaśpiewał Mengmei.

I jeszcze zanim usłyszałam odpowiedź Liniang, dobiegł mnie jego cichy szept:

– Jesteś zaręczona?

– Rodzicie zaręczyli mnie, kiedy byłam małym dzieckiem... – Prawie nie poznawałam własnego głosu, słyszałam zresztą głównie tętniącą w moich uszach krew.

Westchnął.

– Dla mnie także wybrano już żonę...

– W takim razie nie powinniśmy się spotykać...

– Mogę cię pożegnać – odparł. – Tego właśnie pragniesz?

Usłyszałam, jak na scenie Liniang wyznaje uczonemu swoje troski i lęki. Bała się, że teraz, gdy zrobili razem chmury i deszcz, Mengmei uzna ją za godną pozycji konkubiny, nie żony. Nagle ogarnęła mnie fala buntowniczego wzburzenia. Nie ja jedna zachowywałam się tutaj niewłaściwie. Odwróciłam się do niego.

– Czy twoja żona może spodziewać się po małżeństwie z tobą tylko tego, że będziesz spotykał się z obcymi kobietami?

Uśmiechnął się niewinnie, lecz ja myślałam teraz o tym, jak szedł przez ogród w kierunku pawilonu, zamiast oglądać operę z moim ojcem, stryjami, komisarzem Tan oraz innymi mężczyznami, którzy gościli w naszym domu.

– Mężczyźni i kobiety bardzo się różnią, lecz w miłości i pożądaniu są tacy sami – wyrecytował popularne powiedzenie. – W małżeństwie mam nadzieję znaleźć nie tylko panią domu, ale także towarzyszkę życia w sypialni...

– A więc szukasz konkubin już przed ślubem – odrzekłam śmiało.

Ponieważ małżeństwa były aranżowane przez rodziców i żadne z przyszłych małżonków nie miało nic do powiedzenia w tej sprawie, konkubiny były postrachem każdej żony. Mężowie zakochiwali się w konkubinach, najczęściej dlatego, że sami je wybierali. Partnerzy takich związków nie mieli wobec siebie żadnych zobowiązań i cieszyli się wzajemną bliskością, podczas gdy małżeństwa były kwestią obowiązku oraz sposobem na zapewnienie ciągłości rodu, czyli synów, którzy w przyszłości mieli odprawiać rytuały w kaplicach przodków.

– Gdybyś została moją żoną, nie szukałbym konkubin – powiedział.

Spuściłam wzrok, dziwnie uszczęśliwiona.

Ktoś mógłby powiedzieć, że wszystko to razem było śmieszne albo że to po prostu niemożliwe, aby coś takiego w ogóle się wydarzyło. Ktoś mógłby uznać, że było to wytworem mojej imaginacji – rozgorączkowanej imaginacji, która ostatecznie miała się stać źródłem utworów naznaczonych cieniem obsesji, a także przyczyną marnego końca ich autorki. Niektórzy pewnie nawet osądziliby, że jeśli wydarzenia rzeczywiście rozegrały się w taki sposób, jak je przedstawiłam, to w pełni zasłużyłam sobie na wspomniany marny koniec, na los gorszy niż śmierć, który ostatecznie przypadł mi w udziale. Nieważne. W tamtej chwili przepełniała mnie radość.

– Myślę, że to los kazał nam się spotkać – rzekł powoli. – Nie wiedziałem przecież, że będziesz tu ubiegłego wieczoru, a jednak byłaś... Nie da się walczyć z przeznaczeniem. Musimy przyjąć do wiadomości, że los podarował nam jedyną, niepowtarzalną szansę...

Zaczerwieniłam się mocno i odwróciłam wzrok.

Przez cały czas z ogrodu dobiegała muzyka i śpiew. Znałam operę naprawdę dobrze, więc nawet mimo roztargnienia jakaś część mojej istoty pozwalała niezwykłej historii nasączać moją świadomość. Teraz usłyszałam, jak Liniang wyznaje, że jest duchem, spektralnym wizerunkiem uwięzionym między życiem a zaświatami. Do pawilonu dotarły pełne przerażenia krzyki Mengmei. Zadrżałam.

Mój młodzieniec odchrząknął.

– Chyba znasz tę operę na pamięć – zauważył.

– Jestem zwyczajną dziewczyną i moje myśli nie mają żadnego znaczenia – odparłam, siląc się na skromność, co w tych okolicznościach było raczej głupie.

Obrzucił mnie badawczym spojrzeniem.

– Jesteś piękna, co szczerze mnie cieszy, chciałbym jednak poznać to, co znajduje się tutaj... – nie dotykając mnie, czubkiem palca zakreślił miejsce wokół mojego serca, siedziby wszelkiej świadomości.

Ten punkt, którego nie musnął nawet najlżejszym dotykiem, palił mnie żywym ogniem. Oboje byliśmy odważni i nierozważni, jednak ja nie zapominałam, że chociaż kuszące słowa Liniang i równie sugestywne poczynania młodego uczonego zakończyły się skonsumowaniem ich związku, to ja byłam żywą dziewczyną, która nie mogła oddać się mężczyźnie, nie płacąc za to ogromnej ceny.

W ogrodzie Mengmei pokonał swój strach przed duchem, wyznał Liniang miłość i zgodził się ją poślubić. Namalował kropkę na jej tabliczce, o czym wcześniej zapomniał pochłonięty swoim awansem ojciec dziewczyny, a następnie otworzył grób i wyjął kawałek nefrytu, który w czasie pogrzebu umieszczono w ustach zmarłej. Od tej chwili ciało Liniang znowu zaczęło oddychać powietrzem świata ludzi żywych.

– Muszę już iść – powiedziałam.

– Spotkasz się ze mną jutro?

– Nie mogę. Zauważą, że mnie nie ma...

Było cudem, że nikt nie poszedł za mną ani poprzedniej nocy, ani teraz. Jakże mogłam znowu podejmować ryzyko?

– Jutro, ale nie tutaj – ciągnął, jakby nie usłyszał mojej odmowy. – Znasz jakieś inne, bezpieczne miejsce? Może gdzieś z dala od ogrodu?

– Na brzegu znajduje się nasz Pawilon z Widokiem na Księżyc... – Wiedziałam, gdzie to jest, lecz nigdy tam nie byłam. Zabroniono mi chodzić tak daleko, nawet z Tatą. – Jest chyba najbardziej oddalony od głównych zabudowań i ogrodu...

– Będę tam na ciebie czekał.

Pragnęłam, żeby mnie dotknął, i jednocześnie bałam się kontaktu z jego ciałem.

– Przyjdziesz do mnie – rzekł.

Odwróciłam się i ruszyłam w drogę powrotną, chociaż wymagało to nie lada siły woli. Kiedy szłam przez zygzakowaty mostek, cały czas czułam na sobie jego wzrok.

Żadna dziewczyna, nawet rozpieszczona Tan Ze, z własnej woli nie umówiłaby się na spotkanie z przyszłym mężem, a cóż dopiero z obcym mężczyzną, sam na sam, z dala od czujnych, skłonnych do potępienia oczu. Historia Liniang niosła mnie jak na skrzydłach, jednak Liniang nie była żywą dziewczyną, która wcześniej czy później będzie musiała stawić czoło konsekwencjom swoich czynów.

Wiosenna choroba latem

Wszystkie dziewczęta myślą o ślubie. Martwimy się, że nasi mężowie będą nas zaniedbywać, że okażą się zimni, złośliwi, obojętni, ale najczęściej wyobrażamy sobie cudowny, pełen radości związek dusz. Jak mogłybyśmy nie tworzyć w wyobraźni wspaniałej iluzji, kiedy rzeczywistość bywa taka trudna... Tak więc podczas ciemnych nocy, słuchając śpiewu słowików, i ja wyobrażałam sobie swój ślub, męża czekającego na mnie w nowym domu oraz wszystko, co miało prowadzić do momentu naszego zjednoczenia, tyle że teraz w tych fantazjach miejsce mężczyzny bez twarzy zajął mój przystojny nieznajomy.

Śniłam o chwili, kiedy do naszego domu przywiezione zostaną ostatnie dary, które odgrywają rolę zapłaty za narzeczoną. Oczami wyobraźni widziałam połyskliwe, ciężkie spinki i klamry do włosów, kolczyki, pierścionki, bransolety i naszyjniki z klejnotów. Marzyłam o jedwabiach z Suzhou, jeszcze wspanialszych od tych, które wytwarzano w wytwórniach mojego ojca, i o ostatniej świni, należącej do stada zwierząt stanowiącego zapłatę za moje odejście z domu. Wyobrażałam sobie, jak Tata każe zarżnąć tę świnię, ja zaś zapakuję jej głowę i ogon i odeślę paczkę rodzinie Wu na znak najwyższego szacunku. Myślałam o podarunkach, które mój ojciec prześle rodzinie Wu razem z kawałkami świńskiej tuszy – o gałązkach artemizji, mających oczyścić mój nowy dom ze złych wpływów, owocach granatu, symbolizujących płodność młodej małżonki, cukierkach jujubowych (ich nazwa brzmiała podobnie jak zwrot „szybko urodzić dzieci") oraz siedmiu nasionach (znak oddający „ziarno" wyglądał i brzmiał identycznie jak „potomek").

Wyobrażałam sobie, jak będzie wyglądać krzesło panny młodej, na którym usiądę, aby wyruszyć w drogę do nowego domu. Myślałam o pierwszym spotkaniu z teściową i o tym, jak wręczy mi intymny poradnik, w którym znajdę wskazówki, co robić, kiedy przyjdzie czas na chmury i deszcz. Wyobrażałam sobie pierwszą noc, jaką spędzę w łóżku z moim nieznajomym. Myślałam o latach, które spędzimy razem, wolni od trosk o pieniądze czy zaszczyty, zawsze gotowi cieszyć się dniem i nocą, uśmiechem, słowem, pocałunkiem, spojrzeniem. Były to piękne myśli. Były to bezsensowne marzenia.

Kiedy nadszedł poranek moich urodzin i Święta Podwójnej Siódemki, nie miałam najmniejszej ochoty na śniadanie. W mojej głowie kłębiły się wspomnienia oddechu młodzieńca na moim policzku i szeptanych przez niego słów. Z wielką radością uświadomiłam sobie, że padłam ofiarą miłosnej choroby.

Tego dnia pragnęłam robić tylko to, co mogło sprawić mi przyjemność, od momentu przebudzenia aż po spotkanie z moim młodzieńcem w Pawilonie z Widokiem na Księżyc. Kazałam Wierzbie odwinąć bandaże krępujące moje stopy. Trzymała moją kostkę w dłoni, ja zaś obserwowałam, jak jej palce hipnotycznym, powtarzającym się ruchem obmywają skórę delikatną ściereczką. Namoczyła moje nogi w naparze z liści grejpfruta, aby były miękkie i łatwo poddały się ponownemu skrępowaniu, a potem starannie usunęła wyschnięty, stwardniały naskórek proszkiem z kory wilczej jagody, natarła miejsca między palcami chroniącym przed infekcjami ałunem oraz obsypała całe stopy pudrem o kuszącym aromacie.

Stopy miałam wyjątkowo piękne, stanowiły moją największą zaletę i dlatego byłam z nich naprawdę dumna. Zwykle uważnie śledziłam przeprowadzane przez Wierzbę zabiegi, upewniając się, aby głęboka fałda była dokładnie wymyta, odciski wycięte, wszelkie kawałki połamanych kości, przebijające się przez skórę, starannie starte i wygładzone pumeksem, a paznokcie jak najkrótsze, lecz tym razem delektowałam się głównie wrażliwością mojej skóry na ciepłą wodę i chłodne powietrze. Stopy kobiety są jej największą tajemnicą i darem. Gdybym za sprawą jakiegoś cudu poślubiła mojego nieznajomego, dbałabym o nie w sekrecie, pudrowała, aby podkreślić ich naturalny zapach, a następnie znowu krępowała je ciasno, żeby wydawały się jak najmniejsze i jak najbardziej delikatne.

Poleciłam Wierzbie, aby przyniosła mi tacę z kilkoma parami pantofelków, i długo patrzyłam na nie w zamyśleniu. Która para najbardziej by mu się podobała – ta z rdzawego jedwabiu, haftowanego w motyle, czy może z jasnozielonego w malutkie ważki?

Wpatrując się w jedwabie, które przyniosła służąca, zastanawiałam się, czy któraś z szat przypadłaby mu do gustu. Wierzba ubrała mnie, rozczesała moje włosy, umyła twarz i nałożyła puder oraz róż na policzki.

Całkowicie zatraciłam się w rozmyślaniach o miłości, zapominając, że nie złożyłam jeszcze ofiar przodkom. Nie byłam pierwszą osobą z rodziny, która tego ranka udała się do Sali Przodków. Wszyscy pragniemy bogactwa, obfitych zbiorów i dzieci, więc mimo wczesnej pory w sali leżały już złożone w darze pokarmy, które miały zaowocować wzajemną przychylnością ze strony przodków. Były tam całe korzenie taro – symbol płodności. Od razu odgadłam, że to stryjenki i konkubiny prosiły przodków o synów dla naszej rodziny. Konkubiny Dziadka zostawiły malutkie stosiki świeżego niespliku japońskiego i owoców liczi – miały skłonność do ekstrawagancji, wiedziały bowiem, że w zaświatach zachowają swoją pozycję własności Dziadka i miały nadzieję, że Babcia szepcze dobre słowa o nich do jego ucha. Stryjowie przynieśli ryż, aby zapewnić naszemu domowi pokój i dobrobyt, natomiast ojciec ofiarował półmisek ciepłego pieczystego, licząc na pomnożenie majątku i dobry zbiór jedwabników. Obok darów stały miseczki z pałeczkami, żeby przodkowie mogli spożyć posiłek elegancko i bez trudu.

Wyruszyłam już na śniadanie w kierunku Wiosennego Pawilonu, kiedy zawołała mnie Mama. Podążyłam za jej głosem do izby dla małych dziewczynek. Od razu w progu poczułam niepowtarzalny zapach kadzidła, pestek moreli i białej morwy, mieszanki, której moja stara niania używała w czasie procesu krępowania stóp wszystkich córek z rodziny Chen. Ujrzałam Drugą Stryjenkę, która trzymała na kolanach Orchideę, swoją najmłodszą córeczkę. Obok klęczała na podłodze Mama. Wokół nich zgromadziły się wszystkie małe dziewczynki, które mieszkały w tym pokoju. Najstarsza z nich miała siedem lat.

– Peonio, chodź tutaj – poprosiła Mama. – Potrzebuję twojej pomocy...

Słyszałam już narzekania Mamy, że krępowanie stóp Orchidei nie przebiega tak sprawnie, jak powinno, i że Druga Stryjenka ma zbyt miękkie serce, aby dopełnić obowiązku. Mama trzymała teraz w dłoniach prawą stopę dziewczynki. Wszystkie kości, które powinny popękać, uległy już złamaniu, nie uczyniono jednak nic, aby uformować z nich lepszy kształt. To, co zobaczyłam, przypominało ciało małej ośmiornicy, wypełnione połamanymi i ostro zakończonymi patyczkami. Krótko mówiąc, była to paskudna, fioletowo-żółta, do niczego nieprzydatna pulpa.

– Wiesz, że mężczyźni w naszej rodzinie są słabi – łajała Mama Drugą Stryjenkę. – Zrezygnowali ze swoich oficjalnych obowiązków i po Kataklizmie wrócili do domu. Nie chcą pracować dla nowego cesarza, więc nie sprawują już żadnej władzy. Zostali zmuszeni do wygolenia włosów na czołach. Nie jeżdżą już konno, gdyż wolą wygodnie podróżować w palankinach. Nie walczą na polach bitew, nie polują i nie spierają się, poświęcają natomiast czas kolekcjonowaniu delikatnej porcelany i malowideł na jedwabiu. Wycofali się w głąb domu i stali się bardziej... Bardziej kobiecy... – Mama na moment zawiesiła głos. – A ponieważ tak jest, my musimy pielęgnować nasze kobiece cechy staranniej niż kiedykolwiek... – I lekko potrząsnęła stopą Orchidei.

Dziewczynka zaszlochała, po policzkach Drugiej Stryjenki popłynęły łzy, lecz Mama nie zwracała najmniejszej uwagi na te objawy smutku.

– Musimy przestrzegać Czterech Cnót i Trzech Zasad Posłuszeństwa. Pamiętać o tym, że córka słucha ojca, żona męża, a wdowa syna. Małżonek to Niebiosa – ciągnęła Mama, cytując z *Ksiąg nabożności dla córek*. – Dobrze wiecie, że mówię prawdę...

Druga Stryjenka nie odpowiedziała, ale słowa Mamy obudziły lęk w moim sercu. Byłam najstarszą dziewczyną w rodzinie, pamiętałam więc aż nazbyt dobrze operacje krępowania stóp wszystkich moich kuzynek. Stryjenki często okazywały córkom niepotrzebną łagodność i w rezultacie Mama musiała sama bandażować nogi dziewczynek, przyprawiając o łzy zarówno je same, jak ich matki.

– Żyjemy w ciężkich czasach – powiedziała teraz surowo. – Krępowanie stóp pomaga nam w byciu delikatniejszymi, drobniejszymi, bardziej uległymi...

Przerwała znowu i chwilę milczała.

– Pokażę wam, jak należy to robić – podjęła po chwili łagodniejszym, lecz w dalszym ciągu zdecydowanym tonem. – Mam nadzieję, Druga Siostro, że za cztery dni sama zabandażujesz w ten sposób stopy Orchidei. Potem będziesz krępować ją co cztery dni, coraz ciaśniej. Przekaż córce dar matczynej miłości, rozumiesz mnie?

Łzy Drugiej Stryjenki spływały z jej policzków na włosy dziewczynki. Wszystkie wiedziałyśmy, że za cztery dni Druga Stryjenka wcale nie będzie silniejsza niż teraz i że czeka nas powtórka tej samej sceny, być może w nieco odmienionej wersji.

Mama odwróciła się do mnie.

– Usiądź tutaj. – Wskazała mi miejsce obok siebie i obdarzyła pełnym czułości uśmiechem. – To już ostatnia para stóp, jaką krępujemy w naszym domu przed twoim zamążpójściem. Chcę, żebyś odeszła do domu męża z odpowiednimi umiejętnościami, abyś kiedyś była w stanie skrępować stopy własnej córki...

Małe dziewczynki patrzyły na mnie z podziwem i nadzieją, że ich matki także przekażą im ten sekret.

– Niestety, w tym wypadku musimy najpierw naprawić to, co zostało zaniedbane – orzekła Mama. – Cóż, wszystkie matki są tchórzami, kiedy muszą wykonać tę operację... Czasami ja także byłam tak słaba jak ty, Druga Siostro. Ogarnia nas pokusa, aby nie zaciskać bandaży tak mocno, jak należy, i co się dzieje? Kiedy dziecko chodzi, kości zaczynają się poruszać i przesuwać. Sądziłaś, że robisz dla córki coś dobrego, a tymczasem przedłużyłaś tylko jej cierpienia, widzisz? Musisz pamiętać, że niezbyt urodziwą twarz dziewczyna dostaje od Nieba, lecz źle skrępowane stopy to oznaka lenistwa, nie tylko matki, ale i córki. I jak mają rozumieć to przesłanie przyszli teściowie? Dziewczęta powinny być delikatne jak kwiaty. Ważne jest, aby chodziły z wdziękiem, kołysząc się lekko i okazując w ten sposób swoją wysoką pozycję. Dzięki temu stają się cennymi klejnotami.

W głosie Mamy znowu zabrzmiała twarda nuta.

– Musimy być silne i naprawiać błędy, które czasami się zdarzają – zwróciła się do mnie. – A teraz lewą ręką przytrzymaj kostkę kuzynki...

Spełniłam polecenie.

Mama położyła swoją dłoń na mojej i ścisnęła ją lekko.

– Musisz trzymać bardzo mocno, bo... – Zerknęła na Orchideę i doszła do wniosku, że lepiej będzie nie kończyć zdania. – Córko, nigdy same nie robimy prania, ale na pewno widziałaś, jak Wierzba lub inne służące piorą nasze ubrania i bieliznę, prawda?

Skinęłam głową.

– Doskonale. W takim razie wiesz, że po skończeniu prania wyżymają tkaniny, aby pozbyć się wody i starają się robić to jak najmocniej. Tutaj musimy zrobić coś podobnego. Patrz na moje ręce i naśladuj mnie...

Znak odpowiadający słowu „matka" składa się z dwóch elementów: „miłości" i „bólu". Zawsze uważałam, że uczuciami tymi córki darzą matki, które krępują im stopy, wywołując cierpienie, ale patrząc na łzy Drugiej Stryjenki i odwagę Mamy, uświadomiłam sobie, iż dotyczy to przede wszystkim matek. To matka cierpi, wydając dziecko na świat, krępując córce stopy i żegnając się z nią, kiedy ta odchodzi do domu męża. Pragnęłam nauczyć się okazywać miłość moim córkom, ale na razie było mi tylko niedobrze ze współczucia dla mojej kuzynki oraz strachu, że w jakiś sposób nie spełnię pokładanych we mnie nadziei.

– Matko, mocno trzymaj córkę! – zaapelowała Mama do swojej szwagierki.

Spojrzała na mnie i zachęcająco kiwnęła głową.

– Obejmij stopę obiema dłońmi i spleć je tak, jakbyś zamierzała wyżąć mokry materiał – powiedziała.

Moje ręce zaczęły uciskać połamane kości Orchidei, która poruszyła się nerwowo. Druga Stryjenka unieruchomiła ją w uścisku.

– Wolałabym, żebyśmy zrobiły to jak najszybciej, ale pośpiech i miękkie serce leżą u podstaw problemu, z którym mamy tu do czynienia – westchnęła Mama.

Nie uwalniając kostki nogi Orchidei z lewej ręki, zaczęła powoli przesuwać prawą w kierunku palców. Moja kuzynka krzyknęła boleśnie, raz i drugi.

Kręciło mi się w głowie, ale czułam też głębokie zadowolenie, ponieważ Mama okazywała mi tyle matczynej miłości...

Powtórzyłam ruch jej dłoni i Orchidea krzyknęła głośniej.

– Dobrze – orzekła Mama. – Czujesz, jak kości prostują się pod twoimi palcami? Niech wskoczą na właściwe miejsce, przeciskając się przez twoją dłoń...

Dotarłam do palców i puściłam. Stopy dziewczynki były potwornie zniekształcone, lecz dziwaczne zgrubienia, przebijające się przez skórę, zniknęły. Stopy wyglądały teraz jak dwie długie papryki chili. Całe ciało Orchidei dygotało od szlochu, kiedy mała próbowała złapać oddech.

– Następna część zabiegu będzie bolesna. – Mama spojrzała na jedną z moich kuzynek, stojących po prawej stronie. – Idź i poszukaj Shao! – rozkazała. – Gdzież ona się podziewa... Nieważne, przyprowadź ją tutaj jak najszybciej!

Po paru chwilach dziewczynka wróciła z moją dawną nianką. Kobieta ta pochodziła z dobrej rodziny, ale zaczęła pracować u nas, kiedy we wczesnej młodości owdowiała. Z każdym rokiem coraz mniej ją lubiłam, ponieważ była surowa i pamiętliwa.

– Przytrzymaj nogi dziecka! – rzuciła Mama. – Mają być całkowicie unieruchomione od kolan w dół, rozumiesz?

Shao od lat zajmowała się krępowaniem stóp i doskonale wiedziała, co należy robić. Mama ogarnęła wzrokiem grupkę dziewczynek.

– Cofnijcie się, musimy tu mieć trochę więcej miejsca!

Małe były ciekawe jak kociątka, ale Mama była najważniejszą kobietą w domu, więc bez wahania spełniły jej polecenie.

– Peonio, przypomnij sobie, jak wyglądają twoje stopy! Palce są podwinięte, a śródstopie ostro zgięte, prawda? Taki kształt osiągamy przez zwinięcie kości do środka, trochę tak, jakbyśmy rolowały skarpetkę... Będziesz w stanie to zrobić?

– Tak mi się wydaje...

– Jesteś gotowa, matko? – spytała Mama Drugą Stryjenkę.

Druga Stryjenka, która zawsze słynęła z bardzo jasnej cery, teraz była prawie przeźroczysta, zupełnie jakby jej dusza opuściła ciało.

– Naśladuj mnie – powtórzyła Mama, patrząc na mnie uważnie.

Starałam się. Podwinęłam kości, koncentrując się tak bardzo, że ledwo słyszałam krzyki kuzynki. Gruzełkowate ręce Shao trzymały nogi małej tak mocno, że jej knykcie całkiem zbielały. Orchidea zwymiotowała z bólu i przerażenia. Cuchnący płyn trysnął z jej ust na tunikę, spódnicę i twarz mojej matki. Druga Stryjenka zaczęła żarliwie przepraszać Mamę, w jej głosie brzmiała nuta gorzkiego zawstydzenia. Ogarnęła mnie fala mdłości, lecz Mama nawet nie drgnęła i ani na chwilę nie przerwała zabiegu.

Wreszcie skończyłyśmy. Mama oceniła wzrokiem rezultat moich starań i poklepała mnie po policzku.

– Doskonale sobie poradziłaś – oświadczyła. – Całkiem możliwe, że masz wyjątkowy dar. Będziesz bardzo dobrą żoną i matką.

Nigdy wcześniej nie udzieliła mi tak serdecznej pochwały.

Najpierw owinęła bandażem stopę, nad którą sama pracowała. Zrobiła to, do czego Druga Stryjenka nie miała serca – naciągnęła pasek płótna bardzo, bardzo mocno. Orchidea nie miała już siły krzyczeć ani płakać, ciszę przerywał więc tylko głos Mamy i łagodny szelest tkaniny. Na skrępowanie jednej drobnej stopy trzeba było zużyć aż trzy metry bandażu.

– Coraz więcej dziewcząt ma krępowane stopy – wyjaśniła Mama. – Więcej niż kiedykolwiek dotąd w historii naszego kraju. Barbarzyńscy Mandżurowie uważają nasze kobiece praktyki za oznakę zacofania! Obserwują naszych mężów, co bardzo nas martwi, ale nie są w stanie zajrzeć do izb dla kobiet. Bandażujemy stopy naszych córek w akcie buntu wobec obcych. Rozejrzyjcie się – nawet nasze służące i niewolnice mają krępowane stopy, nawet kobiety stare, biedne i chore. Mamy swoje kobiece praktyki, przestrzegamy ich i to czyni nas cennymi jak klejnoty. To dzięki temu mężczyźni wybierają nas na żony. I Mandżurowie na pewno nam nie przeszkodzą!

Zszyła końce bandażu, oparła stopę na poduszce i zaczęła krępować tę, którą ponownie ukształtowałam. Kiedy skończyła, także ułożyła ją na poduszce. Odsunęła palce Drugiej Stryjenki, pieszczotliwie gładzące wciąż jeszcze mokre od łez policzki Orchidei.

– Dzięki praktyce krępowania stóp odniosłyśmy dwa zwycięstwa – dodała. – Tak, to my, słabe kobiety, pokonałyśmy Mandżurów! Ich polityka okazała się tak pokrętna i tak zwodnicza, że teraz mandżurskie kobiety starają się nas naśladować. Gdybyście wyszły na zewnątrz, zobaczyłybyście Mandżurki o wielkich stopach, chodzące na malutkich platformach w kształcie pantofelków dla krępowanych stóp! Udają, że mają bandażowane nogi, tak! Nie mogą jednak rywalizować z nami ani zabronić nam pielęgnowania naszej kultury! Co jeszcze ważniejsze, nasze stopy podobają się naszym mężom! Pamiętajcie, że dobry małżonek daje żonie nie tylko dach nad głową, ale także radość i przyjemność...

Uczucia, które wibrowały w moim ciele od chwili spotkania z nieznajomym, pomogły mi zrozumieć jej słowa. Ze zdziwieniem pomyślałam, że nigdy nie widziałam, aby moja matka i ojciec dotykali się. Czy ta potrzeba zachowania dystansu wypływała z serca Mamy czy Taty? Ojciec zawsze okazywał mi dużo czułości. Przytulał mnie i całował, kiedy spotykaliśmy się gdzieś w domu albo gdy odwiedzałam go w bibliotece. Fizyczny chłód, panujący między rodzicami, musiał więc chyba wynikać z jakiejś skazy w charakterze mojej matki. Czy weszła w małżeństwo z takim samym lękiem, jaki sama zaczynałam odczuwać? Czy właśnie dlatego Tata miał konkubiny?

Mama podniosła się i odkleiła mokrą spódnicę od swoich nóg.

– Zaraz się przebiorę... Peonio, idź już do Wiosennego Pawilonu, dobrze? Druga Stryjenko, zostaw tu córkę i pójdź razem z Peonią. Mamy gości, na pewno już na nas czekają... Poproście, aby zaczęli śniadanie beze mnie... – Mama odwróciła się do Shao. – Przyślę *zhou*[*] dla małej, dopilnuj, żeby zjadła, a później daj jej zioła na uśmierzenie bólu. Może odpoczywać do końca dnia. Liczę, że za cztery dni powiecie mi, jak postępuje proces. Nie należy pozwolić, aby coś takiego zdarzyło się powtórnie... To niesprawiedliwe wobec dziecka, poza tym mniejsze dziewczynki mogą się poważnie przestraszyć...

Kiedy wyszła, podniosłam się z podłogi. Na moment zrobiło mi się ciemno przed oczami. Po chwili odzyskałam siły, ale nadal mnie mdliło.

– Nie śpiesz się, Druga Stryjenko... – zdołałam wykrztusić. – Zaczekam na ciebie w korytarzu...

Pośpiesznie wróciłam do swojego pokoju, zamknęłam drzwi, uniosłam pokrywkę do połowy pełnego nocnika i zwymiotowałam. Całe szczęście, że Wierzby nie było w pobliżu, bo nie wiem, jak bym się przed nią wytłumaczyła. Wypłukałam usta i stanęłam pod drzwiami izby dla małych dziewczynek w chwili, kiedy Druga Stryjenka właśnie wychodziła.

Wreszcie udało mi się zrobić coś, co napełniło dumą serce mojej matki, szkoda tylko, że to osiągnięcie przyprawiło mnie o mdłości... Co z tego, że pragnęłam być silna jak Liniang, skoro okazałam się słaba jak moja stryjenka... Pomyślałam, że nie będę umiała okazać mojej córce matczynej miłości, bo kiedy przyjdzie do krępowania stóp, całkowicie ją zawiodę. Mogłam tylko mieć nadzieję, że Mama nigdy się o tym nie dowie. Może moja teściowa nie pozwoli, aby wieść o mojej klęsce wydostała się za bramy domu rodziny Wu, tak samo jak Mama, nigdy nie dopuściłaby, aby ktokolwiek poznał słabość Drugiej Stryjenki. Zgodnie z jedną z naszych zasad nie wolno było pozwolić, aby rodzina straciła twarz, mogłam więc liczyć, że także moi nowi krewni,

---

[*] *Zhou* (chiń.) – rzadki kleik z ryżu z dodatkiem sera sojowego, marynowanych jarzyn, ryby lub mięsa (przyp. konsult.).

jeżeli okażą się uczciwi i dobrzy, zachowają tajemnicę moich niedociągnięć tylko dla siebie.

Sądziłam, że w Wiosennym Pawilonie przywita nas pełna skrępowania cisza, bo niewątpliwie wszystkie kobiety słyszały krzyki Orchidei, ale okazało się, że Trzecia Stryjenka skorzystała z szansy odegrania roli pani domu. Nakrycia i potrawy były już rozstawione, a kobiety zajęte jedzeniem oraz ploteczkami, supełnie jakby nic niezwykłego nie wydarzyło się w domu rodziny Chen w Święto Podwójnej Siódemki.

Zapomniałam uodpornić się na łatwe do przewidzenia zjadliwe komentarze ze strony moich kuzynek, lecz ze zdziwieniem odkryłam, że ich słowa obchodzą mnie tyle co stwardniały naskórek, z którego Wierzba oczyściła moje stopy. Nie miałam ochoty na jedzenie, nawet na specjalne kluseczki, które Mama poleciła kucharce przygotować z okazji moich urodzin. Jak mogłabym wziąć cokolwiek do ust, kiedy żołądek wciąż miałam mocno rozkołysany po operacji krępowania stóp kuzynki, ale także z radości oczekiwania na wieczorne spotkanie i ze strachu, aby nikt mnie nie przyłapał...

Po śniadaniu wróciłam do swojego pokoju. Później, kiedy usłyszałam ciche kroki lilii stóp innych dziewcząt, które kierowały się do Sali Kwitnącego Lotosu, owinęłam w jedwab jeden z moich obrazów, przeznaczony na dzisiejszy konkurs, wzięłam głęboki oddech i wyszłam na korytarz.

Gdy dotarłam do sali, usiadłam obok Mamy. Ciepłe uczucia, które wcześniej dała mi odczuć, zdążyły już ostygnąć, ale nie martwiłam się tym. Matka miała przed sobą bardzo pracowity dzień, musiała zajmować się gośćmi, organizować konkursy i całą uroczystość – pomyślałam, kiedy oddaliła się w drugą stronę.

Zaczęłyśmy od konkursu malarstwa. Jeżeli byłam marną hafciarką i dość przeciętnie radziłam sobie z grą na cytrze, to w malowaniu osiągałam jeszcze gorsze rezultaty. Pierwszą kategorią konkursu były peonie. Kiedy wszystkie obrazy zostały już wystawione, oczy wszystkich kobiet zwróciły się na mnie.

– Peonio, gdzie twoja peonia? – zapytała jedna z dam, które przybyły do nas z wizytą.

– Nazwa kwiatu to jej imię – odezwała się Trzecia Stryjenka. – Ale Peonia raczej nie ćwiczy się w malowaniu swojej imienniczki...

Potem przyszedł czas na konkursy z chryzantemami, kwiatami śliwy i na koniec z orchideami. Nieśmiało położyłam swoje dzieło na stole. Moje orchidee były zbyt ciężkie i konkurs wygrała inna dziewczyna. Później dziewczęta przedstawiały obrazy z motylami oraz z motylami wśród kwiatów. Nie wzięłam udziału w żadnej z tych kategorii.

Zawsze to samo – pomyślałam. Kwiaty i motyle... Ale co jeszcze mogłyśmy malować? Nasze obrazy oddawały rzeczywistość, którą dało się zaobserwować w ogrodzie – motyle i kwiaty. Patrząc z boku na pięknie upudrowane twarze moich stryjenek, kuzynek i gości, dostrzegłam w ich oczach wyraz smutku i tęsknoty. Zapomniałam, że ja także jestem obserwowana. Moje zamyślenie nie umknęło uwadze innych kobiet, które od dziecka ćwiczyły się w wyczuwaniu słabości i wrażliwości.

– Wydaje mi się, że Peonia padła ofiarą wiosennej choroby latem – zauważyła Czwarta Stryjenka.

– Tak, wszystkie zauważyłyśmy intensywniejsze niż zwykle rumieńce na jej policzkach – przytaknęła Trzecia Stryjenka. – Ciekawe, co chodzi jej po głowie...

– Jutro nazbieram trochę ziół i przyrządzę napar na wiosenną chorobę – zaproponowała Czwarta.

– Wiosenna choroba latem? – powtórzyła Mama. – Niemożliwe, Peonia jest zbyt praktyczna...

– Podoba nam się to nowe oblicze twojej córki – powiedziała Druga Stryjenka. – Może powierzy swoje tajemnice innym dziewczętom... Wszystkie chcą pielęgnować romantyczne myśli, nieprawdaż? Każda dziewczyna powinna wyglądać tak pięknie w swoje szesnaste urodziny... Do ślubu zostało jej już tylko pięć miesięcy. Chyba wszystkie przyznamy, że wygląda na gotową do małżeństwa...

Ze wszystkich sił starałam się, aby moja twarz była nieodgadniona jak staw w duszną letnią noc, nie udało mi się jednak i któraś ze starszych kobiet zachichotała, widząc moje dziewczęce zażenowanie.

– W takim razie dobrze, że niedługo wychodzi za mąż – przyznała Mama pozornie lekkim tonem. – Masz rację, Druga Stryjenko, może rzeczywiście dobrze byłoby, aby Peonia porozmawiała z twoją córką... Jestem przekonana, że przyszły mąż Miotły z wdzięcznością powitałby wszelkie pozytywne zmiany, jakie mogłyby zajść w dziewczynie do nocy poślubnej... – Lekko klasnęła w dłonie. – Chodźcie, moje drogie, wyjdziemy teraz do ogrodu, gdzie odbędą się ostatnie zawody...

Kiedy kobiety opuszczały salę, poczułam na sobie spojrzenie Mamy, szacujące, pełne zastanowienia nad tym, co zostało powiedziane. Nie odezwała się, a ja nie podniosłam oczu. Musiałyśmy przypominać dwa kamienne posągi. Byłam wdzięczna, że stanęła w mojej obronie, ale gdybym wyraziła swoje uczucia na głos, przyznałabym się do... Do czego? Że zachorowałam na miłość? Że przez ostatnie dwie noce spotykałam się z kimś w Pawilonie z Wiatrem? Że zamierzałam spotkać się z nim znowu, tym razem w Pawilonie z Widokiem na Księżyc, miejscu, gdzie nie było mi wolno chodzić? Nagle uświadomiłam sobie, jak głęboka, jak fundamentalna była przemiana, której uległam. Comiesięczne krwawienie nie czyni z dziewczyny kobiety, nie przeistaczają jej także zaręczyny albo zdobycie nowych umiejętności... To miłość sprawiła, że dojrzałam i stałam się kobietą.

Przywołałam poczucie godności i spokój mojej babki, potem zaś bez słowa uniosłam głowę i wyszłam do ogrodu.

Usiadłam na porcelanowej żardinierze. Ogród wyglądał pięknie i wiedziałam, że główną inspiracją dla ostatniej części konkursu będzie wszystko to, co widziałyśmy dookoła. Moje kuzynki i stryjenki recytowały fragmenty wierszy sławnych poetek, mówiące o kwiatach śliwy, chryzantemach, orchideach i peoniach. Tyle pięknych słów o tak uroczych i godnych podziwu kwiatach... Długo szukałam w pamięci, aż w końcu przypomniałam sobie mroczny wiersz, wypisany na murze w Yangzhou przez nieznaną kobietę w czasie Kataklizmu. Zaczekałam, aż inne skończyły recytować, i dopiero wtedy zaczęłam mówić pełnym smutku głosem, starając się oddać nastrój ogarniętej przerażeniem autorki:

Drzewa są nagie.
Z oddali dobiega smutny klangor gęsi.
Gdyby tylko moje krwawe łzy
Mogły zabarwić na czerwono kwiaty śliwy...
Ale ja nie doczekam wiosny.
Moje serce jest puste, życie nie ma już wartości.
Każda chwila to tysiąc łez.

Ten wiersz, uważany za jeden z najbardziej przejmujących utworów z okresu Kataklizmu, poruszył serca wszystkich. Druga Stryjenka, wciąż zdenerwowana zabiegiem krępowania stóp swojej córki, znowu zaczęła ronić łzy, nie była w tym jednak odosobniona. Nad ogrodem zawisła atmosfera *qing*. Wszystkie czułyśmy rozpacz tej zagubionej i najprawdopodobniej już nieżyjącej kobiety.

Nagle napotkałam przeszywające spojrzenie Mamy. Cała krew odpłynęła z jej twarzy, róż ostro odcinał się od białej jak płótno skóry, znacząc policzki czerwonymi plackami.

– W taki piękny dzień moja córka sprowadza między nas smutek... – przemówiła ledwo dosłyszalnym głosem.

Nie potrafiłam odgadnąć przyczyny jej wielkiego niepokoju.

– Moja córka nie czuje się dobrze – powiedziała do otaczających ją matek. – Obawiam się, że zapomniała o tym, co właściwe... – Znowu spojrzała na mnie. – Powinnaś spędzić resztę dnia i wieczór w łóżku...

Mama miała nade mną władzę, ale czy naprawdę zamierzała zabronić mi oglądania opery tylko dlatego, że wyrecytowałam smutny wiersz? Do oczu napłynęły mi łzy. Zamrugałam szybko, aby się ich pozbyć.

– Nie jestem chora – oświadczyłam dość żałosnym tonem.

– Wierzba powiedziała mi coś innego...

Zarumieniłam się ze złości i rozczarowania. Służąca, opróżniając nocnik, musiała zauważyć, że zwymiotowałam, i doniosła o tym mojej matce... Teraz Mama wiedziała, że zawiodłam – znowu – jako przyszła żona i matka. Jednak ta świadomość bynajmniej nie wprawiła mnie w zakłopotanie. Moje serce biło mocno, byłam zdecydowana na wszystko, postanowiłam, że nawet wola Mamy nie powstrzyma mnie przed spotkaniem w Pawilonie z Widokiem na Księżyc. Oparłam palec wskazujący na kości policzkowej, pochyliłam głowę i ułożyłam rysy twarzy w najładniejszy, najbardziej niewinny i nieszkodliwy wizerunek młodej dziewczyny z Hangzhou.

– Och, Mamo, wydaje mi się, że stryjenki mają słuszność... W dniu, kiedy czcimy Tkaczkę, pozwoliłam moim myślom zabłądzić na niebiański most, który dziś wieczorem połączy dwoje zakochanych... Może rzeczywiście nawiedziły mnie wiosenne uczucia, nie mam jednak wiosennej gorączki, nie dokucza mi żaden ból czy kobiece dolegliwości... Mój błąd jest jedynie oznaką panieńskiego stanu, niczego więcej...

Powiedziałam to tak niewinnie i inne kobiety patrzyły na mnie tak dobrotliwie, że mojej matce bardzo trudno byłoby odesłać mnie teraz do łóżka.

Mama długo milczała.

– Kto wyrecytuje wiersz zawierający słowo „hibiskus"? – spytała wreszcie.

Tego dnia, podobnie jak każdego innego, wszystko, co działo się w sali kobiet, wydawało się jakiegoś rodzaju egzaminem, a każdy test przypominał mi o moich niedociągnięciach. Nie osiągnęłam mistrzowskiego poziomu w żadnej sztuce ani zajęciu – w krępowaniu stóp, hafcie, malowaniu, grze na cytrze czy recytowaniu poezji. Zadawałam sobie pytanie, jak wejdę w małżeństwo teraz, kiedy tak głęboko pokochałam kogoś innego. Jakże uda mi się zostać żoną, na jaką niewątpliwie zasłużył mój przyszły mąż i jakiej pragnął? Moja matka przestrzegała wszystkich zasad, a jednak nie dała Tacie synów. Jeżeli więc Mama zawiodła jako małżonka, to jak mnie uda się odnieść sukces? Może mąż odwróci się ode mnie, upokorzy mnie na oczach teściowej i znajdzie radość w towarzystwie śpiewających dziewcząt znad jeziora albo poszuka sobie konkubin...

Przypomniałam sobie słowa, które moja matka często powtarzała: „Konkubiny są częścią naszego życia. Najważniejsze jest to, abyś sama je wybrała i odpowiednio się do nich odnosiła. Nigdy ich nie bij. Pozwól, aby to twój mąż wymierzał im karę".

Nie tego pragnęłam od życia.

Obchodziłam szesnaste urodziny. Dzisiaj w Niebie Tkaczka i Pasterz mieli się ponownie spotkać. W naszym ogrodzie Liniang miała wrócić do życia dzięki miłości Mengmei, ja zaś czekałam na spotkanie z moim nieznajomym w Pawilonie z Widokiem na Księżyc. Może i nie byłam najdoskonalszą dziewczyną w całym Hangzhou, ale kiedy patrzył na mnie, miałam wrażenie, że niczego mi nie brak.

Zabrudzone pantofelki

Konfucjusz napisał: „Szanujcie duchy, ale trzymajcie się od nich z daleka". W Święto Podwójnej Siódemki ludzie zapominali o duchach i przodkach. Wszyscy pragnęli po prostu cieszyć się świętem – od specjalnych gier i zabaw po operowy spektakl. Przebrałam się w tunikę z cieniutkiego jedwabiu, ozdobioną wyhaftowaną parą ptaków unoszących się nad kwitnącymi latem kwiatami, aby przywołać radość, która ogarniała mnie w czasie spotkań z nieznajomym. Do tuniki włożyłam białą spódnicę z jedwabnego brokatu, z wyszytymi tuż nad dolnym brzegiem kwiatami jabłoni – ta ozdoba zwracała uwagę na moje pantofelki w kolorze fuksji. Z płatków moich uszu zwisały złote kolczyki, przeguby dłoni obciążyłam bransoletami ze złota i nefrytu, które w minionych latach dostawałam od najbliższych. Nie byłam przesadnie wystrojona, wcale nie. Wszędzie dookoła widziałam śliczne kobiety i dziewczęta, które lśniły i podzwaniały biżuterią, witając się i przechadzając po sali rozkołysanym, lecz rytmicznym krokiem, charakterystycznym dla złocistych lilii krępowanych stóp.

Na ołtarzu, ustawionym na tę okazję w Sali Kwitnącego Lotosu, w trójramiennych świecznikach z brązu płonęły kadzidła, napełniając pomieszczenie cudownie intensywnym zapachem. Na porcelanowych misach ułożono stosy owoców – pomarańczy, melonów, bananów, karamboli i smoczych oczu. Na jednym końcu stołu stała miska z białej porcelany, wypełniona wodą i liśćmi grejpfruta – symbolizowało to rytualną kąpiel, jakiej poddawano panny młode. Pośrodku spoczywała wielka okrągła taca o blisko metrowej średnicy z wyraźnie zaznaczonym centrum i podzielonym na sześć sekcji szerokim brzegiem. W środkowej części znajdował się wizerunek Tkaczki i Pasterza z bawołem nad strumieniem w tle, aby przypomnieć nam o miejscu, gdzie bogini ukryła swoją nagość. Na wydzielonych sześciu częściach dookoła upamiętniono pozostałe siostry Tkaczki. Mama kolejno zapraszała teraz dziewczęta do złożenia darów każdej z sióstr.

Po ceremonii zasiadłyśmy przy wspaniale zastawionym stole. Każde danie miało specjalne znaczenie. Jadłyśmy więc „smocze kopyto, zsyłające dziecko" – wieprzową nogę z dziesięcioma przyprawami, pieczoną na wolnym ogniu. Spożycie tej potrawy gwarantowało jakoby poczęcie synów. Służący ustawili na każdym stole półmisek z kurczakiem żebraka. Gliniana skorupa, w której pieczono kurczaka, była tłuczona jednym zdecydowanym uderzeniem i na zewnątrz wydobywał się apetyczny zapach imbiru, wina oraz grzybów. Wnoszono potrawę za potrawą, przyprawione tak, aby odpowiadały tradycyjnym określeniom – dobra, zła, aromatyczna, śmierdząca, słodka, kwaśna, słona i gorzka. Na deser służący podali słodowe ciastka z kleistym ryżem, czerwoną fasolę, orzechy włoskie i trawę, która wspomagała trawienie, obniżała poziom tłuszczu i przedłużała życie. Był to obfity, pyszny posiłek, lecz ja nie mogłam jeść ze zdenerwowania.

Po bankiecie przyszedł czas na ostatni konkurs. Zgaszono latarnie i każda z dziewcząt miała szansę nawlec igłę przy słabym świetle z czubka palącego się kadzidełka. Powodzenie oznaczało, że po ślubie dziewczyna na pewno urodzi syna. Do posiłku podano dużo wina Shaoxing, więc kolejnym nieudanym próbom towarzyszyły wybuchy śmiechu.

Starałam się wczuć w pogodny nastrój, lecz cały czas zastanawiałam się, jak uniknąć przyłapania, kiedy wieczorem udam się na spotkanie z nieznajomym. Wiedziałam, że będę musiała uciec się do knowań wewnętrznego świata i wykorzystać coś z zewnętrznego, aby wymyślić wymówkę, którą się posłużę. Tak czy inaczej, mogłam tylko zgadywać, mieć nadzieję i myśleć o następnym posunięciu, tak jak czyniłam to, rozgrywając partię szachów z ojcem.

Oczywiście nie usiadłam w pierwszym rzędzie, bo chociaż stamtąd najwygodniej byłoby mi obserwować scenę, to znalazłabym się w miejscu, gdzie sięgały spojrzenia wszystkich kobiet. Nie chciałam także zajmować miejsca zupełnie z tyłu, tak jak poprzedniej nocy, ponieważ Mama mogłaby zacząć coś podejrzewać. Wiedziała, że za bardzo kocham operę, aby znowu się spóźnić. Musiałam zachować się w taki sposób, żeby uśpić czujność Mamy i sprawić jej przyjemność, zwłaszcza po tym, co zdarzyło się po południu. Gdy szukałam w myśli najlepszego wyjścia, moje oczy spoczęły na Tan Ze. Zaczęłam planować następny krok. Tak, mogłam posłużyć się dziewczynką, aby osłonić się płaszczem niewinności.

Kwiat Lotosu nawlekła igłę, co wszystkie kobiety powitały oklaskami, a ja podeszłam do Ze, która przycupnęła na brzegu krzesła z nadzieją, że moja matka pozwoli jej wziąć udział w grze, co oczywiście i tak nie mogło się zdarzyć. Ze nie czekała jeszcze na swój ślub, była małą dziewczynką, która dopiero miała zostać zaręczona.

Lekko dotknęłam jej ramienia.

– Chodź ze mną – odezwałam się. – Chcę ci coś pokazać...

Ze pośpiesznie ześlizgnęła się z krzesła, a ja wzięłam ją za rękę, upewniwszy się, że Mama widzi, co robię.

– Wiesz, że jestem już zaręczona – powiedziałam, kiedy szłyśmy do mojego pokoju.

Mała z poważną miną kiwnęła głową.

– Chciałabyś zobaczyć moje ślubne prezenty?

Ze aż pisnęła z podniecenia. W głębi serca zrobiłam to samo, chociaż z zupełnie innego powodu.

Otworzyłam skrzynie ze świńskiej skóry i pokazałam jej bele przejrzystych jedwabnych muślinów, błyszczących satyn i ciężkich brokatów, które zostały już przysłane do naszego domu.

Kiedy głośny brzęk cymbałów i stukot bębnów zaczęły zwoływać nas do ogrodu, Ze wstała. W korytarzu za drzwiami mojego pokoju gromadziły się już kobiety.

– Musisz obejrzeć jeszcze mój ślubny kostium – rzekłam pośpiesznie. – Strój na głowę na pewno bardzo ci się spodoba, zobaczysz...

Ze znowu opadła na krzesło, z ekscytacją wiercąc tyłeczkiem. Wyjęłam ze skrzyni ślubną haftowaną spódnicę z czerwonego jedwabiu, złożoną z wielu tuzinów malutkich plisek. Kobiety, które szyły ją na zlecenie Taty, tak dopasowały kawałki tkaniny, że motywy kwiatów, chmur oraz symboli szczęścia były doskonale widoczne i ułożone w odpowiedniej kolejności. Wiedziałam, że kiedy w dzień ślubu włożę spódnicę, plisy rozłożą się, jeśli tylko zrobię za duży krok. Tunika była równie wspaniała. Zamiast czterech klamer w kształcie żab (pod szyją, na piersi i pod pachami) krawcowe przyszyły dziesiątki maleńkich żabek, aby zmylić mojego małżonka i przedłużyć rozkoszne napięcie nocy poślubnej. Strój na głowę był prosty i elegancki – cały ogród cienkich złotych listków, które miały drżeć przy każdym moim kroku i migotać w świetle, z czerwonym woalem na twarzy, żebym nie widziała męża do chwili, kiedy sam podniesie zasłonę. Mój ślubny strój od początku bardzo mi się podobał, lecz uczucia, które budził we mnie teraz, były nad wyraz mroczne. Po co wkładać przepiękne szaty i wyglądać jak cudowny prezent, skoro nie darzy się żadnymi uczuciami osoby, w której ręce się trafia...

– Jest śliczny, ale mój ojciec obiecał, że ja będę miała koronę z pereł i nefrytu – pochwaliła się Ze.

Nie zwracałam uwagi na to, co mówi, ponieważ czujnie

nasłuchiwałam, co dzieje się pod moim pokojem. Bębny i cymbały nadal zwoływały widzów, lecz w korytarzu zapanowała cisza. Odłożyłam ślubny strój na miejsce, wzięłam Ze za rękę i wyszłyśmy z pokoju.

W ogrodzie zobaczyłam moje kuzynki siedzące razem za parawanem. Nie mogłam w to uwierzyć, ale tym razem zarezerwowały dla mnie miejsce. Kwiat Lotosu pomachała do mnie. Odpowiedziałam jej uśmiechem i nachyliłam się do ucha Ze.

– Popatrz, niezamężne dziewczęta chcą, żebyś z nimi usiadła... – szepnęłam kusząco.

– Naprawdę?

Nie czekając na dalszą zachętę, ruszyła między poduszkami w stronę dziewcząt, usiadła i natychmiast zaczęła rozmawiać z moimi kuzynkami. Oto jak odpłaciłam im za to, że raz okazały mi odrobinę serdeczności...

Chwilę demonstracyjnie rozglądałam się za odpowiednią poduszką w jednym z pierwszych rzędów albo w środku, ale oczywiście o tej porze nie było już żadnego wolnego miejsca. Przywołałam na twarz wyraz rozczarowania i delikatnie opadłam na poduszkę w ostatnim rzędzie, na skraju miejsca dla kobiet.

Miałam ogromną chęć obejrzeć pierwszą scenę tego wieczoru, mogłam jednak tylko słuchać. Liniang i Mengmei uciekają, co w naszej kulturze jest rzeczą po prostu niesłychaną. Zaraz po ślubie Liniang wyznaje, że mimo poprzednich nocnych schadzek z Mengmei jest dziewicą. Ponieważ wcześniej była duchem, dziewiczy stan jej spoczywającego w grobie ciała został zachowany. Na zakończenie sceny Liniang i Mengmei wyruszają do Hangzhou, gdzie młody uczony ma dokończyć studia, których ostatnim etapem jest przystąpienie do cesarskiego egzaminu.

W trzeciej i ostatniej części opery nie było właściwie żadnych scen prócz pierwszej, które by mi się podobały. Akcja dotyczyła głównie świata poza ogrodem Liniang i składała się z kilku scen batalistycznych, w których aktorzy dużo krzyczeli i biegali. O dziwo, właśnie te sceny bez reszty przykuły uwagę widowni. Otaczające mnie kobiety dosłownie chłonęły opowieść. Czekałam długo, aż wreszcie, nie mogąc znieść napięcia, podniosłam się powoli, wygładziłam fałdy spódnicy i jak gdyby nigdy nic spokojnie zawróciłam w kierunku izb dla kobiet.

Nie poszłam jednak do Sali Panien. Skręciłam z głównej trasy i szybkim krokiem podążyłam wzdłuż południowego muru naszej posiadłości, mijając małe stawy i pawilony widokowe. W końcu znalazłam się na ścieżce nad jeziorem. Zobaczyłam Pawilon z Widokiem na Księżyc i od razu wyczułam obecność mojego nieznajomego. Noc rozświetlał wąziutki księżyc, więc minęło trochę czasu, zanim wzrokiem odszukałam go w ciemności. Siedział na balustradzie biegnącej obok tylnej ściany pawilonu i nie patrzył na wodę, tylko na mnie. Mięśnie mojej klatki piersiowej zareagowały na jego spojrzenie nerwowym skurczem. Kamyki na ścieżce ułożone były w symbolizujące szczęście nietoperze, wróżące długowieczność żółwie pancerze oraz oznaczające bogactwo sztabki. Każdy krok niósł ze sobą radość, długie życie i przypływ bogactwa. Moi przodkowie wytyczyli te ścieżki także ze względów zdrowotnych. Kiedy starzeli się i zaczynali cierpieć na bóle w nogach, kamyki masowały ich stopy w czasie przechadzek. Ścieżki z pewnością wysypano w zamierzchłych czasach, gdy kobietom zabraniano spacerować w ogrodzie, ponieważ trudno mi było stąpać po nich w cieniutkich pantofelkach. Skupiłam się na szukaniu oparcia dla stóp i chwytaniu równowagi, wiedząc, że nieco chwiejny ruch podkreśla delikatność moich kroków.

Zawahałam się tuż przed wejściem do Pawilonu z Widokiem na Księżyc. Nagle zabrakło mi odwagi. Nie pozwalano mi odwiedzać tego miejsca, ponieważ z trzech stron otoczone było wodą. Praktycznie rzecz biorąc, pawilon znajdował się już poza murami naszego ogrodu. W końcu przypomniałam sobie determinację Liniang, wzięłam głęboki oddech, przekroczyłam próg pawilonu i przystanęłam.

Nieznajomy ubrany był w długą szatę z granatowego jedwabiu. Obok niego na balustradzie leżała peonia i gałązka wierzby. Nie wstał, patrzył tylko na mnie w milczeniu. Starałam się nie poruszać.

– Widzę, że macie pawilon z widokiem na trzy strony księżyca – odezwał się. – My mamy taki sam, ale nasz stoi nad stawem, nie nad jeziorem...

Musiał dostrzec moje zmieszanie, bo uśmiechnął się lekko.

– Stąd widać księżyc z trzech stron – wyjaśnił. – Na niebie, odbity w wodzie i ten w podwójnym odbiciu, z wody w lustrze...

Uniósł rękę i wskazał lustro, wiszące nad jedynym sprzętem, jaki znajdował się w pawilonie – rzeźbionym drewnianym łożem.

– Och! – wymknęło mi się.

Aż do tej chwili nie przyszło mi do głowy, że to łoże może być czymkolwiek innym niż miejscem odpoczynku dla strudzonych lub leniwych, lecz teraz zadrżałam na myśl o łóżku, lustrze i pełnych rozleniwienia nocach, które pragnęłabym spędzić w pawilonie nieznajomego.

Znowu się uśmiechnął. Czyżby bawiło go moje zażenowanie? A może jego myśli podążały tym samym torem co moje? Po długiej i dla mnie pełnej skrępowania chwili podniósł się i podszedł do mnie.

– Chodź – powiedział. – Popatrzmy razem na księżyc...

Kiedy stanęliśmy przy balustradzie, chwyciłam się słupka, żeby nie stracić równowagi.

– Piękna noc... – Popatrzył na połyskującą jak szkło wodę i odwrócił się do mnie. – Ale ty jesteś o wiele piękniejsza...

Ogarnęła mnie obezwładniająca radość, a potem mocna fala wstydu i strachu. Popatrzył na mnie pytająco.

– Co się stało?

Łzy napłynęły mi do oczu, ale powstrzymałam je siłą.

– Może widzisz tylko to, co chcesz widzieć... – szepnęłam.

– Widzę żywą dziewczynę, której łzy chciałbym scałować.

– Jakże będę teraz mogła być dobrą żoną? – powiedziałam z bezradnym gestem. – Po tym?

– Nie zrobiłaś nic złego.

Oczywiście, że zrobiłam! Przyszłam do pawilonu, prawda? Nie chciałam jednak z nim o tym rozmawiać. Cofnęłam się i zaplotłam ręce na piersi.

– Zawsze mylę nuty, kiedy gram na cytrze – oświadczyłam spokojnie.

– Nie przepadam za cytrą.

– Ale to nie ty będziesz moim mężem! – odparłam.

Na jego twarzy pojawił się wyraz bólu. Zraniłam go.

– Robię za duże, brzydkie szwy... – dorzuciłam szybko.

– Moja matka nie poświęca całego dnia na szycie w sali kobiet. Gdybyś była moją żoną, obie robiłybyście razem także inne rzeczy.

– Słabo radzę sobie z pędzlem...

– Co malujesz?

– Kwiaty i takie tam zwyczajne rzeczy.

– Nie jesteś zwyczajna, więc nie powinnaś malować zwyczajnych rzeczy. Gdybyś mogła malować wszystko, co byś wybrała?

Nikt nigdy mnie o to nie pytał. Szczerze mówiąc, w ogóle nikt nie pytał mnie o takie sprawy. Gdybym chwilę się zastanowiła, gdybym zachowała się jak należy, odparłabym, że nadal chciałabym malować kwiaty, ale nie zastanowiłam się. Nie byłam w stanie myśleć.

– Namalowałabym to – jezioro, księżyc, pawilon...

– A więc krajobraz...

Prawdziwy krajobraz, nie taki jak te ukryte w zimnych kawałach marmuru, w bibliotece mojego ojca. Pomysł namalowania krajobrazu bardzo mnie zaintrygował.

– Mój dom po drugiej stronie jeziora znajduje się wysoko na wzgórzu – ciągnął. – Z każdego okna rozciąga się piękny widok. Gdybyśmy się pobrali, bylibyśmy przyjaciółmi, towarzyszylibyśmy sobie w rozmaitych zajęciach. Wybieralibyśmy się razem na wycieczki – nad jezioro, nad rzekę, obejrzeć przypływ i odpływ...

Wszystko, co mówił, napełniało mnie uczuciem szczęścia zmieszanego ze smutkiem, pragnieniem życia, które nie mogło stać się moim udziałem.

– Ale nie powinnaś się martwić – dodał. – Twój mąż na pewno także nie jest doskonały. Popatrz na mnie – od panowania dynastii Song ambicją każdego młodego człowieka jest zdobycie zaszczytów i stanowisk, tymczasem ja nie przystąpiłem do cesarskich egzaminów i nie mam zamiaru tego robić...

Pomyślałam, że przecież właśnie tak było dobrze. Dzisiaj mężczyźni – oczywiście ci lojalni wobec dynastii Ming – rezygnowali z życia wśród zaszczytów i służenia nowemu reżimowi. Dlaczego to powiedział? Uważał mnie za staroświecką czy po prostu głupią? Myślał, że wolałabym, żeby miał własne przedsiębiorstwo? Zajmowanie się kupiectwem było wulgarne i niskie.

– Jestem poetą – powiedział.

Uśmiechnęłam się. Wyczułam to już w momencie, kiedy pierwszy raz zobaczyłam go zza parawanu.

– Tworzenie literatury jest najwspanialszym powołaniem – skomentowałam.

– W małżeństwie chcę znaleźć towarzyszkę życia, z którą będę mógł dzielić życie i zamiłowanie do poezji – rzekł cicho. – Gdybyśmy byli mężem i żoną, kolekcjonowalibyśmy książki, czytalibyśmy i razem pili herbatę. Już wcześniej mówiłem ci, że pragnąłbym być z tobą ze względu na to, co nosisz tutaj...

Znowu wskazał dłonią miejsce, gdzie znajdowało się moje serce, lecz ja poczułam drżenie w znacznie niżej położonych częściach ciała.

– Opowiedz mi o operze – podjął po długiej chwili. – Smuci cię, że nie możesz zobaczyć, jak Liniang ponownie spotyka matkę? Podobno dziewczęta uwielbiają tę scenę...

Miał rację, rzeczywiście bardzo lubiłam scenę, o której

mówił. W okresie walk toczących się między siłami cesarstwa a buntowników, pani Du i Wiosenny Zapach szukają schronienia w pewnej gospodzie w Hangzhou. Pani Du jest zaskoczona i przerażona pojawieniem się córki, uważa bowiem, że widzi ducha, ale oczywiście w tym czasie trzy części duszy Liniang są już ponownie scalone i dziewczyna jest istotą z krwi i kości.

– Każda dziewczyna ma nadzieję, że jej matka rozpoznałaby ją i okazała miłość nawet wtedy, gdyby była martwa, gdyby była duchem albo gdyby uciekła z domu – powiedziałam.

– Tak, to dobra scena *qing* – przytaknął mój poeta. – Pokazuje znaczenie macierzyńskiej miłości. Inne sceny dzisiejszej części... – skrzywił się lekko, wyniośle. – Polityka w ogóle mnie nie interesuje. Za dużo *li*, nie sądzisz? Wolę sceny w ogrodzie.

Czyżby żartował sobie ze mnie?

– Mengmei przywraca Liniang do życia dzięki wielkiej namiętności – ciągnął. – Całym sercem wierzy w jej istnienie i dlatego jego ukochana naprawdę powraca z zaświatów...

Rozumiałam podstawowy wątek opery tak samo jak on.

– Zrobiłbyś to dla mnie? – ośmieliłam się zapytać.

– Oczywiście!

Zbliżył twarz do mojej. Jego oddech pachniał storczykami i piżmem. Pożądanie, które czuliśmy, zagęściło powietrze między nami. Sądziłam, że mnie pocałuje, i czekałam na dotyk jego warg. W moim ciele pulsowała krew i emocje. Nie poruszyłam się, ponieważ nie wiedziałam, co robić ani czego on ode mnie oczekuje. Nie była to zresztą do końca prawda. Nie oczekiwał ode mnie żadnej z rzeczy, które już zrobiłam, lecz kiedy cofnął się i popatrzył na mnie głębokimi czarnymi oczami, zadrżałam z tęsknoty.

Nie był o wiele starszy ode mnie, lecz był mężczyzną i żył w zewnętrznym świecie. Miałam prawo sądzić, że stykał się z kobietami z herbaciarni, których głosy czasami docierały do mnie z drugiego brzegu jeziora. Niewątpliwie uważał mnie za dziecko i pod pewnymi względami odnosił się do mnie właśnie w ten sposób. Dlatego cofnął się, aby dać mi szansę na odzyskanie równowagi.

– Nigdy nie potrafię się zdecydować, czy ta opera ma szczęśliwe zakończenie, czy wręcz przeciwnie – odezwał się.

Jego słowa zupełnie mnie zaskoczyły. Ile czasu minęło, odkąd tu przyszłam?

– Nie martw się, do końca zostało jeszcze kilka scen – dodał, wyczuwając mój lęk.

Wziął do ręki peonię, którą przyniósł tu ze sobą, i położył kwiat na drugiej dłoni.

– Mengmei zdaje cesarskie egzaminy z najwyższymi notami – rzekł.

Mój umysł i ciało znajdowały się w świecie bardzo odległym od opery, musiałam więc skoncentrować się prawie siłą, ale jemu chyba właśnie o to chodziło.

– Kiedy jednak przedstawia się prefektowi Du jako jego zięć, zostaje aresztowany – powiedziałam.

Kiedy się uśmiechnął, zrozumiałam, że właśnie na te słowa czekał.

– Prefekt rozkazuje przeszukać bagaż Mengmei i...

– Strażnicy znajdują autoportret Liniang – dokończyłam za niego. – Na rozkaz prefekta Du Mengmei zostaje poddany chłoście i torturom, ponieważ ojciec Liniang wierzy, że młodzieniec zbezcześcił grób jego córki.

– Mengmei z uporem powtarza, że sprowadził Liniang do świata żywych ze świata duchów i że są małżeństwem – powiedział mój poeta. – Oburzony prefekt Du każe go ściąć...

Zapach peonii, którą trzymał w ręku, zawładnął mną bez reszty. Przypomniałam sobie wszystko, co pragnęłam zrobić poprzedniej nocy. Podniosłam gałązkę wierzby z balustrady i zaczęłam powoli chodzić wokół niego, cały czas przemawiając miękkim głosem i pieszcząc go słowami.

– Czy ta historia źle się kończy? – zagadnęłam. – Wszyscy stają przed najwyższym sądem i przedstawiają swoje problemy cesarzowi...

Obeszłam go dookoła, przystanęłam, aby popatrzeć mu w oczy, i znowu podjęłam wędrówkę, tym razem przesuwając wierzbową witką po jego torsie.

– Liniang staje przed ojcem, ale on nie potrafi przyjąć do wiadomości, że córka żyje, mimo że patrzy na nią – rzekł surowo.

– W ten sposób wielki Tang Xianzu pokazał, że mężczyźni mogą podlegać poważnym ograniczeniom przez *li* – przemówiłam cicho, wiedząc, że mój poeta będzie musiał skupić całą uwagę, aby mnie usłyszeć. – Kiedy dzieje się cud, ludzie tracą zdolność rozsądnej oceny sytuacji...

Westchnął, a ja uśmiechnęłam się.

– Prefekt nalega, aby Liniang przeszła liczne próby... – podjęłam.

– W rezultacie których wszyscy widzą, że dziewczyna rzuca cień i zostawia ślady stóp na ziemi, kiedy przechodzi pod kwitnącymi drzewami...

– Tak... – szepnęłam. – Liniang trafnie odpowiada też na pytania dotyczące Siedmiu Uczuć – radości, gniewu, smutku, lęku, miłości, nienawiści i pożądania...

– Doświadczyłaś ich?

Przystanęłam przed nim.

– Nie wszystkich – przyznałam.

– Radości? – zbliżył trzymaną w ręku peonię do mojego policzka.

– Dzisiaj rano, zaraz po przebudzeniu.

– Gniewu?

– Mówiłam ci, że nie jestem doskonała – odparłam, czując leciutkie muśnięcie płatków na kości policzkowej.

– Smutku?

– Doświadczam smutku zawsze w rocznicę śmierci mojej babki.

– Ale samej ciebie nigdy nie dotknął... – rzekł, odrywając kwiat od mojej twarzy i przesuwając nim wzdłuż barku. – Strachu?

– Nigdy – odrzekłam, chociaż sekundę wcześniej pomyśłałam o obawach, jakie nękały mnie przed wymknięciem się z widowni.

– To dobrze... – przytknął peonię do wewnętrznej strony przegubu mojej dłoni. – Miłości?

Nie odpowiedziałam, lecz kontakt płatków kwiatu ze skórą przyprawił mnie o drżenie. Przez twarz poety przemknął uśmiech.

– Nienawiści?

Potrząsnęłam głową. Oboje wiedzieliśmy, że nie żyłam dość długo, aby czuć do kogoś nienawiść.

– Zostało już tylko jedno... – szepnął.

Pogładził kwiatem moje ramię, następnie musnął płatkami czuły punkt tuż pod moim uchem. Potem powoli przesunął peonią po mojej szyi, aż do szczytu kołnierzyka, i w dół, do zagłębienia u zbiegu obojczyków.

– Czułaś kiedyś pożądanie? – zapytał.

Przestałam oddychać.

– Czytam odpowiedź w twojej twarzy... – zauważył.

I powoli zbliżył wargi do mojego ucha.

– Gdybyśmy się pobrali, nie musielibyśmy marnować czasu na picie herbaty czy prowadzenie konwersacji... – wyszeptał.

Cofnął się o krok i utkwił wzrok w jeziorze.

– Chciałbym... – głos mu zadrżał, co wyraźnie go zawstydziło.

W tej chwili był poruszony równie głęboko jak ja. Odchrząknął i z trudem przełknął ślinę. Kiedy znowu się odezwał, można było odnieść wrażenie, że nic między nami nie zaszło. Znowu byłam sama, niezwiązana z nim żadnym wspólnym pragnieniem.

– Chciałbym, żebyś mogła zobaczyć mój dom. Jest po drugiej stronie jeziora, na górze Wushan.

– Czy to nie tamto wzgórze? – zagadnęłam, wskazując wzniesienie prawie naprzeciwko pawilonu.

– Tak, ale Samotna Wyspa, chociaż bardzo piękna, zasłania mój dom. Znajduje się on dokładnie za tamtym cyplem. Szkoda, że go nie widać, bo mogłabyś patrzeć nań i myśleć o mnie...

– Może uda mi się zobaczyć go z biblioteki ojca...

– Słusznie! Wiele razy grałem tam w szachy z twoim ojcem i z okna widziałem mój dom. Ale nawet jeśli uda ci się zobaczyć tę część zbocza, to skąd będziesz wiedziała, który ze stojących tam domów jest mój?

Mój umysł pogrążony był w takim chaosie, że nie udało mi się wymyślić żadnej dobrej odpowiedzi.

– Pokażę ci go, żebyś później sama mogła go bez trudu odszukać wzrokiem. Obiecuję, że codziennie będę patrzył na twój dom i próbował cię znaleźć, jeżeli ty będziesz szukała mnie...

Zgodziłam się. Poprowadził mnie ku prawej stronie pawilonu, prawie nad sam brzeg. Wyjął wierzbową gałązkę z mojej ręki i położył ją na balustradzie, obok peonii. Potem sam usiadł na balustradzie i przerzucił nogi na drugą stronę, a ja nagle uświadomiłam sobie, że tego samego oczekuje ode mnie. Zeskoczył na skałę i wyciągnął do mnie ramiona.

– Podaj mi ręce...

– Nie mogę!

Naprawdę nie mogłam. Tego wieczoru zrobiłam mnóstwo niewłaściwych rzeczy, ale nie zamierzałam posunąć się aż tak daleko, aby pójść za nim. Nigdy nie byłam poza terenem posiadłości rodziny Chen. Oboje rodzice stanowczo mi tego zabronili.

– To niedaleko – rzekł.

– Nigdy nie przekroczyłam granicy naszego ogrodu. Moja matka mówi...

– Matki są bardzo ważne, ale...

– Nie mogę tego zrobić.

– W takim razie co z obietnicą, którą przed chwilą złożyłaś?

Zawahałam się. Byłam tak słaba jak kuzynka Miotła, kiedy ktoś postawił przed nią talerz z kluskami.

– Nie będziesz jedyną dziewczyną czy kobietą, która dziś

wieczorem przekroczy granicę ogrodu. Znam wiele takich, które pływają teraz po jeziorze...

– To kobiety z herbaciarni! – prychnęłam wzgardliwie.

– Wcale nie! – zaprzeczył gorąco. – Mówię o poetkach i pisarkach, które wstąpiły do klubów literackich. Podobnie jak ty chcą doświadczyć w życiu czegoś więcej niż to, co dostępne jest w granicach ich ogrodów. Opuszczając izby dla kobiet, stały się szacownymi, wartościowymi artystkami. Gdybyś została moją żoną, chciałbym pokazać ci właśnie świat zewnętrzny...

Oczywiście nie powiedział, że nasze marzenia ograniczone były do wieczoru, który wkrótce miał dobiec końca.

Kiedy drugi raz wyciągnął do mnie ramiona, usiadłam na balustradzie i starając się zachowywać jak najdelikatniej i najdyskretniej, przełożyłam nogi przez kamienną poręcz i pozwoliłam, aby wyrwał mnie z bezpiecznego schronienia, jakim była rezydencja moich rodziców. Poprowadził mnie w prawo, po kamieniach, którymi wyłożony był brzeg. To, na co się ważyłam, było więcej niż złe. Zdumiewające, ale nie wydarzyło się nic okropnego. Nie zostaliśmy złapani, żaden duch nie wyskoczył zza krzaka czy drzewa, aby śmiertelnie nas wystraszyć lub zabić za to karygodne wykroczenie.

Poeta podsunął dłoń pod mój łokieć, ponieważ niektóre kamienie były porośnięte mchem i bardzo śliskie. Przez jedwab szaty czułam gorąco, bijące z jego ręki. Ciepłe powietrze unosiło moją spódnicę, jakby była niesionym przez wiatr skrzydłem cykady. Znalazłam się poza domem. Patrzyłam na rzeczy, których nigdy dotąd nie widziałam. Tu i ówdzie po murze rezydencji pełzły pędy winorośli i gałęzie. Nad jeziorem zwisały płaczące wierzby, ich witki pieściły powierzchnię wody. Moja spódnica ocierała się o dzikie róże kwitnące na brzegu. Zapach kwiatów nasycał powietrze, moje ubranie, włosy, skórę moich dłoni. Uczucia, które płonęły w moim ciele, prawie mnie obezwładniły – był to lęk, że zostanę przyłapana, podniecenie z powodu niespodziewanego opuszczenia domu i miłość do mężczyzny, który mnie tutaj przyprowadził.

Przystanęliśmy. Nie byłam pewna, jak długo szliśmy przed siebie.

– Mój dom jest tam. – Wskazał miejsce za niedawno zbudowanym pawilonem na Samotnej Wyspie, które mogłam dojrzeć z okien biblioteki ojca. – Na wzgórzu jest świątynia, dziś płoną przed nią pochodnie. Widzisz ją? Mnisi otwierają drzwi z okazji wszystkich świąt. A jeszcze trochę wyżej, po lewej, stoi mój dom...

– Widzę go!

Na niebie wisiał tylko cieniutki skrawek księżyca, lecz pasmo jego światła było jak ścieżka wytyczona od moich stóp aż do progu domu poety. Odczytałam to jako znak, że niebiosa zgadzają się, abyśmy spędzili te chwile razem.

W tych najbardziej niezwykłych okolicznościach, jakie można sobie wyobrazić, moją uwagę odwróciło nagle bardzo przyziemne doznanie. Buciki zupełnie mi przemokły, czułam też, jak wilgoć nasącza rąbek mojej szaty. Zrobiłam malutki krok do tyłu, aby odsunąć się od brzegu jeziora. Po spokojnej powierzchni przemykały drobniutkie fale. Pomyślałam o tych malutkich grzebieniach, uderzających w kadłuby łodzi, które niosły innych zakochanych po jeziorze i lizały mury innych pawilonów z widokiem na księżyc, gdzie młodzi małżonkowie kryli się przed bacznymi spojrzeniami otoczenia.

– Spodobałby ci się mój dom – powiedział. – Mamy ładny ogród, chociaż nie tak duży jak wasz. Jest w nim niewielki skalnik, pawilon z widokiem na księżyc, staw oraz śliwa, której kwiaty wiosną przesycają powietrze nad całą posiadłością zniewalającym aromatem. Za każdym razem, kiedy na nią spojrzę, pomyślę o tobie...

Poczułam wielki żal, że nie będzie nam dane przeżyć nocy poślubnej. Tyle bym dała, aby doświadczyć tego wszystkiego teraz, od razu... Zaczerwieniłam się i spuściłam wzrok. Kiedy podniosłam głowę, patrzył mi prosto w oczy. Wiem, że pragnął tego samego co ja. Ta chwila, która dała mi tyle radości, szybko się skończyła.

– Musimy wracać – odezwał się.

Starał się przyśpieszyć nasz marsz, ale moje pantofelki ślizgały się i nie mogłam iść szybko. Kiedy zbliżyliśmy się do naszego ogrodu, do mojej świadomości dotarły dźwięki opery. Pełne bólu krzyki Mengmei, torturowanego i bitego przez strażników prefekta Du, powiedziały mi, że spektakl dobiega już końca.

Młodzieniec uniósł mnie i znowu stanęłam na terenie Pawilonu z Widokiem na Księżyc. Wszystko się skończyło. Następnego dnia wznowię przygotowania do ślubu, a mój poeta wróci do zajęć, którym poświęcali się młodzi mężczyźni przed powitaniem swoich małżonek.

Zajrzał mi głęboko w oczy.

– Z przyjemnością rozmawiałem z tobą o operze...

Może nie były to najbardziej romantyczne słowa, jakie mógłby wypowiedzieć mężczyzna, ale mnie właśnie takie się wydawały, ponieważ świadczyły o jego miłości do literatury, zainteresowaniu wewnętrznymi izbami i szczerym pragnieniu poznania moich myśli.

Wziął do ręki leżącą na balustradzie gałązkę wierzby i podał mi ją.

– Zachowaj ją – powiedział. – Niech przypomina ci o mnie...

– A peonia?

– Zachowam ją na zawsze.

Uśmiechnęłam się do siebie, wiedząc, że kwiat i ja nosimy to samo imię.

Zbliżył wargi do moich ust, a kiedy się odezwał, jego głos drżał ze wzruszenia.

– Przeżyliśmy trzy noce szczęścia, więcej niż wiele małżeńskich par przeżywa w czasie całego związku... Zapamiętam je na zawsze.

Moje oczy wypełniły się łzami.

– Musisz wracać – rzekł. – Nie odejdę stąd, dopóki nie oddalisz się ode mnie...

Przygryzłam wargę, żeby powstrzymać się od płaczu i powoli odwróciłam się plecami do niego. Samotnie ruszyłam w kierunku centralnej części ogrodu. Nad stawem przystanęłam na moment, aby ukryć gałązkę wierzby pod tuniką. Dopiero kiedy usłyszałam, jak prefekt Du oskarża córkę, którą doprowadzono przed jego oblicze, że jest ohydną istotą ze świata zmarłych, przypomniałam sobie, że moje pantofelki, getry i dół spódnicy są mocno zabrudzone. Nie miałam wyjścia, musiałam wrócić do swojego pokoju i niepostrzeżenie się przebrać.

– Ach, tutaj jesteś... – odezwała się Miotła, wychodząc z cienia. – Twoja matka posłała mnie, żebym cię poszukała...

– Byłam... Musiałam... – nagle pomyślałam o Wierzbie w roli Wiosennego Zapachu. – Musiałam skorzystać z nocnika...

Kuzynka uśmiechnęła się przebiegle.

– Zaglądałam do twojego pokoju. Nie było cię tam.

Przyłapała mnie na kłamstwie i teraz przyglądała mi się podejrzliwie. Jej uśmiech rozszerzył się, kiedy ogarnęła wzrokiem moją zabrudzoną spódnicę i buciki. Szybko przywołała pogodny wyraz twarzy i serdecznie ujęła mnie pod ramię.

– Opera już się kończy – powiedziała miłym głosem. – Nie chcę, żebyś opuściła zakończenie...

Byłam tak głęboko poruszona własnym szczęściem, że uwierzyłam, iż Miotła naprawdę chce mi pomóc. Ukryta siła, którą poczułam w chwili, gdy pozwoliłam sobie przejść na drugą stronę balustrady w Pawilonie z Widokiem na Księżyc, teraz znowu wycofała się w głąb najdalszego zakamarka mojego serca. Nie wyrwałam ramienia z uścisku Miotły, nie usiadłam na swojej poduszce z tyłu widowni, lecz bezradnie i głupio, chociaż ze śmieszną godnością, w wyniku cudownej radości, której wcześniej doświadczyłam, dałam się poprowadzić między siedzącymi kobietami, aż do pierwszego rzędu, gdzie przycupnęłam między małą Ze i moją kuzynką. A ponieważ usiadłam obok Ze, znowu znalazłam się tuż przed szczeliną w parawanie, przez którą pierwszego wieczoru patrzyłam na scenę.

Objęłam spojrzeniem morze czarnowłosych mężczyzn i dopiero po chwili wypatrzyłam wśród nich mojego poetę, siedzącego tuż obok Taty. Minęło sporo czasu, zanim zmusiłam się, aby przenieść wzrok na scenę, na której cesarz próbował właśnie pogodzić dwie zwaśnione grupy. Odczytano proklamacje, zasłużonych obdarzono honorami. Wszyscy cieszyli się szczęściem dwojga młodych kochanków – było to naprawdę szczęśliwe zakończenie – lecz prefekt Du i jego córka nie pogodzili się. Ten wątek pozostał nierozwiązany.

Mężczyźni po drugiej stronie parawanu zerwali się z miejsc, głośno klaszcząc w dłonie i wydając pełne zachwytu okrzyki. Kobiety po naszej stronie kiwały głowami, doceniając prawdę kryjącą się w tym zakończeniu.

Podobnie jak pierwszego wieczoru, na scenę wkroczył mój ojciec. Podziękował wszystkim za wizytę w naszym skromnym domu i obejrzenie niegodnego ich uwagi spektaklu. Podziękował także wynajętym aktorom i tym naszym służącym, którzy zostali oderwani od swoich regularnych obowiązków i wzięli udział w przedstawieniu.

– To noc miłości i przeznaczenia – oświadczył. – Widzieliśmy, jak zakończyła się historia Liniang oraz Mengmei, wiemy też, jaki będzie koniec historii Tkaczki i Pasterza. Teraz chciałbym przedstawić wam zarys jeszcze innej miłosnej historii...

Waaa! Na pewno zamierzał powiedzieć coś o moim ślubie. Poeta spuścił głowę. On także nie chciał tego słuchać.

– Wielu z was wie, że mam ogromne szczęście, ponieważ moim przyszłym zięciem jest mój bliski przyjaciel – rzekł Tata. – Znam Wu Rena od tak dawna, że właściwie uważam go za syna...

Gdy mój ojciec uniósł rękę, aby wskazać mężczyznę, którego miałam poślubić, zamknęłam oczy. Trzy dni wcześniej podążyłabym wzrokiem za jego gestem, aby ukradkiem zerknąć na mojego przyszłego małżonka, ale teraz nie byłam w stanie wyzwolić się z wiru szalejących we mnie gorących uczuć. Z całego serca pragnęłam radować się nimi przynajmniej jeszcze chwilę.

– Cieszę się, że Ren jest takim miłośnikiem słów – ciągnął mój ojciec. – Ale wcale nie cieszę się, kiedy pokonuje mnie w grze w szachy!

Mężczyźni roześmiali się wesoło, tak jak oczekiwał. Po naszej stronie parawanu panowało milczenie. Pełne dezaprobaty i pogardy spojrzenia kobiet wbijały się w moje plecy niczym ostre sztylety. Podniosłam powieki, spojrzałam w prawo i ujrzałam Ze z okiem przyklejonym do szczeliny parawanu. Jej usta otwarte były w przerażonym „O!". Mój przyszły mąż musiał być naprawdę okropny, brzydki jak pochmurny jesienny dzień.

– Wielu z was pierwszy raz gości w naszym domu i nie poznało mojej córki – mówił dalej Tata. – Ale mam też tutaj całą moją rodzinę, której wszyscy członkowie znają Peonię od dnia jej narodzin... – odwrócił się teraz do mojego narzeczonego. – Nie wątpię, że moja córka będzie dobrą żoną, musimy zmienić w niej tylko jedną rzecz... Peonia ma nieodpowiednie imię, bo przecież to samo nosi twoja matka, prawda?

Mój ojciec ogarnął wzrokiem tłum mężczyzn, lecz w tej chwili mówił do nas, kobiet siedzących za parawanem.

– Od dziś będziemy ją nazywać „Tong", „Taka Sama", gdyż jest pod wieloma względami bardzo podobna do twojej matki, mój młody przyjacielu...

Z niedowierzaniem potrząsnęłam głową. Tata właśnie zmienił mi imię, już na zawsze! Zostałam zwyczajną, popularną Tong, a wszystko to przez moją teściową, której jeszcze nie poznałam, lecz która miała sprawować władzę nade mną aż do dnia swojej śmierci. Mój ojciec zrobił to bez pytania, bez ostrzeżenia! Mój poeta miał rację. Trzy piękne noce miały wystarczyć mi na całe życie... Jednak ta noc jeszcze się nie skończyła, nie miałam więc zamiaru pogrążać się w rozpaczy...

– Świętujmy, przyjaciele! – zawołał Tata.

Wskazał ręką parawan, za którym siedziałyśmy, i służący natychmiast pośpieszyli ku nam, żeby zaprowadzić nas do Sali Kwitnącego Lotosu. Wsparta na ramieniu Wierzby, zamierzałam już wyruszyć do mojego pokoju, kiedy tuż obok pojawiła się Mama.

– Wszystko wskazuje, że jesteś dziś tą wybraną... – powiedziała, lecz łagodne znaczenie tych słów nie mogło zamaskować rozczarowania przebijającego w jej głosie. – Wierzbo, pozwól, że sama odprowadzę córkę do pokoju...

Wierzba puściła moje ramię. Mama wyglądała przepięknie i delikatnie, ale jej palce wbijały się w moje ciało przez jedwab tuniki. Kobiety rozstąpiły się, pozwalając najważniejszej kobiecie z rodu Chen odprowadzić jedynaczkę do pokoju. Ruszyły za nami, ciche jak poruszane wiatrem szale. Nie wiedziały, co zrobiłam, nie miały jednak wątpliwości, że byłam gdzieś, gdzie być nie powinnam, ponieważ wszystkie widziały, iż moje stopy, ta najbardziej prywatna część kobiecego ciała, były zabrudzone.

Nie wiem, co skłoniło mnie do spojrzenia przez ramię, ale obejrzałam się. Mała Ze szła razem z Miotłą. Kąciki ust mojej kuzynki unosił triumfalny uśmieszek, lecz Ze była jeszcze zbyt młoda i prostoduszna, aby ukryć swoje uczucia. Jej twarz była czerwona, wargi mocno zaciśnięte, całe ciało zesztywniałe z gniewu. Nie wiedziałam tylko, co mogło być przyczyną jej złości.

Dotarłyśmy do skrzydła domu, w którym znajdował się mój pokój. Mama przystanęła na chwilę, aby zachęcić inne kobiety do zabawy i powiedzieć im, że za parę chwil wróci, potem, bez słowa, zaprowadziła mnie do pokoju, otworzyła drzwi i łagodnie wepchnęła do środka. Gdy wyszła, zamykając za sobą drzwi, dobiegł mnie dźwięk, którego nigdy wcześniej nie słyszałam. Brzmiało to jak ciche zgrzytnięcie. Dopiero kiedy spróbowałam otworzyć drzwi, aby sprawdzić, co to takiego, zdałam sobie sprawę, że moja matka po raz pierwszy posłużyła się jedną ze swoich kłódek, aby mnie zamknąć.

Jednak nawet gniew Mamy nie zdołał przytłumić słów, które szepnął mi do ucha mój poeta, nie mógł też zatrzeć cienia jego dotyku, który ciągle czułam na skórze w miejscach, gdzie muskał mnie kwiatem peonii. Wyjęłam gałązkę wierzby, którą mi podarował, i pogładziłam się nią po policzku, potem schowałam ją do szuflady. Odwinęłam mokre bandaże ze stóp i zastąpiłam je czystymi. Z okna nie widziałam niebiańskiego mostu, który miał połączyć Tkaczkę oraz Pasterza, ale nadal czułam zapach dzikich róż, unoszący się z mojej skóry i włosów.

Zamknięte drzwi, otwarte serce

Mama nigdy więcej ani słowem nie wspomniała o moich zamoczonych i brudnych pantofelkach, spódnicy i getrach. Służąca zabrała te rzeczy i już ich nie przyniosła, ja zaś nadal byłam zamknięta w pokoju. W ciągu długich tygodni uwięzienia zaczęłam kwestionować wszystko, ale na początku byłam po prostu smutną dziewczyną, zamkniętą w czterech ścianach i pozbawioną towarzystwa. Nawet Wierzba pojawiała się tylko na chwilę, aby przynosić mi posiłki i świeżą wodę do mycia.

Spędzałam długie godziny przy oknie, ale widok miałam ograniczony do małej łaty nieba nad głową i dziedzińca poniżej. Ciągle przeglądałam swoje egzemplarze *Pawilonu Peonii.* Znalazłam scenę *Przerwany sen* i próbowałam odgadnąć, co Liniang i Mengmei robili w grocie. W każdej chwili myślałam o moim nieznajomym. Uczucia, które wypełniały moje serce, pozbawiły mnie apetytu i wyjałowiły umysł. Bezustannie tylko rozmyślałam, w jaki sposób zachować je, kiedy już wydostanę się z zamknięcia.

Któregoś dnia rano, w tydzień od chwili mojego uwięzienia, Wierzba otworzyła drzwi, cicho weszła do środka i postawiła na stoliku tacę z herbatą oraz miską *zhou* na śniadanie. Brakowało mi jej towarzystwa i pełnych starania zabiegów – szczotkowania włosów, mycia i bandażowania stóp, no i żywej wymiany zdań między nami. W minionych dniach Wierzba była bardzo milcząca, ale teraz na ustach jej pojawił się zupełnie nowy uśmiech.

Nalała mi herbaty, uklękła przede mną i spojrzała w twarz, czekając, aż zacznę zadawać pytania.

– Powiedz mi, co się stało – odezwałam się.

Spodziewałam się usłyszeć, że Mama postanowiła uwolnić mnie albo że pozwoliła Wierzbie znowu zamieszkać razem ze mną.

– Kiedy pan Chen poprosił mnie, żebym zagrała rolę Wiosennego Zapachu, zgodziłam się, miałam bowiem nadzieję, że jakiś mężczyzna z widowni zwróci na mnie uwagę i zapyta ojca panienki, czy nie sprzedałby mnie na konkubinę – odparła, a jej oczy błyszczały z radości. – Taka propozycja pojawiła się poprzedniego wieczoru i ojciec panienki przystał na nią. Dziś po południu wyjeżdżam.

Poczułam się tak, jakby nagle wymierzyła mi policzek. Nigdy w życiu nie przyszłoby mi do głowy, że coś takiego może się zdarzyć!

– Ale przecież ty należysz do mnie!

– Do wczoraj byłam własnością ojca panienki, lecz od dziś należę do pana Quona.

Uśmiech, z jakim wypowiedziała te słowa, wywołał we mnie jeszcze większy gniew.

– Nie możesz wyjechać! Nie wierzę, że naprawdę chcesz to zrobić!

Gdy nie odpowiedziała, zrozumiałam, że jednak tego właśnie pragnie. Jak to możliwe – pytałam samą siebie. Jak to możliwe? Przecież Wierzba była moją służącą i towarzyszką! Nigdy nie zastanawiałam się, skąd pochodzi ani w jaki sposób została moją pokojówką, ale zawsze uważałam ją za swoją własność. Była częścią mojego codziennego życia, taką samą jak nocnik, budzenie się i zapadanie w sen. Czuwała w nogach mojego łóżka, gdy zasypiałam, i była pierwszą osobą, jaką widziałam rano. Zanim otworzyłam oczy, rozpalała ogień i przynosiła gorącą wodę na kąpiel. Sądziłam, że razem ze mną przeniesie się do domu mojego męża. Miała przecież dbać o mnie w czasie ciąży i wydawania na świat synów... Była moją rówieśnicą, więc spodziewałam się, że będzie przy mnie aż do końca mego żywota.

– Co noc, kiedy panienka już zaśnie, leżę tu na podłodze i zbieram łzy w chusteczkę – wyznała. – Od lat pielęgnowałam w sercu nadzieję, że może ojciec panienki komuś mnie sprzeda... Jeżeli będę miała szczęście, nowy właściciel uczyni ze mnie swoją konkubinę... – Przerwała, zastanowiła się i po chwili praktycznie podeszła do sprawy. – Może drugą, trzecią albo czwartą...

To, że moja służąca kryła w sobie tego rodzaju pragnienia, wstrząsnęło mną do głębi. Wierzba wybiegła daleko przede mnie w swoich myślach i życzeniach. Pochodziła ze świata roztaczającego się poza naszym ogrodem, ze świata, o którym teraz obsesyjnie myślałam, a ja nigdy nie zapytałam jej, jak tam jest.

– Dlaczego mi to robisz? – wyrzuciłam z siebie. – Jak możesz? Gdzie twoja wdzięczność?

Jej uśmiech przybladł. Milczała. Nie miałam pojęcia, czy nie odpowiada, bo nie chce, czy też dlatego, że nie czuje żadnej wdzięczności.

– Jestem wdzięczna, że rodzina panienki przyjęła mnie do domu – przyznała w końcu.

Miała ładną twarz, ale w tamtej chwili wyczytałam z niej, jak bardzo mnie nie lubiła, najprawdopodobniej od lat.

– Teraz mogę wieść inne życie niż to, do jakiego się urodziłam – dodała. – Mogę przestać być chudą szkapą...

Słyszałam już to określenie, nie chciałam jednak przyznać, że w pełni rozumiem jego znaczenie.

– Moja rodzina pochodzi z Yangzhou, gdzie odeszła z tego świata babka panienki – ciągnęła Wierzba. – Podobnie jak wiele rodzin moja także bardzo ucierpiała w czasie Kataklizmu. Stare i brzydkie kobiety zostały wycięte w pień razem z mężczyznami, natomiast takie jak moja matka były sprzedawane niczym solone ryby – w workach, na wagę. Nowy właściciel mojej matki okazał się bardzo przedsiębiorczym człowiekiem. Byłam czwartą córką, jaka została sprzedana. Od tamtej pory wciąż jestem jak liść na wietrze...

Słuchałam uważnie.

– Handlarz chudych szkap skrępował moje stopy i nauczył mnie czytać, śpiewać, haftować i grać na flecie – podjęła po chwili. – Pod tym względem moje życie było podobne do życia panienki, lecz pod innymi bardzo się różniło... Ci ludzie prowadzili hodowlę dziewcząt, tak jak inni hodują zwierzęta czy rośliny – spuściła głowę i zerknęła na mnie spod oka. – Przyszła wiosna, potem lato i jesień... Być może trzymaliby mnie aż do osiągnięcia wieku, kiedy nadawałabym się do sprzedania do domu rozkoszy, ale inflacja i zastój na rynku poważnie zbiły ceny, musieli więc pozbyć się części hodowli. Pewnego dnia odziali mnie w czerwoną szatę, pomalowali mi twarz bielidłem i zawieźli na targ. Ojciec panienki obejrzał moje zęby, obmacał moje stopy i ciało...

– Nigdy nie zrobiłby czegoś takiego!

– Zrobił to, a ja bardzo się wstydziłam. Kupił mnie za kilka bel materiału. W ciągu ostatnich lat liczyłam, że może zrobi ze mnie swoją czwartą konkubinę i że wtedy urodzę syna, którego nie dała mu matka panienki ani inne kobiety...

Na samą myśl o tym żołądek skurczył mi się boleśnie.

– Dzisiaj odchodzę do trzeciego właściciela, jakiego miałam – powiedziała spokojnie. – Ojciec panienki sprzedał mnie za wieprzowinę i pieniądze. Zrobił dobry interes i jest zadowolony.

Za wieprzowinę? Ja miałam zostać wydana za mąż w zamian za liczne podarunki, między innymi świnie. Może Wierzba i ja wcale tak bardzo nie różniłyśmy się od siebie... Żadna z nas nie miała nic do powiedzenia w sprawie swojej przyszłości...

– Jestem jeszcze młoda. Jeżeli nie urodzę syna lub znudzę się swojemu panu, to całkiem możliwe, że jeszcze raz zmienię właściciela... Handlarz chudych szkap nauczył mnie, że zakup konkubiny jest niczym powiększenie ogrodu. Niektóre drzewa dają owoce, inne cień, a jeszcze inne zapewniają przyjemny widok. Mam nadzieję, że nie zostanę wykopana z korzeniami i ponownie sprzedana...

– Jesteś jak Xiaoqing – rzekłam z podziwem.

– Nie mam jej urody ani talentu, liczę jednak, że czeka mnie lepsza przyszłość niż ją i że w następnym życiu nie przyjdę na świat w Yangzhou.

W takich okolicznościach po raz pierwszy pojęłam, że moja egzystencja w naszym domu i ogrodzie nie ma nic wspólnego z życiem dziewcząt z zewnętrznego świata, gdzie działy się okropne, przerażające rzeczy. Utrzymywano to przede mną w sekrecie, ja zaś byłam za to wdzięczna, lecz jednocześnie czułam ciekawość. Moja babka umarła gdzieś tam, w tamtym świecie, i teraz oddawano jej cześć jako męczennicy. Wierzba przyszła z tamtego świata i jej przyszłość została z góry zaplanowana, podobnie jak moja. Miała uszczęśliwić mężczyznę, dbać, aby był zadowolony, urodzić mu synów i dążyć do doskonałości w Czterech Cnotach.

– Więc dziś wyjeżdżam – oświadczyła nagle i podniosła się z kolan.

– Zaczekaj...

Wstałam, podeszłam do szafy i otworzyłam szufladę. Rozgarnęłam biżuterię i ozdoby do włosów, szukając czegoś, co nie byłoby ani zbyt zwyczajne, ani zbyt ekstrawaganckie. W końcu wybrałam spinkę do włosów, zrobioną z błękitnych piór zimorodka, w kształcie zrywającego się do lotu feniksa z długim, ciągnącym się z tyłu ogonem. Położyłam ten drobiazg na dłoni Wierzby.

– Zepnij nią włosy przed spotkaniem z nowym właścicielem...

– Dziękuję – powiedziała i szybko wyszła z pokoju.

Parę chwil później w progu stanęła moja dawna piastunka i główna niania w naszym domu, Shao.

– Od teraz ja będę się tobą zajmować – poinformowała mnie.

Nie mogłam otrzymać gorszej wiadomości.

Moja matka miała w odniesieniu do mnie bardzo konkretne plany i Shao, która zamieszkała w moim pokoju, musiała zadbać o ich realizację.

– Tong, masz przygotować się do ślubu – oznajmiła zdecydowanym tonem. – To twoje jedyne zadanie.

Na dźwięk nowego imienia dreszcz przebiegł mi po plecach. Moje miejsce w świecie zależało od etykietki i przeznaczenia – zmiana imienia oznaczała, że z córki powoli przeistaczam się w żonę i synową.

Przez następnych siedem tygodni Shao przynosiła mi posiłki, lecz mój żołądek stał się otchłanią niepokoju i rozpaczy, ignorowałam więc jedzenie albo po prostu z uporem odsuwałam talerze. Wraz z upływem czasu moje ciało zaczęło się zmieniać. Spódnice, które wcześniej dość ciasno obejmowały mnie w talii, teraz luźno trzymały się na biodrach, a tuniki wydawały się za duże.

Mama nadal mnie nie odwiedzała.

– Jest tobą głęboko rozczarowana – dzień w dzień przypominała mi Shao. – Zadaje sobie pytanie, jak to możliwe, że narodziłaś się z jej ciała. Powtarzam jej, że zła córka to normalna rzecz...

Byłam wykształcona i oczytana, ale nie miałam szans w starciu z matką. Jej zadaniem było sprawowanie władzy nade mną i wydanie mnie za mąż za kandydata z dobrej rodziny. Nadal nie chciała oglądać mojej twarzy, lecz przysyłała do mnie swoje wysłanniczki. Co rano tuż przed świtem przychodziła Trzecia Stryjenka, aby uczyć mnie haftu.

– Koniec z niezgrabnymi ściegami i niechlujnością – mówiła twardym jak biały karnelian głosem.

Gdy popełniałam błąd, kazała mi wypruwać ściegi i zaczynać od nowa. Pozbawiona wszystkiego, co mogło mnie rozpraszać, starałam się sprostać wymaganiom Trzeciej Stryjenki. Uczyłam się szybko i z każdym ściegiem coraz bardziej tęskniłam za moim poetą.

Kiedy Trzecia Stryjenka wychodziła, Shao wpuszczała Drugą, która szkoliła mnie w grze na cytrze. Druga Stryjenka miała opinię osoby łagodnej, lecz mnie traktowała z wielką surowością. Jeśli trąciłam niewłaściwą strunę, biła mnie po palcach zielonym pędem bambusa. W zaskakującym tempie stałam się niezłą harfistką, grałam czysto i melodyjnie. Oczami wyobraźni widziałam, jak każda nuta wyfruwa przez okno i w powietrzu płynie nad jeziorem do domu mojego poety, gdzie skłania go do snucia wspomnień o mnie, tak jak ja wspominałam jego.

Późnym popołudniem, kiedy na zachodzie zaczynały pojawiać się barwy wieczoru, przychodziła do mnie Czwarta Stryjenka, owdowiała i bezdzietna, aby wyjaśniać mi cel chmur i deszczu.

– Największa siła kobiety tkwi w rodzeniu synów – pouczała mnie. – Zapewnia to kobiecie władzę, ale może także odebrać jej kontrolę nad mężem. Niewykluczone jednak, że jeśli dasz mężowi syna, powstrzymasz go przed odwiedzaniem dzielnicy przyjemności na jeziorze albo przed sprowadzeniem do domu konkubin. Pamiętaj też, że czystość kobiety rośnie dzięki odosobnieniu. Właśnie dlatego tutaj jesteś.

Uważnie słuchałam jej słów, nie powiedziała mi jednak, czego mam się spodziewać w noc poślubną ani jak uczestniczyć w chmurach i deszczu z kimś, kogo nie znam; nie lubię i nie znam. Z uporem wyobrażałam sobie godziny przed nadejściem nocy poślubnej; widziałam moją matkę, stryjenki i kuzynki, które myją mnie i ubierają w weselny strój; pięć ziaren, kawałek wieprzowiny i świńskie serce, które miały ukryć w mojej halce wkładanej pod spódnicę, bezpośrednio na skórę; widziałam, jak wszyscy ronili łzy, kiedy wyprowadzano mnie na zewnątrz, do palankinu; później przekraczałam próg domu rodziny Wu i upuszczałam halkę z ukrytymi symbolami na ziemię, aby zapewnić sobie szybkie i łatwe wydanie na świat synów; i wreszcie cały orszak odprowadzał mnie do ślubnej komnaty. Te myśli, które dawniej napełniały mnie uczuciem pełnego radości oczekiwania, teraz budziły we mnie pragnienie ucieczki. W jeszcze gorszy nastrój wpędzała mnie świadomość, że nie mam żadnej drogi ucieczki.

Po kolacji Piąta Stryjenka rezygnowała z wieczornych spotkań w kobiecych izbach, aby pracować ze mną nad kaligrafią.

– Pismo jest tworem zewnętrznego świata mężczyzn – powiedziała mi. – Z samej swej natury jest to akt publiczny, coś, czego my, kobiety, powinnyśmy unikać. Musisz jednak nauczyć się kaligraficznego pisma, żebyś kiedyś w przyszłości mogła pomagać w nauce swemu synowi.

Zapisywałyśmy jeden arkusz po drugim, kopiując wiersze z *Księgi pieśni*, robiąc ćwiczenia z *Obrazków bitewnych formacji pędzla* oraz lekcje z *Czteroksięgu dla kobiet* z takim zapałem, że moje palce były gęsto poplamione atramentem. Prócz doskonalenia pociągnięć mojego pędzla zalecenia Piątej Stryjenki były jasne i proste: „Najlepsze, co możesz zrobić, to przyjąć za swych nauczycieli starożytnych. Poezja istnieje po to, aby uspokajać, a nie doprowadzać do wzburzenia umysłu, myśli czy uczuć. Dbaj o swój wygląd, odzywaj się łagodnie, lecz nie mów nic, dopóki cię o to nie proszą, myj się dokładnie i często, staraj się zachować harmonię myśli. Przestrzegając tych zasad, zawsze będziesz nosiła cnotę na twarzy".

Słuchałam pilnie, ale każde pociągnięcie pędzlem było pieszczotą, którą obdarzałam mojego poetę. Każde muśnięcie pędzlem było jak dotknięcie palcami jego skóry. Każdy ukończony znak był darem dla mężczyzny, który całkowicie opanował moje myśli.

W każdej chwili dnia i nocy czuwała nade mną Shao. Podobnie jak Wierzba Shao spała na podłodze w nogach mojego łóżka. Była tam, kiedy się budziłam, kiedy korzystałam z nocnika, kiedy pobierałam nauki i kiedy kładłam się spać. Ja także byłam bezustannie obecna w jej życiu – słuchałam jej chrapania i głośnego wypuszczania gazów, czułam zapach jej oddechu i tego, co wychodziło z jej ciała i wpadało do nocnika, patrzyłam, jak drapie się po tyłku i czyści sobie stopy. Niezależnie od tego, co robiła, Shao nieugięcie powtarzała to samo.

– Kobieta staje się nieposłuszna, kiedy zdobywa wiedzę, i twoja matka dostrzegła to w tobie – mówiła, podważając nauki stryjenek. – Posługując się umysłem, wychodzisz za daleko poza wewnętrzne izby. Zapomnij o wszystkim, czego się nauczyłaś. *Zalecenia Matki Wen* podpowiadają nam, że dziewczyna powinna znać tylko kilka pisanych znaków, na przykład: „drzewo na podpałkę", „ryż", „ryba" czy „mięso". Te słowa pomogą ci prowadzić dom, wszystko ponad to jest zbyt niebezpieczne.

W miarę jak jedne drzwi po drugich coraz dokładniej odcinały mnie od świata, moje serce otwierało się coraz szerzej i szerzej. Odbyta we śnie wizyta w Pawilonie Peonii przyprawiła Liniang o atak miłosnej choroby, natomiast ja zawdzięczałam tę samą przypadłość wizytom w pawilonach rodziny Chen. Nie miałam żadnej kontroli nad moimi zajęciami i czynnościami, nad tym, jak się ubieram i jak będzie wyglądało moje przyszłe życie z tym całym Wu Renem, lecz moje uczucia pozostały nieujarzmione, wolne. Zaczęłam podejrzewać, że część choroby bierze się właśnie z konfliktu między kontrolą i pożądaniem. W miłości nad niczym nie mamy kontroli. Nasze serca i umysły są nękane cierpieniem, ale także zachwycone obezwładniającą potęgą emocji, które każą nam zapomnieć o prawdziwym świecie. Jednak ten świat istnieje, więc jako kobiety musimy myśleć o tym, jak uszczęśliwić naszych mężów, jak być dobrymi żonami, jak odpowiednio wychować synów, prowadzić dom i zachować urodę, aby nasi małżonkowie nie tracili z oczu swych codziennych obowiązków i nie zadawali się z konkubinami. Nie przychodzimy na świat z tymi umiejętnościami, nie są one wrodzone. Rozbudzanie ich w nas jest zadaniem innych kobiet. Nasze charaktery urabiane są przez lekcje, aforyzmy i rozwijane zdolności. W ten sposób jesteśmy kształtowane, lecz także poddawane kontroli.

Moja matka sprawowała nade mną władzę przez swoje polecenia i rozkazy, mimo że nie chciała mnie widzieć. Stryjenki kontrolowały mnie przez lekcje. Moja przyszła teściowa miała kontrolować mnie po ślubie. Wszystkie te kobiety razem sprawowały kontrolę nad każdą chwilą mojego życia, od dnia narodzin aż do śmierci.

Mimo ich nieustannych wysiłków zaczęłam im się wymykać. W każdym momencie w moich myślach gościł poeta – przy każdym ściegu, każdym trąceniu struny, w każdej lekcji dydaktycznej. Był w moich włosach, oczach, palcach, sercu. Wyobrażałam sobie, co robi, czuje, myśli, widzi, wącha, smakuje. Nie mogłam jeść, bo wciąż o nim myślałam. Za każdym razem, gdy przez okno wpływało pachnące kwiatami powietrze, zadawałam sobie dziesiątki pytań. Czy pragnął żony tradycyjnej, czy nowoczesnej, takiej jak ta, o której rozmawialiśmy w noc spotkania w Pawilonie z Widokiem na Księżyc? Czy jego przyszła małżonka miała dać mu to, na czym mu zależało? A ja? Co teraz miało się ze mną stać?

Nocą, gdy światło księżyca rzucało cienie bambusowych liści na moją jedwabną pościel, nie mogłam opędzić się od czarnych myśli. Czasami wstawałam, robiłam duży krok nad śpiącą Shao i zaglądałam do szuflady, w której przechowywałam gałązkę wierzby, podarowaną mi przez poetę w tę ostatnią noc. Tygodnie mijały, liście schły i odpadały jeden po drugim, aż w końcu została tylko naga witka. Moje małe serce nasiąkło smutkiem.

Wraz z upływem czasu coraz lepiej grałam na cytrze, uczyłam się na pamięć zasad i pracowałam nad haftami.

– Jesteś już odpowiednio przygotowana do zadania, jakim jest szycie pantofelków dla teściowej – oznajmiła Trzecia Stryjenka, kiedy minęły dwa miesiące mojego odosobnienia.

Każda narzeczona na znak szacunku szyje i haftuje pantofle dla teściowej, ale ja przez całe lata obawiałam się tego, wiedziałam bowiem, że marne ściegi od razu wyjawią i podkreślą moje niedociągnięcia. Teraz lęk jeszcze się nasilił. Wiedziałam, że nie przyniosę już wstydu sobie samej ani mojej rodzinie, nie miałam jednak żadnych uczuć dla tej kobiety i nie odczuwałam potrzeby, aby wywrzeć na niej korzystne wrażenie. Próbowałam wyobrazić sobie, że jest to matka mojego poety. Co innego mogłam zrobić, aby obronić się przed dręczącym mnie poczuciem beznadziei? Teściowa nosiła to samo imię co ja – Peonia – włączyłam więc peonię, najtrudniejszy do oddania ze wszystkich kwiatów, do projektu haftu. Poświęciłam wiele godzin na wyhaftowanie każdego płatka i listka, aż wreszcie, po miesiącu od rozpoczęcia pracy, pantofelki były gotowe.

Postawiłam je sobie na dłoni i pokazałam Trzeciej Stryjence.

– Są idealne – orzekła szczerze.

Nie użyłam do szycia i haftu pasemek własnych włosów, tak jak zrobiłaby to Trzecia Stryjenka, ale wedle wszelkich innych standardów były naprawdę wspaniałe.

– Możesz je zapakować – dodała moja nauczycielka.

Dziewiątego dnia dziewiątego miesiąca, kiedy to wspominamy Panią Fioletu, która padła ofiarą tak złego traktowania ze strony teściowej, że powiesiła się w toalecie podczas codziennego sprzątania tego pomieszczenia, drzwi mojego pokoju otworzyły się i weszła Mama. Skłoniłam się jej głęboko, potem zaś znieruchomiałam z rękami splecionymi na wysokości piersi i spuszczonymi oczami.

– Waaa! Wyglądasz...

Brzmiące w jej głosie zaskoczenie kazało mi podnieść wzrok. Wszystko wskazywało na to, że nadal jest na mnie zła, ponieważ na jej twarzy malował się wyraz wzburzenia, była jednak mistrzynią w sztuce ukrywania uczuć i szybko przywdziała maskę chłodnego spokoju.

– Przywieziono już ostatnie ślubne dary – powiedziała. –

Może masz ochotę je zobaczyć, zanim zostaną schowane... Chciałabym jednak, żebyś...

– Nie martw się, Mamo. Zmieniłam się.

– Widzę – odparła, lecz i tym razem usłyszałam w jej głosie nie tyle zadowolenie, co niepokój. – Chodź, obejrzysz je, a potem zjesz razem z nami śniadanie...

Wychodząc z pokoju, uświadomiłam sobie, że jedna nić łączy cały łańcuch uczuć – samotność, rozpacz i niegasnącą miłość, jaką czułam do poety. Nauczyłam się uwalniać moje smutki poprzez westchnienia.

Dotarłam do Sali Siedzenia, idąc w odpowiedniej odległości za Mamą. Dary ślubne przyniesiono do naszego domu w lakierowanych szkatułach, które wyglądały jak trumny ze szkła. Moja rodzina otrzymała tradycyjne podarunki, stanowiące cenę panny młodej – bele jedwabiu i satyny, złoto i biżuterię, porcelanę i ceramikę, ciastka i kluski, dzbany z winem i pieczoną wieprzowinę. Niektóre z tych rzeczy przeznaczone były dla mnie, lecz większość miała trafić do skrzyń mego ojca. Obfite dary pieniężne otrzymają moi stryjowie. Patrzyłam na fizyczny dowód, że moje małżeństwo dojdzie do skutku, i to już niedługo. Uszczypnęłam się w mostek nosa, żeby powstrzymać łzy. Kiedy już opanowałam emocje, przywołałam na twarz spokojny uśmiech. Wreszcie opuściłam swój pokój i wiedziałam, że moja matka będzie mnie uważnie obserwowała, czujnie wypatrując, czy nie popełniam jakichś wykroczeń przeciwko etykiecie. Musiałam mieć się na baczności.

Mój wzrok padł na owinięty w czerwony jedwab pakunek. Spojrzałam na Mamę, ona zaś skinęła głową, dając mi do zrozumienia, że mogę otworzyć paczkę. Powoli odwinęłam miękkie fałdy. Wewnątrz znajdowało się dwutomowe wydanie *Pawilonu Peonii*. Było to jedyne wydanie, jakiego jeszcze nie miałam, pochodzące z własnej drukarni Tang Xianzu. Otworzyłam list, który dołączono do podarunku.

Droga Tong, nie mogę się już doczekać długich wieczorów, które będziemy spędzać razem, popijając herbatę i rozmawiając o ope-

rze – przeczytałam. List podpisany był przez bratową mojego przyszłego męża, która mieszkała już w domu rodziny Wu. Wszystkie dary ślubne były wspaniałe, lecz ten zasygnalizował mi, że w izbach dla kobiet z rodziny Wu mieszkała przynajmniej jedna osoba, w której towarzystwie miałam szansę dobrze się czuć.

– Mogę to zatrzymać? – spytałam matkę.

Zmarszczyła brwi, pomyślałam więc, że odmówi.

– Zanieś podarunek do swojego pokoju, a potem od razu przyjdź do Wiosennego Pawilonu. Musisz coś zjeść.

Z księgami przyciśniętymi do piersi powoli wróciłam do siebie. Położyłam *Pawilon Peonii* na łóżku i, posłuszna poleceniu matki, udałam się na śniadanie.

Przebywałam w zamknięciu dwa miesiące i teraz nowymi oczami patrzyłam na salę i wszystkie znajdujące się w niej kobiety. Między moimi stryjenkami, kuzynkami, Mamą oraz tymi, które rano nie wychodziły ze swoich izb, konkubinami i ich córkami, jak zwykle pulsowały rozmaite napięcia. Ponieważ jednak długo mnie nie było, dostrzegłam i wyczułam podskórne wibracje, na które wcześniej nigdy nie zwróciłam uwagi. Oczekuje się, że każda kobieta co najmniej dziesięć razy zajdzie w ciążę. Kobiety z rodziny Chen miały trudności z zachodzeniem w ciążę, a kiedy już poczęły, i tak nie rodziły synów. Brak męskich potomków ciążył na świadomości wszystkich członków rodziny. Konkubiny miały uratować nasz wymierający ród, ale chociaż karmiliśmy je, ubierali i zapewniali im dach nad głową, żadna z nich także nie wydała na świat chłopca. Nie wolno im było zasiadać z nami do śniadania, ale mimo tego były obecne w sali.

Kuzynki całkowicie zmieniły swój stosunek do mnie. Miotła, która spowodowała moje odosobnienie, raz po raz podsuwała mi kluski, a nawet własnymi pałeczkami nałożyła mi kilka na talerz. Kwiat Lotosu nalała mi herbaty i poczęstowała miską *zhou*, które sama doprawiła soloną rybą i skorupiakami. Stryjenki podchodziły do stołu, witały mnie z uśmiechem i zachęcały do jedzenia, ale ja nie przełknęłam ani kęsa. Nie tknęłam nawet kluseczek ze słodką fasolką, które Shao przyniosła mi ze stołu Mamy.

Kiedy posiłek dobiegł końca, przeniosłyśmy się do Sali Kwitnącego Lotosu. Tu od razu potworzyły się małe grupki – niektóre kobiety zabrały się do haftowania, inne malowały i kaligrafowały, jeszcze inne czytały wiersze. Przyszły konkubiny i zaczęły muskać mnie dłońmi, podsuwać mi słodycze i szczypać moje policzki, żeby trochę się zarumieniły. Spośród konkubin mojego dziadka żyły już tylko dwie, obie w bardzo podeszłym wieku. Nałożony na ich twarze puder podkreślał zmarszczki, a ozdoby we włosach nie odmładzały ich, lecz nadawały niezdrowy ton bladej skórze. Talie miały szerokie, natomiast stopy nadal maleńkie i piękne jak w czasach, kiedy mój dziadek uspokajał wzburzone myśli, biorąc ich delikatne nóżki w dłonie.

– Stajesz się coraz bardziej podobna do swojej babki – powiedziała faworyta dziadka.

– Jesteś tak samo dobra i miła jak ona – dodała druga.

– Usiądź z nami do haftu – ciągnęła faworyta. – Albo wybierz sobie jakieś inne zajęcie... Sprawiłoby nam ogromną przyjemność, gdybyśmy mogły dotrzymać ci towarzystwa. Koniec końców wszystkie w tej sali tworzymy siostrzany związek... Kiedy ukrywałyśmy się przed Mandżurami w Yangzhou, twoja babka zawsze powtarzała nam, jak ważna jest ta więź...

– Babka z tamtego świata czuwa nad twoją przyszłością – pokornym tonem oświadczyła druga konkubina dziadka. – Składałyśmy jej ofiary w twoim imieniu...

Po tylu tygodniach samotności gwar, gadanina, troska i rywalizacja, ukryte pod płaszczykiem takich zajęć jak haft, kaligrafia i czytanie poezji, coraz wyraźniej ukazywały mi mroczny cień, wiszący nad kobietami mieszkającymi w rezydencji rodziny Chen. Do moich oczu napłynęły łzy wysiłku, wywołanego bezustannym zabieganiem o to, aby być dobrą córką, słuchać innych i bronić się przed ich fałszywą troską oraz mieć świadomość, że wszystko to razem składa się na moje życie.

Nie mogłam jednak walczyć z matką.

Pragnęłam zanurzyć się w swoich uczuciach, zagrzebać się w myślach o miłości. Nie miałam żadnych szans, aby uniknąć małżeństwa, ale przyszło mi do głowy, że może uda mi się uciec od niego w wypraktykowany w domu sposób – czytając, pisząc i chroniąc się w świecie wyobraźni. Nie byłam mężczyzną i nie mogłam konkurować z pisarzami mężczyznami. Nie czułam potrzeby stworzenia ośmioczłonowego eseju, chociaż niewykluczone, że mogłabym przystąpić do cesarskich egzaminów. Posiadłam jednak pewną wiedzę, na którą składało się wszystko, czego nauczyłam się, siedząc na kolanach ojca jako mała dziewczynka, a także później, kiedy studiowałam otrzymane od niego dzieła klasyków i tomy poezji. Większość dziewcząt nie miała takich możliwości, ja zaś wiedziałam, że mogę wykorzystać tę wiedzę, aby się uratować. Nie chciałam pisać wierszy o motylach i kwiatach. Musiałam znaleźć coś, co nie tylko miałoby dla mnie konkretne znaczenie, lecz także podtrzymywało mnie przez resztę życia.

„Wszystko, co nie jest pogrążone w spokoju, będzie krzyczeć" – napisał poeta Han Yu tysiąc lat wcześniej. Ludzką potrzebę wyrażania uczuć w utworach pisanych porównał on do siły przyrody, która każe roślinom szumieć i szeleścić na wietrze, a metalom brzęczeć i dzwonić pod wpływem uderzenia.

Te myśli nagle uświadomiły mi, co chcę zrobić. Było to coś, nad czym pracowałam od lat. Odcięta od zewnętrznego świata, spędziłam życie, zaglądając do swego wnętrza, i moje uczucia były idealnie nastrojone. Ren pragnął poznać moje myśli dotyczące Siedmiu Uczuć, teraz więc postanowiłam znaleźć wszystkie te fragmenty *Pawilonu Peonii*, które stanowiły ich obraz. Zamierzałam sięgnąć do swego serca i napisać nie to, co wcześniej zauważyli krytycy ani o czym mówiły stryjenki, lecz to, co sama czułam. Chciałam zakończyć to dzieło przed ślubem, abym mogła udać się do domu Wu Rena z czymś, co zawsze przypominałoby mi trzy noce miłości spędzone z poetą. Wytyczone zadanie miało się stać moim ratunkiem w nadchodzących mrocznych latach. Miałam spędzić je zamknięta w domu męża, lecz moje myśli mogły odwiedzać Pawilon z Widokiem na Księżyc i bez ryzyka spotykać się z poetą. Nie mogłam liczyć na to, że poeta przeczyta moje przemyślenia, ale zawsze mogłam wyobrażać sobie, że przedstawiam mu je, rozebrana z szat, leżąca na jego łożu, z obnażonym, odsłoniętym sercem i umysłem.

Wstałam gwałtownie, aż krzesło zgrzytnęło o podłogę. Ostry dźwięk spowodował, że kobiety i dziewczęta popatrzyły na mnie uważnie. Dostrzegłam ich nienawiść i zazdrość, ukryte pod maskami ślicznych twarzy, wyrażających fałszywą troskę i zaniepokojenie.

– Tong... – odezwała się moja matka, zwracając się do mnie nowym imieniem.

Miałam wrażenie, że w środku mojej głowy krążą tysiące mrówek, lecz moja twarz pozostała spokojna.

– Mamo, mogę iść do biblioteki Taty?

– Nie ma go tam. Pojechał do stolicy.

Ta wiadomość całkowicie mnie zaskoczyła. Od czasu przejęcia władzy przez Mandżurów ojciec ani razu nie był w stolicy.

– Nie zgodziłabym się zresztą, nawet gdyby był w domu – ciągnęła moja matka. – Ojciec ma na ciebie zły wpływ. Uważa, że dziewczyna powinna wiedzieć o Xiaoqing. Sama popatrz, co dobrego dały ci te nauki...

Powiedziała to wobec wszystkich kobiet, które mieszkały w naszej rezydencji – oto, jak wielką darzyła mnie pogardą.

– Kataklizm już się skończył. Musimy pamiętać, kim jesteśmy – kobietami, które powinny wieść życie w wewnętrznych izbach, a nie błąkając się po ogrodzie...

– Chcę coś sprawdzić w książkach – rzekłam. – Proszę, pozwól mi tam pójść, Mamo. Niedługo wrócę.

– Pójdę z tobą. Wezmę cię pod ramię...

– Mamo, nic mi nie dolega, naprawdę. Zaraz wrócę.

Prawie wszystko, co jej powiedziałam, było kłamstwem, ale mimo to pozwoliła mi pójść.

Wyszłam z Sali Kwitnącego Lotosu. Kręciło mi się w głowie, lecz powoli dotarłam korytarzem do wyjścia do ogrodu. Był dziewiąty miesiąc. Kwiaty już przekwitły, ich żałosne płatki opadły. Ptaki odleciały do cieplejszych krain. Nosiłam w sobie tak silne wiosenne uczucia, że widok tych kruchych szczątków młodości, życia i piękna przejmował mnie bólem.

Na brzegu stawu osunęłam się na kolana, żeby popatrzeć na swoje odbicie w szklistej powierzchni. Miłosna choroba sprawiła, że moja twarz zmizerniała i straciła rumieńce. Ciało wydawało się dziwnie wiotkie, można było odnieść wrażenie, że nie jest w stanie nosić nawet tak niewielkiego ciężaru jak cieniutka tunika. Czy mój poeta poznałby mnie, gdybym teraz przed nim stanęła?

Podniosłam się, ostatni raz spojrzałam na swoje odbicie i wróciłam do korytarza. Poszłam do głównego wejścia. W ciągu minionych szesnastu lat byłam tu wiele razy, nigdy jednak nie przekraczałam progu sama ani nikt nie przenosił mnie na drugą stronę. Miało się to zdarzyć dopiero w dzień mojego ślubu. Przesunęłam palcami po powierzchni drzwi. Ojciec mówił mi kiedyś, że mamy bramę chroniącą przed wiatrem i ogniem. Od strony zewnętrznego świata znajdowała się gruba osłona z drewna, chroniąca nas przed wszelką nieprzychylnością pogody, a także przed duchami i bandytami – wygląd bramy miał wprowadzić ich w błąd, przekonać, że po naszej stronie nie ma nic ważnego czy interesującego. Wewnętrzna strona oklejona była gładkim kamieniem, który bronił przed pożarem i zapewniał dodatkowe wzmocnienie na wypadek, gdyby do naszego ogrodu usiłowały dostać się jakieś złe siły. Dotykanie kamiennych płyt przypominało kontakt z zimnym *yin* ziemi. Od bramy zawróciłam do Sali Przodków, niskim ukłonem oddałam cześć babce, zapaliłam kadzidło i poprosiłam ją, aby dodała mi sił.

Na końcu poszłam do biblioteki ojca. Kiedy weszłam do środka, natychmiast zorientowałam się, że Tata wyjechał już jakiś czas temu. W powietrzu nie unosił się zapach tytoniu ani kadzidełek. Tace, na których latem leżał lód, zostały zabrane, lecz nikt nie rozpalił ognia, aby ogrzać wychłodzone powietrze. Najdotkliwiej jednak odczuwałam brak obecności energii umysłu Taty nie tylko w bibliotece, ale w całym domu, z czego sprawę zdałam sobie dopiero teraz. Ojciec był najważniejszą osobą w rodzinie Chen. Jak mogłam nie zauważyć jego nieobecności, nawet zamknięta w swoim pokoju?

Wybrałam i zdjęłam z półek najlepsze zbiory wierszy, opowiadań historycznych, mitów i opracowań religijnych, jakie mogłam znaleźć. Odbyłam trzy wyprawy do mojego pokoju, aby przenieść tam książki, a potem wróciłam do biblioteki i na parę chwil usiadłam na ławie Taty, zastanawiając się, czy nie będę potrzebowała czegoś więcej. Ze stosu książek w rogu wzięłam jeszcze trzy i opuściłam bibliotekę. Weszłam do swojego pokoju i zamknęłam za sobą drzwi, tym razem z własnej woli.

Zmiażdżony nefryt

Przez następny miesiąc przeglądałam dwanaście wydań *Pawilonu Peonii*, które tworzyły moją kolekcję, i przepisywałam wszystkie notatki, jakie zrobiłam na marginesach oryginalnej dwutomowej edycji dzieła Tang Xianzu, podarunku od przyszłej szwagierki. Kiedy skończyłam, obłożyłam się książkami Taty i studiowałam je tak długo, aż wreszcie, po czterech tygodniach, zidentyfikowałam wszystkich, z wyjątkiem trzech, autorów pastiszów z tomu pierwszego oraz zdecydowaną większość z tomu drugiego. Nie wyjaśniałam określeń, zwrotów ani aluzji, nie oceniałam muzyki ani sposobu wystawienia, nie próbowałam też porównywać *Pawilonu Peonii* z innymi operami. Pisałam maleńkimi znakami, ciasno upychając je między wersami tekstu.

Nie opuszczałam pokoju. Pozwalałam, aby Shao myła mnie i ubierała, ale odwracałam się na widok przynoszonego jedzenia. Nie byłam głodna; uczucie dziwnej lekkości i zawroty głowy sprawiały, że osiągnęłam niezwykłą jasność myślenia oraz precyzowania uwag. Kiedy stryjenki albo kuzynki przychodziły, aby zaprosić mnie na spacer po ogrodzie czy na herbatę z kluseczkami w Wiosennym Pawilonie, dziękowałam im bardzo uprzejmie, lecz odmawiałam. Nie dziwiło mnie, że moje zachowanie nie podoba się matce. Nie powiedziałam jej, czym się zajmuję, a ona nie pytała.

– Nie nauczysz się, jak być dobrą żoną, jeżeli zamkniesz się w pokoju z książkami ojca – mówiła. – Przyjdź do Wiosennego Pawilonu, zjedz z nami śniadanie i posłuchaj stryjenek. Przyjdź na obiad i popatrz, jak należy traktować konkubiny męża. Przyjdź na kolację i popracuj trochę nad doskonaleniem sztuki konwersacji...

Nagle wszystkie starały się namówić mnie do jedzenia, ale moja matka długie lata powtarzała mi, abym przypadkiem nie utuczyła się jak Miotła i ograniczyła posiłki przed ślubem, żeby moja sylwetka była smukła jak trzcina. Teraz uświadomiłam sobie, że całkowitą kontrolę mam tylko nad własnym ciałem i prawie w ogóle przestałam jeść. Jak można jeść, kiedy jest się zakochaną? Każda dziewczyna przeżywa to doświadczenie. Każda wie, że tak właśnie jest. Moje serce śniło o poecie, moja głowa wypełniona była literackim planem, który miał chronić mnie w samotnym życiu po ślubie, więc jakie znaczenie miał mój żołądek... Był pusty, ale mnie wcale to nie przeszkadzało.

Coraz więcej czasu spędzałam w łóżku. Całymi dniami czytałam dwutomowe wydanie opery, nocą oddawałam się lekturze przy migoczącym świetle olejnego kaganka. Im więcej czytałam, tym intensywniej myślałam o powiązaniach, jakimi posłużył się Tang Xianzu w celu stworzenia głębszej całości. Rozważałam kluczowe momenty opery, zapowiedzi zdarzeń, specjalne motywy i to, jak każde słowo i posunięcie bohaterów podkreślało kwestię, która stała się moją obsesją – miłość.

Na przykład drzewo śliwy było symbolem życia i miłości. To pod nim Liniang i Mengmei spotkali się po raz pierwszy, to pod nim pogrzebano główną bohaterkę, którą później zakochany uczony w tym samym miejscu przywrócił do życia. Już w pierwszej scenie Mengmei zmienia imię na Sen o Śliwie z powodu snu, który go nawiedził. Jednak drzewo symbolizuje także i Liniang, ponieważ kwiaty śliwy są delikatne, eteryczne, prawie dziewicze w swym pięknie. Kiedy dziewczyna przekracza próg małżeństwa, wraz z każdym oddechem wypuszcza z ciała urodę i na zawsze traci swój romantyczny wizerunek. Nadal ma do wypełnienia wiele obowiązków – musi wydać na świat synów, oddawać cześć przodkom męża, stać się cnotliwą wdową – ale z tą kluczową chwilą zaczyna stopniowo osuwać się w śmierć.

Wyjęłam tusz, utłukłam go w kałamarzu, dodałam wody i zapisałam swoje myśli na górnym marginesie tomu pierwszego, starając się kreślić jak najpiękniejsze znaki.

Większość osób, które opłakują wiosnę, zwykle odczuwa szczególne wzruszenie na widok opadłych na ziemię kwiatów, podobnie jak ja, kiedy ostatni raz przechadzałam się po naszym ogrodzie. Liniang widzi zwiędłe płatki i rozumie, że jej młodość oraz uroda są ulotne, nietrwałe. Nie uświadamia sobie jeszcze, że również jej życie naznaczone jest kruchością.

Tym, co zawsze przykuwało moją uwagę w tekście opery, był obraz romantycznej miłości, tak odmiennej od aranżowanych przez rodziny małżeńskich związków, takich jak te, które sama obserwowałam w łonie rodziny Chen, i takich jak ten, w który ja również miałam wejść. W moich oczach *qing* było najszlachetniejszą rzeczą, najwyższą ambicją, jaką mogli kierować się mężczyzna czy kobieta. Chociaż moje doświadczenie tego uczucia ograniczało się do trzech nocy rozjaśnionych światłem skrawka księżyca, wierzyłam, że nadaje ono sens całemu życiu.

Wszystko ma swój początek w miłości. Dla Liniang prawdziwe życie zaczyna się od przechadzki w ogrodzie i od snu. To życie nigdy się nie kończy.

Duch Liniang i Mengmei z radością przeżywają chmury i deszcz. Oboje są tak szczerzy we wzajemnej miłości, podobnie jak mój poeta i ja, że doświadczenie to nie jest dla nich czymś brzydkim i wstydliwym, w przeciwieństwie do tego, co łączy konkubinę i mężczyznę.

Ich miłość jest czystym, boskim uczuciem, które nie ma nic wspólnego z cielesnością. Liniang zawsze zachowuje się jak dama.

Pisząc to, myślałam o ostatniej nocy w Pawilonie z Widokiem na Księżyc. Pisałam o snach – snach Liniang, Mengmei i moich własnych. Przywołałam też z pamięci autoportret Liniang i starałam się porównać go z moim pomysłem. U góry strony napisałam wyraźnie:

Obraz to kształt bez cienia i odbicia, podobnie jak sen jest cieniem lub odbiciem bez formy. Obraz jest jak cień bez ostrych konturów. To jeszcze większa iluzja niż sen.

Cienie, sny, obrazy odbite w lustrach i powierzchniach stawów... Nawet wspomnienia były ulotne i bezkształtne, ale czy przez to mniej rzeczywiste? Nie dla mnie. Zanurzyłam pędzel w tuszu, strzepnęłam nadmiar i napisałam:

Du Liniang szukała rozkoszy we śnie; Liu Mengmei poszukiwał towarzyszki życia w obrazie. Jeżeli ktoś nie uważa takich rzeczy za iluzję, iluzja przeistacza się w rzeczywistość.

Pracowałam tak ciężko i jadłam tak mało, że powoli zaczęłam wątpić, czy istotnie podczas trzech nocy spotykałam się z nieznajomym w pawilonie z Wiatrem. Czy poeta i ja naprawdę wyszliśmy z pawilonu i spacerowaliśmy nad brzegiem jeziora? Był to sen czy rzeczywistość? W głębi duszy byłam przekonana, że zdarzyło się to naprawdę i że wkrótce będę musiała poślubić kogoś, kogo wcale nie kochałam.

Kiedy Liniang udaje się do biblioteki, przechodzi obok okna i pragnie ulecieć przez nie na spotkanie z ukochanym, lecz oczywiście za bardzo się boi, aby to zrobić.

Łzy napłynęły mi do oczu, potoczyły się po policzkach i poplamiły papier, na którym pisałam.

Pochłaniały mnie wizje miłości. O ile po pierwszym okresie odosobnienia miałam jeszcze niewielki apetyt, teraz ochota na jedzenie opuściła mnie całkowicie. Xiaoqing piła pół filiżanki gruszkowego soku dziennie; ja zadowalałam się kilkoma łykami herbaty. Niejedzenie przestało mieć cokolwiek wspólnego z utrzymywaniem kontroli nad życiem. Straciło nawet wszelki związek z moim poetą i burzliwymi uczuciami miłości oraz tęsknoty, które mnie obezwładniały. Jeden z mędrców napisał kiedyś: „Poezja, którą piszesz, jest naprawdę dobra dopiero wtedy, gdy dotkliwie cierpisz". Gu Ruopu, wielka poetka, odpowiedziała na to następującym komentarzem: „Urzędnicy i uczeni powinni ciąć własne ciało i rozkrawać kości, siwieć z bólu i tracić życie, kiedy próbują stworzyć mroczne, smutne wersy".

Wyruszyłam w podróż do miejsca położonego głęboko w moim wnętrzu, gdzie wszystko co światowe było zbędne, gdzie żyłam tylko uczuciami: miłością, żalem, tęsknotą, nadzieją. Siedziałam w łóżku, ubrana w ulubioną szatę z haftem przedstawiającym parę kaczek mandarynek nad kwiatami i motylami, i w myśli odwiedzałam Pawilon Peonii. Czy marzenia Liniang pozbawiły ją cnoty? Czy moje marzenia i wędrówki w wyobraźni po ogrodzie pozbawiły mnie cnoty? Czy straciłam czystość, ponieważ poznałam nieznajomego i pozwoliłam mu dotknąć mojej skóry płatkami peonii?

Pisałam z gorączkowym pośpiechem, a wokół mnie trwały przygotowania do ślubu i wesela. Któregoś dnia zjawiła się krawcowa, ubrała mnie w ślubny strój i zabrała go do zwężenia. Innego dnia przyszła Mama ze stryjenkami. Byłam w łóżku, książki leżały na jedwabnej narzucie. Mama i stryjenki uśmiechały się do mnie, ale nie były zadowolone.

– Twój ojciec przysłał wiadomość ze stolicy – oznajmiła Mama swoim melodyjnym głosem. – Zaraz po twoim ślubie wraca do pracy w służbie cesarza...

– Czy Mandżurowie uciekli? – spytałam.

Wydało mi się całkiem możliwe, że w czasie mojego odosobnienia doszło do zmiany dynastii.

– Nie, ojciec będzie służył cesarzowi Qing.

– Przecież Tata jest lojalistą, więc jak może...

– Powinnaś jeść – przerwała mi Mama. – Umyj włosy, upudruj twarz i przygotuj się, aby przywitać go po powrocie, jak przystało przykładnej córce. Dzięki twojemu ojcu nasza rodzina została obsypana zaszczytami. Powinnaś okazać mu szacunek. Wstawaj, no, dalej!

Ja jednak nie podniosłam się.

Mama wyszła z pokoju, ale stryjenki zostały. Usiłowały wyciągnąć mnie z łóżka, lecz ja byłam w ich rękach śliska i zmiennokształtna jak węgorz. Moje myśli były równie trudne do uchwycenia. Jakże Tata mógłby służyć nowemu cesarzowi, skoro był lojalistą Ming? Czy Mama zamierzała opuścić rezydencję i podążyć za nim do stolicy, tak jak kiedyś pojechała do Yangzhou?

Następnego dnia matka sprowadziła rodzinnego maga, chcąc omówić z nim sposoby przywrócenia rumieńców na moje policzki.

– Masz wiosenną herbatę z Longjing, pani? – zapytał. – Proszę podawać ją panience zaparzoną z imbirem. Poprawi to stan jej żołądka i podbuduje siły.

Starałam się pić herbatę, ale wcale mi nie pomogła. Lekki wiatr byłby w stanie obalić mnie na ziemię, gdybym wyszła do ogrodu. Nawet nocna szata wydawała mi się za ciężka.

Mag dał mi dziesięć kwaśnych moreli (był to popularny lek dla młodych kobiet, których myśli uważano za nieco zbyt dojrzałe), lecz moje rozważania nie podążyły w pożądanym kierunku. Nadal wyobrażałam sobie, jak by to było, gdybym poślubiła mojego poetę, jak by to było, gdybym poczęła naszego pierwszego syna i jadła solone śliwki, żeby złagodzić poranne mdłości...

Po paru dniach mag wrócił i pokropił świńską krwią moje łóżko, próbując wygnać duchy, które jego zdaniem tam właśnie czyhały.

– Jeżeli zaczniesz teraz jeść, panienko, w dzień ślubu twoja skóra i włosy będą najpiękniejsze na świecie – zapewnił.

Ja jednak nie byłam zainteresowana poślubieniem Wu Rena, a już na pewno nie zamierzałam zacząć jeść po to, aby sprawić mu przyjemność. Nie miało to zresztą żadnego znaczenia. Moja przyszłość była zaplanowana i ustalona, a ja zrobiłam wszystko, co należało, żeby przygotować się do ślubu. Nauczyłam się pięknie haftować i grać na cytrze. Shao codziennie ubierała mnie w tuniki, na których były wyhaftowane kwiaty i motyle albo dwa ptaki w locie, co było zewnętrznym wyrazem miłości i szczęścia, z jakimi powinnam czekać na rozpoczęcie nowego życia w domu małżonka. Nie jadłam nic, nawet owoców; piłam tylko parę łyków herbaty lub soku. Podtrzymywałam siły, trawiąc mistyczny oddech, rozmyślając o miłości, wspominając moją przygodę z poetą.

Mag zostawił instrukcje, aby prowadzące na korytarz drzwi były zawsze zamknięte (miało to zapobiec przedostawaniu się do środka złych duchów), a kuchenny piec i moje łóżko przestawione w celu wykorzystania bardziej korzystnych aspektów *feng shui*. Mama i służące wykonały jego polecenia, ale nie poczułam się lepiej. Ledwo wyszły z pokoju, a natychmiast wróciłam do pisania i rozmyślań o miłości. Nie da się uzdrowić chorego z tęsknoty serca, zmieniając pozycję łóżka.

Kilka dni później Mama przyprowadziła doktora Zhao, który starannie zmierzył mi tętno w przegubie dłoni.

– Serce jest siedzibą świadomości – oznajmił. – W sercu twojej córki, pani, powstały zastoje wywołane przez zbyt mocną tęsknotę...

Z radością przyjęłam fakt, że oficjalnie uznał mnie za chorą z miłości. Do głowy przyszła mi dziwna myśl – co by było, gdybym umarła z miłości, tak jak Liniang? Czy mój poeta odnalazłby mnie i przywrócił do życia? Miło było rozważać taką możliwość, lecz Mama zupełnie inaczej zareagowała na diagnozę. Ukryła twarz w dłoniach i zaszlochała.

Doktor podprowadził ją do okna i zniżył głos.

– Ten rodzaj syndromu melancholii często łączy się z niewłaściwym funkcjonowaniem śledziony i może doprowadzić do całkowitego zaprzestania spożywania pokarmów. Chcę przez to powiedzieć, pani, że twoja córka może umrzeć z powodu zastojów *qi*...

Aiya! Lekarze zawsze starają się nastraszyć matki. Cóż, właśnie w ten sposób zarabiają duże sumy...

– Pani, trzeba zmusić ją do jedzenia – dodał.

I tak też się stało. Shao i Mama trzymały moje ramiona, a doktor wpychał mi do ust kulki z gotowanego ryżu i siłą zamykał usta. Służąca przyniosła miskę z duszonymi śliwkami i morelami. Lekarz zmusił mnie do przełknięcia rozgotowanych kawałków owoców, lecz zaraz wszystko zwymiotowałam.

Popatrzył na mnie z obrzydzeniem.

– Nie martw się, pani – zwrócił się do Mamy. – Takie zastoje związane są z namiętnościami. Gdyby już była mężatką, powiedziałbym, że noc chmur i deszczu wyleczy ją z wszelkich dolegliwości, ale ponieważ nie jest jeszcze zamężna, musi stłumić pragnienia. Możesz być pewna, że po nocy poślubnej wróci do zdrowia, Dobra Matko... Niestety, nie wolno nam tak długo czekać, dlatego zaproponuję jeszcze inne rozwiązane... – znowu ujął ją pod łokieć, przyciągnął do siebie i chwilę z przejęciem szeptał jej do ucha. – Często sam gniew wystarczy, aby zlikwidować chorobę – dodał uspokajająco.

Kiedy puścił łokieć Mamy, na jej twarzy malował się wyraz ponurej determinacji.

Wyprowadziła lekarza z pokoju, a ja znowu oparłam głowę na poduszce. Z jednej i drugiej strony miałam książki. Sięgnęłam po pierwszy tom *Pawilonu Peonii,* zamknęłam oczy i posłałam mój umysł na drugą stronę jeziora, do domu poety. Czy myślał o mnie tak samo żarliwie jak ja o nim?

Drzwi otworzyły się, na progu stanęła Mama z Shao i jeszcze dwoma służącymi.

– Zacznijcie od tamtych! – Mama wskazała stos książek na stole. – Potem pozbierajcie te, które leżą na podłodze.

Mama i Shao podeszły do łóżka i zgarnęły książki z narzuty przy moich stopach.

– Zabieramy książki – oznajmiła moja matka. – Doktor kazał mi je spalić.

– Nie! – Instynktownie przycisnęłam do piersi gruby tom. – Dlaczego?!

– Widok płonących książek ma cię wyleczyć. Powiedział to bardzo wyraźnie.

– Nie możesz tego zrobić! – zawołałam. – Książki są własnością Taty!

– Więc nie powinno cię to martwić – odparła spokojnie.

Upuściłam trzymaną książkę i gorączkowo wyplątałam się z jedwabnej kołdry. Usiłowałam powstrzymać Mamę oraz służące, ale byłam zbyt słaba. Gdy wychodziły, dźwigając pierwsze stosy książek, krzyknęłam przeraźliwie i wyciągnęłam ręce jak żebraczka, a nie jedyna, uprzywilejowana córka rodu o dziewięciu pokoleniach cesarskich uczonych. To były nasze książki! Bezcenne źródło nauki i boskiego natchnienia w miłości i sztuce!

Na łóżku miałam moją kolekcję wydań *Pawilonu Peonii.* Mama i Shao zaczęły zbierać także i te egzemplarze. Świadomość czekającego je losu obudziła we mnie najwyższe przerażenie.

– Nie możecie! – krzyknęłam, chwytając tyle książek, ile się dało. – Są moje!

Mama i Shao okazały się jednak zdumiewająco silne. Odepchnęły mnie bez najmniejszego trudu, oganiając się od moich rąk jak od natarczywych komarów.

– To moje dzieło, Mamo... – zawołałam błagalnie. – Tak ciężko nad tym wszystkim pracowałam...

– Nie wiem, o czym mówisz. Masz przed sobą tylko jeden cel – wyjść za mąż.

Z tymi słowami wyjęła mi z dłoni egzemplarz *Pawilonu,* który dostałam od Taty na urodziny.

Z dziedzińca pod oknami mojego pokoju dobiegały gwałtowne głosy.

– Powinnaś na własne oczy zobaczyć, do czego doprowadził twój egoizm – powiedziała Mama.

Przywołała Shao. Razem zwlokły mnie z łóżka i podprowadziły do okna. Służący rozpalili ogień w metalowym koszu i rzucali w płomienie jedną książkę Taty po drugiej. Wersy poetów z okresu panowania dynastii Tang rozwiewały się z dymem. Ujrzałam, jak tom utworów literatury kobiecej płonie, zwija się i przeobraża w popiół. Moją pierś rozrywał szloch. Shao uwolniła moje ramię i wróciła, żeby zebrać z łóżka resztę książek.

– Jesteś zła? – spytała Mama, wychodząc z pokoju.

Ja jednak czułam tylko rozpacz. Książki i wiersze nie mogą zaspokoić głodu, lecz mnie razem z nimi odebrano życie.

– Proszę, powiedz, że jesteś na mnie wściekła! – błagała Mama. – Doktor obiecywał, że tak będzie...

Gdy nie odpowiedziałam, odwróciła się na pięcie, padła na kolana i zasłoniła twarz dłońmi.

W milczeniu przyglądałam się, jak Shao wrzuca do ognia moją kolekcję wydań *Pawilonu Peonii*. Podczas gdy ogień pożerał kolejne tomy, coraz bardziej kuliłam się w środku. Patrzyłam na unicestwienie moich największych skarbów, które przeistoczyły się w malutkie piórka popiołu, unoszone przez wiatr daleko poza nasz ogród. Moja praca i wszystkie nadzieje, które z nią wiązałam, uległy zniszczeniu. Byłam odrętwiała z rozpaczy. Jakże mogłam pójść teraz do domu męża? Jak miałam poradzić sobie z osamotnieniem?

Mama płakała cicho na podłodze. Zgięła się tak nisko, że dotykała czołem ziemi i w takiej pozycji podpełzła do mnie, pokorna jak służąca. Wzięła w palce rąbek mojej spódnicy i ukryła twarz w jedwabiu.

– Proszę, bądź na mnie zła... – prosiła tak cicho, że z trudem ją słyszałam. – Proszę cię, córko, proszę...

Lekko oparłam dłoń na jej karku, ale nie odezwałam się. Bez słowa patrzyłam w ogień.

Po paru chwilach przyszła Shao i zabrała Mamę.

Dalej stałam przy oknie, z rękami na parapecie. Zimą ogród sprawiał ponure wrażenie. Burze i mrozy ogołociły drzewa, na ziemi kładły się coraz dłuższe cienie, światło było przyćmione.

Nie miałam siły się poruszyć. Wszystko, nad czym pracowałam, zostało zniszczone. W końcu spróbowałam wziąć się w garść. Kręciło mi się w głowie, nogi drżały i uginały się pode mną. Myślałam, że złociste lilie stóp nie udźwigną mojego ciężaru. Powoli przeszłam przez pokój i wróciłam do łóżka. Jedwabna kołdra była pognieciona i wzburzona w rezultacie moich prób ratowania książek. Wygładziłam ją i położyłam się. Kiedy wsuwałam nogi pod chłodny jedwab, uderzyłam o coś łydką. Sięgnęłam pod przykrycie i wyjęłam pierwszy tom wydania *Pawilonu*, który podarowała mi przyszła szwagierka. Z szaleństwa zniszczenia ocalała ta jedna książka z marginesami pełnymi moich notatek. Rozpłakałam się z wdzięczności i smutku.

Po tym strasznym dniu nocami wstawałam czasem z łóżka, podchodziłam do okna i odgarniałam grube zasłony, które miały chronić pokój przed zimowym chłodem. Spadł śnieg, i myśl o niegdyś pachnących kwiatach, zmiażdżonych tą lodowatą bielą, budziła we mnie głęboki niepokój. Wpatrywałam się w księżyc i obserwowałam jego powolną podróż po niebie. Noc w noc zimna rosa moczyła moją szatę, obciążała włosy i wyziębiała palce.

Nie mogłam już znieść ciągnących się w nieskończoność zimnych dni. Myślałam o Xiaoqing, o tym, jak codziennie ubierała się i wygładzała fałdy spódnic. Siadała na łóżku, żeby nie potargać włosów, i starała się pozostać piękna, lecz ja, mając przed oczami ponury obraz przyszłości, który podsuwała mi wyobraźnia, nie mogłam się zdobyć na taki wysiłek. Przestałam nawet dbać o stopy. Shao myła je i krępowała z wielką czułością. Byłam jej za to wdzięczna, ale nie traciłam czujności. Uratowany tom *Pawilonu Peonii* ukrywałam wśród jedwabiu pod kołdrą albo spódnicą, bojąc się, że Shao znajdzie go i doniesie Mamie, ona zaś natychmiast każe spalić książkę.

Doktor Zhao przyszedł powtórnie, zbadał mnie i ściągnął brwi.

– Postąpiłaś jak najbardziej właściwie, pani Chen – przyznał. – Uwolniłaś córkę od klątwy literatury. Spalenie książek, które miały na nią tak niekorzystny wpływ, pomogło odepchnąć otaczające ją złe duchy.

Zmierzył mi tętno, przyjrzał się, jak oddycham, wreszcie zadał mi kilka pozbawionych znaczenia pytań.

– Panny, zwłaszcza te na progu małżeństwa, są podatne na wpływy złowrogich duchów – oświadczył. – Młode dziewczęta często tracą rozsądek i ulegają tym zjawom. Im bardziej urodziwa dziewczyna, tym silniej mogą u niej wystąpić takie objawy jak dreszcze czy gorączka. Panna przestaje jeść, tak jak twoja córka, pani, i w końcu umiera... – z namysłem uszczypnął się w podbródek. – Nie są to słowa, które pragnie usłyszeć pan młody, jak wiesz, pani... Na podstawie doświadczenia mogę powiedzieć, że wiele dziewcząt z naszego miasta wykorzystywało tę diagnozę, aby uniknąć stosunków małżeńskich po wejściu do domu męża, ale ty powinnaś być wdzięczna, ponieważ umysł twojej córki, pani, jest wolny od tak podstępnych zamysłów. Nie powołuje się ona na żadne niewłaściwe związki z bóstwami czy duchami, nadal jest czysta i gotowa do małżeństwa...

Ta niezwykle pozytywna diagnoza doktora nie przyniosła jednak pociechy matce, ponieważ mój stan coraz szybciej się pogarszał. Nie widziałam żadnej możliwości uniknięcia nocy poślubnej ani nieszczęśliwych lat, które miały po niej nadejść.

– Herbata na wodzie ze świeżego śniegu przywoła rumieńce na jej policzki – powiedział doktor Zhao przed wyjściem.

Mama przychodziła codziennie i stawała przy moim łóżku. Jej oczy błagalnie patrzyły na mnie z wymizerowanej, bladej ze zmartwienia twarzy. Codziennie prosiła, żebym wstała, odwiedziła stryjenki i kuzynki, i oczywiście coś zjadła. Próbowałam delikatnie żartować z jej zatroskania.

– Nic mi nie jest, Mamo. Nie martw się. Nie martw się...

Ale także i moje słowa nie były dla niej żadną pociechą. Znowu sprowadziła maga, który tym razem pociął powietrze wokół mojego łóżka mieczem, starając się odstraszyć czyhające jakoby w pobliżu złe duchy. Zawiesił mi na szyi kamienny amulet, który miał chronić mnie przed wygłodniałym duchem, gotowym ukraść moją duszę. Poprosił Mamę o jedną z moich spódnic i zawiązał w jej fałdach kilka orzeszków ziemnych; powiedział, że każdy orzech stanie się więzieniem dla drapieżnych duchów. Kiedy zaczął rytmicznie wykrzykiwać modły, naciągnęłam pościel na twarz, żeby nie widział moich łez.

Dla córki małżeństwo zawsze jest czymś w rodzaju śmierci, przynajmniej do pewnego stopnia. Żegnamy się z rodzicami, stryjenkami i stryjami, kuzynkami i służącymi, które o nas dbały, przechodzimy do kompletnie nowego życia, w którym mamy towarzyszyć naszym nowym, prawdziwym rodzinom, życia w nowym domu, gdzie nasze imiona zostaną wymienione w Sali Przodków naszych teściów. Związek małżeński przypomina więc śmierć i odrodzenie, bez konieczności odbycia podróży w zaświaty. Zdaję sobie sprawę, że młoda narzeczona nie powinna ulegać tak ponurym myślom, lecz w moim przypadku były one owocem nieszczęśliwych okoliczności. Odczuwany smutek posyłał mój umysł w coraz to bardziej mroczne regiony. Czasami wierzyłam i miałam nadzieję, że umieram, podobnie jak Xiaoqing i inne chore z miłości dziewice. Moje myśli łączyły się z ich myślami. Dodawałam łzy do tuszu i sięgałam po pędzel, spod którego czubka wypływały wersy poezji:

Nauczyłam się stosować w haftach motyw motyli i kwiatów.
Robię to od lat, oczekuję bowiem dnia ślubu.

Czy ludzie rozumieją, że kiedy odejdę w zaświaty,
Kwiaty nie będą już pachnieć, a motyle fruwać?

Przez wiele dni w moim umyśle płonęły słowa i uczucia. Pisałam i pisałam bez końca. Kiedy ogarniało mnie zbyt potężne zmęczenie, prosiłam Shao, aby zapisywała moje wiersze. W ciągu następnych kilku dni podyktowałam osiem nowych utworów. Słowa wypływały ze mnie jedno po drugim, jak kwiaty brzoskwini unoszące się na przecinającym grotę strumieniu.

Rozpoczął się dwunasty miesiąc. Węgiel dzień i noc płonął w metalowym koszu, ale ja nie mogłam się rozgrzać. Za dziesięć dni miałam wyjść za mąż.

Moje jedwabne pantofelki mają zaledwie siedem centymetrów długości.
Szarfa mojej szaty jest za szeroka, chociaż składam ją na pół.
Ponieważ moja istota jest zbyt krucha, aby dotrzeć w zaświaty,
Muszę opierać się na ramieniu wiatru, żeby nie upaść.

Niepokoiłam się, że ktoś znajdzie wiersze i wykpi melodramatyczność sformułowań albo powie, że moje słowa mają tyleż znaczenia i trwałości, co pieśni insektów. Składałam kawałki papieru i szukałam wzrokiem miejsca, gdzie mogłabym je ukryć, ale wszystkie moje meble miały być wkrótce przeniesione do nowego domu.

Nie chciałam, aby moje utwory zostały znalezione, ale brakowało mi siły woli, żeby je spalić. Zbyt wiele kobiet paliło swoje słowa, ponieważ uważały je za niegodne, później zaś szczerze tego żałowały. Pragnęłam zachować to, co napisałam, wyobrażając sobie, że pewnego dnia, kiedy będę już mężatką z dziećmi, zapomnę o poecie, a gdy wiele lat później przybędę z wizytą do rodzinnego domu, znajdę swoje wiersze, przeczytam je i przypomnę sobie, jak to dawno temu, w latach dziewczęcych, padłam ofiarą miłosnej choroby. Czyż tak nie byłoby najlepiej?

Nie mogłam jednak zapomnieć o tym, co się wydarzyło, i dlatego z jeszcze większą determinacją szukałam odpowiedniej kryjówki dla wierszy. Myślałam, że niezależnie od tego, co skrywa przyszłość, zawsze będę mogła wrócić tutaj i ponownie doświadczyć tych uczuć. Z wielkim wysiłkiem podźwignęłam się z łóżka i wyszłam na korytarz. Był wczesny wieczór, wszyscy udali się na kolację. Poszłam do biblioteki ojca, a wyprawa ta trwała całe wieki, tak mi się w każdym razie wydawało. Idąc, trzymałam się ścian, zaciskałam palce na kolumnach i poręczach. Zdjęłam z półki książkę, na którą nikt nie spojrzałby ponownie – historię budowy tam na rzekach i jeziorach w południowych prowincjach, i wsunęłam wiersze między jej kartki. Potem odłożyłam książkę i długo wpatrywałam się w jej grzbiet, starając się zapamiętać tytuł oraz miejsce na półce.

Wróciwszy do pokoju, ostatni raz przed ślubem wzięłam do ręki pędzel. Na okładce *Pawilonu* namalowałam moją interpretację *Przerwanego snu*, sceny, w której Mengmei i Liniang spotykają się po raz pierwszy. Moja ilustracja przedstawiała dwoje zakochanych przed wejściem do skalnej groty, w której kilka chwil później mieli doświadczyć niezwykłego przeżycia, zwanego chmurami i deszczem. Gdy tusz wysechł, otworzyłam książkę i napisałam:

Kiedy ludzie żyją, kochają. Kiedy umierają, kochają dalej. Jeśli uczucie umiera wraz z człowiekiem, nie jest to prawdziwa miłość.

Zamknęłam książkę i zawołałam Shao.

– Byłaś obecna przy moim przyjściu na świat – powiedziałam. – Teraz patrzysz na mnie w chwili, gdy odchodzę do nowego domu. Nie mam nikogo innego, komu mogłabym zaufać.

Surowa twarz Shao była mokra od łez.

– Czego ode mnie oczekujesz? – spytała.

– Musisz obiecać mi posłuszeństwo, niezależnie od tego, co powiedzą Mama czy Tata. Odebrali mi już prawie wszystko, są jednak rzeczy, które muszę zabrać ze sobą.

Obiecaj, że przyniesiesz je do domu mojego męża trzy dni po ślubie...

W jej oczach wyczytałam wahanie. Zadrżała.

– Obiecuję – powiedziała.

– Przynieś mi pantofelki, które zrobiłam dla pani Wu.

Shao wyszła. Leżałam zupełnie nieruchomo, patrząc w sufit i słuchając smętnego gęgania osieroconych gęsi. Ten dźwięk przywodził mi na myśl wiersze Xiaoqing oraz jej wyrafinowane skojarzenia.

Przypomniałam sobie bezimienną kobietę, która wypisała swoją rozpacz na murze w Yangzhou. Ona także słyszała smutne krzyki gęsi. Z westchnieniem przywołałam z pamięci fragment jej wiersza: „Gdyby tylko moje krwawe łzy mogły zabarwić na czerwono kwiaty śliwy... Ale ja nie doczekam wiosny...".

Po paru chwilach Shao wróciła z pantofelkami, nadal owiniętymi w jedwab.

– Schowaj je w bezpiecznym miejscu i nie mów Mamie, że je masz...

– Oczywiście, Peonio...

Nikt nie nazywał mnie mlecznym imieniem, odkąd mój ojciec nadał mi nowe w ostatnią noc opery.

– I jeszcze coś... – szepnęłam.

Sięgnęłam pod przykrycie i wyjęłam ocalony egzemplarz *Pawilonu Peonii.*

Shao cofnęła się z przestrachem na twarzy.

– To najważniejsza część mojego posagu. Mama i Tata nie wiedzą, że ją zachowałam, a tobie nie wolno o tym nawet pisnąć! Przyrzeknij!

– Przyrzekam... – wymamrotała.

– Teraz ukryj książkę. Tylko ty możesz mi ją przynieść. Trzy dni po moim ślubie, pamiętaj!

Tata wrócił z wyprawy do stolicy i pierwszy raz odwiedził mnie w moim pokoju. Zawahał się w progu, zbyt zdenerwowany, aby podejść bliżej.

– Córko, do twojego ślubu zostało już tylko pięć dni – powiedział. – Matka mówi, że nie chcesz wstawać, myć się ani czesać, ale musisz to zrobić... Nie chcesz chyba nie stawić się na własny ślub...

Kiedy westchnęłam z rezygnacją, podszedł, usiadł na łóżku i wziął mnie za rękę.

– W ostatnią noc opery wskazałem ci twojego męża – rzekł. – Nie spodobało ci się to, co ujrzałaś?

– Nie patrzyłam – odparłam.

– Och, Peonio, teraz żałuję, że nie powiedziałem ci o nim więcej, ale wiesz, jaka jest twoja matka...

– Wszystko w porządku, Tato. Przyrzekam, że zrobię, co do mnie należy. Nie przyniosę wstydu tobie ani Mamie i zadbam, aby Wu Ren był szczęśliwy.

– Wu Ren to dobry człowiek – ciągnął Tata, nie zwracając uwagi na moje deklaracje. – Znam go od dziecka i nigdy nie widziałem, żeby zrobił coś niestosownego... – uśmiechnął się lekko. – Z jednym wyjątkiem... Tamtej nocy po spektaklu podszedł do mnie i przekazał mi coś dla ciebie... – Potrząsnął głową. – Jestem panem domu Chen, lecz twoja matka ma swoje zasady i była już zła na mnie z powodu przedstawienia... Nie dałem ci wtedy podarunku od Wu Rena, bo nawet ja wiedziałem, że jest to niewłaściwy gest. Dlatego ukryłem dar w tomie wierszy. Znając was oboje, doszedłem do wniosku, że będzie to najbardziej odpowiednie miejsce...

Prezent, czy to sprzed pięciu miesięcy, czy sprzed pięciu dni, nie mógł zmienić obrazu mojego przyszłego męża i małżeństwa, jaki stworzyłam w wyobraźni. Dostrzegałam swój obowiązek i odpowiedzialność, ale nic poza tym.

– Teraz zaś zostało nam już tylko kilka dni do... – Tata znowu potrząsnął głową, jakby chciał pozbyć się nieprzyjemnej myśli. – Twoja matka na pewno nie będzie miała nic przeciwko temu, abym ci to dał...

Puścił moją dłoń, wsunął rękę pod tunikę i wyjął coś małego, zawiniętego w ryżowy papier. Nie miałam siły podnieść głowy z poduszki, ale uważnie przyglądałam się, jak Tata rozkłada arkusz. W środku znajdowała się zasuszona peonia, którą ostrożnie położył na mojej ręce. Popatrzyłam na nią z niedowierzaniem.

– Ren jest zaledwie dwa lata starszy od ciebie – powiedział Tata. – Ale osiągnął już bardzo dużo... Jest poetą.

– Poetą? – powtórzyłam.

Nie mogłam uporać się z myślą, że oto trzymam w ręku moją peonię, a słowa Taty dudniły mi w uszach, jakby dobiegały z dna głębokiej jaskini.

– Poetą, który odnosi sukcesy – dodał mój ojciec. – Jego wiersze są już publikowane, chociaż jest jeszcze bardzo młody. Mieszka na górze Wushan, po drugiej stronie jeziora. Gdyby nie ten wyjazd do stolicy, pokazałbym ci jego dom z okna w mojej bibliotece... Ale wyjechałem, a teraz ty...

Mówił o moim nieznajomym, o moim poecie. Zasuszony kwiat był tym samym, którego płatki pieściły moją skórę w Pawilonie z Widokiem na Księżyc. Wszystko, czego się bałam, było ułudą, nieprawdą. Miałam poślubić mężczyznę, którego kochałam. Połączył nas los. Rzeczywiście byliśmy jak dwie kaczki mandarynki, kochające się aż do śmierci.

Moim ciałem wstrząsnęły niekontrolowane dreszcze, z moich oczu popłynęły łzy. Tata podniósł mnie, jakbym ważyła tyle co suchy liść, i przytulił do piersi.

– Tak mi przykro... – rzekł, próbując mnie pocieszyć. – Każda dziewczyna obawia się zamążpójścia, nie wiedziałem jednak, że ty czujesz aż tak wielki lęk...

– Nie płaczę z powodu smutku czy strachu... Och, Tato, jestem najszczęśliwszą dziewczyną na całym świecie!

Chyba mnie nie słuchał, bo wyraz cierpienia nie zniknął z jego twarzy.

– Byłabyś szczęśliwa z Renem – powiedział.

Łagodnie ułożył mnie na poduszce. Próbowałam podnieść kwiat, żeby sprawdzić, czy w zasuszonych płatkach pozostał choćby cień zapachu, ale byłam zbyt słaba. Tata położył peonię na mojej piersi. Wydała mi się ciężka jak kamień.

Oczy Taty pełne były łez. Jakie to wspaniałe, że ojciec i córka łączą się w szczęściu! – pomyślałam.

– Muszę ci coś powiedzieć – rzekł nagle, z naciskiem. – Chcę powierzyć ci tajemnicę naszej rodziny...

I tak dał mi już przecież najwspanialszy ślubny prezent, prawda?

– Wiesz, że miałem dwóch młodszych braci – zaczął.

Byłam tak ogromnie wzruszona – świadomością, że Wu Ren jest moim poetą, że za parę dni mamy się pobrać i żyć w cudownej rzeczywistości – iż miałam trudności ze skupieniem się na słowach Taty. Widziałam imiona moich stryjów w Sali Przodków, lecz w Święto Wiosny nikt z rodziny nigdy nie wybierał się na ich groby, aby je uprzątnąć. Zawsze zakładałam, że umarli zaraz po przyjściu na świat i właśnie dlatego poświęca się im tak mało uwagi.

– Byli jeszcze małymi chłopcami, kiedy nasz ojciec otrzymał stanowisko w Yangzhou – ciągnął Tata. – Rodzice mieli do mnie zaufanie, polecili mi więc opiekować się tym domem i rodziną w czasie ich nieobecności, ale najmłodszych synów zabrali ze sobą. Twoja matka i ja pojechaliśmy do Yangzhou w odwiedziny, lecz nie mogliśmy wybrać gorszego momentu na wizytę... Pierwszej nocy po naszym przybyciu na miasto napadli Mandżurowie...

Przerwał, aby zorientować się, jak zareaguję na to wydarzenie. Naprawdę nie miałam pojęcia, dlaczego w tej wspaniałej chwili opowiada mi tak ponurą historię. Milczałam.

– Znaleźli nas – podjął Tata. – Mój ojciec, bracia i ja razem z innymi mężczyznami zostaliśmy pognani na ogrodzony plac. Nie wiedzieliśmy, co dzieje się z kobietami. Twoja matka do dziś nie powiedziała mi, co się wydarzyło, więc mogę przekazać ci tylko to, czego sam byłem świadkiem. Moi mali bracia i ja mieliśmy tylko jeden synowski obowiązek – musieliśmy zadbać, aby nasz ojciec przeżył. Otoczyliśmy go kołem, broniąc nie tylko przed wojownikami, ale także przed innymi zdesperowanymi więźniami, którzy bez wahania wydaliby go w ręce Mandżurów, gdyby w głowach zaświtała im myśl, że może to uratować im życie...

Nic nie wiedziałam o tych wszystkich wydarzeniach. Byłam bardzo szczęśliwa, ale i zaniepokojona słowami ojca. Gdzie w tym czasie przebywały moja matka i babka?

Ojciec trafnie odczytał mój wyraz twarzy.

– Nie dany był mi przywilej obserwowania manifestacji wielkiej odwagi mojej matki, widziałem jednak śmierć moich braci – powiedział. – Och, Peonio, ludzie potrafią być tacy okrutni...

Głos mu się załamał, a ja znowu zadałam sobie pytanie, dlaczego mówi mi o tym właśnie teraz. Minęła długa chwila, zanim Tata zapanował nad sobą.

– Kiedy ich spotkasz, powiedz im, jak bardzo mi przykro, dziecko... Powiedz, że staramy się czcić ich najlepiej jak umiemy... Złożyliśmy obfite ofiary, ale mimo to w naszej rodzinie wciąż nie przychodzą na świat synowie. Zawsze byłaś dobrą córką, Peonio, więc spróbuj na to coś poradzić...

Byłam zmieszana i zagubiona, chyba podobnie jak Tata. Miałam obowiązek dać synów rodzinie męża, nie mojej własnej.

– Tato, przez małżeństwo wchodzę przecież do rodziny Wu... – przypomniałam mu.

Zamknął oczy i odwrócił głowę.

– Naturalnie... – rzekł zachrypniętym głosem. – Naturalnie... Wybacz mi mój błąd...

Słyszałam kroki zbliżających się korytarzem ludzi. Służący weszli do środka i wynieśli moje meble, sprzęty, ubrania, draperie oraz posag – wszystko prócz łóżka. Mieli przenieść te rzeczy do domu mojego małżonka. Byłam ogromnie szczęśliwa.

Zaraz potem dookoła mojego łóżka zgromadziła się cała rodzina – Mama, stryjenki, stryjowie, kuzynki i konkubiny. Tata pomylił się chyba w rachubie dni pozostałych do mojego ślubu. Usiłowałam podnieść się, żeby złożyć im należny ukłon, ale chociaż moje serce było pełne szczęścia i radości, ciało okazało się słabe i zmęczone. Służące powiesiły w progu sito i lustro, aby wszystkie niekorzystne aspekty zmieniły się w pozytywne.

Wiedziałam, że przez cały czas trwania ceremonii nie będę mogła nic jeść, musiałam jednak spróbować specjalnych potraw, przygotowanych na śniadanie w dniu ślubu. Nie byłam głodna, pragnęłam jednak zachować wierność wobec tradycji, ponieważ każdy kęs miał być zapowiedzią długiego życia w harmonijnym związku małżeńskim. Nikt jednak nie podsunął mi wieprzowych żeberek, których powinnam skosztować, aby mieć siłę do rodzenia synów – nie powinnam jedynie ogryzać kości, gdyż to mogłoby zaszkodzić płodności mojego małżonka. Krewni winni także poczęstować mnie nasionami lilii wodnych, dyni oraz słonecznika, żebym wydała na świat wielu synów, ale nikt tego nie uczynił. Wszyscy stali wokół mnie i płakali. Najwyraźniej ogarnął ich wielki smutek i żal z powodu mojego odejścia z domu, lecz ja byłam pełna radości. Moje ciało wydawało mi się tak lekkie, że wcale nie zdziwiłabym się, gdybym nagle uniosła się w powietrze i odpłynęła. Wzięłam głęboki oddech, żeby odzyskać równowagę. Zanim słońce zajdzie, będę razem z moim poetą – pomyślałam – teraz zaś powinnam radośnie przeżywać wszystkie tradycje i zwyczaje związane z wydawaniem ukochanej córki za mąż. Dzisiaj w nocy, po wielu, wielu godzinach i w innych intymnych chwilach, które ofiarują nam następne lata, będę zabawiać męża wspomnieniami tych cudownych chwil...

Mężczyźni wyszli. Stryjenki i kuzynki obmyły moje członki, zapomniały tylko dodać do wody liści grejpfruta. Uczesały moje włosy i spięły je spinkami ze złota i nefrytu, zapomniały jednak włożyć mi na głowę ślubną koronę. Pokryły moją twarz bielidłem, ale zapomniały sięgnąć po słoiczki z barwidłami, którymi powinny pomalować moje wargi i policzki. Włożyły mi do ręki zasuszoną peonię. Ubrały mnie w halkę z cienkiego białego jedwabiu, ozdobionego słowami sutr. Wylewały tyle łez, że z tego wszystkiego nie przypomniałam im, iż mają zawiązać mi w halkę wieprzowe serce.

Teraz miały pomóc mi przebrać się w ślubny strój. Uśmiechnęłam się do nich. Wiedziałam, że będę za nimi szczerze tęsknić. Płakałam, jak wymagała tego tradycja. Byłam samolubna i uparta, w tajemnicy zajmując się swoją pracą i nie zważając, że pozostało już bardzo niewiele czasu, jaki mogłam poświęcić rodzinie... Zanim jednak przyniosły mi ślubną spódnicę i tunikę, Druga Stryjenka zawołała mężczyzn. Przyglądałam się, jak służba wyjmuje drzwi z framugi. Potem delikatnie przenieśli mnie z łóżka na drewnianą deskę i ułożyli dookoła całe korzenie taro, symbolizujące płodność. Wyglądałam jak składana bogom ofiara. Zorientowałam się, że nie będę musiała nawet iść do palankinu. Z zewnętrznych kącików oczu spływały mi łzy wdzięczności, biegnąc po skroniach prosto we włosy. Nie wyobrażałam sobie, że mogę być tak bardzo szczęśliwa.

Znieśli mnie na dół. Za mną uformował się piękny pochód, który uroczyście kroczył osłoniętymi korytarzami. Byłam pewna, że udamy się do Sali Przodków, abym mogła podziękować zmarłym członkom rodziny Chen za opiekę, ale nie zatrzymaliśmy się tam. Wyszliśmy od razu na dziedziniec między Salą Siedzenia i główną bramą. Tragarze postawili mnie na ziemi i odstąpili na bok. Patrzyłam na bramę chroniącą rodzinę przed ogniem i wiatrem i myślałam, że lada chwila stanie przede mną otworem. Usiądę w palankinie, pożegnam się z Mamą i Tatą i wyruszę w drogę do mojego nowego domu...

Wszystkie palce naszej rodziny, począwszy od Mamy i Taty, a skończywszy na najniższym słudze, przechodziły obok mnie i składały mi ukłon. Potem, co wydało mi się dziwne i nieoczekiwane, zostawili mnie samą. Moje serce wreszcie się uspokoiło. Dookoła miałam swoje rzeczy – skrzynie pełne jedwabi i haftów, lustra i wstążki, kołdry i stroje. O tej porze roku dziedziniec był ponury i zimny. Nie słyszałam żadnych fajerwerków, cymbałów czy radosnych okrzyków. Nie słyszałam kroków tragarzy nadchodzących z palankinem, który miał zanieść mnie do domu męża. W mojej głowie zaczęły kłębić się smutne myśli, pętając mnie niczym sprężyste pędy winorośli. Ogarnęła mnie rozpacz i przerażenie, uświadomiłam sobie bowiem, że wcale nie czekam na palankin, w którym dotrę do Rena. Moja rodzina, przestrzegając zwyczajów dotyczących niezamężnych córek, wyniosła mnie na zewnątrz, abym tutaj umarła.

– Mamo, Tato... – zawołałam, lecz mój głos był zbyt słaby, aby ktoś go usłyszał.

Próbowałam się poruszyć, ale moje ciało było jednocześnie zbyt ciężkie i zbyt lekkie. Zacisnęłam dłoń w pięść i poczułam, jak peonia kruszy się na drobniuteńkie kawałeczki.

Był dwunasty miesiąc, więc na dworze panował dotkliwy ziąb, lecz w jakiś sposób przetrwałam dzień i noc. Kiedy różowe światło zaczęło zalewać niebo, poczułam się jak perła, która powoli zanurza się w falach. Miałam wrażenie, że moje serce pęka jak kawał nefrytu. Mój umysł był jak puder, który unosi wiatr, jak znikający zapach perfum, jak odpływające chmury. Moja energia życiowa stała się cienka jak najlżejszy jedwab. Biorąc ostatni oddech, przywołałam wersy ostatniego wiersza, jaki napisałam:

Niełatwo jest obudzić się ze snu.
Mój duch, jeśli wierny, na zawsze zostanie pod księżycem
lub tuż obok kwiatów...

Chwilę później mknęłam już po niebie, pokonując tysiące *li**.

---

* Chińska miara długości równa 1/2 km (przyp. konsult.).

CZĘŚĆ 2

Wędrówki z wiatrem

Oddzielona dusza

Umarłam w siódmej godzinie siódmego dnia dwunastego miesiąca trzeciego roku panowania cesarza Kangxi. Od ślubu dzieliło mnie zaledwie pięć dni. W pierwszych chwilach po śmierci zrozumiałam wiele rzeczy, które wydarzyły się w ostatnich tygodniach. Najwyraźniej nie miałam pojęcia, że umieram, natomiast matka wiedziała już o tym w chwili, gdy weszła do mojego pokoju po pierwszym okresie odosobnienia. Kiedy tamtego dnia poszłam do Wiosennego Pawilonu, kuzynki, stryjenki i konkubiny próbowały nakłonić mnie, żebym jadła, ponieważ zdawały sobie sprawę, że się głodzę. W ostatnich dniach uległam obsesji pisania, podobnie jak Liniang gorączkowo i bez odpoczynku malowała swój autoportret. Sądziłam, że moje wiersze wypływają z miłości, ale w głębi serca chyba wiedziałam już, że zbliżam się do śmierci. Ostatecznie to, co wie ciało i w co chce wierzyć umysł, to dwie całkowicie odmienne rzeczy. Tata przyszedł dać mi peonię, ponieważ umierałam i zasady nienaganności w zachowaniu nie miały już najmniejszego znaczenia; z trudną do opisania radością dowiedziałam się, że wychodzę za mąż za mojego poetę, byłam już jednak zbyt bliska śmierci, aby móc odzyskać siły. Próbowałam skłonić się rodzicom, pewna, że wybieram się na swoją ceremonię ślubną, natomiast im prawdopodobnie wydawało się, iż staram się naśladować zachowanie konającej Liniang.

Draperie w pokoju zdjęto nie w celu przeniesienia ich do mojego nowego domu, ale dlatego, że przypominały sieci rybackie, a moja rodzina nie chciała, żebym w następnym wcieleniu odrodziła się jako ryba. Ojciec opowiedział mi o stryjach, bo pragnął, abym w zaświatach przekazała im wiadomość od niego. Powiedział, że któregoś dnia być może ich spotkam; nie mógł wyrazić tego w bardziej bezpośredni sposób, lecz ja go nie zrozumiałam. Moja rodzina ułożyła dookoła mnie korzenie taro, które panna młoda niesie do domu świeżo poślubionego małżonka, ale taro ofiarowuje się także zmarłym, żeby zapewnili rodzinie nowe pokolenia synów i wnuków. Zgodnie z tradycją niezamężną dziewczynę wynosi się przed dom, kiedy „ma wydać ostatnie tchnienie", lecz kto potrafi właściwie ocenić taką sytuację... Dobrze chociaż, że nie umarłam jako niemowlę, które zostawia się psom na pożarcie albo zakopuje w płytkim grobie, żeby jak najszybciej o nim zapomnieć.

Jako dzieci uczyłyśmy się, co dzieje się z nami po śmierci. Dowiadywałyśmy się tego od rodziców, z dydaktycznych opowieści oraz wszystkich tradycji oddawania czci przodkom. Z pewnością spora część mojej wiedzy pochodziła z *Pawilonu Peonii*. Tak czy inaczej, żywi nie mogą wiedzieć wszystkiego, więc na początku podróży często czułam się oszołomiona, zagubiona i niepewna. Za życia mówiono mi, że śmierć jest ciemnością, ale teraz doświadczałam czegoś innego. Miało minąć czterdzieści dziewięć dni, zanim uda się wypchnąć mnie z ziemskiej krainy i wciągnąć w zaświaty. Dusza dzieli się na trzy części, z których każda musi po śmierci znaleźć sobie odpowiednią siedzibę. Jedna część została z moim ciałem w oczekiwaniu na pochówek, druga wyruszyła ku zaświatom, a ostatnia czekała na ziemi na umieszczenie w tabliczce przodków. Kiedy trzy części rozdzieliły się – każda w pełni świadoma pozostałych dwóch – rozdarło mnie przerażenie, smutek i uczucie zagubienia.

Jak to możliwe, że spotkało mnie coś takiego? – zadawałam sobie pytanie.

Lecąc przez niebo, słyszałam jęki i zawodzenia, które wybuchły na dziedzińcu po odnalezieniu moich zwłok. Ogarnął mnie wielki smutek, gdy zobaczyłam, jak moi krewni i opiekujący się mną służący tupią nogami w rozpaczy. Rozpuścili włosy, zdjęli biżuterię oraz wszystkie ozdoby i włożyli stroje z surowego białego płótna. Służąca poprawiła sito i lustro, zawieszone w drzwiach mojego pokoju. Wcześniej sądziłam, że te rzeczy umieszczono tam, aby chronić mnie w czasie ceremonialnej podróży do domu Rena, lecz naprawdę celem ich obecności było przygotowanie mnie na śmierć. Teraz sito miało przepuszczać tylko dobre doznania, natomiast lustro powinno szybko zmienić rozpacz mojej rodziny w pogodę ducha i spokój.

Najpierw zainteresowałam się tą częścią mojej duszy, która miała zostać przy zwłokach. Mama i stryjenki rozebrały moje ciało i wtedy zobaczyłam, jak potwornie byłam wychudzona. Umyły mnie nieparzystą liczbę razy i odziały w kilka warstw szat na długą drogę. Wybrały dla mnie pikowane ubrania, żebym nie marzła zimą, później zaś włożyły na mnie jedwabne suknie i satynowe tuniki, uszyte na nowe życie po ślubie. Uważały, aby na ubraniach nie było żadnych futrzanych obszyć, ponieważ bały się, że mogłabym odrodzić się jako zwierzę. Na wierzch włożyły mi pikowaną jedwabną kurtę z rękawami haftowanymi w piękne i kolorowe pióra zimorodka. Byłam oszołomiona, jak każdy duch, który dopiero co opuścił ciało, żałowałam jednak, że nie ubrały mnie w ślubny strój. Byłam przecież panną młodą i w zaświatach chciałam mieć na sobie ubranie przeznaczone specjalnie na ceremonię ślubu.

Mama wsunęła mi do ust cienki kawałek nefrytu dla ochrony mojego ciała. Druga Stryjenka powtykała mi do kieszeni monety oraz ryż, abym miała czym ułagodzić wściekłe psy, które mogłam spotkać na drodze w zaświaty. Trzecia Stryjenka przykryła mi twarz kawałkiem cieniutkiego białego jedwabiu. Czwarta obwiązała mnie w pasie kolorowym sznurkiem, żebym nie zabrała żadnego z dzieci naszej rodziny; tym samym sznurkiem związała też moje stopy, abym nie podskakiwała, uciekając przed złymi duchami w czasie podróży.

Służący powiesili szesnaście białych papierowych szarf z prawej strony głównego wejścia na teren rezydencji rodziny Chen, powiadamiając w ten sposób sąsiadów o śmierci szesnastoletniej dziewczyny. Stryjowie wędrowali po mieście i w świątyniach lokalnych bogów oraz bóstw zapalali świece i palili papierowe pieniądze, którymi podróżująca w zaświaty część mojej duszy miała kupić sobie prawo przejścia przez Przeszkodę Demonów. Ojciec opłacił mnichów (niewielu, tylko kilku, ponieważ byłam córką), aby co siedem dni wyśpiewywali modły. W życiu na ziemi nikomu nie wolno wędrować ot tak sobie i podobnie wygląda to po śmierci. Zadaniem moich bliskich było teraz związanie mnie, abym nie uległa pokusie bezcelowego wałęsania się.

Trzeciego dnia po śmierci moje ciało złożono w trumnie razem z popiołem, miedzianymi monetami i wapnem. Potem niezaplombowana trumna została ustawiona w kącie zewnętrznego dziedzińca, gdzie miała czekać, aż wróż znajdzie odpowiednią datę i miejsce na mój pochówek. Stryjenki włożyły mi do rąk ciastka, a stryjowie ułożyli kije z obu stron mojego ciała. Zebrali wykonanych z papieru służących, meble, ubrania, bandaże do krępowania stóp, pieniądze oraz żywność i spalili te rzeczy, aby towarzyszyły mi w zaświatach. Byłam jednak dziewczyną i szybko dowiedziałam się, że nie obdarowali mnie dość hojnie.

Na początku drugiego tygodnia podróżująca ku zaświatom część mojej duszy dotarła do Mostu Ważenia, gdzie demony urzędnicy bezlitośnie wypełniają swoje obowiązki. Ustawiłam się w kolejce tuż za mężczyzną imieniem Li i obserwowałam, jak demony ważą tych stojących przed nami, a następnie kierują ich na kolejny poziom. Przez siedem dni Li dygotał i trząsł się, przerażony jeszcze bardziej niż ja tym, co widzieliśmy i słyszeliśmy. Kiedy przyszła kolej Li, z lękiem patrzyłam, jak popełnione przez niego za życia złe uczynki okropnie obciążają jedną szalę wagi. Karę wymierzono mu od razu. Został rozszarpany na sztuki i zmiażdżony na proszek. Potem wrócił do poprzedniej postaci, został surowo upomniany i posłany w dalszą drogę.

– To tylko próbka cierpienia, jakie cię czeka, panie Li – twardo oświadczył jeden z demonów. – Nie płacz ani nie błagaj o litość, bo na to jest już za późno. Następny!

Byłam sztywna ze strachu. Otoczyły mnie ohydne demony, które pognały mnie na wagę, potwornie wykrzywiając okropne pyski i pokrzykując. Nie byłam lżejsza niż powietrze – tacy są tylko naprawdę dobrzy ludzie – ale moje złe uczynki okazały się raczej drobne i szybko wyruszyłam w dalszą podróż.

Cały czas, kiedy stałam w kolejce przy Moście Ważenia, przyjaciele i sąsiedzi składali moim rodzicom kondolencje. Komisarz Tan podarował ojcu papierowe pieniądze, które mogły mi się przydać w zaświatach. Pani Tan przyniosła świece, kadzidło i jeszcze więcej przedmiotów z papieru, które należało spalić dla zapewnienia mi wygody na tamtym świecie. Tan Ze obejrzała dary, uznała je za skromne i ofiarowała moim kuzynkom puste wyrazy smutku. Cóż, Ze miała dopiero dziewięć lat, więc co mogła wiedzieć o śmierci...

W trzecim tygodniu przeszłam przez Wioskę Złych Psów. Psy witają cnotliwych machaniem ogonów, natomiast złych rozrywają na strzępy potężnymi szczękami i ostrymi zębami, a ich krew płynie szerokim strumieniem. Tu znowu okazało się, że za życia nie byłam taka zła, cieszyłam się jednak, iż stryjenki włożyły mi do trumny ciastka, którymi mogłam ułagodzić bestie o dwóch, czterech i sześciu nogach, a stryjowie kije, którymi odegnałam te najgorsze potwory. W czwartym tygodniu stanęłam przed Lustrem Zemsty. Kazano mi spojrzeć w nie, abym zobaczyła, jakie będzie moje następne wcielenie. Gdybym była zła, ujrzałabym węża przemykającego wśród traw, świnię tarzającą się w błocie albo ogryzającego zwłoki szczura. Gdyby uznano mnie za dobrą, dostrzegłabym nowe życie, lepsze niż poprzednie. Kiedy jednak popatrzyłam w Lustro, zobaczyłam rozmazany, niewyraźny obraz.

Ostatnia część mojej duszy czekała na ziemi, aż na mojej tabliczce postawione zostaną kropki. Dopiero wtedy miałam znaleźć spoczynek. Ani na moment nie opuszczały mnie myśli o Renie. Obwiniałam się o upór, z jakim odpychałam jedzenie, i z wielkim smutkiem myślałam o ślubnej ceremonii, której nie dane nam było przeżyć, ale ani razu nie pomyślałam, że nie będziemy razem. Właśnie teraz mocniej niż kiedykolwiek wierzyłam w siłę miłości. Spodziewałam się, że Ren przyjdzie do mojego domu, zaszlocha nad trumną i poprosi moich rodziców o parę bucików, które ostatnio nosiłam, potem zaś zabierze je do swojego domu razem z trzema zapalonymi kadzidełkami. Na każdym rogu będzie wołał moje imię i zapraszał mnie, żebym dołączyła do niego. Po powrocie postawi moje buciki na krześle i otoczy je kadzidełkami. Gdyby palił kadzidło przez dwa lata i codziennie wspominał spędzone ze mną chwile, mógłby czcić mnie jako swoją małżonkę, lecz on nie uczynił żadnej z tych rzeczy.

Ponieważ nawet w świecie zmarłych życie bez małżonka jest wbrew naturze, jako duch zaczęłam marzyć o ślubie z Renem. Nie jest to tak łatwa ani romantyczna ceremonia jak Proszenie o Pantofelki, ale niewiele mnie to obchodziło – zależało mi jedynie na tym, żeby jak najszybciej połączyć się węzłem małżeńskim z Renem. Po ceremonii, w czasie której moje miejsce powinna zająć tabliczka, mogłabym na zawsze opuścić rodzinę Chen i przejść do klanu męża.

Kiedy nie dotarły do mnie żadne wieści, także i o ślubie, trzecia część mojej duszy postanowiła złożyć wizytę Renowi. Całe moje życie związane było z przebywaniem wewnątrz domu. Gdy umierałam, czułam, jak z każdą chwilą coraz głębiej wchodzę w samą siebie, aż w końcu na zewnątrz nie zostało zupełnie nic. Teraz byłam wolna od mojej rodziny i domu i mogłam udać się wszędzie, ale nie znałam miasta, nie miałam pojęcia, jak znaleźć drogę, i nadal trudno było mi poruszać się na złocistych liliach stóp. Nie byłam w stanie zrobić nawet dziesięciu kroków, ponieważ zaraz chwiałam się na wietrze jak wiotka roślina, postanowiłam jednak zlekceważyć cierpienie oraz uczucie zagubienia i odnaleźć Rena.

Zewnętrzny świat był o wiele piękniejszy i zarazem o wiele brzydszy, niż sobie wyobrażałam. Barwne stragany z owocami wciśnięte były między stoły, na których sprzedawano świńskie tusze i części do pługów. Żebracy z ropiejącymi strupami i celowo amputowanymi kończynami błagali przechodniów o jedzenie i pieniądze. Ujrzałam też kobiety – z dobrych rodzin! – jak gdyby nigdy nic spacerujące ulicami i ze śmiechem wchodzące do restauracji i herbaciarni. Widziałam też obcokrajowców o białych twarzach, niebieskich oczach i rudych, żółtych i brązowych włosach.

Byłam zagubiona, zaciekawiona i podniecona. Świat był w ciągłym ruchu, zaprzężone w konie wozy toczyły się ulicami, potężne i powolne wodne bawoły ciągnęły wozy z solą, na budynkach powiewały flagi i proporce i wszędzie przelewały się tłumy ludzi. Handlarze sprzedawali ryby, igły i kosze, przenikliwymi głosami zwołując klientów. W wielu miejscach budowano nowe domy, robotnicy pokrzykiwali i walili młotami. Mężczyźni kłócili się na tematy polityczne, o ceny złota i karciane długi. Zasłaniałam uszy, ale obłoczki pary, jakimi były teraz moje dłonie, nie stanowiły żadnej ochrony przed ogłuszającymi, nieprzyjemnymi dźwiękami. Próbowałam skręcić w inną ulicę, lecz jako duch nie bardzo radziłam sobie z narożnikami domów.

Wróciłam do rodzinnego domu i stamtąd poszukałam innej ulicy. Dotarłam nią do dzielnicy handlowej, gdzie można było kupić wachlarze, jedwabie, papierowe parasolki, nożyczki, rzeźby z kamienia mydlanego, paciorki do odmawiania modlitw oraz herbatę. Tablice ze znakami i markizy z płótna blokowały dostęp promieni słonecznych. Mijałam świątynie, przędzalnie bawełny i mennice, gdzie dźwięk rytmicznie uderzających metalowych stempli raził moje uszy tak bardzo, że w końcu łzy pociekły mi z oczu. Ulice Hangzhou wybrukowane były kocimi łbami, które poraniły lilie moich stóp i krew pociekła z jedwabnych pantofelków. Ludzie twierdzą, że duchy nie odczuwają fizycznego bólu, ale to nieprawda. Dlaczego psy w zaświatach rozrywają złych zmarłych na kawałki? Dlaczego demony przez całą wieczność pożerają serca niegodziwych, ciągle od nowa? Duchy czują ból, o, tak...

Dotarłam do końca kolejnej długiej i prostej ulicy, która prowadziła donikąd, i znowu wróciłam do domu. Wyruszyłam w innym kierunku i szłam wzdłuż zewnętrznego muru tak długo, aż wreszcie znalazłam się nad kryształowymi wodami Zachodniego Jeziora. Zobaczyłam pomost, laguny, w których po powierzchni gnały drobniutkie fale, i wzgórza o żyznych, zielonych zboczach. Słyszałam, jak synogarlice gruchają głośno, zwiastując deszcz, i jak sroki zażarcie kłócą się między sobą. Dostrzegłam Samotną Wyspę i przypomniałam sobie, jak Ren pokazał mi swój dom na górze Wushan, nie potrafiłam jednak wymyślić, w jaki sposób tam się dostać. Usiadłam na skale. Spódnice moich przeznaczonych na całą wieczność ubrań ułożyły się w fałdy dookoła nóg, ale ponieważ należałam teraz do świata duchów, materiał nie zamoczył się ani nie zabrudził. Nie musiałam już przejmować się poplamionymi bucikami i innymi takimi drobiazgami. Nie rzucałam cienia i nie zostawiałam śladów stóp. Czy dzięki temu czułam się wolna, czy przerażająco samotna? Jedno i drugie.

Słońce zachodziło nad wzgórzami, barwiąc niebo szkarłatem, a jezioro ciemnym fioletem. Mój duch dygotał jak osika. Noc powoli ogarniała Hangzhou swymi ramionami. Byłam sama na brzegu, oddzielona od wszystkich i wszystkiego, co znałam, pogrążona w coraz to głębszej rozpaczy. Skoro Ren nie przyszedł do mojego domu na żadną z żałobnych ceremonii, a ja nie mogłam dotrzeć do niego, ponieważ przeszkadzały mi narożniki budynków i hałasy, to jak miałam szansę go odnaleźć?

W domach i przedsiębiorstwach nad jeziorem gaszono latarnie i świece. Żywi zapadali w sen, lecz na brzegu nadal toczyło się życie. Duchy drzew i bambusów oddychały i drżały. Otrute psy podpełzały na brzeg, żeby ostatni raz przed śmiercią w męczarniach napić się wody. Głodne duchy tych, którzy utonęli w jeziorze lub stawili opór Mandżurom i w rezultacie zostali ścięci, przedzierały się przez krzewy. Widziałam także inne duchy, takie jak ja – duchy niedawno zmarłych, których podzielone na trzy części dusze nie znalazły jeszcze miejsc spoczynku. Wiedziałam, że my nie możemy już mieć nadziei na spokojne, pełne pięknych snów noce.

Sny! Zerwałam się na równe nogi. Ren znał *Pawilon Peonii* prawie tak dobrze jak ja. Liniang i Mengmei pierwszy raz spotkali się we śnie. Ogarnęła mnie pewność, że od dnia mojej śmierci Ren próbował skontaktować się ze mną we śnie, lecz ja nie wiedziałam, gdzie go szukać ani jak znaleźć. Teraz uświadomiłam sobie, dokąd powinnam się udać, musiałam jednak skręcić w prawo, żeby tam dotrzeć. Kilkakrotnie próbowałam obejść narożnik posiadłości, za każdym razem zakreślając łagodniejszy łuk, aż w końcu udało mi się. Poszłam wzdłuż brzegu, krocząc po skałach, nie przejmując się kałużami, odsuwając gałęzie krzaków dzikich róż, które stawały mi na drodze, i wreszcie znalazłam się w moim rodzinnym Pawilonie z Widokiem na Księżyc. Rena zauważyłam w chwili, gdy zza wierzchołka góry wychylił się malutki plasterek słonecznej tarczy. Czekał na mnie.

– Ciągle przychodzę tu z nadzieją, że cię zobaczę – powiedział.

– Ren...

Kiedy wyciągnął do mnie ramiona, nie cofnęłam się. Długo trzymał mnie w objęciach, nie mówiąc ani słowa.

– Jak mogłaś umrzeć i zostawić mnie samego? – zapytał w końcu.

– Nie wiedziałam, kim jesteś. Skąd mogłam wiedzieć?

– Ja też z początku nie wiedziałem, że chodzi o ciebie – odparł. – Wiedziałem, że moja przyszła żona jest córką pana Chen i że ma na imię Peonia. Nie chciałem aranżowanego małżeństwa, lecz zaakceptowałem swoje przeznaczenie, podobnie jak ty. Kiedy się poznaliśmy, pomyślałem, że może jesteś jedną z kuzynek albo po prostu przybyłaś z wizytą do rodziny Chen... Moje serce zmieniło się i zapragnąłem przeżyć z tobą te trzy noce, wierząc, że będzie to esencja wszystkiego, czego oczekiwałem od małżeństwa...

– Czułam to samo... – wyszeptałam z żalem. – Gdybym tylko zdradziła ci wtedy swoje imię...

– Ja także nie przedstawiłem ci się – pokręcił głową. – Ale co stało się z peonią? Dostałaś ją? Dałem kwiat twojemu ojcu. Przecież na pewno odgadłaś, że to podarunek ode mnie, prawda?

– Dał mi peonię dopiero tuż przed moją śmiercią, kiedy nie można było mnie już uratować.

Westchnął.

– Peonio...

– Jednak ja dalej nie rozumiem, skąd wiedziałeś, że to ja...

– Odgadłem dopiero wtedy, gdy twój ojciec zapowiedział nasz ślub. Dla mnie dziewczyna, z którą byłem zaręczony, nie miała twarzy ani głosu, ale kiedy twój ojciec oznajmił, że należy zmienić imię mojej przyszłej żony, ponieważ nosi je już moja matka, w jakiś dziwny sposób poczułem, że chodzi o ciebie. Nie jesteś podobna do mojej matki, ale obie macie taką samą wrażliwość. Żywiłem nadzieję, że patrzyłaś na mnie, kiedy pan Chen wskazał mnie po zakończeniu opery...

– Zamknęłam oczy. Po naszym spotkaniu bałam się spojrzeć na mężczyznę, którego przeznaczono mi na męża.

Nagle przypomniałam sobie, że gdy podniosłam powieki, zobaczyłam Tan Ze z ustami ułożonymi w pełne napięcia „O!". W pierwszą noc opery Ze powiedziała mi, że postanowiła zdobyć poetę. Nic dziwnego, że kipiała wściekłością, kiedy wracałyśmy do izb dla kobiet...

Ren pogłaskał mój policzek. Był gotowy na coś więcej, ale ja za wszelką cenę chciałam zrozumieć, co się zdarzyło.

– Kierując się więc intuicją, doszedłeś do wniosku, że to ja? – drążyłam.

Uśmiechnął się. Pomyślałam, że gdybyśmy zostali małżeństwem, właśnie tak reagowałby na oznaki mojego uporu.

– Wszystko to było bardzo proste – rzekł. – Po obwieszczeniu twój ojciec odprawił kobiety do domu. Kiedy mężczyźni podnieśli się z miejsc, szybko oderwałem się od grupy i pobiegłem przez ogród, wypatrując odchodzących kobiet. Szłaś na przedzie, a inne kobiety już wtedy traktowały cię jak pannę młodą... – Nachylił się do mojego ucha. – Pomyślałem, że mamy mnóstwo szczęścia, bo w noc poślubną nie będziemy sobie obcy... Byłem naprawdę szczęśliwy, widziałem bowiem twoją twarz, cieszyło mnie twoje zachowanie i zdawałem sobie sprawę, jak doskonałe muszą być złociste lilie twoich stóp... – Wyprostował się. – Po tamtej nocy bez przerwy marzyłem o naszym życiu we dwoje... Posłałem ci *Pawilon Peonii*. Dostałaś książkę?

Jakże mogłam mu powiedzieć, że właśnie obsesja na punkcie *Pawilonu* doprowadziła mnie do śmierci?

Tyle pomyłek! Tyle błędów! I w rezultacie taka tragedia... W tej chwili dotarło do mnie, że najokrutniejsze słowa na świecie składają się na zwrot: „Gdyby tylko...". Gdybym tylko nie oddaliła się z widowni tamtej pierwszej nocy, spokojnie wyszłabym za mąż i w noc poślubną spotkała Rena... Gdybym tylko nie zamknęła oczu, kiedy ojciec wskazał mojego przyszłego małżonka... Gdyby tylko ojciec dał mi peonię następnego dnia rano, miesiąc albo przynajmniej tydzień przed moją śmiercią... Dlaczego los był tak bezlitosny?

– Nie uda nam się zmienić tego, co już się stało, ale może przyszłość nie jest beznadziejna – odezwał się Ren. – Mengmei i Liniang znaleźli rozwiązanie, prawda?

Nie do końca pojmowałam jeszcze, jak wygląda życie w zaświatach i co mi wolno, a czego nie.

– Nie zostawię cię – powiedziałam. – Zostanę z tobą na zawsze.

Objął mnie mocno, ja zaś ukryłam twarz na jego ramieniu. Czułam, że jest to najbardziej odpowiednie dla mnie miejsce, lecz po chwili Ren cofnął się i wskazał wschodzące słońce.

– Muszę już iść – rzekł.

– Ale ja mam ci tyle do powiedzenia, nie odchodź... – błagałam.

Uśmiechnął się.

– Słyszę kroki mojego służącego na korytarzu. Przyniósł mi herbatę.

I znowu, tak jak w pierwszą noc opery, poprosił mnie o powtórne spotkanie. Zaraz potem odszedł.

Spędziłam w pawilonie cały dzień i wieczór, czekając, aż Ren przyjdzie do mnie we śnie. Miałam dużo czasu na myślenie. Chciałam być namiętnie zakochanym duchem. W *Pawilonie Peonii* Liniang robi chmury i deszcz z Mengmei, najpierw w swoim śnie, a później jako duch. Kiedy odzyskuje ludzką naturę, nadal jest dziewicą i wcale nie chce rozstać się z tym stanem przed ślubem, ale czy coś takiego może zdarzyć się w prawdziwym życiu? W prawie każdej historii o duchach (z wyjątkiem *Pawilonu Peonii*) mamy ducha kobiety, który zniszczył, okaleczył albo zabił swego kochanka. Przypomniałam sobie opowiadaną mi przez matkę historię o kobiecie-duchu, która powstrzymuje się przed dotknięciem swego uczonego i mówi: „Te spróchniałe kości z grobu nie mogą równać się z żywymi. Związek z duchem przyśpiesza tylko śmierć mężczyzny. Nie mogę cię skrzywdzić, nie zniosłabym tego...". Ja także nie mogłam ryzykować. Podobnie jak Liniang, miałam zostać żoną. Nawet w stanie śmierci – być może zwłaszcza teraz – nie mogłam dać mężowi powodu do podejrzeń, że nie jestem damą. Jak zauważyła Liniang, „duch może ulec podszeptom namiętności, lecz kobiecie nie wolno lekceważyć zasad dobrego wychowania".

Tej nocy, kiedy Ren przyszedł do Pawilonu z Widokiem na Księżyc, rozmawialiśmy o poezji i kwiatach, pięknie i *qing*, miłości nieśmiertelnej i takiej, jaką darzą swych partnerów dziewczęta z herbaciarni. Gdy o świcie odszedł, byłam niepocieszona. Przez cały czas, który spędziliśmy razem, pragnęłam wsunąć rękę pod jego tunikę i dotknąć jego skóry. Chciałam szeptać mu do ucha słowa, które podpowiadało mi serce, zobaczyć i dotknąć tego, co ukrywał w spodniach... Z taką samą siłą pragnęłam, aby zdjął ze mnie warstwy ubrań i odszukał miejsce, które nawet w śmierci pożądało jego dotyku.

Następnej nocy Ren przyniósł ze sobą papier, tusz i pędzle. Ujął moją dłoń i razem utarliśmy tusz, potem zaś poszliśmy na sam brzeg jeziora i Ren podłożył swoje ręce pod moje, żebym mogła nalać wody do naczynia i wymieszać tusz.

– Powiedz mi... – poprosił. – Powiedz mi słowa, które mam napisać...

Pomyślałam o moich przeżyciach z ostatnich kilku tygodni i zaczęłam komponować wiersz.

Szybuję po niebie w niekończącej się bezsenności.
Góry pachną świeżą rosą,
Jezioro lśni.
Przyciągasz mnie do siebie przez chmury.

Kiedy ostatnie słowa spłynęły z moich warg, odłożył pędzel i zdjął ze mnie pikowaną kurtę z rękawami haftowanymi w pióra zimorodka.

Potem napisał następny wiersz, a każde pociągnięcie pędzlem było jak czuła pieszczota. Nadał temu utworowi tytuł *Odwiedziny bogini*. Było to o mnie.

Nie umiem wyrazić smutku z powodu naszego rozstania,
Ciemności bez końca.

Przychodzisz do mnie we śnie.
Jak fale ogarniają mnie myśli o tym, co powinno się stać,
Ale znajduję to wszystko tutaj, z tobą, boginią mojego serca.
Znowu jestem sam.

Napisaliśmy razem osiemnaście wierszy. Ja mówiłam jeden werset, a on następny, często zapożyczając całe zwroty z tekstu naszej ukochanej opery.

– „Przychodzę dziś do ciebie całym ciałem, pełnym miłości, twoim w każdym pragnieniu" – cytowałam słowa, które Liniang wypowiada po zawartym w sekrecie ślubie.

Każdy wers odsłaniał intymne przeżycia, z każdym zbliżaliśmy się do siebie coraz bardziej i bardziej. Wiersze stawały się coraz krótsze, w miarę jak kolejne warstwy mojego stroju opadały na ziemię. Zapomniałam o swoich troskach. Wszystko zostało zredukowane do słów, takich jak „przyjemność", „rozkosz", „drobne fale", „pokusy", „przypływ", „chmury".

Nadszedł świt i Ren został siłą wydarty z moich ramion. Po prostu zniknął. Słońce wspinało się po niebie, a ja miałam na sobie tylko ostatnią warstwę ubrania. Zmarli nie odczuwają gorąca i zimna w normalny sposób. Czujemy coś głębszego, coś związanego z emocjami, jakie budzą odczucia chłodu czy upału. Dygotałam jak smagany wiatrem liść, ale nie ubrałam się. Czekałam cały dzień i noc na nadejście Rena, lecz on nie wrócił. Później jakaś potężna siła wyrwała mnie z Pawilonu z Widokiem na Księżyc. Ubrana byłam tylko w spodnią szatę i suknię haftowaną w pary ptaków, fruwające nad kwiatami.

Nie żyłam od pięciu tygodni i trzy aspekty mojej duszy zaczęły się nieodwołalnie rozdzielać. Jedna część miała na zawsze pozostać w ciele, druga płynęła w stronę mojej tabliczki, natomiast trzecia, ta, która znalazła się w zaświatach, dotarła do Widokowego Tarasu Zagubionych Dusz. W tym punkcie wędrówki zmarli są tak smutni i przepełnieni tęsknotą, że otrzymują ostatnią szansę, aby popatrzeć na swoje domy i posłuchać swoich najbliższych. Trochę to trwało, zanim z tak dużej odległości odszukałam mój rodzinny dom. Z początku obserwowałam same codzienne zdarzenia – służąca opróżniała nocnik mojej matki, konkubiny kłóciły się o półmisek w kształcie lwiej głowy, córka Shao chowała swoje wzory haftów między kartami mojego *Pawilonu Peonii*. Widziałam jednak także smutek moich rodziców i moje serce przeszył głęboki żal. Odeszłam ze świata żywych z powodu natłoku uczuć, które całkowicie mnie zmiażdżyły, wyssały energię i zaćmiły moje myśli. Daleko w dole Mama gorzko płakała, a ja uświadomiłam sobie, że wszystkie jej posunięcia były słuszne. Powinnam była trzymać się z daleka od *Pawilonu Peonii*. Opera rozbudziła we mnie zbyt dużo namiętności, rozpaczy i nadziei i oto teraz tkwiłam na tym tarasie, oddzielona od rodziny i męża.

Wszystkim rytuałom przewodził Tata, jako najstarszy syn w rodzinie. Jego głównym zadaniem i odpowiedzialnością było teraz zapewnienie mi odpowiedniego pochówku i naznaczenie kropkami mojej tabliczki. Rodzina i służący przygotowali jeszcze więcej ofiar z papieru – wszystko to były rzeczy, które uznali za przydatne w moim nowym życiu. Wykonali z papieru ubrania, żywność, pokoje i książki, żeby zapewnić mi rozrywkę. Nie zrobili palankinu, ponieważ Mama nie chciała, żebym za bardzo się oddalała, nawet w stanie śmierci. W przeddzień pogrzebu ofiary zostały spalone na ulicy. Z Widokowego Tarasu patrzyłam, jak Shao kijem uderza płomienie i skręcające się w nich kawałki papieru, odganiając duchy, które chciały ukraść należące do mnie rzeczy. Ojciec powinien był zlecić to zadanie jednemu z moich stryjów, aby pokazać, że sprawa jest poważna, a matka powinna wysypać ryż na ziemię wokół ogniska, żeby odwrócić uwagę głodnych duchów, ponieważ Shao nie była dość groźna albo źle spełniła swój obowiązek i prawie wszystkie rzeczy zostały rozkradzione, zanim miałam szansę je otrzymać.

Kiedy moja trumna była już przy głównej bramie, zobaczyłam Rena i ucieszyłam się, mimo że Drugi Stryj właśnie w tej chwili stłukł dziurawą filiżankę nad miejscem, gdzie spoczywała moja głowa (oznaczało to, że odtąd będzie mi wolno pić tylko wodę, którą zmarnowałam za życia). Sztuczne ognie wygnały z terenu naszej rezydencji wszelkie związane ze mną niekorzystne wpływy. Zostałam złożona w palankinie, nie czerwonym jak ten ślubny, ale zielonym, symbolizującym śmierć. Procesja wyszła za bramę. Stryjowie rzucali w koło papierowe pieniądze, aby zapewnić mi prawo przejścia w zaświaty. Ren, z pochyloną głową, szedł między moim ojcem i komisarzem Tan, za nimi zaś podążały w palankinach moja matka, stryjenki oraz kuzynki.

Na cmentarzu trumnę złożono w ziemi. Wiatr szumiał w gałęziach topoli, śpiewając smutną pieśń. Mama, Tata, stryjenki, stryjowie i kuzynki brali po garści ziemi i rzucali na trumnę. Kiedy ziemia przykryła lakierowaną powierzchnię, poczułam, że trzecia część mojej duszy opuszcza mnie na zawsze.

Obserwowałam to wszystko z tarasu i słuchałam. Ceremonia ślubu z duchem nie odbyła się. Nie było przyjęcia przy grobie, dzięki czemu mogłabym zostać przedstawiona nowym towarzyszkom z zaświatów, lepiej je zrozumieć i zdobyć ich zrozumienie. Mama była tak osłabiona rozpaczą, że stryjenki musiały pomóc jej wsiąść do palankinu. Na czele procesji szedł Tata, a Ren i komisarz Tan znowu kroczyli obok niego. Bardzo długo szli w całkowitym milczeniu. Jaką pociechę można ofiarować ojcu, który stracił jedyne dziecko? Co można powiedzieć panu młodemu, który stracił narzeczoną?

Wreszcie komisarz Tan zwrócił się do mojego ojca.

– Twoja córka nie jest jedyną, która uległa wpływowi tej strasznej opery, panie – rzekł.

Żadna pociecha – pomyślałam.

– Ale ona ją uwielbiała... – wymamrotał Ren.

Tata i komisarz Tan popatrzyli na niego ze zdziwieniem.

– Mówiono mi o tym, panie Chen – wyjaśnił Ren. – Gdybym miał szczęście ją poślubić, nigdy nie odebrałbym jej możliwości czytania tekstu opery...

Trudno mi opisać, co czułam, patrząc na niego, kiedy tak niedawno obejmowaliśmy się, układaliśmy wiersze i pozwalali, aby *qing* przepływało między nami. Smutek Rena był szczery i znowu ogarnęła mnie fala żalu, że przez własny upór i głupotę znalazłam się w tym miejscu.

– Ależ ona umarła na miłosną chorobę, podobnie jak ta żałosna dziewczyna w operze! – prychnął komisarz Tan, najwyraźniej nieprzyzwyczajony, aby ktoś się z nim nie zgadzał.

– Prawdą jest, że skłonność życia do naśladowania sztuki nie zawsze niesie pociechę... – przyznał mój ojciec. – Jednak młodzieniec ma rację – moja córka nie mogła żyć bez słów i uczuć. Nie masz czasami ochoty udać się z wizytą do izb dla kobiet, panie, i doświadczyć prawdziwej głębi *qing*?

Zanim komisarz Tan zdążył odpowiedzieć, głos znowu zabrał Ren.

– Twoja córka nie jest pozbawiona słów i uczuć, panie Chen – powiedział. – Przez dwie noce odwiedzała mnie we śnie...

Nie! – krzyknęłam z mojego miejsca na Widokowym Tarasie. Czyżby Ren nie wiedział, co oznacza wyjawienie tej tajemnicy?

Tata i komisarz Tan popatrzyli na niego z zaniepokojeniem.

– Spotkaliśmy się naprawdę – ciągnął Ren. – Kilka nocy temu byliśmy razem w waszym Pawilonie z Widokiem na Księżyc. Kiedy przyszła do mnie pierwszy raz, włosy miała upięte jak do ślubu, a rękawy jej jedwabnej kurty haftowane były w pióra zimorodka...

– Opisałeś ją dość wiernie – podejrzliwym tonem rzekł Tata. – Jak jednak ją poznałeś, skoro wcześniej nigdy się nie widzieliście?

Czy Ren zamierzał zdradzić nasz sekret? Czy chciał zrujnować mnie w oczach ojca?

– Moje serce rozpoznało ją bez trudu – odparł Ren. –

Układaliśmy razem wiersze: „Szybuję po niebie w niekończącej się bezsenności...". Po przebudzeniu napisałem osiemnaście utworów...

– Jeszcze raz dowiodłeś, że jesteś człowiekiem o głębokich uczuciach – skomentował mój ojciec. – Nie mógłbym wymarzyć sobie lepszego zięcia...

Ren sięgnął do rękawa i wyjął kilka złożonych kawałków papieru.

– Pomyślałem, że może chciałbyś to przeczytać, panie...

Ren był cudowny, ale popełnił straszny, praktycznie nieodwracalny błąd. Za życia powtarzają nam, że jeśli zmarła osoba nawiedza kogoś we śnie i ten ktoś powie o tym innym albo, co gorsza, zapisze i pokaże żywym słowa zmarłego, duch tego ostatniego zostanie na zawsze przepędzony. Właśnie z tego powodu duchy i nawet nieśmiertelni błagają swoich ludzkich kochanków, aby nie wyjawiali światu faktu ich istnienia. Niestety, ludzie nie potrafią dochować tajemnicy. Oczywiście duch, niezależnie od tego, jaki kształt przyjmuje, nie „znika", bo niby gdzie miałby się podziać, ale prawie całkowicie traci zdolność odwiedzania ukochanej czy ukochanego we śnie. Byłam zrozpaczona.

W szóstym tygodniu po mojej śmierci powinnam była przejść na drugi brzeg Nieuniknionej Rzeki, w siódmym – wejść do krainy Księcia Koła i stanąć przed sędziami, którzy mieli zdecydować, jaki czeka mnie los. Jednak nic takiego się nie wydarzyło i nadal przebywałam na Widokowym Tarasie. W końcu zaczęłam podejrzewać, że stało się coś bardzo złego.

Nie widziałam, żeby Tata zaproponował Renowi wstąpienie w związek małżeński z duchem. Ojciec był zbyt pochłonięty przygotowaniami w związku z przeprowadzką do pałacu w Pekinie oraz objęciem nowego stanowiska. Czułam wielki niepokój z powodu wspomnianych poczynań (nie mogłam uwierzyć, że mój ojciec zamierza uderzyć czołem przed mandżurskim cesarzem). Martwiłam się o duszę ojca, który zdecydował się zapomnieć o swoich zasadach moralnych w zamian za możliwość zrobienia wielkiego majątku. Znacznie bardziej jednak niepokoiło mnie, że Tata mógłby spróbować znaleźć dla mnie na męża kogoś innego niż Ren. Mógłby przecież rzucić trochę pieniędzy na drogę przed naszą bramą, zaczekać, aż jakiś przechodzień pozbiera je, i poinformować go, iż właśnie przyjął „płatność za narzeczoną" i tym samym zgodził się mnie poślubić. Ale to nie zdarzyło się.

Mama oświadczyła, że nie pojedzie za Tatą do Pekinu, i uparcie trwała przy swojej decyzji, aby nigdy nie opuszczać rodzinnej rezydencji. Czerpałam z tego pociechę. Dla Mamy dni radości i śmiechu w Wiosennym Pawilonie dobiegły końca, kiedy zamknęłam się w swoim pokoju, a miejsce pogody ducha zajęła rozpacz i krwawe łzy. Długie godziny spędzała w magazynie, gdzie przechowywano moje rzeczy; wdychała mój zapach, nadal wiszący wśród ubrań, dotykała pędzli, które kiedyś trzymałam w ręku, patrzyła na moje hafty. Wiele dni stawiałam opór matce, lecz teraz bezustannie pragnęłam jej bliskości.

Czterdzieści dziewięć dni po mojej śmierci rodzina zgromadziła się w Sali Przodków na ceremonię postawienia kropki na tabliczce oraz ostatnie pożegnanie. Na dziedzińcu stali gawędziarze i garstka pieśniarzy. Honor postawienia ostatniej bezcennej kropki na tabliczce rodzina powierza zwykle jakiejś znaczącej personie, uczonemu albo przedstawicielowi grupy pisarzy. Po zakończeniu tego rytuału jedna trzecia mojej duszy miała znaleźć miejsce spoczynku w tabliczce i czuwać nad rodziną. Od chwili postawienia ostatniej kropki powinnam być czczona jako należąca do grona przodków, w wyniku ceremonii miałam też otrzymać miejsce na ziemi, gdzie mogłabym przebywać przez całą wieczność. Tabliczka z kropką staje się również przedmiotem, za pomocą którego rodzina przesyła zmarłemu dary w zaświaty i prosi o pomoc; stanowi także pewnego rodzaju tarczę, która broni zmarłego przed potencjalnymi wrogami. Rodzina porozumiewa się ze zmarłym poprzez tabliczkę w kwestii wszelkich ważnych poczynań i sytuacji, takich jak nowe przedsięwzięcia handlowe, wybór imion dla dzieci czy propozycje zawarcia małżeństwa. Byłam przekonana, że zadanie postawienia kropki Tata powierzy komisarzowi Tan, najwyżej postawionej osobistości, jaką znał w Hangzhou, lecz ojciec wybrał człowieka, który znaczył dla mnie najwięcej – Wu Rena.

Ren wyglądał na bardziej zrozpaczonego niż w dzień pogrzebu. Włosy miał w nieładzie, zmierzwione, jakby w ogóle nie sypiał. W oczach malował się smutek i ból. Teraz, kiedy nie miałam już dostępu do jego snów, w pełni zrozumiał, co stracił. Część mojej duszy, która miała zamieszkać w tabliczce, przystanęła u jego boku. Pragnęłam, żeby wiedział, iż jestem obok, ale ani on, ani nikt inny nie był świadomy mojej obecności. Byłam ulotna jak dym z kadzidła.

Tabliczka stała na ołtarzu. Wypisano na niej moje imię, godzinę przyjścia na świat i godzinę śmierci. Obok zobaczyłam małą miseczkę z krwią koguta i pędzelkiem. Ren zanurzył pędzel w krwi, uniósł go, żeby ożywić tabliczkę, zawahał się, upuścił pędzel i z głuchym jękiem wybiegł z sali. Tata i służący pośpieszyli za nim, posadzili go pod miłorzębem, przynieśli mu herbatę i zaczęli pocieszać. Wtedy Tata zauważył, że Mama zniknęła.

Wszyscy wróciliśmy za nim do sali. Mama leżała na podłodze, szlochała i z całej siły tuliła do piersi moją tabliczkę. Tata patrzył na nią bezradnie. Shao przykucnęła i spróbowała rozluźnić jej ramiona, ale Mama nie chciała ustąpić.

– Mężu, pozwól mi ją zatrzymać... – zapłakała.

– Trzeba postawić na niej kropkę – rzekł Tata.

– To moja córka, pozwól mi to zrobić! – błagała. – Proszę, proszę...

Jednak Mama nie była liczącą się osobistością! Nie była znaną poetką ani pisarką. Nagle rodzice wymienili spojrzenia pełne głębokiego zrozumienia, co wprawiło mnie w wielką konsternację.

– Oczywiście... – powiedział Tata. – Tak będzie najlepiej...

Shao objęła Mamę, pomogła jej się podnieść i wyprowadziła z sali. Ojciec odprawił gawędziarzy i pieśniarzy, reszta rodziny i służący rozeszli się do swoich zajęć. Ren wrócił do domu.

Mama płakała całą noc i mimo perswazji Shao za żadne skarby nie chciała wypuścić tabliczki z rąk. Zupełnie nie rozumiałam, jak mogłam nie dostrzec ogromnej miłości mojej matki. Czy to z powodu tego uczucia Tata pozwolił jej postawić kropkę na tabliczce? Chyba nie, zresztą nie miałoby to sensu, ponieważ był to obowiązek ojca...

Rano Tata przystanął pod drzwiami pokoju Mamy. Kiedy Shao otworzyła mu, ujrzał Mamę ukrytą pod kocami i wydającą rozpaczliwe jęki. W jego oczach widziałam wielki smutek.

– Powiedz jej, że musiałem pojechać do stolicy – szepnął do Shao.

Odwrócił się niechętnie, z wahaniem. Poszłam za nim aż do głównej bramy, gdzie wsiadł do palankinu, aby udać się do stolicy i objąć nowe stanowisko. Kiedy palankin zniknął w oddali, wróciłam do pokoju Mamy. Shao klęczała przy łóżku i czekała.

– Moja córka odeszła... – szlochała Mama.

Shao zamruczała współczująco i pogłaskała pasma wilgotnych włosów, które przykleiły się do mokrych policzków Mamy.

– Proszę dać mi tabliczkę, Pani Chen. Zaniosę ją panu, a on dopełni ceremonii. Wiesz, że to konieczne, pani...

Co ona gada? – pomyślałam. – Przecież Tata wyjechał...

Mama nie wiedziała o tym, ale mocniej zaplotła ramiona wokół tabliczki. Nie chciała wypuścić jej z objęć. Nie chciała rozstać się ze mną.

– Nie, ja...

– Znasz rytuał, pani – powiedziała Shao surowym tonem. – Ten obowiązek należy do ojca. Proszę, daj mi tabliczkę...

Powoływać się na tradycję, żeby ulżyć komuś w smutku... Tak, to było posunięcie w stylu Shao...

– Wiesz, że mam rację, pani – dodała, widząc wahanie Mamy.

Moja matka wbrew swojej woli oddała tabliczkę Shao, ukryła twarz w kołdrze i rozpłakała się. Podążyłam za moją dawną niańką. Shao udała się do magazynu na tyłach rezydencji, wetknęła tabliczkę na najwyższą półkę i zasłoniła ją słojem marynowanej rzepy. Mogłam tylko bezradnie przyglądać się jej poczynaniom.

– Pani nie powinna kłopotać się takimi rzeczami – mruknęła Shao i odchrząknęła, zupełnie jakby chciała pozbyć się nieprzyjemnego smaku. – Zresztą i tak nikt nie chce patrzeć na to paskudztwo...

Bez kropki nie mogłam zamieszkać w tabliczce i pozbawiona schronienia część mojej duszy dołączyła do mnie na Widokowym Tarasie.

Widokowy Taras Zagubionych Dusz

Nie byłam w stanie wyruszyć w dalszą drogę z Widokowego Tarasu, nie miałam więc żadnej szansy na przedstawienie swojej sprawy przed trybunałem piekielnych sędziów. Dni mijały, a ja odkrywałam, że nadal odczuwam wszystkie potrzeby i pragnienia osoby żywej. Śmierć nie przytłumiła moich uczuć, lecz jeszcze silniej je rozpaliła. Siedem Uczuć, o których mówimy na ziemi – radość, gniew, smutek, lęk, miłość, nienawiść i pożądanie – podążyło ze mną w zaświaty. Zorientowałam się, że te uczucia były bardziej wymagające i trwałe niż jakakolwiek siła istniejąca we wszechświecie – potężniejsze niż życie, bardziej niewzruszone niż śmierć, niepoddające się władzy bogów, otaczające nas bezustannie, pozbawione początku i końca. Cała byłam w nich zanurzona, a pod względem intensywności żadne nie mogło równać się z żalem i tęsknotą za straconym życiem.

Tęskniłam za rodzinnym domem. Brakowało mi aromatów imbiru, zielonej herbaty, jaśminu i letniego deszczu. Po tylu miesiącach bez cienia apetytu nagle miałam ogromną ochotę na korzenie lotosu duszone w słodkiej soi, kaczkę w marynacie, kraby z jeziora i kryształowe krewetki. Pragnęłam usłyszeć śpiew słowików, szmer rozmów kobiet w naszych izbach, plusk uderzających o brzeg fal jeziora. Chciałam poczuć delikatny dotyk jedwabiu na skórze i powiew ciepłego wiatru, wpadającego przez otwarte okno mojej sypialni. Brakowało mi zapachu papieru i tuszu, brakowało moich książek, możliwości otworzenia każdej z nich i przekroczenia granicy innego świata. Jednak najdotkliwiej tęskniłam za rodziną.

Codziennie przechylałam się przez balustradę, żeby na nich popatrzeć. Widziałam, jak Mama, stryjenki, kuzynki i konkubiny wracają do swoich normalnych zajęć. Cieszyłam się, kiedy Tata przyjeżdżał ze stolicy, popołudniami spotykał się w Sali Wielkiej Elegancji z młodymi mężczyznami w pięknych szatach, a wieczorami popijał herbatę z Mamą. Niestety, nigdy nie słyszałam, żeby o mnie rozmawiali. Mama nie wspomniała ani słowem, że nie postawiła kropki na mojej tabliczce, była bowiem pewna, że zrobił to Tata, on zaś nie poruszał tego tematu, ponieważ myślał, że zrobiła to Mama. Oznaczało to, że Tata nie poprosił powtórnie Rena o postawienie kropki. Ktoś musiał dopełnić rytuału, żebym mogła zaznać spoczynku, ale nikt nie miał pojęcia, że trzeba to uczynić, gdyż tabliczka została schowana. Gdyby stan taki miał trwać w nieskończoność, groziłoby mi spędzenie wieczności na Widokowym Tarasie Zagubionych Dusz. Kiedy na myśl o tym ogarniało mnie przerażenie, pocieszałam się wspomnieniem scen z opery – prefekt Du także wyjechał z domu zaraz po śmierci Liniang, aby objąć ważne stanowisko, i zapomniał postawić kropkę na tabliczce córki, podobnie jak mój ojciec. Liniang i mnie łączyło tyle podobieństw, że byłam pewna, iż ja również zostanę przywrócona do życia dzięki prawdziwej miłości.

Zaczęłam szukać domu Rena i w końcu, po niezliczonych nieudanych próbach, znalazłam drogę do niego, przemykając wzrokiem po powierzchni Zachodniego Jeziora, mijając Samotną Wyspę i docierając do północnego brzegu. Zlokalizowałam świątynię, przed którą w noc opery tak jasno płonęły pochodnie, a stamtąd trafiłam do domu Rena.

Nazywano mnie Nefrytową Panną, która ma poślubić Złotego Młodzieńca – oznaczało to, że pozycje naszych rodzin i ich majątki są porównywalne – ale na rezydencję rodziny Wu składało się tylko parę dziedzińców, garść pawilonów i zaledwie sto dwadzieścia palców. Starszy brat Rena przeprowadził się na placówkę w odległej prowincji, gdzie mieszkał razem z żoną i córką, więc w domu Wu został tylko Ren, jego matka oraz dziesięcioro służących. Czy miałam co do tego jakieś zastrzeżenia? Nie. Byłam chora z miłości i widziałam tylko to, co chciałam widzieć, czyli małą, ale gustowną rezydencję. Główne drzwi pomalowane były na kolor cynamonu, zielona dachówka pięknie komponowała się z otaczającymi posiadłość wierzbami. Śliwa, o której opowiadał mi Ren, rosła na głównym dziedzińcu, lecz teraz była odarta z liści. Najważniejszy był jednak Ren, który w dzień pisał w bibliotece, zasiadał do posiłków z owdowiałą matką, a w nocy przechadzał się ogrodowymi ścieżkami i długimi korytarzami w domu. Obserwowałam go bezustannie i zupełnie zapomniałam o własnej rodzinie. Właśnie dlatego pojawienie się Shao w domu rodziny Wu całkowicie mnie zaskoczyło.

Moja dawna piastunka została zaprowadzona do jednej z sal, do której po pewnym czasie przyszli powiadomieni przez służącą Ren i jego matka. Pani Wu trwała we wdowieństwie od wielu lat i ubierała się w odpowiednie dla swego stanu surowe barwy. We włosach miała siwe pasma, a jej twarz nosiła ślady cierpienia po stracie męża. Shao skłoniła się kilka razy, ale ponieważ była tylko służącą, gospodarze nie wymienili z nią uprzejmości, a pani Wu nie zaproponowała jej herbaty.

– Kiedy Mała Panienka umierała, dała mi kilka rzeczy z prośbą o przekazanie rodzinie Wu – powiedziała Shao. – Przede wszystkim...

Odwinęła rogi jedwabnej chustki, którą wyłożony był koszyk, i wyjęła także zawinięty w jedwab malutki pakunek. Położyła go na swoich dłoniach i pochyliła głowę.

– Mała Panienka przeznaczyła je dla ciebie, pani, w dowód szacunku, jakim synowa winna darzyć teściową... – dokończyła.

Pani Wu wzięła paczuszkę i otworzyła ją powoli. Podniosła jeden z pantofelków, które dla niej zrobiłam, i przyjrzała mu się bystrymi oczami teściowej. Wyhaftowane przeze mnie peonie wyraźnie odcinały się od ciemnoniebieskiego tła. Pani Wu odwróciła się do syna.

– Twoja żona była bardzo utalentowana – pochwaliła.

Ciekawe, czy powiedziałaby mi to samo, gdybym żyła, czy też raczej skrytykowałaby moją pracę, jak przystało teściowej...

Następnie Shao wyjęła z koszyka mój egzemplarz *Pawilonu Peonii.*

Oto jedna z prawd na temat śmierci – czasami zmarli zapominają o sprawach, które za życia wydawały im się ogromnie ważne. Poprosiłam Shao, żeby trzy dni po moim ślubie przyniosła tom pierwszy do mojego nowego domu. Piastunka nie zrobiła tego z oczywistych powodów, ja zaś zapomniałam o jej obietnicy. Nie przypomniałam sobie o tym nawet wtedy, kiedy widziałam, jak córka Shao chowa wzory swoich haftów w mojej książce.

Gdy Shao wyjaśniła, że w ostatnich tygodniach życia codziennie do późnej nocy czytałam i pisałam, że Mama spaliła moje książki i że udało mi się ukryć ten tom w pościeli, Ren wziął *Pawilon Peonii* do rąk i otworzył go.

– Mój syn widział operę, a potem w całym mieście szukał tego wydania – rzekła pani Wu. – Uznałam, że najlepiej będzie, jeśli moja synowa podaruje tekst waszej Peonii... Ale to jest tylko pierwsza część, co stało się z drugą?

– Spaliła ją matka dziewczyny, jak już mówiłam – powtórzyła Shao.

Pani Wu westchnęła i z dezaprobatą wydęła wargi. Ren przeglądał książkę, zatrzymując się na niektórych stronach.

– Widzisz? – zagadnął, wskazując rozmazane znaki

w miejscach, gdzie spadły moje łzy. – Jej esencja błyszczy na papierze...

Zaczął czytać i podniósł głowę dopiero po paru chwilach.

– Widzę jej twarz w każdym słowie – powiedział. – Tusz wygląda na zupełnie świeży... Na tych kartach można wyczuć wilgoć obecną w porach skóry jej dłoni, matko...

Pani Wu obrzuciła syna pełnym współczucia spojrzeniem.

Byłam pewna, że Ren przeczyta moje przemyślenia na temat opery i odgadnie, co powinien zrobić. Sądziłam też, że Shao pomoże mu, przypominając, iż ma postawić kropkę na mojej tabliczce.

Jednak Shao nie wspomniała ani słowem o brakującej kropce, a Ren nie sprawiał wrażenia człowieka natchnionego czy pełnego nadziei. Wręcz odwrotnie, jego twarz była smutna i przygnębiona. Ogarnął mnie tak głęboki ból, że serce mało mi nie pękło na tysiąc kawałków.

– Jesteśmy ci wdzięczni – przemówiła pani Wu do Shao. – W pociągnięciach pędzla twojej pani mój syn widzi swoją małżonkę. Dzięki temu wasza Peonia nadal żyje...

Ren zamknął książkę i wstał. Nagrodził Shao kilkoma monetami, które ta pośpiesznie schowała do kieszeni, potem zaś bez słowa wyszedł z sali, niosąc pod pachą moją książkę.

Tej nocy obserwowałam, jak siedział w bibliotece i coraz głębiej popadał w melancholię. Kazał służącym przynieść sobie wino, pił i czytał moje słowa, delikatnie dotykając kart książki. Trzymał się za głowę, a po jego policzkach płynęły łzy. Zaniepokojona tą reakcją, niestety, zupełnie różną od tego, czego się spodziewałam, zaczęłam rozglądać się w poszukiwaniu pani Wu. Znalazłam ją w sypialni. Dzieliłyśmy to samo imię i obie kochałyśmy Rena. Musiałam wierzyć, że zrobi wszystko, co w jej mocy, aby ulżyć synowi w cierpieniu. Pod tym względem z pewnością byłyśmy „takie same".

Pani Wu zaczekała, aż dom ucichł, i dopiero wtedy wyszła na korytarz, ostrożnie stawiając lilie swoich stóp. Powoli uchyliła drzwi biblioteki. Ren spał z głową opartą na biurku. Jego matka wzięła *Pawilon Peonii* i pustą butelkę po winie, zdmuchnęła migoczący płomyk świecy i wróciła do siebie. Tam wsunęła moją pracę między dwie starannie złożone barwne jedwabne suknie, których, jako wdowa, nigdy już nie zamierzała nosić, i zamknęła szufladę.

Mijały miesiące. Jako że nie mogłam opuścić Widokowego Tarasu, widziałam wszystkich, którzy zatrzymywali się tutaj w drodze przez siedem poziomów zaświatów. Byłam świadkiem, jak cnotliwe wdowy, ubrane w wielowarstwowe stroje, z radością witają się z od dawna nieżyjącymi mężami, i wiedziałam, że ich rodziny będą czcić ich pamięć przez wiele, wiele lat. Nie widziałam tylko żadnych matek, które umarły w połogu, gdyż one trafiały prosto do Jeziora Gromadzącej się Krwi, miejsca, gdzie kobiety nieustannie cierpiały piekielne męki za to, iż splamiły swój honor nieudanym porodem. Jednak dla wszystkich innych świeżo zmarłych krótki pobyt na Widokowym Tarasie był szansą pożegnania się z tymi, którzy zostali na ziemi, a także przypomnieniem o ich nowych obowiązkach jako przodków. Od tej pory mieli co jakiś czas wracać na taras, aby patrzeć na świat, sprawdzać, jak radzą sobie ich potomkowie oraz spełniać prośby lub zsyłać kary. Widywałam rozgniewanych przodków, którzy grozili pozostawionym w dole członkom rodziny albo nawet ich upokarzali; obserwowałam innych, zadowolonych z otrzymywanych darów, którzy nagradzali bliskich obfitymi zbiorami i licznymi synami.

Przede wszystkim jednak przyglądałam się niedawno zmarłym. Nikt z nich nie wiedział jeszcze, gdzie skończą po przejściu przez wszystkie siedem poziomów. Może mieli trafić do jednego z dziesięciu piekieł lub czekać setki lat, zanim wolno im będzie wrócić na ziemię w innym ciele... Ci, którzy mieli szczęście, mogli dostąpić szybkiej reinkarnacji jako wykształceni mężczyźni, inni mogli odrodzić się jako kobiety, ryby albo robaki. Istniała też szansa, że bogini Guanyin zabierze ich do Zachodniego Raju, dziesięć tysięcy *li* stąd, gdzie, unikając wszelkich dalszych reinkarnacji, mieli spędzić resztę wieczności w cudownym porcie wiecznego szczęścia, ucztowania i tańca.

Niektóre z chorych z miłości panien, o których słyszałam za życia, przychodziły się ze mną spotkać: Shang Xiaoling, aktorka, która umarła na scenie; Yu Niang, której śmierć zainspirowała Tang Xianzu do napisania serii wierszy na jej cześć; Jin Fengdian, której historia była prawie identyczna jak moja, z tą różnicą, że jej ojciec trudnił się handlem solą; i kilka innych.

Współczułyśmy sobie nawzajem. Za życia wszystkie znałyśmy niebezpieczeństwo, wypływające z kart opery – czytanie opery, czytanie czegokolwiek, groziło fatalnymi konsekwencjami – lecz każdą z nas uwiódł urok myśli, że można umrzeć jako osoba młoda, piękna i utalentowana. Z bólem, ale i przyjemnością rozmyślałyśmy o losie innych chorych z miłości dziewcząt. Czytałyśmy *Pawilon Peonii*, pisałyśmy wiersze o przeżyciach bohaterki, a w końcu umarłyśmy. Sądziłyśmy, że nasze utwory wytrzymają próbę czasu i przetrwają rozkład naszych ciał, stając się dowodem wielkiej siły naszej ukochanej opery.

Chore z miłości panny wypytywały o Rena, ja zaś powtarzałam im, że wierzę w dwie rzeczy: po pierwsze, Ren i ja byliśmy sobie przeznaczeni, a po drugie, *qing* znowu nas połączy.

Dziewczęta patrzyły na mnie z litością i szeptały między sobą.

– Wszystkie miałyśmy ukochanych ze snów – wyznała w końcu aktorka. – Ale okazało się, że należą oni do świata sennych marzeń, nie rzeczywistości...

– Ja też wierzyłam, że mój uczony istnieje naprawdę – pokiwała głową Yu Niang. – Och, Peonio, byłyśmy takie same jak ty... Nie miałyśmy nic do powiedzenia, jeśli chodzi o nasze życie. Dla nas wszystkich zaaranżowano małżeństwa z obcymi mężczyznami i przyszłość wśród obcych rodzin, w obcych domach. Nie miałyśmy nadziei na miłość, ale pragnęłyśmy jej z całego serca. Któraż dziewczyna nie spotyka we śnie wymarzonego mężczyzny?

– Opowiem wam o mojej miłości – odezwała się inna. – Spotykaliśmy się w świątyni, oczywiście we śnie. Bardzo go kochałam.

– Mnie także wydawało się, że jestem taka jak Liniang – dorzuciła córka handlarza solą. – Spodziewałam się, że po mojej śmierci mój młodzieniec odnajdzie mnie, zakocha się i przywróci do życia. Myślałam, że połączy nas prawdziwa miłość, nie uczucie z obowiązku... – westchnęła. – Lecz mój ukochany żył tylko we śnie, a ja teraz jestem tutaj...

Potoczyłam wzrokiem po otaczających mnie ślicznych twarzach. Wszystkie nosiły wyraz smutku, co powiedziało mi, że mają do opowiedzenia praktycznie identyczne historie.

– Ale ja naprawdę spotkałam Rena – powiedziałam. – Dotykał mnie kwiatem peonii...

Uśmiechnęły się współczująco.

– Wszystkie dziewczęta mają swoje marzenia – powtórzyła Yu Niang.

– Ren istniał w rzeczywistości! – zaprotestowałam, przechylając się przez balustradę. – Popatrzcie, to on!

Tuzin dziewcząt, z których żadna nie przekroczyła szesnastego roku życia, spojrzało przez balustradę i podążając za moim palcem, popatrzyło na piszącego coś w swojej bibliotece Rena.

– To młody mężczyzna, prawda, ale skąd mamy wiedzieć, że właśnie on jest tym, którego spotkałaś?

– I skąd pewność, że w ogóle go spotkałaś?

Jako mieszkańcy zaświatów możemy czasami cofnąć się w przeszłość i ponownie przeżyć pewne nasze doświadczenia albo popatrzeć na nie oczami kogoś innego. Między innymi z tego powodu należy bać się Piekła, bo tam ludzie mają możliwość raz po raz oglądać swoje złe czyny... Ja wróciłam teraz do innego rodzaju wspomnień. Przeniosłam chore z miłości dziewczęta do Pawilonu z Wiatrem, Pawilonu z Widokiem na Księżyc i do momentu mojego ostatniego spotkania z Renem, kiedy byłam już duchem. Dziewczęta płakały, poruszone pięknem i szczerością mojej opowieści, a pod nami na Hangzhou spadła burza.

– Dopiero po śmierci Liniang dowiodła, że jej namiętność jest nieśmiertelna – powiedziałam, gdy ocierały łzy. – Któregoś dnia Ren i ja pobierzemy się, zobaczycie...

– Jakże się to stanie? – chciała wiedzieć aktorka.

– A jak można podnieść księżyc z powierzchni wody albo nazrywać kwiatów w otchłani? – odpowiedziałam pytaniem, przytaczając słowa Mengmei. – Ukochany Liniang nie wiedział, w jaki sposób sprowadzi ją ze świata zmarłych, ale udało mu się. Ren także znajdzie jakieś rozwiązanie.

Dziewczęta były piękne i bardzo miłe, ale nie uwierzyły mi.

– Możliwe, że naprawdę spotkałaś tego mężczyznę i nawet z nim rozmawiałaś, lecz twoja choroba była taka sama jak nasza... – westchnęła Yu Niang.

– Możesz mieć nadzieję najwyżej na to, że rodzice opublikują twoje wiersze – zauważyła córka handlarza solą. – Dzięki temu w pewnym stopniu wrócisz do życia, oczywiście tylko trochę, ale jednak... Ze mną tak właśnie było.

– Ze mną także!

Pozostałe powtórzyły okrzyk, zapewniając, że ich rodziny również wydały ich utwory.

– Większość naszych rodzin nie składa nam ofiar – zwierzyła się córka handlarza. – Otrzymujemy jednak energię podtrzymującą siły, ponieważ nasze wiersze ukazały się drukiem. Nie wiemy, jak to się dzieje, ale tak jest.

Nie były to dobre wiadomości. Ukryłam swoje wiersze w bibliotece ojca, a pierwszy tom *Pawilonu* matka Rena schowała w szufladzie. Kiedy powiedziałam o tym dziewczętom, ze smutkiem pokręciły głowami.

– Może powinnaś porozmawiać o tym z Xiaoqing – podsunęła pomysł Yu Niang. – Ona ma więcej doświadczenia niż my i może potrafiłaby jakoś ci pomóc...

– Z przyjemnością spotkałabym się z Xiaoqing – powiedziałam z entuzjazmem. – Jej rady byłyby dla mnie bardzo cenne. Przyprowadźcie ją ze sobą, kiedy przyjdziecie następnym razem!

Ale dziewczęta nie przyprowadziły Xiaoqing. Wielki Tang Xianzu także mnie nie odwiedził, chociaż mówiły, że przebywa w pobliżu.

Tak więc większość czasu spędzałam w samotności.

Za życia mówiono mi wiele rzeczy o zaświatach – niektóre nieprawdziwe, większość prawdziwych. Ludzie nazywają moją obecną rzeczywistość światem podziemnym, ale ja wolę nazywać ją zaświatami, bo przecież nie znajduje się pod ziemią, no, prócz kilku części. Poza tym położenie geograficzne w tym wypadku nie ma znaczenia, o wiele ważniejsze wydaje mi się, że zaświaty, zgodnie z nazwą, są kontynuacją życia. Śmierć nie kończy ani nie przecina naszych związków z rodzinami, status, jaki mieliśmy za życia, także nie ulega zmianie. Jeżeli ktoś był wieśniakiem na ziemi, w zaświatach także pracuje na roli; jeśli był właścicielem ziemskim, uczonym albo członkiem koła pisarzy, tutaj również czyta, tworzy poezję, pije herbatę i pali kadzidełka. Kobiety tu także mają krępowane stopy, są posłuszne i koncentrują uwagę na swoich rodzinach; mężczyźni nadal nadzorują zewnętrzny świat, choć tutaj rozwiązują ważne kwestie w gabinetach piekielnych sędziów.

Ciągle uczyłam się, co leży w granicach moich możliwości, a co nie. Mogłam unosić się, płynąć w powietrzu i roztapiać się w nim. Nie mogłam liczyć na pomoc Shao czy Wierzby, więc nauczyłam się sama dbać o stopy i krępować je bandażami, które moja rodzina spaliła, abym mogła ich używać w zaświatach. Słyszałam dźwięki z bardzo dużej odległości, ale nienawidziłam hałasu. Nie umiałam brać zakrętów ani poruszać się zygzakiem, a kiedy patrzyłam przez balustradę, widziałam dużo, lecz tylko w granicach Hangzhou.

Kiedy na Widokowym Tarasie przebywałam już wiele

miesięcy, któregoś dnia odwiedziła mnie stara kobieta. Przedstawiła się jako moja babka, ale wcale nie przypominała kobiety o surowej twarzy, której portret wisiał w sali przodków.

– Waaa! Dlaczego zawsze przedstawiają przodków w taki sposób? – Zaśmiała się. – Za życia nigdy nie wyglądałam na taką wiedźmę!

Nadal była bardzo przystojna. Włosy nosiła upięte, podtrzymywane ozdobami ze złota, pereł i nefrytu, suknię z najlżejszego jedwabiu. Lilie jej stóp były jeszcze mniejsze od moich, twarz poznaczona drobnymi zmarszczkami, lecz cera promienna. Dłonie babki zakrywały długie powiewne rękawy w starym stylu. Robiła wrażenie delikatnej i wysublimowanej, ale kiedy usiadła obok mnie i jej udo dotknęło mojego, poczułam bijącą od niej niezwykłą siłę i energię.

W ciągu następnych kilku tygodni często przychodziła do mnie w odwiedziny, jednak ani razu nie przyprowadziła ze sobą Dziadka i zawsze wymijająco odpowiadała na pytania o niego.

– Jest zajęty gdzie indziej – odpowiadała na przykład.

Albo:

– Pomaga twojemu ojcu w negocjacjach w stolicy. Cesarscy dworzanie są podstępni, a mój syn wyszedł z wprawy.

Albo:

– Chyba odwiedza jedną ze swoich konkubin... W jej snach. Czasami lubi to robić, bo we śnie konkubiny nadal są młode i piękne, zupełnie niepodobne do starych kwok, którymi z czasem się stały.

Lubiłam słuchać jej złośliwych komentarzy na temat konkubin, ponieważ za życia zawsze powtarzano mi, że była dla nich dobra, miła i wyrozumiała. Przedstawiano mi babkę jako wzór pierwszej żony, tymczasem teraz odkryłam, że uwielbiała żartować i kpić.

– Przestań ciągle wpatrywać się w tego mężczyznę na dole! – rzuciła ostro któregoś dnia, kilka miesięcy po swojej pierwszej wizycie.

– Skąd wiesz, na kogo patrzę?

Lekko szturchnęła mnie łokciem w bok.

– Jestem twoją zmarłą babką! Widziałam wszystko, co się z tobą działo! Pomyśl o tym, dziecko...

– Ale on jest moim mężem... – zaprotestowałam nieśmiało.

– Wcale nie wzięliście ślubu – odparła. – I możesz się z tego cieszyć, moja droga!

– Cieszyć się?! Ren i ja byliśmy sobie przeznaczeni!

Babka prychnęła lekceważąco.

– Co za idiotyczny pomysł! Nie byliście sobie przeznaczeni, nic z tych rzeczy! Twój ojciec zaaranżował dla ciebie małżeństwo, i tyle! Nie ma w tym nic nadzwyczajnego. A na wypadek gdybyś o tym zapomniała, to uświadom sobie wreszcie, że teraz jesteś tutaj!

– Nie martwi mnie to – oświadczyłam. – Tata zamierza zorganizować dla mnie ceremonię ślubną.

– Powinnaś dokładniej zastanowić się nad tym, co widzisz w dole.

– Wystawiasz mnie na próbę, rozumiem...

– Nie, po prostu twój ojciec ma inne plany – powiedziała.

– Nie widzę Taty, kiedy przebywa w stolicy, ale w gruncie rzeczy, jakie to ma znaczenie? Nawet jeżeli nie zaaranżuje ślubu z duchem, czyli ze mną, i tak będę czekać na Rena. To dlatego nie mogę się stąd ruszyć, prawda?

Zignorowała moje pytanie.

– Myślisz, że ten mężczyzna będzie czekał na ciebie? – skrzywiła się, zupełnie jakby otworzyła słoiczek z cuchnącym tofu.

Była moją babką, szanowaną, ba, czczoną jak nikt inny, więc nie bardzo mogłam się z nią sprzeczać.

– Nie przejmuj się nim tak bardzo – powiedziała, poklepując mnie po policzku przez jedwab długiego rękawa. – Byłaś dobrą wnuczką. Jestem ci wdzięczna za owoce, które przynosiłaś mi przez te wszystkie lata...

– Więc dlaczego mi nie pomogłaś?

– Nie mam nic przeciwko tobie...

Była to dziwna uwaga, lecz często nie rozumiałam rzeczy, które mówiła.

– A teraz skup się! – poleciła. – Musisz poważnie zastanowić się nad tym, dlaczego tu tkwisz.

Przez cały ten czas ważne daty przychodziły i odchodziły. Rodzice zapomnieli włączyć mnie do swoich ofiar składanych z okazji Nowego Roku, który przypadał kilka dni po mojej śmierci. Trzynastego dnia pierwszego miesiąca po Nowym Roku mieli postawić na moim grobie zapaloną lampę. W Święto Wiosny powinni byli oczyścić i uprzątnąć grób, odpalić sztuczne ognie i spalić pieniądze, żebym mogła wykorzystać je w zaświatach. Pierwszego dnia dziesiątego miesiąca, w oficjalny początek zimy, powinni byli spalić pikowane kurty, wełniane czapki i buty na futrze (oczywiście z papieru), żebym nie marzła. Przez cały rok moi najbliżsi pierwszego i piętnastego dnia każdego miesiąca powinni składać ofiary w postaci gotowanego ryżu, wina, mięsa i papierowych pieniędzy. Ofiary należało umieszczać przed moją tabliczką (z kropką), abym otrzymała je w zaświatach. Jednak kiedy Shao nie wyjęła tabliczki z ukrycia i nikt o nią nie zapytał, doszłam do wniosku, że moi rodzice są jeszcze pogrążeni w zbyt głębokiej rozpaczy po moim odejściu, aby jej szukać.

Wreszcie jednak w Święto Gorzkiego Księżyca, przypadające na najciemniejsze, najbardziej ponure dni zimy, odkryłam coś, co całkowicie mnie załamało. Tuż przed pierwszą rocznicą mojej śmierci Tata wrócił do domu, a Mama przygotowała specjalny kleik z rozmaitymi nasionami, orzechami i owocami, słodzony czterema rodzajami cukru. Rodzina zgromadziła się w Sali Przodków i ofiarowała to danie mojej babce oraz innym przodkom. Moja tabliczka i tym razem nie została wydobyta z magazynu. Znowu nie otrzymałam żadnej ofiary. Wiedziałam, że nie należę do „zapomnianych" zmarłych, ponieważ Mama co wieczór gorzko opłakiwała moją śmierć. To zaniedbanie wynikało z czegoś znacznie gorszego.

Babcia, która na pewno spożywała gdzieś kleik razem z Dziadkiem, zobaczyła, co się stało, i przyszła do mnie. Zawsze mówiła to, co myśli, lecz ja nie chciałam ani słuchać, ani przyjąć do wiadomości tego, co miała mi do powiedzenia.

– Twoi rodzice nigdy nie będą oddawać ci czci – wyjaśniła. – Oddawanie czci własnemu dziecku to postępowanie wbrew naturze. Gdybyś była synem, ojciec zbiłby twoją trumnę, żeby ukarać cię za stojące w sprzeczności z synowskim posłuszeństwem postępowanie, ponieważ umarłaś przed nim, ale z czasem przestałby się gniewać i dopilnowałby, żebyś nie cierpiała niedostatku. Jednak ty jesteś dziewczyną, na dodatek niezamężną. Twoja rodzina nigdy nie będzie składać ci ofiar...

– Dlatego że na mojej tabliczce nie ma kropki?

Babka prychnęła.

– Nie, dlatego że umarłaś jako niezamężna. Rodzice wychowali cię dla rodziny męża. Należysz do tamtych, twoi bliscy uważają, że już nie jesteś Chen. I nawet gdyby na twojej tabliczce postawiono kropkę, trzymaliby ją gdzieś za drzwiami, w szufladzie albo w specjalnej świątyni, gdzie znajdują się tabliczki tych dziewcząt, które złożyły ci wizytę.

Nigdy nie wspominano mi o tym za życia i na chwilę uwierzyłam Babci, zaraz jednak wyrzuciłam jej złe myśli z głowy.

– Mylisz się!

– Dlatego, że przed śmiercią nikt nie powiedział ci, iż tak będzie? Ha! Gdyby matka i ojciec umieścili twoją tabliczkę na rodzinnym ołtarzu, ryzykowaliby, że inni przodkowie wymierzą im karę. – Podniosła rękę. – Nie ja, lecz inni, którzy są bardzo przywiązani do tradycji. Nikt nie chce oglądać takiej paskudnej rzeczy na rodzinnym ołtarzu.

– Rodzice kochają mnie – obstawałam przy swoim. – Gdyby Mama mnie nie kochała, nie spaliłaby moich książek, żeby ratować mi życie...

– To prawda – zgodziła się Babcia. – Nie chciała zrobić ci przykrości, ale lekarz miał nadzieję, że płomyk gniewu, który powinien w tobie zapłonąć, pozwoli ci wrócić na właściwą ścieżkę.

– A gdyby Tata nie kochał mnie jak najcenniejszą perłę, nie wystawiłby opery z okazji moich urodzin!

Ledwo wypowiedziałam te słowa, a już wiedziałam, że nie mam racji.

– Ten spektakl nie był dla ciebie – wyjaśniła Babcia. – Ojciec zrobił to ze względu na komisarza Tana, ponieważ zabiegał o stanowisko...

– Ale komisarz Tan nie znosi opery!

– Jest hipokrytą, co często zdarza się mężczyznom piastującym wysokie urzędy.

Czyżby sugerowała, że Tata także jest hipokrytą?

– Lojalność polityczna jest naturalną kontynuacją lojalności osobistej – ciągnęła Babcia. – Obawiam się, że twój ojciec nie ma tej cechy.

Nie dodała nic więcej, lecz wyraz jej twarzy kazał mi spojrzeć wstecz i w końcu zobaczyć oraz zrozumieć to, czego nie dostrzegałam za życia.

Ojciec nie był lojalistą, wiernym zwolennikiem dynastii Ming ani kierującym się zasadami uczciwości człowiekiem, za jakiego zawsze go uważałam, lecz z mojej perspektywy nie to było najważniejsze. Za życia miałam świadomość, że ojciec żałuje, iż jestem dziewczyną, ale w głębi serca wierzyłam, naprawdę wierzyłam, że darzy mnie najszczerszą miłością, przywiązaniem, wręcz uwielbieniem, jednak cała ta historia z moją tabliczką i wszystkie jej implikacje dowodziły czegoś innego. Ponieważ nikt na świecie nie dbał o mnie, nikt nie okazywał mi miłości i szacunku, manifestując te uczucia poprzez troskę o tabliczkę, moja dusza znalazła się w okropnych tarapatach. Byłam jak resztka jedwabnej tkaniny, która nikomu nie może się na nic przydać.

Zostałam opuszczona, można nawet powiedzieć, że osierocona, i to wyjaśniało, dlaczego wciąż tkwiłam na Widokowym Tarasie.

– Co się ze mną stanie? – zawołałam.

Minął dopiero rok, lecz moja szata już wyblakła, a ja wyraźnie schudłam.

– Rodzice mogliby wysłać twoją tabliczkę do świątyni panien, ale nie jest to przyjemny pomysł, ponieważ w takie miejsca trafiają tabliczki konkubin i prostytutek, nie tylko panien... – Babcia popłynęła nad tarasem i usiadła obok mnie. – Rytuał ślubu z duchem usunąłby tę paskudną rzecz z rezydencji Chen...

– Nadal mogłabym wyjść za Rena – wtrąciłam z nadzieją. – W czasie ceremonii rodzice mogliby posłużyć się moją tabliczką. Postawiono by na niej kropkę i przeniesiono na ołtarz przodków w domu rodziny Wu!

– Ale twój ojciec jeszcze nie zajął się tą kwestią... Myśl, Peonio, myśl! Ciągle powtarzam ci, żebyś uważnie przyjrzała się swojej historii... Co zobaczyłaś? Co widzisz teraz?

W zaświatach czas płynie naprawdę dziwnie – raz szybko, raz wolno. Teraz w mgnieniu oka minęło sporo dni i mój ojciec znowu przyjmował w domu młodych mężczyzn.

– Tata ma umówione spotkania... Jest ważną osobistością.

– Czy ty w ogóle niczego nie słuchasz, dziecko?

Interesy zawsze należały do zewnętrznego świata. W ciągu minionych miesięcy z rozmysłem nie przysłuchiwałam się prowadzonym przez ojca rozmowom, lecz teraz nastawiłam uszu. Tata zadawał wiele pytań tym młodym ludziom. Nagle przestraszyłam się, że próbuje zaaranżować dla mnie małżeństwo z kimś innym niż Ren.

– Będziesz lojalnym i posłusznym synem? – pytał Tata jednego młodzieńca po drugim. – Będziesz uprzątał nasze groby w Nowy Rok i codziennie składał nam ofiary w Sali Przodków? Potrzebuję także wnuków. Dasz nam wnuków, którzy zadbają o nas po twojej śmierci?

Wysłuchawszy tych pytań, wreszcie zrozumiałam intencję Taty. Zamierzał zaadoptować jednego z tych młodych ludzi. Nie mógł mieć synów, co przynosiło wstyd każdemu mężczyźnie, a w kwestii oddawania czci przodkom było najprawdziwszą katastrofą. Adopcja młodego człowieka dla zapewnienia sobie synowskiego posłuszeństwa była dość powszechną praktyką i Tatę było na to stać, oznaczało to jednak, że ktoś inny zajmie moje miejsce w jego sercu!

– Ojciec dużo dla ciebie zrobił – odezwała się Babcia. – Widziałam, jaki był tolerancyjny i wyrozumiały, jak uczył cię czytać, pisać i zadawać pytania, ale mimo wszystko nie byłaś synem...

Od wczesnego dzieciństwa ojciec okazywał mi przywiązanie, miłość i dobroć, lecz teraz zrozumiałam, że moja płeć umniejszała mnie w jego oczach i zabarwiała rozczarowaniem uczucia, jakimi mnie darzył. Gdy rozpłakałam się gorzko, Babcia wzięła mnie w ramiona.

Nie byłam jeszcze w stanie do końca przyjąć tego wszystkiego do wiadomości, spojrzałam więc na dom Rena z nadzieją, że może jego rodzina ofiarowała mi kleik. Nie zrobili tego. Ren stał pod daszkiem smaganym strugami deszczu i pokrywał świeżą warstwą cynamonowego lakieru główną bramę, co miało być symbolem odrodzenia w nadchodzącym nowym roku, gdy tymczasem w bibliotece mojego ojca młodzieniec o małych oczkach podpisywał kontrakt adopcyjny. Tata serdecznie poklepał go po plecach.

– Bao, mój synu, powinienem był zrobić ten krok dawno temu – powiedział.

Kataklizm

Podobno następstwem śmierci jest życie, a koniec zawsze jest nowym początkiem, ja jednak nie miałam cienia wątpliwości, że w moim przypadku sprawy miały się inaczej. Zanim zdążyłam się zorientować, upłynęło siedem lat, cała rzeka czasu. Szczególnie trudne były dla mnie święta i ceremonie, a zwłaszcza Nowy Rok. Już w chwili śmierci byłam chuda, a ponieważ nie otrzymywałam żadnych ofiar, z każdym rokiem stawałam się coraz bardziej wątła i przejrzysta, i teraz wyglądałam jak cień. Jedyna suknia, w jakiej tu przybyłam, straciła barwę i poprzecierała się. Byłam żałosną istotą, która bez przerwy kręciła się koło balustrady i nie mogła opuścić Widokowego Tarasu.

Chore z miłości panny odwiedzały mnie w Nowy Rok, ponieważ wiedziały, jakim smutkiem napawa mnie to święto. Cieszyło mnie ich towarzystwo, gdyż w przeciwieństwie do sytuacji w rezydencji Chen, tutaj nie odczuwałyśmy małodusznej zazdrości. Po siedmiu latach dziewczęta w końcu przyprowadziły Xiaoqing. Była przepiękna. Czoło miała wysokie, brwi namalowane cienką kreską, włosy ozdobione ornamentami, wargi delikatne i miękkie. Nosiła suknię w dawnym stylu, elegancką, powłóczystą, z przypiętymi kwiatami, a jej stopy były tak maleńkie, że kiedy lekkim krokiem weszła na taras, wydawała się płynąć w powietrzu niczym obłok. Żadna mężatka nie mogłaby być tak urodziwa, rozumiałam więc, dlaczego tylu mężczyzn uległo jej czarowi.

– Wierszom, które zostawiłam, nadałam wspólny tytuł *Manuskrypty uratowane od spalenia* – przemówiła głosem tak melodyjnym jak trącane wiatrem metalowe rurki. – Nie ma w nich jednak nic nadzwyczajnego... Mężczyźni, którzy o nas piszą, nazywają nas chorymi z miłości. Twierdzą, że jesteśmy słabą, wątłą płcią, bo nieustannie cierpimy z powodu utraty krwi i ciała... Uważają, że w konsekwencji nasz los musi pasować do losu naszych utworów. Nie rozumieją, że pożary nie zawsze wybuchają przypadkiem. Zbyt często kobiety – ja sama także – powątpiewają w swoje słowa i umiejętności i dlatego podejmują decyzję o spaleniu swojego dzieła. Właśnie z tego powodu tyle zbiorów wierszy ma ten sam tytuł...

Xiaoqing popatrzyła na mnie, czekając, aż coś powiem. Inne chore z miłości panny także przyglądały mi się wyczekująco, miłymi spojrzeniami zachęcając mnie do wykazania się bystrością umysłu.

– Nasze utwory nie zawsze przemijają jak wiosenny sen – zauważyłam. – Niektóre pozostają na świecie i ludzie ronią nad nimi łzy wzruszenia...

– Oby było tak przez dziesięć tysięcy lat! – dorzuciła córka handlarza solą.

Xiaoqing obrzuciła nas łagodnym spojrzeniem.

– Dziesięć tysięcy lat... – powtórzyła i zadrżała, a powietrze wokół niej zadygotało w odpowiedzi. – Na tym świecie nie ma nic pewnego... Już teraz ludzie powoli zaczynają o nas zapominać, a kiedy całkiem zapomną...

Podniosła się szybko. Suknia załopotała wokół niej. Skinęła głową każdej z nas i odpłynęła.

Pozostałe dziewczęta odeszły zaraz po pojawieniu się Babci. Jakąż pociechę mogła ofiarować mi ta stara kobieta?

– Nie ma czegoś takiego jak miłość – lubiła powtarzać. – Istnieje tylko obowiązek i odpowiedzialność.

I rzeczywiście, kiedy mówiła o swoim mężu, jej słowa podyktowane były przez obowiązek, nigdy miłość czy choćby czułość.

Zapomniana i przygnębiona, słuchałam Babci (nie mówiła o niczym konkretnym) i obserwowałam przygotowania do Nowego Roku w domu Rena. Mój ukochany pooddawał rodzinne długi; jego matka sprzątała i zamiatała; służący przygotowywali specjalne potrawy; wizerunek Boga Kuchni, wiszący nad kuchnią, został spalony i posłany w zaświaty, aby mógł złożyć sprawozdanie o dobrych i złych uczynkach członków rodziny. Tu także nikt o mnie nie myślał.

Niechętnie skoncentrowałam wzrok na moim rodzinnym domu. Ojciec wrócił ze stolicy, aby dopełnić synowskich obowiązków. Bao, od siedmiu lat mój brat, sprowadził do domu żonę, która wydała na świat tylko trzech martwych synków. Może z powodu rozczarowania, a może z racji ogólnie słabego charakteru Bao zaczął spędzać coraz więcej czasu w towarzystwie kobiet lekkich obyczajów na brzegu Zachodniego Jeziora. Ojciec nie wydawał się tym szczególnie zaniepokojony, kiedy razem z moją matką w przeddzień Nowego Roku wyruszał na cmentarz, aby zaprosić przodków do domu na święto.

Tata nosił szaty mandaryna z wielką godnością. Ozdobny emblemat, który miał na piersi, informował wszystkich o jego randze i dostojeństwie. Jego postawę charakteryzowała znacznie większa pewność siebie niż za mojego życia.

Mama zachowywała się zupełnie inaczej. Żałoba sprawiła, że szybko się postarzała. We włosach pojawiły się pasma siwizny, jej barki wydawały się kruche i bardzo szczupłe.

– Twoja matka nadal cię kocha – powiedziała Babcia. – W tym roku chce zerwać z tradycją. To naprawdę dzielna kobieta.

Nie umiałam wyobrazić sobie, aby Mama ważyła się na cokolwiek, co odbiegałoby od zasad Czterech Cnót i Trzech Zasad Posłuszeństwa.

– Zostawiłaś ją bezdzietną – ciągnęła Babcia. – Jej serce wypełnia smutek za każdym razem, gdy widzi zbiór wierszy lub czuje zapach peonii. Przypomina jej to o tobie. Te wspomnienia bardzo ciążą jej na sercu...

Nie chciałam tego słuchać. Jaka korzyść mogła z tego dla mnie wyniknąć? Jednak moja babka niezbyt często brała pod uwagę moją wrażliwość.

– Żałuję, że nie mogłaś poznać jej, kiedy weszła do naszej rodziny. Miała zaledwie siedemnaście lat, była świetnie wykształcona, a jej kobiecym umiejętnościom nic nie można było zarzucić. Obowiązkiem i przyjemnością teściowej jest narzekanie na synową, lecz twoja matka nie dostarczyła mi najmniejszego pretekstu do praktykowania tego daru. Nie przeszkadzało mi to, miałam bowiem dom pełen synów i jej towarzystwo bardzo mnie cieszyło. Szybko nauczyłam się widzieć w niej nie tyle synową, co przyjaciółkę. Nie wyobrażasz sobie, na jakie wycieczki wyruszałyśmy i co robiłyśmy...

– Mama nigdy nie wychodzi z domu – przypomniałam jej.

– W tamtych dniach wychodziła. – Babcia powoli pokiwała głową. – W latach poprzedzających upadek cesarza Ming obie starałyśmy się zgłębić prawdziwą naturę powołania kobiety. Zastanawiałyśmy się, czy stanowią o nim tradycyjne kobiece umiejętności, w których twoja matka nie miała sobie równych, czy może chęć poszukiwania przygód, ciekawość, piękny umysł... To ona, nie twój ojciec, pierwsza zainteresowała się kobietami piszącymi wiersze... Wiedziałaś o tym?

Zaprzeczyłam.

– Uważała, że obowiązkiem kobiet jest kolekcjonowanie utworów innych kobiet, a także wydawanie ich, łączenie w antologie i ocenianie. Odbyłyśmy wiele podróży w poszukiwaniu ksiąg i doświadczenia.

Doszłam do wniosku, że Babcia mocno przesadza.

– W jaki sposób podróżowałyście, pieszo? – zapytałam,

aby choć trochę poskromić jej wyobraźnię, z której musiały brać się te ekstrawaganckie zwierzenia.

– Trenowałyśmy chodzenie w naszych pokojach i na korytarzach rezydencji – odparła, uśmiechając się na samo wspomnienie. – Zahartowałyśmy nasze złociste lilie, żeby nie sprawiały nam bólu, zresztą przyjemność wynikająca z tego, co widziałyśmy i robiłyśmy, wynagradzała drobne cierpienia. Odnalazłyśmy mężczyzn, którzy byli tak dumni z kobiet w swoich rodzinach, że wydawali ich utwory, pragnąc wystawić trwały pomnik szczęściu, jakiego zaznawali w domu, podnieść poziom wykształcenia wśród krewnych oraz oddać cześć swoim żonom i matkom. Podobnie jak ty, twoja matka przechowywała w sercu wrażenia z lektur, była jednak bardzo skromna, jeśli chodzi o jej własną twórczość. Nie chciała używać tuszu i papieru, wolała mieszać puder z wodą i pisać na liściach. Nie zamierzała zostawić żadnego śladu po sobie...

Pod nami rozpoczął się Nowy Rok. W naszej Sali Przodków rodzice wystawili tace z mięsem, owocami i warzywami, ja zaś patrzyłam, jak kształty Babci zaczynają się zaokrąglać i wypełniać. Po ceremonii Mama wzięła trzy małe kuleczki ryżu, poszła do mojego dawnego pokoju i położyła je na okiennym parapecie. Pierwszy raz od siedmiu lat zostałam nakarmiona. Dostałam tylko trzy kulki ryżu, lecz natychmiast poczułam się silniejsza.

Babcia popatrzyła na mnie i ze zrozumieniem kiwnęła głową.

– Mówiłam ci, że ona nadal cię kocha.

– Ale dlaczego zrobiła to akurat teraz?

Zignorowała moje pytanie i z nowym zapałem wróciła do wcześniejszego tematu.

– Twoja matka i ja chodziłyśmy na poetyckie przyjęcia w świetle księżyca; pokonywałyśmy duże odległości, aby popatrzeć na kwitnący jaśmin i śliwy; wyprawiałyśmy się w góry i pocierałyśmy kamienne stale w buddyjskich klasztorach. Wynajmowałyśmy łodzie i żeglowałyśmy po Zachodnim Jeziorze oraz Wielkim Kanale. Spotykałyśmy się z malarkami, które utrzymywały rodziny ze sprzedaży swoich obrazów. Zasiadałyśmy do stołu z zawodowymi łuczniczkami i świętowałyśmy z innymi wysoko urodzonymi kobietami. Grałyśmy na instrumentach, piłyśmy wino do późna w nocy i pisałyśmy wiersze. Świetnie się bawiłyśmy, twoja matka i ja...

Patrzyłam na nią z niedowierzaniem.

– Nie jesteś pierwszą dziewczyną, która nie zna prawdziwej natury swojej matki – zauważyła Babcia.

Sprawiała wrażenie bardzo zadowolonej z siebie, że tak mnie zaskoczyła, ale jej radość trwała krótko.

– Podobnie jak wiele innych kobiet w tamtych czasach cieszyłyśmy się kontaktem ze światem zewnętrznym, lecz nic o nim nie wiedziałyśmy. Machałyśmy pędzelkami do kaligrafii i chodziłyśmy na przyjęcia, śmiałyśmy się i śpiewałyśmy... Nie przywiązywałyśmy żadnej wagi do czegoś takiego jak południowy szlak mandżurski...

– Ale Tata i Dziadek wiedzieli, co się dzieje – wtrąciłam.

Babcia ciaśniej zaplotła ramiona na piersi.

– Popatrz teraz na swojego ojca. Co sądzisz?

Zawahałam się. Już dawno temu zaczęłam uważać ojca za człowieka nielojalnego, i wobec naszego cesarza z dynastii Ming, i wobec własnego dziecka. Jego brak głębszych uczuć do mnie nadal sprawiał mi ból, ale mimo to ciągle go obserwowałam. Jakaś perwersyjna strona mojego charakteru kazała mi patrzeć na niego. Chciałam patrzeć. Przyglądanie się Tacie przypominało trochę zeskrobywanie strupa. Odwróciłam się i poszukałam go wzrokiem.

W ciągu kilku ostatnich lat moje umiejętności poważnie się poprawiły i teraz widziałam również tereny poza Hangzhou. Spełniając noworoczny obowiązek, ojciec wybrał się na wieś, aby odwiedzić swoje posiadłości. Wiele razy czytałam scenę z *Pawilonu Peonii*, zatytułowaną *Przyśpieszyć orkę*, a także widziałam jej inscenizację w naszym ogrodzie. To, co teraz zobaczyłam, było wizualnym echem

Orki. Wieśniacy, rybacy i robotnicy pracujący przy produkcji jedwabiu przynieśli ojcu potrawy przygotowane przez najlepsze kucharki ze wszystkich należących do niego wsi. Akrobaci skakali. Muzykanci grali. Wiejskie dziewczyny o wielkich stopach tańczyły i śpiewały. Mój ojciec pochwalił pracowników i przykazał im, aby w nadchodzącym roku postarali się o dobre zbiory.

Chociaż głęboko mnie rozczarował, nadal skrywałam w sercu nadzieję, że może jednak się mylę, a mój ojciec jest szlachetnym człowiekiem. Przez całe lata słuchałam jego opowieści o tych wiejskich posiadłościach i pracujących na roli ludziach, ale teraz ujrzałam straszliwą biedę. Mężczyźni byli chudzi i żylaści z przepracowania, kobiety zniszczone wiecznym dźwiganiem wody, rodzeniem dzieci, prowadzeniem domu, przędzeniem jedwabiu, szyciem ubrań i butów oraz gotowaniem. Dzieci były drobne, mizerne, słabo rozwinięte i ubrane w rzeczy po starszym rodzeństwie; wiele z nich już pracowało – chłopcy harowali na polach, natomiast ich siostry gołymi, narażonymi na oparzenia palcami rozwijały kokony jedwabników we wrzącej wodzie. Jedynym celem życia tych ludzi było świadczenie rozmaitych usług mojemu ojcu i innym członkom rodziny Chen.

Ojciec zatrzymał się w domu naczelnika wioski Gudang. Człowiek ten pochodził z klanu Qian, podobnie jak wszyscy pozostali wieśniacy. Jego żona była zupełnie niepodobna do innych kobiet. Miała krępowane stopy i nosiła się w taki sposób, jakby wywodziła się z wysoko postawionego rodu. Jej sposób wysławiania się wskazywał na dobre wychowanie i nie kłaniała się ojcu z przesadną uniżonością. W ramionach trzymała dziecko.

Mój ojciec wziął w palce warkoczyk maleństwa.

– Bardzo ładny malec – pochwalił.

Pani Qian cofnęła się.

– Dziecko Yi to dziewczynka, kolejna bezużyteczna gałąź na rodzinnym drzewie – oświadczył jej małżonek.

– Cztery córki... – mój ojciec ze współczuciem pokiwał głową. – A ta piąta... Nie macie szczęścia, niestety.

Z wielką przykrością słuchałam jego aż nadto szczerych uwag, ale właściwie czegóż innego mogłam się spodziewać... W rozmowach ze mną ojciec pokazywał uśmiechniętą twarz, lecz wszystko wskazywało, że ja także byłam bezużyteczną gałęzią na rodzinnym drzewie.

Dotknięta i jeszcze bardziej rozczarowana, popatrzyłam na Babcię.

– Nie, nie sądzę, aby dla niego liczyło się cokolwiek poza jego własnymi sprawami – powiedziałam.

Skinęła głową.

– Tak samo było z twoim dziadkiem...

Chociaż Babcia odwiedzała mnie od kilku lat, starałam się nie zadawać jej pewnych pytań. Trochę obawiałam się jej nieprzewidywalnych nastrojów, po części nie chciałam wydać jej się nietaktowna, ale być może najważniejsze było to, że wcale nie miałam ochoty poznać odpowiedzi. Dopiero teraz zrozumiałam, że zbyt długo zachowywałam się jak ślepa. Wzięłam głęboki oddech i rozpoczęłam serię pytań, chociaż obawiałam się, że wyjawione prawdy mogą okazać się bardzo trudne do zniesienia.

– Dlaczego nigdy nie przychodzisz z Dziadkiem? Czy to dlatego, że jestem dziewczyną? – zagadnęłam, przypomniawszy sobie, że kiedy byłam małym dzieckiem, Dziadek zupełnie się mną nie interesował.

– Ponieważ przebywa w jednym z piekieł – odparła z charakterystyczną dla siebie twardą bezpośredniością.

Uznałam to za wyraz małżeńskich pretensji.

– A moi stryjowie? Dlaczego ci nie towarzyszą?

– Umarli z dala od domu – tym razem w jej głosie zabrzmiała nie ostra, lecz głęboko smutna nuta. – Nie ma nikogo, kto uprzątałby ich groby... Wędrują po ziemi jako głodne duchy.

Cała skuliłam się w sobie.

– Głodne duchy to straszne, ohydne istoty – powiedziałam. – Jak to możliwe, że mamy je w rodzinie?

– Czy naprawdę w końcu zadajesz to pytanie, oczekując szczerego wyjaśnienia?

Jej zniecierpliwienie było aż nadto widoczne, więc wycofałam się jeszcze bardziej w głąb siebie. Czy na ziemi także traktowałaby mnie jako nic nieznaczącą dziewczynę, którą byłam? Czy też może rozpieszczałaby mnie, podsuwając mi sezamowe słodycze i drobne skarby ze swojego posagu?

– Peonio, kocham cię – rzekła z powagą. – Mam nadzieję, że o tym wiesz. Słuchałam cię, kiedy żyłaś, i starałam się ci pomóc, ale po tych ostatnich siedmiu latach zaczynam się zastanawiać, czy jesteś tylko zwyczajną chorą z miłości dziewczyną, czy może kryje się w tobie coś więcej...

Przygryzłam wargę i odwróciłam twarz. Miałam rację, próbując zachować pełen szacunku dystans. Możliwe, że moja matka i babka naprawdę się przyjaźniły, ale Babcia także widziała we mnie chyba jedynie bezużyteczną gałąź na rodzinnym drzewie.

– Cieszę się, że jesteś tutaj, na Widokowym Tarasie – ciągnęła. – Od lat przychodzę tu, aby patrzeć przez balustradę i szukać wzrokiem moich synów. Przez ostatnie siedem lat miałam u boku ciebie... Moi chłopcy są gdzieś tam... – wykonała szeroki gest ręką ukrytą w powłóczystym długim rękawie. – Wędrują po ziemi jako głodne duchy. Minęło już dwadzieścia siedem lat, a ja nadal ich nie odnalazłam...

– Co się z nimi stało?

– Zginęli w czasie Kataklizmu.

– Tata mówił mi o nich...

– Ale nie powiedział ci prawdy – zmrużyła oczy i skrzyżowała rękawy na piersi.

Czekałam.

– Nie spodoba ci się ta historia...

Czekałam dalej. Przez długą chwilę obie milczałyśmy.

– W dzień naszego pierwszego spotkania powiedziałaś, że nie jestem podobna do męczennicy z portretu – zaczęła

Babcia. – Rzecz w tym, że w ogóle jestem inna, niż ci opowiadano. Nie byłam miła i wyrozumiała dla konkubin męża. Nienawidziłam ich. I nie popełniłam samobójstwa...

Zerknęła na mnie kątem oka, lecz ja starałam się zachować niewzruszony, spokojny wyraz twarzy.

– Musisz zrozumieć, Peonio, że koniec dynastii Ming był okresem zarówno strasznym, jak i wspaniałym. Fundamenty społeczeństwa pękały, rząd był skorumpowany, pieniądze można było znaleźć wszędzie i nikt nie zwracał uwagi na to, co robią kobiety. Twoja matka i ja skorzystałyśmy z okazji i zaczęłyśmy zajmować się rozmaitymi rzeczami, które nas interesowały. Jak już ci mówiłam, spotykałyśmy się z innymi żonami i matkami – z kobietami, które zarządzały rodzinnymi posiadłościami i przedsiębiorstwami, nauczycielkami, właścicielkami domów wydawniczych, a nawet z kurtyzanami. Połączył nas upadający świat i dobrze czułyśmy się w swoim towarzystwie. Napełniałyśmy umysły pięknymi słowami i obrazami. W ten sposób dzieliłyśmy się swoimi smutkami i radościami, tragediami i zwycięstwami z kobietami, które żyły w odległych miejscach i innych czasach. Czytanie i pisanie pozwalało nam kształtować własny świat, co oczywiście stało w jawnej sprzeczności z życzeniami naszych ojców, mężów i synów. Niektórzy mężczyźni, między innymi twój ojciec i dziadek, patrzyli na te zmiany przychylniejszym okiem niż inni, dlatego kiedy mój mąż otrzymał oficjalne stanowisko w Yangzhou, pojechałam tam razem z nim. Zamieszkaliśmy w pięknej rezydencji, nie tak wielkiej jak ta w Hangzhou, lecz obszernej i wyposażonej w przestrzenne dziedzińce. Twoja matka często przyjeżdżała do nas z wizytą. Och, jakie wtedy przeżywałyśmy przygody! Pewnego razu twoja matka i ojciec odwiedzili nas razem. Przybyli dwudziestego dnia czwartego miesiąca. Spędziliśmy cztery cudowne dni, ucztując, pijąc wino i śmiejąc się. Żadne z nas, nawet twój ojciec i dziadek, nie myślało o tym, co dzieje się w zewnętrznym świecie. I wtedy, dwudziestego piątego dnia, do miasta wkroczyły oddziały Mandżurów.

W ciągu pięciu dni ich wojownicy wymordowali ponad osiemdziesiąt tysięcy ludzi...

Słuchając opowiadanej przez Babcię historii, poczułam się nagle tak, jakbym w tamtych dniach stała u jej boku. Dobiegł mnie szczęk mieczów i lanc, brzęk uderzających o siebie pancerzy i hełmów, grzmot końskich kopyt o bruk i krzyki przerażonych mieszkańców miasta, daremnie szukających bezpiecznego schronienia. Czułam dym, bijący z płonących domów prywatnych i innych budynków. Zaczęłam także wyczuwać ciężki odór krwi.

– Wszyscy umierali ze strachu. Całe rodziny wspinały się na dachy, ale dachówki pękały i ludzie spadali na ziemię, gdzie znajdowali śmierć. Byli tacy, którzy ukrywali się w studniach, ale, niestety, tonęli. Inni próbowali poddać się najeźdźcom, ale to był poważny błąd – mężczyzn ścinano, a kobiety gwałcono. Twój dziadek był urzędnikiem. Powinien był starać się pomóc ludziom, lecz on rozkazał służącym, aby dali nam swoje najgorsze ubrania. Gdy przebraliśmy się, konkubiny, nasi synowie, twoi rodzice, dziadek i ja poszliśmy do małego budynku na tyłach posesji, żeby się ukryć. Mój mąż dał nam, kobietom, srebro i klejnoty do zaszycia w fałdach ubrań, natomiast mężczyźni powtykali sobie sztuki złota w buty, pasy i upięte na głowie włosy. Pierwszą noc spędziliśmy w ciemności, słuchając krzyków mordowanych ludzi. Jęki tych, którzy nie dostąpili błogosławieństwa szybkiej śmierci, ale męczyli się i wykrwawiali całymi godzinami, były naprawdę przerażające. Drugiej nocy, kiedy Mandżurowie dokonali na głównym dziedzińcu przed domem rzezi naszej służby, mój mąż przypomniał mnie oraz konkubinom, że mamy obowiązek strzec naszej cnoty za cenę życia i że wszystkie kobiety powinny być gotowe poświęcić się dla swoich mężów i synów. Konkubiny nadal niepokoiły się, co dzieje się z ich szatami, pudrami, klejnotami i ozdobami, ale twoja matka i ja nie potrzebowałyśmy napomnień. Znałyśmy swoje obowiązki i byłyśmy gotowe zrobić, co należy.

Babcia przerwała, żeby zaczerpnąć powietrza.

– Mandżurowie złupili całą posiadłość – podjęła po chwili. – Wiedząc, że w końcu przyjdą i tutaj, mój mąż kazał wszystkim wdrapać się na dach. Była to taktyka, która już wcześniej okazała się fatalna w skutkach dla wielu rodzin, ale usłuchaliśmy go. Przesiedzieliśmy noc w strugach ulewnego deszczu. Gdy wstał dzień, wojownicy zobaczyli nas, skulonych na dachu. Nie chcieliśmy zejść, więc podpalili budynek, a wtedy pośpiesznie zeskoczyliśmy na ziemię. Byliśmy pewni, że natychmiast nas zabiją, ale nie zrobili tego. Uratowały nas konkubiny. Ich włosy uwolniły się ze szpilek i opadły na ramiona, a ponieważ te kobiety nie były przyzwyczajone do tak szorstkich ubrań, rozluźniły wiązania i zapięcia. Były kompletnie przemoczone, tak jak my wszyscy, i ciężkie, nasiąknięte wodą tkaniny opadały, odsłaniając ich piersi. Ten widok, w połączeniu z błyszczącymi łzami, wiszącymi u rzęs, do tego stopnia zachwycił Mandżurów, że zdecydowali się zostawić nas przy życiu. Mężczyzn pognano na sąsiedni dziedziniec, natomiast nas spętano obwiązanym wokół szyj sznurem, zupełnie jak zwierzęta na sprzedaż, i wyprowadzono na ulicę. Wszędzie dookoła leżały pomordowane maleńkie dzieci. Złociste lilie naszych stóp, które razem z twoją matką starałam się hartować, ślizgały się we krwi i wnętrznościach stratowanych końskimi kopytami ofiar. Przeszłyśmy nad kanałem pełnym zakrwawionych zwłok, mijałyśmy całe góry zrabowanych jedwabi. Dotarłyśmy na duży dziedziniec i zobaczyłyśmy może ze sto nagich kobiet, mokrych, pokrytych błotem, płaczących. Widziałyśmy, jak wojownicy wyciągali niektóre z nich z tej rozdygotanej masy i robili z nimi różne rzeczy, publicznie, na oczach wszystkich, bez cienia szacunku dla zasad...

Słuchałam z przerażeniem, z zapartym tchem. Ogarnął mnie potworny wstyd, kiedy mojej matce, babce i konkubinom kazano się rozebrać. Deszcz spływał po ich nagich ciałach. Byłam przy Mamie, gdy wzięła sprawy w swoje ręce i zaczęła przedzierać się do względnie bezpiecznego środka grupy, cały czas związana sznurem z teściową oraz konkubinami. Zrozumiałam, że skazane na takie warunki kobiety nie żyły już w ludzkim świecie. Otaczało je morze błota zmieszanego z ekskrementami. Moja matka natarła tą obrzydliwą masą twarze i ciała kobiet z naszej rodziny. Przez cały dzień podtrzymywały się nawzajem i ze wszystkich sił starały się trwać w środku, ponieważ stojące z brzegu kobiety Mandżurowie wyciągali na zewnątrz, gwałcili i zabijali.

– Wojownicy byli bardzo pijani i zajęci – ciągnęła Babcia. – Gdybym wtedy mogła się zabić, na pewno bym się nie zawahała, nauczono mnie bowiem, że cnotę należy cenić nad życie. W innych częściach miasta kobiety wieszały się i podrzynały sobie gardła. Inne barykadowały się w swoich pokojach i podpalały. Spłonęły całe rodziny kobiet – niemowlęta, małe dziewczynki, matki i babki. Później zaczęto oddawać im cześć jako męczennicom. Niektóre rodziny wykłócały się z innymi o cnotliwe samobójczynie, wiedząc, że Mandżurowie obsypują najbliższych krewnych zmarłych kobiet najwyższymi honorami. Wpojono nam, że tylko poprzez śmierć możemy ocalić naszą cnotę i uczciwość, ale twoja matka była inna. Nie zamierzała umierać ani pozwolić, aby któraś z nas została zgwałcona. Kazała nam przeciskać się wśród innych nagich kobiet tak długo, aż w końcu znalazłyśmy się z tyłu, potem zaś wyłącznie siłą woli przekonała nas, że możemy uciec. Udało się nam i znowu znalazłyśmy się na zewnątrz. Ulice były oświetlone pochodniami, więc razem, jak mokre szczury, przemykałyśmy od jednej ciemnej alejki do drugiej. Kiedy w końcu uznałyśmy, że jesteśmy bezpieczne, uwolniłyśmy się ze sznura, obdarłyśmy z ubrań leżące w pobliżu zwłoki i okryłyśmy się. Kilka razy padałyśmy na ziemię, pośpiesznie układałyśmy na sobie krwawe wnętrzności wypływające z trupów i udawałyśmy martwe. Twoja matka nalegała, żebyśmy wróciły poszukać twojego ojca i dziadka. „To nasz obowiązek" – powtarzała, gdy moja odwaga słabła, a konkubiny bez przerwy płakały i jęczały...

Babcia znowu przerwała. Przyjęłam to z wdzięcznością, ponieważ całkowicie przytłoczyło i oszołomiło mnie to, co widziałam, czułam i słyszałam. Siłą powstrzymywałam łzy, które cisnęły mi się do oczu na myśl o przeżyciach Mamy. Była taka dzielna, tyle wycierpiała i nigdy nawet mi o tym nie wspomniała.

– Rankiem czwartego dnia dotarłyśmy na nasz dziedziniec i jakimś cudem przemknęłyśmy się do widokowego pawilonu dla dziewcząt, który okazał się niestrzeżony, zgodnie z przewidywaniami twojej matki. Dziewczęta korzystają z takich budynków, aby niepostrzeżenie obserwować, co dzieje się na terenie rezydencji. Twoja matka zasłoniła mi usta dłońmi, żeby stłumić krzyki, które wyrwały mi się z piersi na widok porąbanych mieczami na kawałki zwłok moich synów, szóstego i siódmego, leżących na drodze przed dziedzińcem. Już po śmierci stratowały ich konie, pozostawiając krwawą miazgę i potrzaskane kości. Myślałam, że oczy wypłyną mi w potoku palących łez rozpaczy...

Oto dlaczego moi stryjowie zostali głodnymi duchami. Nie mieli już ciał, więc nie można było ich normalnie pogrzebać. Trzy części ich dusz wciąż snuły się po świecie, nie mogąc dokończyć wędrówki ani zaznać spoczynku. Po policzkach Babci płynęły łzy, ja także płakałam. Pod nami nad Hangzhou szalała okropna burza.

– Twoja matka nie potrafiła siedzieć bezczynnie i czekać – wspominała Babcia. – Musiała coś robić, choćby gołymi rękami, w każdym razie tak mi się wydawało... Kazała nam rozpruć szwy, w których ukryłyśmy srebro i drogie kamienie. Spełniłyśmy jej polecenie, a ona pozbierała wszystkie kosztowności. „Zostańcie tutaj – rzekła. Przyślę pomoc". Zaraz potem, zanim zdążyłyśmy ją powstrzymać, biedne, sparaliżowane strachem i rozpaczą ofiary, zerwała się na równe nogi i wybiegła z pawilonu.

Zrobiło mi się niedobrze i zimno z przerażenia.

– Godzinę później przybiegli do nas twój ojciec i dziadek. Byli pobici i śmiertelnie wystraszeni. Konkubiny rzuciły się dziadkowi do nóg, szlochając i miotając się po ziemi. Oczywiście robiły przy tym potworny hałas... Nigdy nie kochałam twojego dziadka, poślubiłam go, bo tak kazali mi rodzice. On spełniał swoje obowiązki, ja swoje, prowadził interesy i pozwalał mi zajmować się własnymi sprawami, ale w tamtej chwili czułam do niego tylko pogardę. Doskonale widziałam, że jakaś część jego duszy nawet w tych niewyobrażalnie potwornych okolicznościach czerpie perwersyjną radość z widoku tych ślicznych dziewcząt, wijących się wokół jego butów jak śliskie węże...

– A Tata?

– Milczał, lecz miał na twarzy wyraz, jakiego żadna matka nie powinna nigdy widzieć – było to poczucie winy, bo przecież zostawił twoją matkę na łasce losu, a także pragnienie przetrwania. „Pośpieszcie się – powiedział. – Wstańcie, musimy stąd uciekać". Uciekłyśmy z nimi, ponieważ byłyśmy kobietami, przyzwyczajonymi do tego, że mężczyźni nam rozkazują.

– Ale co z Mamą? Co się z nią stało?

Jednak Babcia powtórnie przeżywała teraz to, co stało się później. Kiedy znowu zaczęła mówić, zajęłam się szukaniem w jej wspomnieniach Mamy, ale nie mogłam jej znaleźć. Najwyraźniej wolno mi było śledzić tę straszną historię wyłącznie oczami Babci.

– Ostrożnie zeszliśmy na dół. Twoja matka kupiła wolność mojego męża i syna, lecz to nie oznaczało, że jesteśmy bezpieczni. Przemknęliśmy się przejściem, w którym Mandżurowie zatknęli ścięte głowy, i dotarliśmy na tyły rezydencji, gdzie służba trzymała w zagrodach nasze wielbłądy i konie. Czołgaliśmy się pod brzuchami zwierząt, nurzaliśmy się w błocie, krwi i śmierci... Nie śmieliśmy wrócić na ulice, więc czekaliśmy. Po kilku godzinach usłyszeliśmy nadchodzących wojowników. Konkubiny wpadły w panikę, wlazły pod brzuchy koni i wielbłądów. My postanowiliśmy ukryć się w beli siana... – W głosie Babci zabrzmiała gorzka nuta. – „Wiem, że najważniejsze dla ciebie jest bezpieczeństwo moje i naszego najstarszego syna – powiedział twój dziadek. – Moje usta pragną pochłaniać jedzenie jeszcze co najmniej kilka lat. Jak to dobrze, że zdecydowałaś się umrzeć, aby ochronić swoją cnotę i uratować męża i syna...".

Odchrząknęła i splunęła ze złością.

– „Moje usta pragną pochłaniać jedzenie jeszcze co najmniej kilka lat", wyobrażasz sobie? Waaa! Znałam swoje obowiązki i postąpiłabym zgodnie z zasadami, ale rozwścieczyło mnie, że ten samolub zgłasza mnie jako dobrowolną ofiarę! Ukrył się pod belą siana, twój ojciec skulił się obok niego. Jako żona i matka dostąpiłam honoru osłonięcia ich własnym ciałem. Starałam się przykryć najlepiej jak umiałam, ale co z tego... Wojownicy weszli do zagrody. Nie byli głupi, zresztą zabijali już od czterech dni, prawda? Zaczęli kłuć belę dzidami. Kłuli i kłuli tak długo, aż skonałam, ale oczywiście uratowałam męża, syna i swoją cnotę, a także dowiedziałam się, że jestem zbędna.

Babcia rozluźniła szarfę sukni i po raz pierwszy podciągnęła rękawy, odsłaniając dłonie. Jej ręce były pocięte straszliwymi bliznami.

– Zaraz potem uleciałam pod niebo. – Uśmiechnęła się lekko. – Wojownicy znudzili się, zmęczyli i odeszli. Twój dziadek i ojciec siedzieli w ukryciu cały następny dzień i noc, osłonięci moim zimnym ciałem, a konkubiny zbiły się w gromadkę w kącie i z przerażeniem wpatrywały w nieruchomą, zakrwawioną belę siana. Następnego dnia mandżurska akcja dobiegła końca. Twój ojciec i dziadek wyczołgali się spod siana. Konkubiny obmyły i owinęły moje zwłoki, mój mąż i syn odprawili wszystkie rytuały, abym mogła dołączyć do grona przodków, i we właściwym czasie przewieźli ciało do Hangzhou na pogrzeb. Zaczęto oddawać mi cześć jako męczennicy... – Prychnęła pogardliwie. – Twój dziadek bardzo chętnie zaakceptował tę mandżurską propagandę... – spokojnie rozejrzała się po Widokowym Tarasie. – Myślę, że tutaj znalazłam lepszy dom...

– Ależ oni odcinają teraz procenty od twojego poświęcenia! – oburzyłam się. – Pozwolili, aby Mandżurowie uznali cię za świętą kobietę, a wszystko po to, żeby nie spojrzeć prawdzie prosto w oczy!

Babcia popatrzyła na mnie z takim wyrazem twarzy, jakbym nadal nic nie rozumiała. Rzeczywiście, nie rozumiałam.

– Zrobili to, co należało – przyznała. – Twój dziadek zachował się właściwie i rozsądnie, ponieważ kobiety żadnej wartości nie mają. Ciągle nie chcesz przyjąć tego do wiadomości.

Ojciec znowu mnie rozczarował. Nie powiedział mi prawdy o tym, co zdarzyło się w czasie Kataklizmu. Nawet kiedy umierałam, a on przyszedł, aby za moim pośrednictwem prosić braci o wybaczenie, ani słowem nie wspomniał, że to jego matka uratowała mu życie. Nie poprosił o jej wybaczenie i nie przesłał jej wyrazów wdzięczności.

– Nie jestem jednak zadowolona z rezultatu – dodała Babcia. – Cesarskie poparcie dla moich kobiecych cnót zaowocowało licznymi nagrodami dla moich potomków, rodzina cieszy się większym bogactwem niż kiedykolwiek wcześniej, a twój ojciec piastuje bardzo wysokie stanowisko, ale nadal brak im czegoś, co jest im po prostu niezbędne do dalszego życia... Oczywiście nie znaczy to, że muszę im to dać...

– Mówisz o synach? – zapytałam.

Byłam wściekła, że Babcia musiała tak strasznie cierpieć, ale nie mogłam uwierzyć, że wiedziona pragnieniem zemsty odmówiła naszej rodzinie najcenniejszego skarbu.

– Nie uważam tego za akt zemsty – skomentowała. – Chodzi mi tylko o to, że w naszej rodzinie jedynymi naprawdę wartościowymi, ceniącymi honor osobami są kobiety. Już za długo nasze córki spychane są na margines życia. Myślałam, że z twoim przyjściem na świat sytuacja się zmieni...

Byłam wstrząśnięta. Jak Babcia mogła być tak okrutna i mściwa?

– Gdzie jest Dziadek? – spytałam gwałtownie, zapominając o dobrych manierach. – Dlaczego on nie zapewnił rodzinie synów?

– Przebywa w jednym z piekieł, mówiłam ci już. Jednak nawet gdyby był tu teraz ze mną, i tak nie miałby nic do powiedzenia w tej kwestii. Sprawy wewnętrznych izb należą do kobiet. Wszystkie inne żony i matki z naszej rodziny, nawet moja teściowa, przychyliły się do mego życzenia, gdyż nawet tutaj cieszę się wielkim szacunkiem i czcią ze względu na moje poświęcenie.

Oczy Babci były czyste i spokojne, lecz ja byłam przygnębiona, rozdarta sprzecznymi uczuciami. Wszystko to przekraczało zdolności mojego rozumienia. Miałam stryjów, którzy tułali się po świecie jako głodne duchy, Dziadka, który cierpiał męczarnie w mrocznej piekielnej otchłani, oraz babkę, która była tak daleka od wzoru kobiecej łagodności, że krzywdziła rodzinę, nie dając jej synów. Przede wszystkim jednak nie mogłam przestać myśleć o mojej matce.

– Na pewno widziałaś Mamę po swojej śmierci – odezwałam się zachęcająco. – Kiedy twoja dusza jeszcze błądziła...

– Za życia ostatni raz widziałam ją tamtej okropnej nocy, kiedy wyszła z zagrody z rękami pełnymi kosztowności i srebra. Później zobaczyłam ją dopiero stąd, z Widokowego Tarasu, pięć tygodni po mojej śmierci. Wtedy cała rodzina wróciła już do rodzinnej rezydencji, a twoja matka była jak odmieniona. Stała się kobietą, którą dobrze znasz, posłuszną tradycji, zbyt przestraszoną, żeby wyjść z domu, oderwaną od świata słów i ksiąg i niezdolną do odczuwania lub wyrażania miłości. Od tamtej pory twoja matka nigdy nie mówiła o Kataklizmie i dlatego nie mogę odbyć z nią żadnej wędrówki w głąb jej pamięci...

Nagle przypomniałam sobie, z jakiego powodu Babcia przyszła dzisiaj na Widokowy Taras. Łzy potoczyły się po moich policzkach na myśl o śmierci moich dwóch młodocianych stryjów. Babcia wzięła mnie za rękę i popatrzyła z serdeczną łagodnością.

– Peonio, moja słodka dziewczynko, jeśli zadasz pytanie, które leży ci na sercu, pomogę ci znaleźć odpowiedź...

– Czym jestem?

– Myślę, że już wiesz...

Moi stryjowie nie zaznali spokoju, ponieważ nie zostali pogrzebani zgodnie z zasadami, a ja nie mogłam się ruszyć z Widokowego Tarasu, bo nikt nie postawił kropki na mojej tabliczce. Nam trojgu odmówiono właściwego pochówku, dlatego nie mieliśmy prawa wstępu nawet do piekła. Teraz, kiedy słowa odpowiedzi wypłynęły z moich ust, zerwałam ostatni fragment opaski, którą nosiłam na oczach.

– Jestem głodnym duchem.

Czerwony palankin

Nie miałam dokąd pójść. Byłam zrozpaczona i samotna. Nie miałam żadnego haftu, nad którym mogłabym pracować, od lat nie miałam także pędzli, papieru i tuszu do pisania. Byłam głodna, ale nie miałam co jeść. Straciłam ochotę do wypełniania długich pustych godzin patrzeniem na świat zza balustrady. Nie chciałam patrzeć na Mamę, ponieważ teraz wyczuwałam i odbierałam cierpienie, które tak długo przede mną ukrywała. Nie chciałam patrzeć na ojca, bo teraz już wiedziałam, że wcale nie byłam mu tak droga, jak sądziłam. Kiedy zaś w moje myśli wkraczał Ren, serce pękało mi z bólu. Byłam tak osamotniona jak żaden inny duch czy człowiek, niekochana i pozbawiona wszelkich więzi. Wiele tygodni płakałam, wzdychałam, krzyczałam i jęczałam. W tym okresie w moim rodzinnym mieście szalał szczególnie gwałtowny monsun.

Powoli i stopniowo zaczęłam czuć się nieco lepiej. Któregoś dnia oparłam łokcie na balustradzie, przechyliłam się i wyjrzałam. Osłoniłam oczy, żeby nie widzieć domu rodziców, i popatrzyłam na wieśniaków pracujących na morwowych polach ojca. Przyjrzałam się dziewczętom, które przędły jedwabne nici, zajrzałam do domu naczelnika wioski Gudang. Polubiłam panią Qian, osobę wykształconą i subtelną. W innych czasach na pewno nie poślubiłaby wieśniaka, ale Kataklizm spowodował, że mogła dziękować losowi, iż w ogóle znalazła męża i dom. Pięć córek zjawiło się w jej życiu niczym cała seria rozczarowań. Nie mogła nawet nauczyć je czytać, ponieważ ich przyszłość była związana z produkcją jedwabiu. Nie miała czasu dla siebie, ale późną nocą zapalała czasami świecę i czytała *Księgę pieśni*, jedyną rzecz, jaką udało jej się uratować z poprzedniego życia. Miała wiele pragnień, lecz żadnego z nich nie mogła zaspokoić.

Ale szczerze mówiąc, pani Qian wraz ze swoją rodziną stanowiła dla mnie tylko chwilową rozrywkę. Patrzyłam na nich i patrzyłam, aż w końcu odwracałam wzrok, ulegałam pragnieniu i moje oczy wędrowały ku domowi Rena. Najpierw delektowałam się jednym obrazem po drugim, widokiem śliwy, która nigdy nie kwitła, peonii o głowach ociężałych od namiętności, księżycowej poświaty srebrzącej staw z liliami, aż wreszcie odnajdywałam Rena, który miał już dwadzieścia pięć lat i jeszcze się nie ożenił.

Któregoś ranka spokojnie odprawiałam swój rytuał, kiedy nagle ujrzałam matkę Rena zmierzającą w stronę głównego wejścia. Rozejrzała się dokoła, sprawdzając, czy nikt jej nie widzi, i pośpiesznie przyczepiła coś do ściany nad drzwiami. Potem znowu czujnie potoczyła wzrokiem po dziedzińcu. Uspokojona, złożyła dłonie i wykonała po trzy ukłony, zwracając się twarzą w każdą z czterech stron świata. Skończywszy, przeszła przez dziedzińce i wróciła do swojego pokoju. Ramiona miała skulone i co jakiś czas oglądała się nerwowo. Najwyraźniej zrobiła coś, o czym jej zdaniem nikt nie powinien się dowiedzieć, lecz jej żałosne ludzkie zabiegi nie mogły zamaskować skrywanego czynu przede mną.

Dzieliła nas duża odległość, ale teraz miałam już bardzo mocny wzrok. Skoncentrowałam się, aby moje spojrzenie stało się twarde i ostre jak igła do haftowania, i w miejscu nad drzwiami wypatrzyłam czubek gałązki paproci. Cofnęłam się, całkowicie zaskoczona, bo przecież wszyscy wiedzą, że paprocie mają oślepiać duchy. Przycisnęłam powieki palcami, przestraszona, że może mój wzrok uległ uszkodzeniu, ale nic takiego się nie stało. Nie czułam żadnego bólu. Zebrałam się na odwagę i jeszcze raz zerknęłam na paproć. Znowu nic. Nie miałam już cienia wątpliwości, że ta wiotka zielona gałązka nie może mi wyrządzić żadnej szkody.

Teraz to ja czujnie rozejrzałam się dookoła. Pani Wu usiłowała ochronić swój dom przed jakimś duchem albo duchami, lecz jej posiadłości nie przyglądał się nikt prócz mnie. Czy wiedziała, że ją obserwuję? Czy próbowała ochronić syna przede mną? Przecież ja nigdy bym mu nie zaszkodziła! Dlaczego miałabym zrobić coś takiego? Kochałam go. Nie, jeżeli pani Wu chciała uniemożliwić mi wejście na teren domu, to wyłącznie dlatego, że nie życzyła sobie, abym coś zobaczyła. Po dłuższym czasie egzystencji w stanie przygnębienia i beznadziei teraz wreszcie płonęłam ciekawością.

Do końca dnia nie spuszczałam oka z posiadłości Wu. Ludzie przychodzili i wychodzili, ustawiali na dziedzińcu stoły i krzesła, wieszali na drzewach czerwone latarnie. W kuchni służący siekali imbir i czosnek, łuskali groszek, patroszyli kaczki i kurczęta, kroili wieprzowinę. Po południu zjawiła się grupa młodych mężczyzn, którzy do późnej nocy grali z Renem w karty i pili. Rzucali żartobliwe uwagi na temat jego seksualnej sprawności, ja zaś nawet z tak daleka rumieniłam się ze wstydu, ale i z niewypowiedzianej tęsknoty.

Następnego ranka na głównej bramie zawieszono kuplety wypisane na czerwonym i złotym papierze. Nie ulegało wątpliwości, że w domu ma odbyć się jakaś uroczystość. Bardzo długo zaniedbywałam swój wygląd, lecz teraz uczesałam włosy i upięłam je, wygładziłam spódnicę oraz tunikę i kilka razy uszczypnęłam się w policzki, żeby przywrócić im zdrowy kolor. I zaraz zadałam sobie pytanie, po co to wszystko, skoro i tak nie wybieram się na przyjęcie...

Usadowiłam się wygodnie, żeby obserwować rozwój wydarzeń, kiedy coś otarło się o moje ramię. Przyszła Babcia.

– Tylko popatrz! – zawołałam. – Tyle wesela i radości!

– Właśnie dlatego jestem tutaj... – Spojrzała w dół i ściągnęła brwi. – Powiedz mi, co widziałaś – poleciła po chwili.

Powiedziałam jej o dekoracjach, męskim przyjęciu, suto zaprawionym alkoholem, przygotowaniach w kuchni. Cały czas miałam na twarzy uśmiech i nadal czułam się trochę jak gość, nie tylko obserwator.

– Jestem szczęśliwa! Rozumiesz mnie, Babciu? Kiedy mój poeta jest szczęśliwy, ja także...

– Och, Peonio... – Potrząsnęła głową, a jej stroik zadźwięczał jak ćwierkające ptaszki.

Wsunęła dłoń pod mój podbródek i odwróciła moją twarz od świata żywych, żeby móc spojrzeć mi prosto w oczy.

– Jesteś za młoda, żeby tak cierpieć... – zamruczała.

Próbowałam się wyrwać, zirytowana, że Babcia chce przemienić moje szczęście w coś ciemnego i niemiłego, ale jej palce trzymały mnie zdumiewająco silnie.

– Nie patrz, dziecko – ostrzegła.

Gdy to usłyszałam, wyrwałam się mimo wszystko. Objęłam wzrokiem posiadłość Wu w chwili, kiedy palankin z draperiami z czerwonego jedwabiu, niesiony przez czterech tragarzy, zatrzymał się przed główną bramą. Służący otworzył drzwi palankinu i z mrocznego wnętrza wysunęła się idealnie skrępowana stopa w czerwonym pantofelku, potem zaś cała postać. Była to dziewczyna, od stóp do głów ubrana w ślubną czerwień. Jej szyja uginała się pod ciężarem korony wysadzanej perłami, krwawnikiem, nefrytem i innymi kamieniami, twarz zakrywał welon. Służący ustawił lustro, żeby skierować promienie światła na dziewczynę – miało to odegnać wszelkie złowrogie wpływy, które mogły towarzyszyć jej w podróży.

Gorączkowo szukałam w głowie wyjaśnienia innego niż to, które podpowiadały mi własne oczy, innego niż to, które moja babka zdążyła już przyjąć i zrozumieć.

– Na pewno żeni się brat Rena – powiedziałam.

– Jego brat jest już żonaty – łagodnie odparła Babcia. –

Żona tego młodego człowieka przysłała ci specjalne wydanie *Pawilonu Peonii*, pamiętasz?

– Więc może bierze sobie konkubinę...

– Brat Rena nie mieszka już w tym domu, przeprowadził się z rodziną do prowincji Shanxi, gdzie otrzymał urząd. Tutaj mieszka tylko pani Wu i jej młodszy syn. I popatrz, nad drzwiami ktoś przyczepił gałązkę paproci...

– Zrobiła to pani Wu.

– Próbuje chronić kogoś, kogo bardzo kocha – zauważyła Babcia.

Całe moje ciało przeszył ostry dreszcz. Nie chciałam słuchać tego, co Babcia próbowała mi powiedzieć.

– Chroni przed tobą swojego syna i jego młodą żonę...

Łzy strumieniem popłynęły mi z oczu i zaczęły skapywać na balustradę. W dole, na północnym brzegu Zachodniego Jeziora podnosiła się mgła, częściowo zasłaniając orszak panny młodej. Szybko otarłam łzy i zapanowałam nad emocjami. Słońce znowu przedarło się przez mgłę i teraz wyraźnie widziałam palankin oraz dziewczynę, która miała zająć moje miejsce. Przekroczyła próg. Moja teściowa poprowadziła ją przez pierwszy dziedziniec, potem przez drugi, a stamtąd do pokoju panny młodej. Wiedziałam, że niedługo zostawi swoją przyszłą synową samą, aby ta mogła uspokoić myśli. Chcąc przygotować ją na nadchodzące wydarzenia, pani Wu, podobnie jak wiele innych teściowych, powinna dać jej książkę, coś w rodzaju poradnika, z grubsza opisującego intymne wymagania małżeńskiego życia, o których młoda dziewczyna nie miała pojęcia.

Ale przecież to wszystko powinno przydarzyć się mnie!

Przyznaję się, że miałam ochotę ją zabić. Zedrzeć welon z twarzy i zobaczyć, kto ośmiela się zająć moje miejsce. Chciałam wyłupić jej oczy, ale najpierw zmusić, żeby spojrzała w twarz duchowi. Przypomniałam sobie historię opowiedzianą mi przez Mamę, historię o mężczyźnie, który sprowadził do domu konkubinę. Młoda kobieta wyśmiewała pierwszą żonę za jej plecami i ciągle wygłaszała drwiące uwagi na temat bladnącej urody starszej. Żona zamieniła się w tygrysa i pożarła serce konkubiny oraz jej wnętrzności, natomiast głowę i resztę ciała zostawiła, aby mąż znalazł żałosne szczątki. W tamtych chwilach dałabym wszystko, żeby zrobić to samo, nie mogłam jednak opuścić Widokowego Tarasu.

– Za życia wierzymy w wiele rzeczy, które później, po przybyciu tutaj, okazują się nieprawdziwe – powiedziała Babcia.

Prawie nie usłyszałam jej słów. Byłam całkowicie pochłonięta tym, na co patrzyłam. Nie rozumiałam, jak to możliwe, że coś takiego się dzieje, a jednak działo się...

– Peonio! – w głosie Babci zabrzmiała ostra nuta. – Mogę ci pomóc!

– Nikt nie może mi pomóc! – zawołałam. – Nie ma dla mnie nadziei!

Babcia roześmiała się. Ten dźwięk był tak obcy i zaskakujący, że wyrwał mnie z zamyślenia i aury tragicznych okoliczności. Odwróciłam się do niej i zobaczyłam, że jej twarz dosłownie tańczy, pełna złośliwego rozbawienia. Nigdy jej takiej nie widziałam, byłam jednak zbyt zrozpaczona, aby mógł mnie zranić niewłaściwy stosunek starej kobiety do katastrofy, jaka mnie spotkała.

– Posłuchaj, Peonio... – ciągnęła, kompletnie niewrażliwa na rozdzierający mnie ból. – Wiesz, że nie wierzę w miłość, prawda?

– Nie chcę słuchać twoich zgorzkniałych wynurzeń – odparłam.

– Nie zamierzam cię do tego zmuszać. Chcę tylko powiedzieć, że być może nie miałam racji. Ty naprawdę kochasz tego mężczyznę, teraz to rozumiem. I z pewnością on także nie przestał cię kochać, bo inaczej jego matka nie starałaby się chronić tej dziewczyny przed tobą. – Babcia spojrzała przez balustradę i uśmiechnęła się domyślnie. – Widzisz to?

Zobaczyłam panią Wu, która właśnie dawała przyszłej

synowej ręczne lusterko, podarunek, który tradycja nakazywała wręczyć pannie młodej, aby osłonić ją przed działaniem niespokojnych duchów.

– Dzisiaj, kiedy zauważyłam, co się dzieje, wszystko stało się dla mnie jasne – z powagą ciągnęła Babcia. – Musisz wrócić na miejsce, które ci się słusznie należy...

– Chyba nie mogę tego zrobić... – powiedziałam niepewnie.

W tej samej chwili w mojej głowie zaczęły kłębić się myśli i obrazy. Już widziałam, jak mszczę się na dziewczynie w czerwieni, która siedzi w samotności i czeka, kiedy mąż wezwie ją do siebie.

– Myśl, dziecko, myśl! Jesteś głodnym duchem. Teraz, gdy wiesz już, czym jesteś, możesz pójść, dokąd zechcesz. Nie istnieją granice, których nie mogłabyś przekroczyć.

– Ale ja jestem uwięziona tutaj...

– Nie możesz iść dalej i nie możesz się cofnąć, lecz to nie znaczy, że nie możesz zejść w dół, na ziemię. Mogłaś wrócić tam od początku, ale ja poprosiłam sędziów, żebyś została na tarasie. Jestem egoistką i pragnęłam mieć cię przy sobie... – Buntowniczym ruchem podniosła głowę. – Mężczyźni uwielbiają biurokrację, tutaj jest tak samo. Przekupiłam ich kilkoma darami, które dostałam z okazji Nowego Roku.

– Czy kiedyś stanę przed nimi? Czy będę miała szansę przedstawić im swoją sprawę?

– Dopiero wtedy, kiedy ktoś postawi kropkę na twojej tabliczce. W przeciwnym razie twoje miejsce jest tam...

I palcem wskazała ziemię.

Oczywiście i tym razem miała rację... Jako głodny duch powinnam była wędrować po ziemi przez minione siedem lat.

W tej chwili mój umysł był tak rozdarty między pragnieniem wyrządzenia krzywdy dziewczynie i świadomością, iż od dnia śmierci moim udziałem powinna być bezustanna wędrówka, że z początku znaczenie słów Babci nie do końca do mnie dotarło. Oderwałam oczy od dziewczyny w czerwieni i popatrzyłam na Babcię.

– Chcesz powiedzieć, że mogę sprawić, aby ktoś postawił kropkę na tabliczce?

Pochyliła się ku mnie i ujęła moje dłonie.

– Nie wolno ci tracić nadziei, że tak się stanie. Wtedy wrócisz tutaj i dołączysz do grona przodków. Nie będziesz jednak miała bezpośredniego wpływu na tę sprawę. Dostaniesz do dyspozycji mnóstwo sztuczek, za pomocą których będziesz mogła manipulować ludźmi i skłaniać ich do spełniania twojej woli, ale jeśli chodzi o tabliczkę, pozostaniesz całkowicie bezsilna. Pamiętasz historie o duchach, których słuchałaś jako mała dziewczynka? Ludzie stają się duchami na wiele sposobów, lecz gdyby wszystkie te istoty, które nie miały kropek na tabliczkach, mogły zmusić ludzi do wykonania tego zadania, po świecie nie krążyłyby żadne opowieści o duchach, prawda?

Skinęłam głową, przyjmując jej słowa do wiadomości. Myślałam o tym, że najpierw zepsuję ceremonię ślubną, a potem skłonię Rena, żeby przypomniał sobie o mnie, poszedł do domu mojego ojca i postawił kropkę na tabliczce. Później połączy nas ceremonia ślubu z duchem i wreszcie... Potrząsnęłam głową. Żądza zemsty i uczucie zagubienia zaćmiły mój umysł i nie potrafiłam jasno myśleć. Rzeczywiście znałam z dzieciństwa wiele historii o duchach... Wiedziałam też, że „szczęśliwie" kończyły się wtedy, gdy duch został zraniony, okaleczony i zniszczony.

– Czy nie będzie to niebezpieczne? – spytałam. – Mama zawsze mówiła, że wszystkie złe duchy, które ośmieliłyby się mnie nawiedzić, przetnie nożycami, i że jeśli będę nosiła amulety, nic nie zagrozi mi w czasie przechadzek po ogrodzie. Co z paprociami i lustrami?

Babcia roześmiała się znowu i tym razem jej śmiech także wydał mi się niezwykłym dźwiękiem.

– Paproć nie ochroni żywych przed kimś takim jak ty... A lustra? – Lekceważącym prychnięciem zbyła znaczenie tych przedmiotów. – Mogą cię zranić tylko z bardzo bliskiej odległości, lecz i tak nie mają mocy cię unicestwić...

Wstała i pocałowała mnie.

– Nie będziesz mogła wrócić aż do czasu, gdy uporządkujesz swoje ziemskie sprawy, rozumiesz?

Kiwnęłam głową.

– Polegaj na lekcjach z okresu swego życia, czerp z nich mądrość... – Powoli zaczęła odpływać. – Posługuj się zdrowym rozsądkiem i zachowaj ostrożność... Będę czuwać nad tobą i chronić cię najlepiej, jak potrafię...

Zniknęła.

Spojrzałam na dom Rena. Pani Wu zmierzała właśnie do swego pokoju, na pewno po intymny poradnik, który zamierzała wręczyć przyszłej synowej.

Ostatni raz objęłam wzrokiem taras, uniosłam się nad balustradę i opadłam na główny dziedziniec posiadłości rodu Wu. Udałam się prosto do pokoju Rena. Stał przy oknie i wpatrywał się w kołyszącą się na wietrze tyczkę bambusa. Byłam przekonana, że odwróci się do mnie, ale nie zrobił tego. Opłynęłam go dookoła, zatrzymałam się między Renem i bambusem. Światło połyskiwało na jego wysokich kościach policzkowych, końce czarnych włosów muskały kołnierz. Oparł ręce na parapecie i doskonale widziałam jego palce, długie i szczupłe, idealne do trzymania pędzla. Jego oczy, czarne i głębokie jak wody Zachodniego Jeziora, wpatrywały się w okno z wyrazem, którego nie umiałam odczytać. Stałam tuż przed nim, ale nie widział mnie. Nawet nie wyczuwał mojej obecności.

Muzykanci zaczęli grać. Znaczyło to, że Ren wkrótce spotka się ze swoją przyszłą żoną. Jeżeli zamierzałam to powstrzymać, musiałam szybko spróbować innego sposobu. Udałam się do pokoju panny młodej. Dziewczyna siedziała na ślubnym krześle, lusterko trzymała na kolanach. Była sama, ale mimo to nie uniosła welonu z twarzy. Najwyraźniej należała do posłusznych i obowiązkowych dziewcząt. Była także silna. Nie wiem, jak to wyjaśnić, ale w jej absolutnym bezruchu czułam aurę walki, którą toczyła przeciwko mnie, przeciwko mnie osobiście, zupełnie jakby wiedziała, że jestem w pobliżu.

Pośpieszyłam do sypialni pani Wu. Matka Rena klęczała przed ołtarzem. Zapaliła kadzidło i chwilę modliła się bezgłośnie, potem skłoniła się nisko, dotykając czołem podłogi. Jej poczynania nie budziły we mnie lęku. Byłam zdecydowana i spokojna, tak dobrze nie czułam się od lat. Pani Wu wstała i podeszła do szafy. Wysunęła szufladę. Wewnątrz na jedwabiu spoczywały dwie książki – po prawej poradnik dotyczący intymnych małżeńskich spraw, z lewej tom pierwszy *Pawilonu Peonii*. Pani Wu wyciągnęła rękę i dotknęła podręcznika.

– Nie! – krzyknęłam.

Skoro nie byłam w stanie powstrzymać małżeństwa, mogłam przynajmniej sprawić, aby pierwsza noc Rena i jego żony była okropna.

Dłoń pani Wu cofnęła się gwałtownie, jakby książka płonęła żywym ogniem. Wyciągnęła ją znowu, powoli i ostrożnie.

– Nie, nie, nie... – powtórzyłam, tym razem szeptem.

Wszystko wydarzyło się tak nagle – moje przybycie, ślub Rena – że działałam, nie zastanawiając się nad konsekwencjami.

– Weź tę drugą! – szepnęłam impulsywnie. – Weź ją... Weź ją!

Pani Wu odwróciła się od szuflady i potoczyła wzrokiem po pokoju.

– Weź tamtą! Weź ją!

Oczywiście nie mogła mnie zobaczyć. Poprawiła szpilkę we włosach, z całkowitym spokojem wzięła moją książkę, jakby była to ta, po którą przyszła, zamknęła za sobą drzwi sypialni i podążyła przez dziedzińce do pokoju panny młodej.

– Córko, ta książka posłużyła mi radą w noc poślubną – odezwała się do siedzącej dziewczyny. – Jestem pewna, że i tobie pomoże.

– Dziękuję, matko – odparła.

Jakiś ton w jej głosie sprawił, że zrobiło mi się zimno, ale wzruszyłam ramionami, przekonana, że posiadam siły, dzięki którym czas mojej zemsty szybko nadejdzie.

Pani Wu wyszła. Dziewczyna wpatrywała się w okładkę książki, na której namalowałam moją ulubioną scenę z *Pawilonu Peonii*. Była to ilustracja do *Przerwanego snu*, fragmentu, w którym Du Liniang oraz uczony poznają się i zostają kochankami. Być może ilustracje tej sceny były często publikowane i popularne, bo dziewczyna nie sprawiała wrażenia zdenerwowanej czy zdziwionej tematem.

Teraz, kiedy trzymała *Pawilon Peonii* w rękach, uświadomiłam sobie, że każąc pani Wu przynieść tu książkę, postąpiłam bez zastanowienia. Nie chciałam, żeby dziewczyna czytała moje prywatne myśli, lecz jednocześnie zaczęłam obmyślać pewien plan. Przyszło mi do głowy, że może mogłabym nastraszyć narzeczoną Rena i zniechęcić do małżeństwa, wykorzystując słowa, które napisałam za życia. Próbowałam szeptać tak jak w sypialni pani Wu.

– Otwórz książkę i zobacz, kto jest tutaj z tobą... Otwórz ją i uciekaj... Otwórz ją i przyznaj, że nie uda ci się zrobić tego, co musisz uczynić, by zostać żoną...

Ale ona nie chciała otworzyć książki. Podniosłam głos i powtórzyłam polecenia, lecz dziewczyna nadal siedziała nieruchomo jak wazon na nocnej szafce. Zrozumiałam, że równie dobrze mogłam nic nie zrobić, bo narzeczona Rena najwyraźniej nie zamierzała otworzyć książki, którą w jej mniemaniu na pewno był intymny poradnik. Ze zdumieniem pokręciłam głową, na moment zapominając o swoich niszczycielskich pragnieniach. Dlaczego nie chciała przeczytać wskazówek na noc poślubną? Nie zapowiadała się na dobrą żonę, o, nie...

Przysiadłam na rzeźbionym krześle pod przeciwną ścianą. Nadal nie poruszała się, nie wzdychała, nie płakała, nie odmawiała modlitw. I nadal nie podniosła welonu, żeby rozejrzeć się po pokoju. Siedziała tak spokojnie, że ani przez chwilę nie wątpiłam, iż spełniła wszystkie wymagania, jakie tradycja stawiała dobrze wychowanej i dobrze urodzonej dziewczynie z bogatego rodu. Tunikę miała uszytą z intensywnie czerwonego jedwabiu, a zdobiące ją hafty były tak zachwycające, że na pewno nie wykonała ich sama.

– Otwórz książkę... – spróbowałam znowu. – Otwórz ją i uciekaj!

Kiedy nic się nie wydarzyło, podniosłam się z krzesła, przeszłam na drugą stronę pokoju i uklękłam przed nią. Nasze twarze dzieliło najwyżej kilka centymetrów i czerwony welon.

– Jeżeli zostaniesz, nie będziesz szczęśliwa...

Wstrząsnął nią lekki dreszcz.

– Uciekaj, już... – szepnęłam.

Wzięła głęboki oddech i powoli wypuściła powietrze z płuc, ale nawet nie drgnęła. Wróciłam na swoje krzesło. Nie miałam żadnego wpływu na jej zachowanie, podobnie jak wcześniej na zachowanie Rena.

Muzykanci zbliżali się korytarzem, aż w końcu przystanęli pod drzwiami. Ktoś wszedł do pokoju. Panna młoda wzięła książkę z kolan, położyła na stole i poszła na spotkanie męża.

W czasie ślubnej ceremonii i późniejszych obchodów próbowałam interweniować na różne sposoby, lecz ani razu mi się nie powiodło. Byłam tak głęboko przekonana, że Ren i ja jesteśmy sobie przeznaczeni... Dlaczego los okazał się tak okrutny, dlaczego tak się pomylił?

Po przyjęciu weselnym Ren i jego żona zostali odprowadzeni do pokoju panny młodej. Płonęły tu wysokie prawie na metr czerwone świece, wypełniając pomieszczenie złocistym blaskiem. Powinny palić się całą noc – wróżyło to młodym długie i szczęśliwe życie. Skapujące powoli krople wosku przypominały łzy, które panna młoda wypłakuje w pierwszą noc ze swoim małżonkiem. Jeśli jedna ze świec gasła wcześniej, zapowiadało to przedwczesną śmierć jednego lub obojga partnerów. Muzykanci i goście zachowywali się głośno i rubasznie. Każde brzęknięcie cymbałów przejmowało mnie lękiem. Każde uderzenie w bęben sprawiało, że serce mocniej biło mi ze strachu. Na ślubach i pogrzebach muzykanci grali głośno, żeby odstraszyć złe duchy, ale ja nie byłam przecież jednym z nich. Byłam zrozpaczoną dziewczyną, pozbawioną wszystkiego, co zostało jej przeznaczone. Trwałam u boku Rena aż do odpalenia fajerwerków. Grzechot i trzaski eksplozji rzucały mnie to w jedną, to w drugą stronę. Nie mogłam tego znieść, uniosłam się więc w górę i oddaliłam.

Z bezpiecznej odległości ujrzałam, jak mój poeta wyjmuje szpilki przytrzymujące welon panny młodej i podnosi zasłonę.

Tan Ze!

Byłam po raz drugi szczerze oburzona. Dawno temu, w pierwszą noc opery Ze powiedziała, że skłoni ojca, aby rozpytał się o Rena. Teraz zdobyła to, co chciała. Postanowiłam, że przeze mnie będzie cierpiała jak potępiona. Mój duch będzie ją straszył. Napełnię jej dni bólem i smutkiem. W ciągu minionych lat doświadczyłam wielu cierpień, lecz widok Ze, jej obnażonych białych piersi, przejął mnie dojmującym bólem i rozpaczą. Jak to możliwe, że matka Rena wybrała Tan Ze? Nie miałam pojęcia, dlaczego to zrobiła, lecz ostateczny rezultat jej decyzji był taki, że ze wszystkich kobiet w Hangzhou, moim rdzennym regionie, jej syn poślubił osobę, która mogła zranić mnie najgłębiej i najdotkliwiej. Czy to dlatego Ze tak nieruchomo siedziała na krześle panny młodej? Czy otoczyła się ochronną tarczą, ponieważ wiedziała, że tam będę? *Księga obowiązków i posłuszeństwa dla kobiet* nazywała zazdrość najgorszym z uczuć, jakie mogą odczuwać przodkowie, a ja poddałam się jej bez walki.

Ren rozwiązał wstążki przytrzymujące tunikę w pasie Ze. Jej jedwabna spódnica prześlizgnęła się przez dłonie, które tak podziwiałam, których dotyku tak pragnęłam, kiedy byliśmy sami w ogrodzie. Wściekła i zrozpaczona, szarpnęłam się za włosy. Z mojej piersi wyrwał się okrzyk bólu. Bałam się, że tego nie zobaczę, i wstydziłam się, że nie mogę się powstrzymać, aby nie patrzeć. Mgła nie podnosiła się znad jeziora, nie spadła nawet kropla deszczu. Muzykanci na dziedzińcu nie musieli schować instrumentów i uciekać do budynku. Goście ani na chwilę nie przestali się śmiać i opowiadać dowcipów. Łzy kapały mi na tunikę.

Wcześniej pragnęłam spokoju, żeby móc wrócić do Rena, ale ta cisza była gorsza od najgorszego hałasu, ponieważ podkreślała i przyśpieszała to, co działo się w pokoju panny młodej. Gdybym była na miejscu Ze, rozpięłabym żabki łączące na piersi tunikę Rena, odsunęłabym jedwab i wargami pieściłabym skórę, ale ona nie zrobiła żadnej z tych rzeczy. Była obojętna i nieruchoma, tak samo jak wtedy, kiedy powinna była czytać intymny poradnik. Zajrzałam w jej oczy i nie dostrzegłam w nich żadnych uczuć. I nagle uświadomiłam sobie, co się stało, korzystając ze zdolności rozumienia, jaką być może obdarzeni są jedynie mieszkańcy zaświatów. Ze zawsze chciała zdobyć Rena, ale go nie kochała. Uważała się za bystrzejszą i ładniejszą niż ja, sądziła więc, że powinien przypaść w udziale nie mnie, lecz jej. I wygrała – miała szesnaście lat, była żywa i udało jej się zabrać to, co miało należeć do mnie. Ale teraz, kiedy miała już Rena, nie wiedziała, co z nim zrobić. Wydaje mi się nawet, że zwyczajnie przestało jej na nim zależeć.

Patrzyłam, jak kładą się na łóżku, zmusiłam się, żeby patrzeć. Ren ujął jej dłoń i wsunął ją pod przykrycie, żeby mogła go dotknąć, ale ona wyszarpnęła rękę. Próbował ją pocałować, lecz odwróciła twarz i jego wargi dotknęły policzka. Przetoczył się na nią. Ze była za bardzo wystraszona i niedoświadczona, aby cokolwiek czuć lub obdarzyć rozkoszą męża. Powinnam była z nienawiścią zastanawiać się, w jaki sposób wyrządzić jej krzywdę, lecz do mojego serca zakradło się inne uczucie. Było mi żal Rena. Zasługiwał na coś lepszego.

W momencie szczytowania mięśnie twarzy Rena napięły

się. Przez chwilę trwał bez ruchu, wsparty na łokciach, usiłując wyczytać coś z rysów Ze, ale ona nadal była blada jak sojowe mleczko i całkowicie obojętna. Zsunął się z niej bez słowa. Kiedy odwróciła się na bok, jego twarz przybrała ten sam wyraz, który zauważyłam tuż przed ceremonią ślubną, gdy patrzył przez okno na bambusową tyczkę. Nie mogłam uwierzyć, że nie zwróciłam na to uwagi wcześniej. Moja twarz od lat nosiła dokładnie ten sam wyraz. Ren czuł się tak samo osamotniony i oderwany od życia i rodziny jak ja.

Przeniosłam spojrzenie na Ze. Nadal czułam do niej nienawiść, lecz pomyślałam, że aby dotrzeć do Rena, może powinnam posłużyć się nią jak marionetką i uczynić ją szczęśliwą. Jako duch mogłam przemienić Ze w idealną żonę i zamieszkać w jej ciele. Chciałam wierzyć, że jeśli bardzo się postaram, Ren wyczuje mnie w ciele Ze, rozpozna mnie w jej pieszczotach i uświadomi sobie, że wciąż go kocham.

Powieki Ze były mocno zaciśnięte. Widziałam, że pragnie zapaść w sen, ponieważ to umożliwiłoby jej ucieczkę od... Od czego? Od męża, fizycznej przyjemności, teściowej, małżeńskich obowiązków? Ode mnie? Jeżeli naprawdę się mnie bała, szukanie ucieczki we śnie było straszliwym błędem. Być może nie potrafiłabym przeniknąć do niej w świecie rzeczywistym – niewykluczone, że nosiła talizman lub otrzymała błogosławieństwo, o którym nic nie wiedziałam, albo może skrajny egoizm, jaki zaobserwowałam w niej za życia, był tylko twardą pokrywą, dzięki której trzymała emocje, miękkość i wrażliwość na dystans – ale w świecie snów nie miała szans obronić się przede mną.

Kiedy tylko Ze zasnęła, jej dusza opuściła ciało i rozpoczęła wędrówkę. Podążałam za nią w bezpiecznej odległości, widząc, dokąd zmierza, i starając się rozszyfrować jej intencje. Skłamałabym, gdybym powiedziała, że do końca przestałam pragnąć zemsty, wręcz odwrotnie, ciągle myślałam, w jaki sposób mogłabym zaatakować ją we śnie, kiedy była najbardziej bezbronna. Przyszło mi do głowy, że może zostałabym duchem-balwierzem. Za życia wszyscy boją się odwiedzin tych demonów we śnie – balwierz przychodzi w nocy i goli jakąś część głowy osoby pogrążonej we śnie i niczego nieświadomej. Włosy nigdy nie odrastają w tych miejscach, skóra pozostaje tam łysa i błyszcząca, jest wiecznie obecnym przypomnieniem dotyku śmierci. Boimy się także daleko wypuszczać we śnie, ponieważ wiemy, że bardziej oddalamy się od domu i tym łatwiej jest nam stracić orientację oraz zgubić drogę. Mogłabym bez większego trudu przestraszyć Ze i skłonić ją do ucieczki do wilgotnego, ciemnego lasu, skąd później już nigdy nie pozwoliłabym jej wyjść.

Nie zrobiłam jednak żadnej z tych rzeczy. Przyczaiłam się na peryferiach jej pola widzenia, ukryta za kolumną w świątyni, którą odwiedziła, potem zaś w głębi stawu, w który się zapatrzyła, i w cieniach sypialni, którą po powrocie spokojnie zwiedzała, zanurzona w pozornym poczuciu bezpieczeństwa, jakie daje sen. Ze wyjrzała przez okno, zobaczyła słowika, który przysiadł na kamforowcu, i rozwinięty kwiat lotosu. Wzięła do ręki lusterko, które dostała od teściowej, i uśmiechnęła się do swego odbicia, o wiele bardziej atrakcyjnego niż to rzeczywiste. Usiadła na brzegu łoża, odwrócona plecami do śpiącego męża. Nawet we śnie nie chciała patrzeć na niego ani go dotykać. Wtedy zobaczyłam, w co się wpatruje – jej oczy utkwione były w leżącym na stole *Pawilonie Peonii.*

Walczyłam z pragnieniem, aby wyjść z cienia, w którym ukrywałam się we śnie Ze, wiedziałam bowiem, że powinnam zachowywać się z jak największą dyskrecją. W głowie kłębiły mi się gorączkowe myśli. Co zrobić, aby przyciągnąć jej uwagę, ale zarazem nie przestraszyć? Najbardziej niewinną i delikatną rzeczą było chyba powietrze... Pozostając w ukryciu, ostrożnie wypuściłam oddech w kierunku Ze. Był cichy i leciutki, ale przemknął przez pokój i musnął jej policzek. Palce Ze poderwały się do miejsca, gdzie mój oddech pocałował jej skórę. Uśmiechnęłam się w ciemności.

Nawiązałam kontakt i uświadomiłam sobie, że muszę postępować z naprawdę wielką ostrożnością.

– Wracaj do domu – powiedziałam bezgłośnie. – Obudź się. Weź książkę. Będziesz wiedziała, na której stronie ją otworzyć...

Z moich ust wydobywał się tylko oddech, który znowu pokonał szerokość pokoju, aby dotrzeć do Ze. Jej ciało przeniknął dreszcz, kiedy owiały ją moje słowa.

Ocknąwszy się, Ze zaczęła przewracać się z boku na bok, a w końcu usiadła gwałtownie. Jej twarz błyszczała, pokryta cieniutką warstewką potu, nagim ciałem wstrząsały silne dreszcze. Wydawała się nieświadoma tego, gdzie się znajduje, i jej oczy długo błądziły w ciemności, zanim spoczęły na postaci męża. Cofnęła się instynktownie, przejęta lękiem. Chwilę siedziała zupełnie nieruchomo, może bojąc się, że go obudzi, potem bardzo powoli i ostrożnie wyślizgnęła się z łóżka. Jej skrępowane stopy sprawiały wrażenie zbyt drobniutkich, aby mogły utrzymać ją w pionie, a białe ciało, wyraźnie odcinające się od czerwonych ślubnych pantofelków, dygotało z wysiłku, jakiego wymagało utrzymanie się w pozycji stojącej. Chwiejnie podeszła do swoich porzuconych na podłodze rzeczy, podniosła tunikę, włożyła ją i otoczyła się w pasie ramionami, jakby chciała jeszcze dokładniej ukryć swoją nagość.

Wciąż poruszając się bardzo niepewnie, zbliżyła się do stołu, usiadła i przysunęła sobie jedną z czerwonych weselnych świec. Popatrzyła na okładkę *Pawilonu Peonii*, być może myśląc o swoim przerwanym śnie. Otworzyła książkę i zaczęła przerzucać kartki. Dotarła do tej, o którą mi chodziło, wygładziła papier delikatnymi palcami, jeszcze raz zerknęła przez ramię na Rena i szeptem przeczytała napisane przeze mnie słowa.

– Liniang i jej uczonego łączy miłość boska, nie cielesna. Nie znaczy to jednak, że powinni powstrzymywać się od przeżywania fizycznej rozkoszy. W sypialni Liniang potrafi zachować się jak dama, obdarzając kochanka pożądaniem, rozbawieniem, radością i spełnieniem. Nie ma w tym nic nieprzystojnego czy niewłaściwego i Liniang ani na chwilę nie przestaje być kobietą godną najwyższego szacunku...

Nie mam pojęcia, skąd to wszystko wiedziałam, będąc niezamężna, ale istotnie były to moje słowa i myśli. Dzisiaj wierzyłam w nie mocniej niż kiedykolwiek wcześniej.

Ze zadrżała, zamknęła książkę i zdmuchnęła świecę. Ukryła twarz w dłoniach i zaszlochała. Biedaczka... Była przestraszona, niedoświadczona i kompletnie nie wiedziała, co robić, aby zapewnić przyjemność mężowi i sobie samej. Postanowiłam, że z czasem, a czas był przecież wszystkim, co miałam, zacznę kierować nią jeszcze śmielej niż tej nocy.

Chmury i deszcz

Księga rytuałów mówi nam, że najważniejszym obowiązkiem w małżeństwie jest wydanie na świat syna, który będzie karmił swoich rodziców i dbał o nich, kiedy przeniosą się już w zaświaty, ponieważ tylko syn może to zrobić. Poza tym małżeństwo zawiera się po to, aby połączyć dwa nazwiska i tym samym obdarzyć dobrobytem dwa rody poprzez wymianę darów za narzeczoną, posagów oraz korzystnych dla obu stron koneksji. Jednak *Pawilon Peonii* dotyka zupełnie innej strony małżeńskiego związku – seksualnej atrakcyjności i fizycznej namiętności. Na początku Liniang jest nieśmiałą dziewczyną, ale dzięki miłości rozkwita, aby jako duch stać się otwarcie zmysłowa. Ponieważ umiera jako dziewica, zabiera niespełnione pragnienia do grobu. W najgorszym okresie mojej choroby doktor Zhao powiedział, że potrzebuję chmur i deszczu. I miał rację. Gdybym żyła dłużej, poślubna noc z pewnością by mnie uleczyła. Teraz moje pragnienia (długo ukrywane w czasie pobytu na Widokowym Tarasie) były tak gwałtowne i nienasycone jak głód, który nękał mój żołądek. Nie byłam przerażającą, złowrogą, groźną i drapieżną istotą, potrzebowałam tylko współczucia, ochrony i dotyku męża. Pragnęłam Rena tak samo mocno jak w noc, kiedy się poznaliśmy. Moje pożądanie było potężne jak księżyc, który przenika chmury i przemyka po wodzie, aby dotrzeć do mężczyzny, który powinien był zostać moim małżonkiem. Tyle że oczywiście nie miałam w sobie siły księżyca. Ponieważ nie mogłam bezpośrednio komunikować się z Renem, posłużyłam się Ze, aby do niego dotrzeć. Początkowo stawiała opór, ale jak dziewczyna ze świata ludzi żywych może wygrać walkę z duchem z zaświatów...

Duchy, tak jak kobiety, są istotami *yin*, zimnymi, ciemnymi, związanymi z ziemią, wypełnionymi żeńskim pierwiastkiem. Przez parę miesięcy nie wysilałam się, mieszkając w sypialni Rena, gdzie nie musiałam martwić się gwałtownością wschodów słońca ani łamać sobie głowy, w jaki sposób obejść wyjątkowo ostry kąt. Byłam nocnym stworzeniem. Za dnia odpoczywałam na belkach pod sufitem albo zwinięta w kłębek w kącie pokoju, natomiast po zachodzie słońca nabierałam śmiałości oraz pewności siebie i chętnie wylegiwałam się na łożu Rena niczym konkubina, czekając na nadejście męża i jego drugiej żony.

Rzadkie opuszczanie pokoju pozwalało mi także spędzać mniej czasu z Ze. Jej posag poważnie powiększył majątek rodziny Wu (właśnie z tego powodu owdowiała matka Rena zgodziła się na małżeństwo syna), ale raczej nie rekompensował przykrości wynikających z nieprzyjemnego charakteru Ze. Zgodnie z podejrzeniami, które narodziły się we mnie wiele lat wcześniej, dziewczyna wyrosła na osobę małoduszną i zarozumiałą. W dzień ciągle słyszałam jej narzekania.

– Moja herbata nie ma aromatu! – krzyczała na służącą. – Zaparzyłaś liście, których używacie tutaj, w tym domu? Nigdy więcej tego nie rób! Mój ojciec przysłał mi herbatę najlepszego gatunku. Nie, nie pozwalam, żebyś parzyła ją dla mojej teściowej! Czekaj! Jeszcze cię nie odprawiłam! Tym razem przynieś mi gorącą herbatę, rozumiesz? I nie chcę więcej tego powtarzać!

Po obiedzie Ze i pani Wu odchodziły do izb dla kobiet, gdzie miały wspólnie czytać, malować i pisać wiersze. Ze odmawiała udziału w tych zajęciach, nie chciała także grać na cytrze, chociaż cieszyła się opinią dobrej cytrzystki. Była zbyt niecierpliwa, żeby haftować, i nieraz rzucała swoimi pracami o ścianę. Pani Wu próbowała ją karcić, ale szybko z tego zrezygnowała, bo to pogarszało tylko sytuację.

– Nie jestem twoją własnością! – krzyknęła któregoś dnia Ze do teściowej. – Nie masz prawa mówić mi, co mam robić! Mój ojciec jest komisarzem cesarskich rytuałów!

W normalnych okolicznościach Ren mógłby śmiało odesłać Ze do domu rodziców, odprzedać ją innej rodzinie, a nawet śmiertelnie ją pobić za to, że nie okazywała szacunku jego matce, ale racje były po stronie dziewczyny. Jej ojciec był ważną figurą, a posag, który przywiozła, okazał się bardzo bogaty. Pani Wu musiała to wszystko cierpliwie znosić i nawet nie poskarżyła się synowi. Okresy milczenia w kobiecych izbach zdarzały się rzadko, lecz zawsze przepełniała je gorycz, niechęć i wzajemne wyrzuty.

Słyszałam, jak Ze późnymi popołudniami dręczyła Rena. Głos miała tak ostry i przenikliwy, że słowa bez trudu docierały do sypialni z biblioteki Rena.

– Czekam na ciebie cały dzień! – zrzędziła. – Co tutaj robisz? Dlaczego lubisz przebywać w samotności? Nie chcę twoich wierszy, potrzebuję pieniędzy! Kupiec ma mi dziś przynieść próbki jedwabiu z Suzhou. Nie proszę o suknie dla siebie, ale chyba nawet ty zgodzisz się, że zasłony w głównym holu są poprzecierane i wyblakłe! Gdybyś więcej pracował, nie musielibyśmy tak często sięgać po sumy z mojego posagu!

Gdy służba podawała kolację, Ze jak zwykle wszystko krytykowała.

– Nie jadam ryb z Zachodniego Jeziora. Woda jest tam bardzo płytka i mięso ma błotnisty smak.

Niechętnie skubała smażoną w rondlu gęś z cytryną i odsuwała półmisek z dwukrotnie gotowanym kurczakiem z nasionami lotosu. Ren zjadł dużo nasion, które były znanym afrodyzjakiem, i nałożył sporą porcję do miseczki Ze, lecz ona odwróciła się z niesmakiem. Nikt poza mną nie miał pojęcia, że młoda żona Rena w tajemnicy pali liście lotosu i zjada popiół, aby zapobiec ciąży. Ta sama roślina, ale różne sposoby i cele działania... Byłam zadowolona z jej wyboru. Syn niepotrzebnie umocniłby jej pozycję w domu.

Na każde małżeństwo składa się sześć uczuć: miłość, czułość, nienawiść, gorycz, rozczarowanie oraz zazdrość. Gdzie była miłość i czułość Ze? Mówiła i robiła wszystko, aby obrazić teściową i męża, i w ogóle nie zamierzała zmienić swojego stosunku do nich. Ren i pani Wu nie śmieli protestować, ponieważ córki wpływowych ludzi mają niepisane przyzwolenie na dokuczanie mężom i traktowanie ich rodzin z pogardą i lekceważeniem. Ludzie akceptują takie sytuacje, tyle że niewiele ma to wspólnego z małżeństwem.

Rodzice Ze przybyli odwiedzić córkę w jej nowym domu. Świeżo poślubiona żona rzuciła im się do stóp i zaczęła błagać, żeby zabrali ją ze sobą.

– To był błąd! – wołała. – Ten dom i ludzie, którzy w nim mieszkają, są zbyt ubodzy i pozbawieni pozycji! Byłam feniksem, dlaczego wydaliście mnie za wronę?!

Właśnie tak widziała mojego poetę? I dlatego cały czas źle go traktowała?

– Odrzuciłaś wszystkie propozycje, jedną po drugiej – zimno odparł komisarz. – Moje negocjacje z synem urzędnika z Suzhou były już bardzo zaawansowane. Tamci mieli piękną posiadłość z wielkim ogrodem, ale ty nie chciałaś nawet zastanowić się nad tą ofertą. Ojciec ma obowiązek znaleźć odpowiedniego męża dla córki, lecz ty zdecydowałaś, kogo chcesz poślubić, kiedy miałaś dziewięć lat. Co za dziewczyna wybiera sobie męża, wyglądając przez szczelinę w parawanie? Cóż, chciałaś mieć – nie, domagałaś się! – przeciętnego człowieka, który mieszka w przeciętnym domu. Dlaczego? Nie mam pojęcia, ale spełniłem twoje życzenie!

– Jesteś moim tatą! Nie kocham Rena, odkup mnie! Zaaranżuj dla mnie inne małżeństwo!

Komisarz Tan był jednak twardy.

– Zawsze byłaś samolubna, rozpieszczona i uparta. Winię za to twoją matkę.

Nie było to sprawiedliwe. Matka może zepsuć córkę nadmierną czułością i pobłażliwością, lecz tylko ojciec ma pieniądze i władzę, aby dać dziewczynie to, czego pragnie.

– Od chwili przyjścia na świat byłaś plamą na łonie naszej rodziny – ciągnął, odpychając ją czubkiem buta. – Dzień twojego ślubu i odejścia z domu bardzo ucieszył twoją matkę i mnie.

Pani Tan nie zaprzeczała ani nie interweniowała w imieniu córki.

– Wstań i przestań tak głupio się zachowywać – rzekła z obrzydzeniem. – Chciałaś tego małżeństwa, więc je masz. Sama zgotowałaś sobie ten los. Zacznij zachowywać się jak żona. *Yang* zawsze znajduje się na górze, *yin* na dole.

Kiedy błagania i łzy zawiodły, Ze wpadła w furię. Jej twarz poczerwieniała, z ust trysnął potok strasznych słów. Zachowywała się jak pierworodny syn, absolutnie pewna swojej pozycji i prawa domagania się wszystkiego, na co miała ochotę, ale komisarz Tan pozostał niewzruszony.

– Nie zamierzam tracić przez ciebie twarzy. Zrobiliśmy, co w naszej mocy, żeby wychować cię dla rodziny męża, i teraz należysz do nich.

Komisarz i jego żona pouczyli córkę i surowo ją napomnieli, wręczyli pani Wu prezent, który miał jej wynagrodzić konieczność znoszenia towarzystwa ich niesfornej córki, i odjechali. Nastawienie Ze nie uległo zmianie, można raczej powiedzieć, że jeszcze się pogorszyło. Za dnia, kiedy traktowała mieszkające w domu palce z najwyższą pogardą, nie wtrącałam się, ale noce należały do mnie.

Początkowo nie bardzo wiedziałam, co robić, a Ze często zmagała się ze mną, byłam jednak o wiele silniejsza, nie miała więc wyjścia i musiała mi ulec. Dostarczanie przyjemności Renowi było jeszcze inną kwestią. Uczyłam się metodą prób i błędów, prób i zwycięstw. Zaczęłam obserwować jego reakcje i nasłuchiwać westchnień, dostrzegać wewnętrzne drgnienia i subtelne zmiany pozycji ciała, dzięki którym zyskiwałam lepszy dostęp do najwrażliwszych stref i punktów. Przesuwałam palcami Ze po jego mięśniach. Zachęcałam ją, aby dotykiem piersi pieściła jego skórę, wargi i język. Nakłaniałam, by wilgotnymi ustami drażniła jego sutki, brzuch i tę niżej położoną część ciała. Wreszcie zrozumiałam, co miał na myśli Tang Xianzu, pisząc o „grającej na flecie" Liniang. Jeśli natomiast chodzi o tę ciemną, wilgotną część Ze, której Ren pożądał najbardziej, to zadbałam, aby w każdej chwili była dla niego otwarta i dostępna.

Cały czas szeptałam jej do ucha to wszystko, czego nauczyłam się o małżeństwie z *Pawilonu Peonii*, powtarzałam, że żona musi być „ładna, łagodna i ustępliwa". Kiedy jako dziewczynka słuchałam niekończących się recytacji i pouczeń Mamy i stryjenek na temat małżeństwa, wydawało mi się, że nigdy nie będę taka jak one. Planowałam, że odrzucę przeszłość i wszystkie te nudne lekcje oraz sztywność obyczajów i tradycji. Chciałam myśleć nowocześnie, ale teraz, podobnie jak dziewczęta odchodzące z rodzinnego domu do domu męża, naśladowałam matkę i stryjenki, wracając do wszystkiego, czemu wcześniej stawiałam opór. Jestem przekonana, że gdybym żyła dłużej, po pewnym czasie zaczęłabym nosić kłódki w kieszeniach i nalegać, aby moje córki postępowały zgodnie z Trzema Zasadami Posłuszeństwa i Czterema Cnotami. Krótko mówiąc, przeistoczyłabym się we własną matkę. Skoro jednak nie było mi to dane, teraz głos Mamy wydobywał się z moich ust i wnikał w uszy Ze.

– Nie śledź cały czas poczynań męża – pouczałam. – Żaden mężczyzna nie lubi żyć w poczuciu, że żona nie spuszcza z niego oka. Nie jedz zbyt wiele. Mężczyźni nie lubią, kiedy ich żony wkładają sobie za dużo jedzenia do ust. Okaż szacunek dla jego pracy i majątku. Korzystaj z pieniędzy, ale ich nie marnuj. Tylko konkubina patrzy na mężczyznę jak na mennicę, z której wychodzą pieniądze.

Ze stopniowo poddawała się moim lekcjom, natomiast ja

w tym samym czasie wyrastałam z dziewczęcego romantyzmu, który doprowadził mnie do choroby. Zaczęłam wierzyć, że prawdziwa miłość to miłość fizyczna. Lubiłam poddawać mojego męża cierpieniom pożądania. Całymi godzinami obmyślałam nowe sposoby przedłużania rozkosznych tortur. Używałam ciała Ze do woli i bez żalu, wyrzutów sumienia czy poczucia winy. Zmuszałam ją do robienia tego, co miała robić jako żona, a potem przyglądałam się – z uśmiechem, śmiechem, wielką przyjemnością – jak mój mąż znajduje ujście dla żądzy w jej dłoniach, ustach i ukrytej szczelinie. Wiedziałam już, że największym pragnieniem Rena jest trzymać w dłoniach skrępowane stopy Ze w haftowanych bucikach z czerwonego jedwabiu. Podziwiał wtedy ich delikatność, zapach i ból, przez który przeszła, aby obdarzyć go tą przyjemnością. Gdy zobaczyłam, że mój mąż potrafi robić z nimi jeszcze inne rzeczy, nie pozwoliłam Ze pozbawiać go radości. Traktując Ze jako swoją emisariuszkę, doświadczałam seksualnej miłości.

Nie przeszkadzało mi, że dziewczyna nic nie czuje ani to, że nie wiedziałam, co myśli. Nie zwracając uwagi na jej zmęczenie, obawy i skrępowanie, zmuszałam ją do seksu i wykorzystywałam ją. Ciało Ze przeznaczone było dla Rena, który mógł próbować jego smaku, pieścić je, drażnić, szczypać, wtulać się w nie i wchodzić w nie, ile razy chciał. Po jakimś czasie zauważyłam jednak, że brak reakcji ze strony Ze i wyraz obojętności, wiecznie malujący się na jej twarzy, przeszkadzają mojemu mężowi. Kiedy pytał, co sprawiłoby jej przyjemność, zamykała oczy i odwracała twarz. I mimo wszystkich moich wysiłków była teraz mniej obecna w łóżku niż w czasie nocy poślubnej.

Ren zaczął coraz dłużej przesiadywać w bibliotece, czekając, aż Ze zaśnie. Gdy wracał do pokoju i wsuwał się do łóżka, nie otaczał ją ramionami, żeby znaleźć w niej ciepło, ukojenie i ludzką bliskość na czas snu. Zawsze leżał po swojej stronie łóżka, a ona po swojej. Z początku sprawiało mi to przyjemność, ponieważ mogłam wtedy otaczać jego ciało swoim kształtem jak całunem. Trwałam tak całą noc, poruszając się wraz z nim i czekając, aż jego ciepło nasączy mój chłód, kiedy jednak zaczął domagać się, aby służący zamykali na noc okna i dostarczyli mu dodatkowe kołdry, przeniosłam się na belki sklepienia nad łóżkiem.

Ren coraz częściej odwiedzał herbaciarnie na brzegu Zachodniego Jeziora. Towarzyszyłam mu, kiedy uprawiał hazard, pił za dużo, a także gdy w końcu zaczął zabawiać się z kobietami, które specjalizowały się w dostarczaniu mężczyznom rozkoszy i satysfakcji. Obserwowałam wszystko uważnie, zafascynowana, oczarowana. Dużo się nauczyłam. Przede wszystkim dowiedziałam się, że Ze nie stała się ani odrobinę mniej samolubna i skoncentrowana na sobie. Jak mogła nie robić tego, co powinna, jako kobieta i żona? Czy nie miała żadnych uczuć emocjonalnych i fizycznych? Nie dbała o przyjemność Rena to jasne, ale powinna pamiętać, że mógł zakochać się w jednej z kobiet znad Zachodniego Jeziora i sprowadzić ją do domu jako konkubinę.

W nocy, kiedy już skończyła robić chmury i deszcz z moim mężem, towarzyszyłam Ze w jej sennych podróżach. Od nocy poślubnej nie odwiedzała przyjemnych miejsc. Jej sny zawsze działy się nocą, wśród mgieł i cieni. Zasłaniała księżyc, nie chciała zapalać świec, lamp ani latarni. Bardzo mi to odpowiadało. Ukrywałam się za drzewami lub kolumnami, w ciemnych jaskiniach albo kątach i stamtąd straszyłam ją, tyranizowałam, pouczałam. Następnego dnia wieczorem zawsze czekała w łóżku na przyjście męża, blada i drżąca. Spełniała wszystkie moje polecenia, ale wyraz jej twarzy nadal nie budził w nim radości.

W końcu, kiedy pewnej nocy wybrała się we śnie do ogrodu, wyłoniłam się z czarnych cieni i stanęłam z nią twarzą w twarz. Oczywiście krzyknęła przeraźliwie i rzuciła się do ucieczki, lecz jak długo mogła uciekać... Męczyła się nawet we śnie, natomiast ja nigdy. Nie byłam w stanie się zmęczyć.

Osunęła się na kolana i chwilę pocierała skórę głowy, usiłując skrzesać iskry w nadziei, że przestraszę się błysków światła, ale przebywałyśmy we śnie i w tej rzeczywistości nie czułam lęku przed statycznymi eksplozjami.

– Zostaw mnie w spokoju! – krzyknęła Ze i wbiła zęby w czubek swojego serdecznego palca, starając się utoczyć z niego parę kropel krwi. – Idź precz!

Wymierzyła we mnie palec, wskazując mnie jako winną, lecz także wiedząc, że duchy boją się krwi pod jakąkolwiek postacią. Ale we śnie jej zęby nie miały dość siły, by rozedrzeć skórę. Jej zdolności odstraszania duchów, które prawdopodobnie mogłyby w jakimś stopniu zaszkodzić mi w ziemskiej rzeczywistości, we śnie nie miały nade mną żadnej władzy.

– Przykro mi, ale nigdy cię nie opuszczę – odezwałam się przyjaźnie.

Zasłoniła usta dłońmi, aby stłumić pełne przerażenia wrzaski. Nie, „pełne przerażenia" to nie jest właściwe określenie... W oczach Ze malował się taki wyraz, jakby nagle wszystkie lęki, które uparcie wypierała ze świadomości, okazały się uzasadnione.

Jako duch świetnie wiedziałam, co dzieje się z nią w rzeczywistości. Ze popiskiwała i jęczała ze strachu, gorączkowo szarpiąc się pod przykryciem.

We śnie powoli zrobiłam kilka kroków do tyłu.

– Nie zamierzam cię skrzywdzić – powiedziałam.

Wyciągnęłam rękę i posłałam chmurę płatków peonii w jej stronę. Uśmiechnęłam się i w jednej chwili kwiaty zakwitły wokół nas. Łagodnie popłynęłam ku Ze, odsuwając na bok cienie i mroki, aż stałyśmy się jak dwie piękne siostry, spacerujące po ogrodzie w ładny wiosenny dzień.

Oddech leżącej w łóżku Ze uspokoił się, jej twarz także. Tutaj, we śnie, jej włosy lśniły w słońcu. Wargi miała obiecująco pełne, ręce smukłe i białe. Lilie jej stóp były delikatne, pociągające nawet w moich oczach. Nie widziałam żadnego powodu, aby nie mogła przenieść tej ukrytej strony swojej osobowości do ziemskiej rzeczywistości.

Opadłam nieco niżej, tuż przed nią.

– Ludzie mówią, że jesteś samolubna – zauważyłam.

Zamknęła oczy, broniąc się przed prawdą moich słów, a rysy jej twarzy znowu nieprzyjemnie się zaostrzyły.

– Chcę, żebyś była samolubna... Bądź samolubna tutaj, w tym miejscu...

Czubkiem wskazującego palca dotknęłam punkt świadomości, kryjącej się w jej piersi. Poczułam, że coś otworzyło się pod moim dotykiem. Cofnęłam palec i pomyślałam o kobietach, które podglądałam w domach rozkoszy. Ośmielona, wyciągnęłam obie dłonie i musnęłam stożki piersi Ze, schowane pod szatą. Gdy gwałtownie stwardniały pod moimi palcami, Ze niespokojnie poruszyła się na łóżku. Przypomniałam sobie o źródle najgłębszej przyjemności, jaką odczułam, kiedy Ren pieścił mnie kwiatem peonii. To był sen i Ze nie mogła przede mną uciec, zjechałam więc palcem niżej, niżej, niżej, aż w końcu dotknęłam miejsca, które uznałam za źródło rozkoszy. Poczułam, jak ciepło emanuje przez jedwab. Ciałem Ze wstrząsnął dreszcz, westchnęła głęboko. Uśpiona Ze także dygotała.

– Bądź samolubna, jeśli o to chodzi... – zaszeptałam jej do ucha. – Kobiety również powinny odczuwać przyjemność – dodałam, przytaczając słowa mojej matki o chmurach i deszczu.

Wiedziałam, że będzie musiała coś mi obiecać, zanim pozwolę jej się obudzić.

– Nie wspominaj nikomu o naszej rozmowie ani o tym, że mnie widziałaś – przykazałam surowo.

Aby mój związek z nią mógł trwać nadal, nie wolno jej było zdradzić nikomu, że się spotykamy.

– Nikt, a zwłaszcza twój mąż, nie chce słuchać opowieści o twoich snach. Ren uzna cię za przesądną i głupią, jeśli zaczniesz wygadywać bzdury o jego pierwszej żonie.

– Ale to mój mąż! Nie mogę mieć przed nim tajemnic!

– Wszystkie kobiety ukrywają coś przed mężami – odparłam. – I nie ma mężczyzny, który nie ukrywałby czegoś przed żoną...

Czy rzeczywiście tak było? Na szczęście Ze miała nie więcej doświadczenia niż ja i nie zamierzała kwestionować moich opinii. Mimo to stawiała mi opór.

– Mój mąż pragnie mieć nowoczesną żonę – wyznała Ze. – Szuka towarzyszki...

Na te słowa – tak bliskie temu, co kiedyś powiedział mi Ren – wyrzuciłam z siebie falę wściekłości, głębokiej i nieludzkiej. Na chwilę stałam się naprawdę przerażającą istotą – ohydną, odrażającą, straszną. Po tym zdarzeniu nie miałam już żadnych kłopotów z Ze. Noc w noc odwiedzałam ją we śnie, nie napotykając najmniejszego oporu z jej strony.

I tak Tan Ze stała się moją siostrą-żoną. Co noc czekałam na nią w sypialni, zwinięta w kłębek pod sufitem. Co noc zsuwałam się na małżeńskie łoże, aby unosić jej biodra, wyginać jej plecy i pomagać jej otwierać się na naszego męża. Delektowałam się każdym jękiem, który wymykał się z jej ust. Uwielbiałam torturować ją i jego, chyba w tym samym stopniu. Kiedy próbowała się cofać, wystarczyło, że wyciągniętą ręką dotknęłam tej czy innej obnażonej części ciała i już ciepło pragnienia wsączało się w jej członki, aż w końcu cała stawała się jednym kłębkiem oszalałych z pożądania, odsłoniętych i wystawionych na pieszczoty nerwów, aż w końcu jej włosy przybierały kształt wzburzonej chmury, a grzebienie i ozdoby sypały się na łóżko, aż w końcu osiągała swój moment słodkiego topnienia. Wtedy przychodził deszcz.

Nieoczekiwany entuzjazm Ze sprawił, że nasz mąż porzucił przybytki rozkoszy i wrócił do domu. Pokochał swoją namiętną żonę. W zamian za każdy magiczny moment, jakim go obdarzała, a było ich wiele, ponieważ bezustannie wymyślałam nowe i zróżnicowane sposoby sprawiania mu przyjemności, dawał jej dowody własnej pomysłowości i bystrości umysłu. Ciało Ze składało się z wielu punktów, które warto było zbadać, i Ren odszukał je wszystkie. Nie opierała się, bo nie pozwalałam jej na to. Kiedy teraz opuszczała pokój, nie słyszałam już fruwających po posiadłości narzekań, krytycznych uwag ani gniewnych słów. Ze zaczęła pić herbatę w bibliotece Rena. Jego zainteresowania stały się jej zainteresowaniami. Służących traktowała teraz uprzejmie i sprawiedliwie.

Wszystko to czyniło Rena nad wyraz szczęśliwym. Kupował Ze drobne podarunki. Prosił kucharkę, żeby przygotowywała specjalne potrawy, które miały przypaść jej do smaku i sprawić przyjemność. Po chmurach i deszczu nie schodził z niej, lecz długo wpatrywał się w jej piękną twarz, tę ze snów, zasypując ją słowami uwielbienia i miłości. Kochał ją w taki sposób, w jaki powinien był kochać mnie. Kochał ją tak bardzo, że zapomniał o mnie. Jednak jakaś część Ze pozostała samolubna, bo mimo wszystkich rozkosznych drżeń, jakimi przeszywałam jej ciało, mimo wszystkich westchnień, które dzięki mnie wydobywały się z jej otwartych, wilgotnych ust, mimo wszystkich przyjemności, jakich jej nie skąpiłam (ostatecznie byłam pierwszą żoną, prawda?), nie mogłam na niej wymóc jednej rzeczy. Nie chciała patrzeć Renowi w oczy.

Ale ja nigdy nie zachwiałam się w postanowieniu, aby uczynić ją taką żoną, jaką chciałam w niej widzieć. Ren pragnął w małżeństwie towarzyszki, więc napełniłam jej brzuch książkami. Kazałam jej czytać tomy poezji i historii. Stała się tak dobrą, wnikliwą czytelniczką, że trzymała książki na swojej toaletce, obok lustra, kosmetyków i biżuterii.

– Twoja chęć zdobywania wiedzy jest równie silna jak pragnienie podkreślania urody – zauważył Ren któregoś dnia.

Jego słowa zainspirowały mnie do jeszcze większego wysiłku. Rozbudziłam w Ze zainteresowanie *Pawilonem Peonii*. Kilka razy pod rząd przeczytała mój cudem ocalony tom pierwszy i już wkrótce nigdzie się bez niego nie ruszała. Nauczyła się na pamięć długich fragmentów mojego komentarza i chętnie je cytowała.

– Jesteś bardzo dokładna – z podziwem pochwalił ją Ren. – Nie opuszczasz ani jednego słowa...

Byłam szczęśliwa.

Po pewnym czasie Ze zaczęła zapisywać uwagi o operze na małych kawałkach papieru. Czy były to jej własne myśli, czy te, które ja jej przekazałam? Oryginalne czy zapożyczone? Jedno i drugie. Pamiętając, co stało się, kiedy Ren powiedział mojemu ojcu o swoich snach i tworzeniu wierszy razem ze mną, dobitnie napomniałam Ze, aby nigdy nie mówiła nikomu o swojej twórczości i o mnie. Pod tym względem była posłuszną drugą żoną, uległą wobec małżonki numer jeden i zawsze spełniającą jej potrzeby.

I chociaż wszystko układało się naprawdę dobrze, miałam duży problem. Byłam głodnym duchem i z każdym dniem coraz bardziej mnie ubywało.

Święto Głodnych Duchów

Żywym dziewczynom pewne rzeczy zdarzają się zgodnie z wyższym planem, niezależnie od tego, czy nam się to podoba, czy nie. Otrzymujemy dar comiesięcznego krwawienia. Księżyc blednie i zmniejsza się. Przychodzi Nowy Rok, potem Święto Wiosny, Święto Podwójnej Siódemki, Święto Głodnych Duchów i Święto Środka Jesieni. Nie mamy żadnej kontroli nad tymi sprawami, lecz zachowania naszych ciał są od nich w dużym stopniu uzależnione. W Nowy Rok sprzątamy domy, przygotowujemy specjalne potrawy i składamy ofiary nie z poczucia obowiązku czy przywiązania do zwyczaju, ale dlatego, że zmiana pory roku i obietnica wiosny zachęca nas do tego, kusi i skłania do określonych poczynań. To samo dotyczy duchów. Mamy swobodę przemieszczania się, ale kieruje nami także tradycja, instynkt i chęć przetrwania. Pragnęłam być przy Renie w każdym momencie, lecz w siódmym miesiącu mój głód stał się tak dotkliwy i niepohamowany jak atak kolki, nieunikniony jak pełnia księżyca czy odpalanie sztucznych ogni, wysyłających Boga Kuchni z raportem o jakiejś rodzinie. Leżąc na belce pod sufitem nad łożem mojej siostry-żony czułam, jak coś przyzywa mnie, kusi, wyciąga na zewnątrz.

Opanowana głodem tak potężnym, że wprost nie mogłam go wytrzymać, porzuciłam bezpieczną sypialnię. Potrzebna mi była prosta linia i gdy znalazłam ją, popłynęłam prosto przed siebie przez dziedzińce, za bramę posiadłości rodziny Wu, mijając dwóch służących, którzy trzymali w ręku kawałki papieru i rondle. Kiedy tylko znalazłam się za bramą, usłyszałam trzask opuszczanego skobla. Z przerażeniem patrzyłam, jak służący przyklejają na odrzwiach ochronne talizmany, aby osłonić mieszkańców przed wpływem istot takich jak ja. Był to piętnasty dzień miesiąca, Święto Głodnych Duchów. Byłam ofiarą swoich pragnień dokładnie tak samo jak moja siostra-żona; moje czyny, podobnie jak jej, były poza wszelką kontrolą.

Zaczęłam dobijać się do bramy.

– Wpuście mnie!

Dookoła natychmiast odezwały się wołania brzmiące jak echo mojego okrzyku.

– Wpuście mnie! Wpuście mnie! Wpuście *mnie*!

Odwróciłam się gwałtownie i ujrzałam istoty w podartych, poszarpanych szatach, o wychudzonych, szarych, pomarszczonych twarzach i ciałach uginających się pod ciężarem samotności, opuszczenia i żalu. Niektóre nie miały wszystkich członków, inne manifestowały swój lęk, przerażenie lub pragnienie zemsty. Ci, którzy stracili życie przez utonięcie, wydzielali odór zgniłych ryb i ohydnych płynów, spływających po ich ubraniach. I te dzieci! Tuziny małych dzieci, głównie dziewczynek, które zostały porzucone, sprzedane, wykorzystane i w końcu zapomniane przez swoje rodziny, tłoczyły się wszędzie całymi stadami, jak szczury, z oczami wypełnionymi wiecznym smutkiem. Wszystkie te stworzenia łączyły dwa uczucia – głód i gniew. Niektóre były wściekłe, ponieważ były głodne i bezdomne, inne były głodne i bezdomne, ponieważ były wściekłe. Przejęta strasznym lękiem, rzuciłam się z powrotem do bramy i z całej siły załomotałam w nią pięściami.

– Wpuście mnie! – krzyknęłam znowu.

Ale moje pięści nie mogły pokonać talizmanów i ochronnych kupletów, którymi służba opieczętowała wejście przeciwko takim jak ja. *Takim jak ja...* Oparłam czoło o bramę, zamknęłam oczy i spróbowałam przyjąć okropną prawdę. Byłam jedną z tych obrzydliwych istot i byłam potwornie, niepohamowanie głodna.

Wzięłam głęboki oddech, oderwałam się od muru i powoli odwróciłam. Inni przestali się mną interesować i zajęli tym, co było dla nich najważniejsze – napychaniem się ofiarami złożonymi przez rodzinę Wu. Próbowałam przebić się przez ich gwałtownie wijące się ciała, ale bez trudu mnie odepchnęli.

Ruszyłam przed siebie drogą, przystając przed każdym domem, gdzie postawiono ołtarz, ale za każdym razem albo przychodziłam za późno, albo inni byli zbyt brutalni i silni, abym mogła sobie z nimi poradzić. Zostały ze mnie tylko szeroko otwarte usta i pusty żołądek.

Ludzie oddają cześć bogom i przodkom i dbają o nich jako o stojących wyżej w hierarchii społecznej. Bogowie i przodkowie zapewniają ochronę i spełniają prośby oraz życzenia; niebiański aspekt ich dusz kojarzy się ze wzrostem, prokreacją i życiem. Ofiary dla nich są starannie przygotowywane i podawane na pięknych talerzach, w dużych porcjach i z rozmaitymi dodatkami. O duchach ludzie myślą z pogardą. Stoimy niżej na drabinie hierarchii, jesteśmy gorsi niż żebracy czy trędowaci. Ludzie wierzą, że przynosimy tylko nieszczęście, smutek i tragedie. Obarczają nas winą za wypadki, bezpłodność, choroby, nieurodzaje, pecha w grach hazardowych, straty i niepowodzenia w interesach, i oczywiście za śmierć. Cóż więc dziwnego, że ofiary, jakimi nas raczą z okazji Święta Głodnych Duchów, są niesmaczne, obrzydliwe i najgorszej jakości... Zamiast tac pełnych dojrzałych brzoskwiń, pachnącego, sypkiego ryżu i całych kurcząt w sojowym sosie dostajemy surowy ryż, warzywa, które nadają się wyłącznie na karmę dla świń, kawały psującego się mięsa, nieco oczyszczonego z piór czy szczeciny, no i naturalnie żadnych pałeczek. Ludzie spodziewają się, że będziemy żreć prosto z miski, jak psy i szarpać jedzenie zębami, najlepiej w jakimś ciemnym kącie.

Nie rozumieją, że wiele z nas pochodzi z dobrych domów, tęskni za rodzinami i troszczy się o swoich bliskich nie mniej niż ci wspaniali przodkowie, których tak uwielbiają. Jako duchy nie możemy uciec przed swoją naturą, ale nie znaczy to, że celowo próbujemy wyrządzić komuś krzywdę; jesteśmy niebezpieczni w taki sam sposób jak na przykład rozgrzany piec. Do tej pory ani razu nie posłużyłam się mroczną stroną mojej natury, aby kogoś zranić, okaleczyć lub okrutnie udręczyć, prawda? Jednak teraz, posuwając się wzdłuż brzegu jeziora, walczyłam z innymi duchami, słabszymi i bardziej nieśmiałymi ode mnie, o spleśniałą pomarańczę albo kawałek kości, z której ktoś zdążył już wyssać szpik. Szłam, płynęłam w powietrzu, czołgałam się i wlokłam od domu do domu, jedząc wszystko, co wpadło mi w ręce, i zlizując resztki ze stołów, przy których jedli już inni, aż w końcu dotarłam do muru otaczającego posiadłość rodziny Chen. Zupełnie nieświadomie obeszłam całe jezioro dookoła – oto jak głęboki i nienasycony głód szarpał moje trzewia.

Nigdy nie byłam pod główną bramą naszego domu w to święto, pamiętałam jednak, że służący pracowali do późna w nocy, a potem długo opowiadali sobie, jakie to wspaniałe i obfite dary ułożyli, przywiązali lub przymocowali do ołtarza: kurczęta i kaczki, martwe i żywe; grube plastry wieprzowiny i świńskie głowy; ryby, ryżowe ciasteczka oraz całe dojrzałe ananasy, melony i banany. Gdy pod koniec święta duchy nasyciły się już posiłkiem, pod bramę przychodzili żebracy i ubodzy, aby zjeść resztki z obfitego przyjęcia, fundowanego przez rodzinę Chen.

Podobnie jak przed każdym domem, tu także rywalizacja o ofiary była brutalna, ale ostatecznie był to *mój* dom, prawda? Miałam prawo do tego jedzenia. Przepchnęłam się do stołu. Jakiś duch w podartych szatach mandaryna, z wyhaftowanymi na piersiach insygniami, wskazującymi, że za życia był uczonym piątego stopnia, próbował łokciem usunąć mnie z drogi, ale ja byłam drobnej budowy i wślizgnęłam się pod jego ramię.

– To nasze! – ryknął. – Nie masz do tego żadnego prawa! Idź precz!

Mocno trzymając się stołu (zupełnie jakby mogło to pomóc komuś, kto nie ma ciała), zwróciłam się do niego z należnym jego randze szacunkiem.

– To mój rodzinny dom – oświadczyłam.

– Twoja pozycja za życia nie ma tu najmniejszego znaczenia – warknęła istota po mojej prawej stronie.

– Gdybyś w ogóle miała jakąś pozycję, zostałabyś pochowana jak należy! – prychnęła kobieta o skórze tak przeżartej rozkładem, że widziałam wystające miejscami fragmenty czaszki. – Kolejna bezużyteczna gałąź!

Mężczyzna w stroju mandaryna zniżył cuchnące rozdziawione usta do mojej twarzy.

– Twoja rodzina zapomniała o tobie i o nas! Przychodzimy tu od lat i tylko popatrz, co nam dają! Prawie nic! Najwyraźniej twój nowy brat nie rozumie, że popełnia wielki błąd! Jaaaaa! – owionął mnie gorącym oddechem, cuchnącym zgniłymi ofiarami, którymi napchał sobie żołądek. – Kiedy twój ojciec przebywa w stolicy, Bao uważa, że wcale nie trzeba obchodzić tego święta! Najlepsze dary zabrał do swojego pokoju i teraz dzieli się nimi z konkubinami!

Mówiąc to, niegdysiejszy mandaryn chwycił mnie za kark i odrzucił na bok. Uderzyłam o mur posiadłości po drugiej stronie ulicy i osunęłam się na ziemię. Stamtąd patrzyłam, jak inni rozdzierają między siebie marne ofiary. Przemknęłam obok nich i bezradnie zastukałam do głównej bramy naszego domu. Za życia najbardziej pragnęłam tego, abym mogła opuścić posiadłość i udać się w jakąś podróż; teraz na niczym nie zależało mi tak gorąco jak na tym, aby dostać się do środka.

Bardzo długo w ogóle nie myślałam o swojej rodzinie. Uświadomiłam sobie, że Kwiat Lotosu i Miotła na pewno przeniosły się już do własnych domów, ale stryjenki nadal musiały tu mieszkać, podobnie jak konkubiny. Mała kuzynka Orchidea była już może zaręczona... Myślałam chwilę o setkach palców – nianiek, służących, kucharek i kucharzy, a przede wszystkim o mojej matce – które znajdowały się za bramą. Musiałam znaleźć jakiś sposób, żeby zobaczyć Mamę.

Obeszłam posiadłość, nadkładając drogi, aby uniknąć narożników. Sytuacja była beznadziejna. Dom rodziny Chen miał tylko jedną bramę i to szczelnie zamkniętą przed głodnymi duchami. Czy Mama znajdowała się w Sali Kwitnącego Lotosu i myślała o mnie? Spojrzałam w niebo, szukając wzrokiem Widokowego Tarasu. Czy Babcia patrzyła na mnie z góry? Może kręciła głową i śmiała się z mojej głupoty...

Duchy, tak jak ludzie żywi, nie lubią przyjmować prawdy. Oszukujemy się, żeby zachować twarz oraz trochę optymizmu i iść dalej, radząc sobie z bardzo trudnymi sytuacjami. Nie lubiłam myśleć o sobie jako o głodnym duchu. Nie chciałam przyjąć do wiadomości, że wewnętrzna pustka zmusza mnie, abym wetknęła twarz w miskę zapleśniałych owoców i pożarła je, byle tylko chociaż trochę zaspokoić dokuczliwy głód. Westchnęłam. Nadal byłam głodna. Tego dnia musiałam najeść się do syta, na cały rok.

W czasie pobytu na Widokowym Tarasie dosyć często przyglądałam się rodzinie Qian z Gudang, którą mój ojciec odwiedził w Nowy Rok niedługo po mojej śmierci. Wyruszyłam w tamtym kierunku, walcząc z innymi głodnymi duchami, kiedy musiałam, zataczając łagodne łuki, kiedy nie miałam innego wyjścia, i gubiąc się wśród krętych ścieżek między ryżowymi polami, celowo wytyczonymi przez wieśniaków.

Zapadła noc, pora, kiedy jeszcze więcej nieszczęsnych stworzeń powinno wypełznąć ze swoich kryjówek, próbując napełnić brzuchy, ale na wsi spotkałam tylko kilka duchów. Tutaj ludzie kończyli życie w gwałtowny sposób z powodu trzęsień ziemi, powodzi, głodu oraz rozmaitych plag. Umierali we własnych domach albo w pobliżu, więc ich ciała nie ginęły bez śladu. Rzadko zdarzały się wypadki, w wyniku których zwłoki znikały – niekiedy cała rodzina ginęła w pożarze lub most załamywał się w czasie powodzi, zabierając w otchłań człowieka zdążającego ze świnią na targ. Dlatego prawie wszystkich zmarłych starannie chowano i trzy części ich dusz bez większego trudu trafiały do właściwych miejsc spoczynku.

Spotkałam jednak kilka niespokojnych dusz – matkę, która została pogrzebana w miejscu, gdzie korzenie drzewa przebiły jej ciało, powodując nieznośny ból, mężczyznę, który musiał ratować się ucieczką z trumny, ponieważ zalała ją woda, młodą żonę, której zwłoki przekręciły się, kiedy trumnę opuszczano do ziemi, a to spowodowało wykręcenie kręgów szyjnych i uniemożliwiło nieszczęsnej przejście do następnego wcielenia. Duchy te zachowywały się gorączkowo i niespokojnie; próbując znaleźć pomoc, przysporzyły kłopotów swoim rodzinom. Nikt nie lubi słuchać jęków niewymownego cierpienia, kiedy stara się zasnąć, karmi dziecko albo robi chmury i deszcz z mężem... Na szczęście prócz spotkania z tymi duchami moja podróż przebiegła zupełnie spokojnie.

Dotarłam do domu rodziny Qian. Byli to ubodzy ludzie, ale mieli dobre serca. Wystawione przez nich ofiary były skromne, lecz znacznie lepszej jakości niż wszystko, co do tej pory zjadłam. Napełniwszy żołądek, podpłynęłam bliżej domu. Chciałam trochę odpocząć przed drogą powrotną do miasta, nacieszyć się uczuciem sytości i chociaż na krótko zaznać ciepła kontaktu z ludźmi, którzy byli blisko związani z moimi najbliższymi.

Jednak w Święto Głodnych Duchów okna domu zasłonięte były drewnianymi parawanami, a drzwi zamknięto od środka. Poczułam zapach gotującego się ryżu. Z malutkiej szczeliny pod klamką wydobywało się pasemko światła lampy. Słyszałam cichy szmer głosów. Nastawiłam ucha i po chwili usłyszałam głos pani Qian.

– Odkąd przestałam zbierać pióra zimorodka nad szmaragdową rzeką, pozostaję w moim skromnym domu i recytuję wiersze...

Dobrze znałam ten utwór. Nagle ogarnęła mnie fala smutku i tęsknoty za domem. Co miałam zrobić? Byłam sama, pozbawiona rodziny, towarzystwa, daru słów i sztuki. Ukryłam twarz w dłoniach i gorzko zapłakałam. Ze środka dobiegł mnie stukot nóg pośpiesznie odsuwanych krzeseł i stłumione okrzyki zaniepokojenia. Ci ludzie pocieszyli mnie i ukoili mój głód, a ja wystraszyłam ich swoimi potępieńczymi jękami.

Po Święcie Głodnych Duchów wróciłam do sypialni Rena i Ze wzmocniona, nasycona i nieoczekiwanie skoncentrowana. Świadomość, że po raz pierwszy od bardzo dawna wreszcie się najadłam, obudziła drzemiący we mnie innego rodzaju głód, ten zarezerwowany dla mojej pracy nad *Pawilonem Peonii*. Przyszło mi do głowy, że może mogłabym dodać coś do zapisków na marginesach i uczynić z nich autoportret, który Ren rozpoznałby jako symbol wszystkiego, co nosiłam w sobie. Czyż w autoportrecie Liniang i w moich notatkach nie kryły się nasze dusze?

Nagle stałam się równie samolubna jak moja siostra-żona. Ciągle sączyłam do ucha Ze uwagi na temat *Pawilonu Peonii*. Dotykałam jej myśli tak często, że z każdym tygodniem ukrywała w swojej sypialni coraz więcej zapisanych kawałków papieru, lecz teraz musiała zrobić dla mnie coś bardzo ważnego.

Zaczęłam zatrzymywać ją na całe dnie w sypialni. Wolałam, żeby spędzała czas ze mną, a nie zasiadała do śniadania czy obiadu w sali jadalnej. Nie znosiłam światła, więc zmuszałam ją, by zamykała drzwi i zasłaniała okna. W lecie w pokoju panował przyjemny chłód, natomiast zimą Ze zaczęła nosić pikowane lub podszyte futrem kurtki. Przyszedł Nowy Rok, potem wiosna. W czwartym miesiącu kwiaty odsłoniły twarze i uniosły je do słońca, lecz my siedziałyśmy razem w mrocznym pokoju, w którym powietrze nie nagrzewało się nawet w środku dnia.

Kazałam Ze przeczytać wszystko, co zapisałam w tomie pierwszym, potem zaś wysłałam ją do biblioteki Rena na poszukiwanie źródeł trzech pastiszów, których nie udało mi się znaleźć przed śmiercią. Pomogłam jej wziąć do ręki pędzel i zapisać odpowiedzi oraz moje przemyślenia na kartach książki, tuż obok tych, które zapisałam dawno temu. Skoro byłam w stanie nakłonić Ze do gry na flecie z moim mężem, to jaki problem nastręczało podniesienie pędzelka i pisanie? Żaden. Było to proste i łatwe.

Nie byłam jednak nawet w części usatysfakcjonowana. Bardzo potrzebny był mi tom drugi, na początku którego Mengmei i duch Liniang przysięgają sobie wieczną miłość. Potem Mengmei stawia kropkę na tabliczce dziewczyny, dokonuje ekshumacji jej ciała i przywraca ją do życia. Gdyby udało mi się skłonić Ze do przekazania moich zapisanych myśli Renowi, to czy ta lektura nie stałaby się dla niego inspiracją do pójścia za przykładem Mengmei?

W nocy, w snach Ze, spotykałyśmy się nad jej ulubionym stawem.

– Potrzebny ci jest tom drugi – powiedziałam. – Musisz go zdobyć.

Powtarzałam jej to przez wiele tygodni, raz za razem, zupełnie jak papuga. Ale Ze była mężatką. Nie mogła ot tak sobie wyruszyć na poszukiwanie książki, tak samo jak ja nie mogłabym tego uczynić, gdybym żyła. Musiała polegać na swoim sprycie, uroku oraz miłości męża, który mógł przynieść tom drugi do domu. Ze mogła liczyć na moją pomoc, ale miała też do dyspozycji własne umiejętności. Potrafiła być uparta, małoduszna i rozpieszczona. Nasz małżonek zareagował zgodnie z moimi oczekiwaniami.

– Pragnę przeczytać tom drugi *Pawilonu Peonii* – mogłaby powiedzieć Ze, nalewając mu filiżankę herbaty. – Widziałam tę operę dawno temu i teraz bardzo chciałabym przeczytać słowa wielkiego pisarza i porozmawiać o nich z tobą...

Podczas gdy Ren powoli popijałby gorący napój, mogła zajrzeć mu w oczy i delikatnie pogładzić rękaw jego szaty.

– Czasami nie rozumiem, co autor próbuje przekazać pod płaszczykiem metafor i aluzji – dodałaby być może. – Jesteś takim świetnym poetą... Na pewno mógłbyś wyjaśnić mi wiele zagadek...

Mogła też szeptać mu do ucha w nocy, w łóżku, kiedy Ren leżał między nami pod ciepłą kołdrą.

– Codziennie myślę o mojej siostrze-żonie... Brak drugiej części opery ciągle przypomina mi o odejściu Tong... Na pewno ty także cierpisz z powodu jej nieobecności. Gdybyśmy tylko mogli sprowadzić ją tu z powrotem...

Potem powinna wysunąć język i pieścić nim jego ucho, aż po chwili zaczęłyby się dziać i inne rzeczy.

Stawałam się coraz śmielsza. Latem zaczęłam opuszczać sypialnię, opierając dłonie na ramionach Ze i pozwalając, aby ciągnęła mnie za sobą z pokoju do pokoju. Płynąc w ten sposób w powietrzu, nie musiałam martwić się narożnikami, byłam bowiem tylko tchnieniem powietrza, sunącym za moją siostrą-żoną. Kiedy zjawiałyśmy się w jadalni i siadałyśmy do obiadu, pani Wu odkładała wachlarz i nakazywała służącym, aby zamknęli drzwi, bo nagle robiło jej się zimno. Czasami polecała nawet, aby rozpalić ogień w metalowym koszu, chociaż były to najgorętsze miesiące w roku.

– Twoje wargi znowu stają się wąskie – powiedziała pani Wu do Ze któregoś wieczoru.

Typowa uwaga teściowej... Wszyscy wiedzą, że wąskie wargi wskazują marny charakter, to zaś z kolei przekłada się na skromną wielkość i jakość macicy. Niewypowiedziane na głos pytanie brzmi: „Gdzie jest mój wnuk?". Jakież to nudne i staroświeckie...

Ren wyciągnął rękę pod stołem i chwycił dłoń Ze. Po jego twarzy przemknęła chmura niepokoju.

– Masz zimne ręce... Przecież to środek lata, żono! Wyjdź jutro ze mną na świeże powietrze. Posiedzimy razem nad stawem, popatrzymy na kwiaty i motyle i pozwolimy, by słońce ogrzało nam skórę...

– Ostatnio przeznaczenie każe mi odwracać się od kwiatów – wymamrotała Ze. – A motyle przypominają mi o duszach zmarłych... Kiedy widzę wodę, myślę tylko o topielcach...

– Wydaje mi się, że jej nie pomoże nawet słońce – kwaśno zauważyła moja teściowa. – Ze wszędzie przynosi ze sobą chłód. Nie chcielibyśmy chyba, żeby słońce także odwróciło się na jej widok...

Oczy Ze wezbrały łzami.

– Lepiej będzie, jeśli wrócę do mojego pokoju... Mam parę rzeczy do przeczytania.

Pani Wu ciaśniej otuliła ramiona szalem.

– Może istotnie tak będzie lepiej – powiedziała. – Poślę jutro po lekarza, żeby postawił diagnozę.

Ze zacisnęła uda.

– To nie będzie konieczne.

– W jaki sposób wydasz na świat syna, jeżeli...?

Syna? Ze była dla mnie warta więcej niż jej zdolność rodzenia synów! Pomagała mi. Nie potrzebowałyśmy żadnego syna.

Jednak doktor Zhao miał do całej sprawy inne podejście. Ostatni raz widziałam go na krótko przed moją śmiercią i nie mogę powiedzieć, aby jego wizyta szczególnie mnie uszczęśliwiła.

Zmierzył Ze tętno, obejrzał jej język i poprosił Rena na zewnątrz. Usiedli na ławce w ogrodzie.

– Widziałem te objawy już wiele razy – oznajmił. – Twoja żona przestała jeść i całymi godzinami przesiaduje w ciemności. Panie Wu, z tego zachowania można wyciągnąć tylko jeden wniosek – twoja żona jest chora z miłości.

– Co mam robić? – zapytał zaniepokojony Ren.

– Zwykle noc spędzona sam na sam z mężem wystarczy,

aby wyleczyć chorobę – rzekł doktor. – Czy małżonka ma niechętny stosunek do chmur i deszczu? Czy właśnie dlatego jeszcze nie poczęła? Jesteście małżeństwem od ponad roku, panie...

Poczułam się głęboko dotknięta i oburzona taką sugestią. Bardzo żałowałam, że brakuje mi umiejętności mściwego ducha, bo wtedy kazałabym doktorowi zapłacić za te oskarżenia.

– Pod tym względem nie mógłbym sobie życzyć lepszej żony – odparł Ren.

Doktor Zhao wahał się chwilę, zanim zadał następne pytanie.

– Czy obdarzasz żonę swoją życiową esencją, panie? Kobieta musi przyjmować ją do wewnątrz dla zachowania zdrowia. Nie można marnować cennego płynu, wylewając go między jej krępowanymi stopami, choćby pachniały najpiękniej na świecie...

Po kilku delikatnych sugestiach Ren wyjawił lekarzowi, jakim praktykom oddawał się razem z żoną w sypialni, we dnie i w nocy. Kiedy wszystko zostało jasno powiedziane, doktor zrozumiał, że nie ma podstaw do obwiniania którejkolwiek ze stron za brak entuzjazmu, wiedzy, skrupulatności czy wchłaniania esencji.

– Może przyczyna miłosnej choroby twojej żony leży w czymś innym, panie – rzekł. – Czy małżonka ma ochotę na coś szczególnego? Czy czegoś pragnie?

Następnego dnia Ren wyjechał z miasta. Nie starałam się mu towarzyszyć, ponieważ byłam zajęta Ze. Pani Wu, zgodnie z poleceniem doktora, wkroczyła do sypialni, otworzyła drzwi i ściągnęła ciężkie zasłony z okien. Nasz pokój wypełniło gorące, wilgotne powietrze, które w letnich miesiącach bezustannie wisi nad Hangzhou. Było to straszne, ale starałyśmy się zachowywać jak posłuszne synowe, przystosowując się do nowych warunków, nie zwracając uwagi na nasze osobiste odczucia oraz wygodę i godząc się ze wszystkim. Trzymałam się jak najbliżej Ze, aby służyć jej pociechą w tych okropnych chwilach. Z zadowoleniem zauważyłam, że moja siostra-żona włożyła jeszcze jedną kurtkę na tę, którą miała już na sobie. Teściowe mogą mówić nam, co mamy robić, a my możemy udawać, że spełniamy ich polecenia, ale nie są przecież w stanie obserwować nas w każdym momencie dnia i nocy.

Ren wrócił trzy ranki później.

– Byłem we wszystkich wioskach między rzekami Tiao i Zha – oznajmił. – Mój upór został nagrodzony w Shaoxi. Przepraszam, że nie zrobiłem tego wcześniej...

Zza pleców wyjął egzemplarz *Pawilonu Peonii*, łączne wydanie obu tomów.

– To najlepszy prezent, jaki mogę ci dać... – wyznał.

Gdy na chwilę zawiesił głos, wiedziałam już, że myślał o mnie.

– Oto cała historia – rzekł.

Ze i ja padłyśmy mu w ramiona, szczęśliwe i radosne. Następne słowa Rena przekonały mnie, że nadal nosił mnie w swoim sercu.

– Nie chcę, żebyś chorowała z miłości – odezwał się. – Teraz na pewno poczujesz się lepiej...

Tak, tak – pomyślałam. Na pewno poczuję się lepiej. Dziękuję ci, mężu, dziękuję...

– Tak, tak – jak echo powtórzyła Ze i westchnęła.

Uznałam, że musimy to uczcić.

– Uczcijmy to – zaproponowała Ze.

Chociaż był dopiero ranek, służący przynieśli butelkę wina i nefrytowe czarki. Moja siostra-żona nie była przyzwyczajona do alkoholu, ja zaś nigdy wcześniej nie piłam wina, ale sprawiło to nam dużą radość. Ze wychyliła pierwszą czarkę, zanim Ren zdążył sięgnąć po swoją. Za każdym razem, gdy odstawiała puste naczynie, dotykałam jego brzegu, a ona znowu je napełniała. Był jasny dzień i przez okna wpadało do środka gorące powietrze, lecz mąż i żona zaczęli wkrótce cieszyć się inną jasnością i ciepłem. Jedna czarka, druga, trzecia... Ze wypiła w sumie dziewięć, jej policzki zarumieniły się od wina. Ren był bardziej wstrzemięźliwy, ale ponieważ sprawił żonie przyjemność, okazała mu naszą wspólną wdzięczność.

Oboje zasnęli dopiero wczesnym popołudniem. Następnego dnia Ren obudził się o zwykłej porze i poszedł pisać do biblioteki, ja natomiast pozwoliłam mojej siostrze-żonie, nieprzywykłej do wina, spać dalej. Zależało mi, żeby wstała wypoczęta i gotowa do działania.

Marzenia serca

Kiedy słońce padło na haczyki przytrzymujące draperie nad łożem, obudziłam Ze. Kazałam jej pozbierać wszystkie kawałeczki papieru, na których pisała w minionych miesiącach, i wysłałam ją do biblioteki Rena. Stanęła przed nim z pochyloną głową i pokazała mu karteluszki.

– Czy wolno mi przepisać moje komentarze, a także te siostry-żony Tong, na karty naszego nowego egzemplarza *Pawilonu Peonii*? – spytała.

– Pozwalam – odparł Ren, nawet nie podnosząc wzroku znad papierów.

Miałam szczęście, że małżeństwo nie uczyniło go mniej otwartym i wyrozumiałym... Moja miłość do niego jeszcze wzrosła.

Chciałabym jednak coś wyjaśnić: to ja kazałam Ze przepisać mój komentarz na karty nowego egzemplarza *Pawilonu,* ja zasugerowałam, aby dodała swoje uwagi, i ja podsunęłam jej pomysł kontynuowania dzieła, którego nie dokończyłam, kiedy moja matka spaliła tom drugi. Wydawało mi się bardzo sensowne, aby wszystko to razem znalazło się w jednej nowej książce.

Upłynęły dwa tygodnie, zanim Ze skończyła przepisywać moje spostrzeżenia do pierwszej części księgi. Minęły następne dwa, zanim uporządkowała swoje zapiski i przepisała je na czyste karty drugiej części. Potem zaczęłyśmy dodawać nowe uwagi do obu części.

Dao mówi, że należy pisać o tym, co znamy z doświadczenia, że dobry pisarz musi wyjść na zewnątrz swego umysłu i nawiązać kontakt z prawdziwymi rzeczami, ludźmi i przeżyciami. Ja wierzyłam także w to, co Ye Shaoyuan napisał we wstępie do pośmiertnie wydanego zbioru utworów swojej córki: „Nie można wykluczyć, iż wewnętrzny duch pisanego słowa nie ginie i, jako wiecznie żywy, także obdarza życiem po śmierci". Kiedy więc kazałam Ze pisać, jej uwagi o budowie opery oraz wątku były znacznie bogatsze niż to, co zapisałam jako chora z miłości młodziutka dziewczyna, spędzająca całe dnie w łóżku. Miałam nadzieję, że Ren zobaczy charakter pisma Ze, usłyszy mnie i pojmie, że nadal może mnie mieć.

Minęły trzy miesiące. Słońce ukrywało się za chmurami i wcześnie zachodziło. Okna i drzwi były zamknięte, zasłony opuszczone, w pokojach palono węgiel. Ta zmiana warunków służyła mi i stymulowała mój umysł. Wiele tygodni w skupieniu pracowałam nad moim dziełem, prawie nie wypuszczając Ze z pokoju. Któregoś wieczoru zwróciłam jednak uwagę na to, co Ren powiedział mojej siostrze-żonie przed udaniem się na spoczynek, siedząc na brzegu łoża i obejmując ramieniem jej barki. Obok niego wydawała się bardzo drobna i delikatna.

– Jesteś coraz bledsza – rzekł. – I widzę, że schudłaś.

– Twoja matka nadal na mnie narzeka, rozumiem – odparła sucho.

– Zapomnij o swojej teściowej, teraz rozmawiasz z mężem... – Ren czubkiem palca dotknął sińców, które pod jej oczyma wyglądały jak ciemne półksiężyce. – Nie miałaś ich, kiedy się pobieraliśmy... Czuję ból, gdy na nie patrzę. Czy jesteś ze mną nieszczęśliwa? Może pragniesz odwiedzić rodziców?

Pomogłam Ze sformułować właściwą odpowiedź.

– Dziewczyna jest jedynie gościem w domu swych rodziców – wyrecytowała cicho. – Teraz moje miejsce jest tutaj...

– Chciałabyś wybrać się na wycieczkę? – spytał.

– Jestem szczęśliwa tutaj, z tobą... – westchnęła. – Jutro bardziej zadbam o swoją toaletę... Dołożę wszelkich starań, żeby sprawić ci przyjemność i...

– To nie ma nic wspólnego ze sprawianiem mi przyjemności – przerwał jej ostro, zaraz jednak, widząc, jak zadrżała, złagodniał. – Zależy mi, żebyś była szczęśliwa i zadowolona z życia, ale kiedy spotykamy się na śniadaniu, nie jesz ani nie odzywasz się. Ostatnio coraz rzadziej widuję cię w ciągu dnia. Dawniej przynosiłaś mi herbatę, pamiętasz? Gawędziliśmy wtedy w bibliotece...

– Jutro na pewno przyniosę ci herbatę – obiecała.

Potrząsnął głową.

– Nie chodzi mi o to, żebyś mi usługiwała. Jesteś moją żoną i niepokoję się, że może źle się czujesz... Służba przynosi kolację, ale ty nie bierzesz nic do ust. Obawiam się, że będziemy musieli znowu wezwać doktora...

Nie mogłam znieść jego smutku. Ześliznęłam się ze swojej belki, opadłam na łóżko tuż za plecami Ze i czubkiem palca dotknęłam tyłu jej głowy. Byłyśmy już sobie tak bliskie, miałyśmy tyle wspólnych przeżyć i spraw, że bez oporu postąpiła zgodnie z moimi wskazówkami. Odwróciła głowę i bez słowa przykryła jego wargi swoimi. Nie chciałam, żeby się martwił, i nie miałam ochoty wysłuchiwać jego pełnych troski zwierzeń.

Moje sposoby uciszania Rena zawsze były skuteczne, ale tego wieczoru zawiodły. Odsunął się i uważnie popatrzył na Ze spod lekko ściągniętych brwi.

– Mówię poważnie – rzekł. – Sądziłem, że kiedy przywiozę ci *Pawilon Peonii*, poczujesz się lepiej, ale stało się odwrotnie. Nie było to moim celem, możesz mi wierzyć...

Znowu udało mi się zakraść do jego umysłu.

– Jutro wezwę doktora. Przygotuj się na jego wizytę, proszę...

Kiedy się położyli, Ren otoczył Ze ramionami i z czułością przytulił ją do piersi.

– Od jutra wszystko będzie inaczej – szepnął. – Będę ci czytał przy ogniu... Każę służbie przynosić posiłki tutaj, żebyśmy mogli być sami... Kocham cię, Ze, i postaram się, żebyś wyzdrowiała...

Mężczyźni są tacy pewni siebie, mają tyle odwagi i przekonania o własnej wartości... Wierzą – naprawdę i szczerze – że potrafią naprawić coś samymi słowami, i w wielu wypadkach rzeczywiście tak się dzieje. Kochałam Rena za tę cechę i uwielbiałam patrzeć, jakie wrażenie robią jego poczynania na mojej siostrze-żonie. Gdy ujrzałam, jak jego ciepło powoli nasącza jej ciało, przypomniałam sobie o Mengmei, który pieszczotami ożywił zimne martwe ciało Liniang. W miarę jak Ren oddychał coraz wolniej i głębiej, oddech Ze także stawał się powolniejszy. Nie mogłam doczekać się, kiedy Ren wreszcie zaśnie. Zaraz potem siłą wywlokłam Ze z małżeńskiego łoża, kazałam jej zapalić świecę, zmieszać tusz i otworzyć księgę. Byłam podekscytowana i ożywiona. Jasno widziałam przed sobą drogę wiodącą do mojego życia z Renem.

Nie zamierzałam jej przemęczać, wydobyłam z niej tylko jeden króciutki ustęp.

W operze najbardziej zaskakująca jest nie postać Liniang, ale uczonego. Na świecie nie brak oszalałych z miłości kobiet, takich jak Liniang, które śnią o miłości i umierają, lecz nie wracają do życia. Nie mają kogoś takiego jak Mengmei, który wyjmuje portret Liniang z ukrycia, nawołuje ją i wielbi. Mengmei kocha się z duchem dziewczyny i wierzy, że jest to istota z krwi i kości, spiskuje z Siostrą Kamień, otwiera trumnę i bez lęku przenosi ciało w inne miejsce, odbywa daleką podróż, aby dotrzeć do ojca Liniang i wstawić się za nią, a na koniec znosi potworne cierpienia, które zadaje mu pan Du. Sen, w którym poznał i spotykał ukochaną, był tak rzeczywisty, że otwarcie grobu dziewczyny nie wydaje mu się niczym przerażającym. Mengmei opłakuje ją i nie wstydzi się łez. Robi wszystko, aby przywrócić Liniang do życia i nie żałuje żadnego kroku.

Uśmiechnęłam się na myśl o tym, co udało mi się osiągnąć. Pozwoliłam Ze wrócić w ciepłe, kojące ramiona męża i po ścianie wspięłam się z powrotem na moją belkę. Musiałam dbać, aby Ren był zadowolony z żony. W przeciwnym razie nie mogłabym dłużej się nią posługiwać, a wtedy Ren nie usłyszałby mojego głosu. Przez całą noc, obserwując tych dwoje we śnie, wyszukiwałam w pamięci zalecenia dla dobrej żony, które za życia słyszałam z ust Mamy i stryjenek. „Codziennie rano wstawaj pół godziny przed mężem" – mawiała Mama. Następnego ranka zmusiłam Ze, żeby wstała przed Renem.

– Strata pół godziny snu nie zaszkodzi twojemu zdrowiu ani urodzie – szepnęłam jej do ucha, kiedy usiadła przy toaletce. – Myślisz, że twój mąż lubi patrzeć, jak śpisz jak suseł? Nie. Poświęć piętnaście minut na umycie twarzy, wyszczotkowanie włosów i wybór stroju...

Korzystając z obserwacji innych kobiet, pomogłam jej zmieszać puder, nałożyć róż, spiąć włosy i umieścić w nich ozdoby z ptasich piór. Wybrałam jej też różową tunikę i spódnicę.

– Drugie piętnaście minut poświęć na przygotowanie stroju męża i ułożenie ich tuż obok poduszki. Gdy się obudzi, czekaj na niego i miej w pogotowiu czystą wodę, ręcznik oraz grzebień.

– Nigdy nie ustawaj w wysiłkach, aby poprawić swój gust i styl – przypomniałam Ze, kiedy Ren wyszedł. – Nie wnoś do naszego domu swojej szorstkości, uporu ani zazdrości, ponieważ te cechy mąż codziennie obserwuje na ulicy. Ciągle się ucz. Lektura wzbogaci twoją zdolność prowadzenia swobodnej konwersacji, sztuka nalewania herbaty ogrzeje męża, a gra na instrumentach i układanie kwiatów pogłębią twoje uczucia i odpędzą od niego zmęczenie...

Na moment zawiesiłam głos, pamięć podsunęła mi bowiem słowa, które moja matka wypowiedziała w dniu, kiedy pomogłam jej skrępować stopy Orchidei.

– Twój mąż to Niebiosa – dodałam. – Jak mogłaś mu nie służyć?

Dzisiaj, po raz pierwszy od dawna, wypchnęłam ją za drzwi i zaprowadziłam do kuchni. Nie muszę chyba mówić, że Ze nigdy wcześniej tam nie była. Gdy zmrużyła powieki i z dezaprobatą spojrzała na służącą, pociągnęłam ją za rzęsy, żeby oczy pozostały pogodnie otwarte. Ze była rozpuszczoną dziewuchą i roztargnioną żoną, to prawda, byłam jednak pewna, że jej matka czegoś ją nauczyła. Trzymałam Ze w kuchni do chwili, kiedy przypomniała sobie najprostszy przepis, jaki w ogóle istnieje. Służące przyglądały się nerwowo, gdy nastawiała rondelek z wodą, wrzucała garść ryżu do wrzątku i mieszała tak długo, aż ziarenka rozgotowały się na kremowe *zhou*. W jednym z koszyków znalazła świeże warzywa i orzeszki ziemne, posiekała je i wsypała do misek, potem zaś przelała *congee* do salaterki, wyjęła z szuflady łyżki do zupy, ustawiła wszystko na tacy i zaniosła ją do jadalni. Pani Wu i jej syn zaniemówili, kiedy Ze z pochyloną głową i twarzą zarumienioną od pary oraz odbitego koloru tuniki, którą miała na sobie, podała im posiłek. Później Ze poszła za teściową do izby dla kobiet, gdzie obie usiadły, aby zająć się haftem i konwersacją. Nie dopuściłam, aby uszczypliwe słowa wydobyły się z ust którejś z nich. W wyniku moich poczynań Ren uznał, że nie musi już wzywać lekarza.

Nalegałam, aby Ze przestrzegała wszystkich zasad. Musiała uśpić niepokój męża i zasłużyć na szacunek teściowej. Gotując, dbała, żeby przyprawy i aromaty tworzyły harmonijną całość. Podawała na kolację ryby z Zachodniego Jeziora i w milczeniu obserwowała, czy posiłek smakuje jej mężowi i teściowej. Nalewała herbatę, gdy wypili poprzednią porcję. Kiedy zaś spełniła wszystkie obowiązki, ciągnęłam ją z powrotem do sypialni i zabierałyśmy się do pracy.

Teraz wiedziałam już całkiem sporo o życiu w małżeństwie i miłości fizycznej. Seks nie był wulgarną rzeczą, na temat której żartowała Siostra Kamień, nie zasługiwał na sprośne uwagi, którymi w *Pawilonie Peonii* sypała Duch Kwiatu. Zrozumiałam, że jest to raczej nawiązanie kontaktu duchowego przez dotyk fizyczny. Podyktowałam Ze następujące słowa:

Liniang mówi: „Duchy mogą traktować namiętność w lekki sposób, ale ludzie muszą przestrzegać zasad". Liniang nie może i nie powinna być uznana za zrujnowaną dlatego, że w swoim śnie zrobiła chmury i deszcz z Mengmei. Nie może zajść w ciążę ani we śnie, ani jako duch. Chmury i deszcz we śnie nie pociągają za sobą żadnych konsekwencji, wymagań ani odpowiedzialności, więc Liniang nie ma powodu do wstydu. Wszystkie dziewczęta mają tego rodzaju sny i ten fakt bynajmniej nie przynosi im ujmy. Dziewczyna, która śni o chmurach i deszczu, przygotowuje się do spełnienia qing. *„Po zaręczynach dziewczyna staje się żoną, po ucieczce z ukochanym tylko konkubiną" – mówi Liniang. To, co niektórzy uważają za przejaw pożądliwości, między żoną i mężem staje się przejawem elegancji.*

Jednak *qing* nie dotyczy wyłącznie tego, co dzieje się między małżonkami. Co z miłością macierzyńską? Nadal brakowało mi obecności matki, tęskniłam za nią i wiedziałam, że ona, zajęta codziennymi czynnościami po drugiej stronie jeziora, czuje to samo. Czy takie uczucie nie było *qing*? Kazałam Ze otworzyć książkę na scenie ponownego spotkania matki i córki, w której Liniang, znowu żywa, przypadkiem spotyka matkę w gospodzie w Hangzhou. Wiele lat temu uważałam tę scenę za krótką przerwę między ciągnącymi się bez końca bitwami i politycznymi intrygami, których nie brak w trzeciej części opery. Tym razem uległam urokowi świata *qing*, kobiecego, lirycznego i bardzo emocjonalnego.

Pani Du i Wiosenny Zapach są przerażone, kiedy Liniang wychodzi z cieni, są bowiem pewne, że widzą ducha. Liniang wybucha płaczem, a dwie kobiety cofają się, przejęte lękiem i obrzydzeniem. Siostra Kamień wchodzi do izby z lampą. Jednym spojrzeniem ocenia sytuację i ujmuje panią Du za ramię. „Niechże światło lampy pomoże blaskowi księżyca wydobyć z mroku rysy twojej córki, pani" – mówi. Pani Du uświadamia sobie, że stojąca przed nią dziewczyna naprawdę jest jej córką, nie duchem. Przypomina sobie rozpaczliwy smutek, który czuła po śmierci Liniang, i wie, że teraz musi pokonać strach przed istotą z innego świata. Jej macierzyńska miłość jest bardzo głęboka, być może jest uczuciem o wyjątkowej sile.

Trzymałam Ze za rękę, kiedy pisała:

Wierząc, że postać, na którą patrzy, jest istotą ludzką, pani Du nie tylko uznaje Liniang za człowieka, ale także przywraca jej prawo do miejsca, jakie zajmowała w ludzkim świecie.

Moim zdaniem była to najczystsza, najdoskonalsza definicja macierzyńskiej miłości. Mimo wszystkich cierpień, bólu, nieporozumień między pokoleniami matka zapewnia dziecku miejsce w świecie, daje mu rolę do odegrania, najpierw rolę córki, później przyszłej żony, matki, babki, ciotki lub stryjenki i przyjaciółki.

Ze i ja pisałyśmy, pisałyśmy i pisałyśmy. Wiosną, po sześciu szalonych, obsesyjnie pracowitych miesiącach, ledwo żyłam ze zmęczenia, o ile w moim przypadku można to tak określić. Wydawało mi się, że napisałam o miłości wszystko, co byłam w stanie napisać. Popatrzyłam na moją siostrę-żonę. Ze miała powieki opuchnięte ze zmęczenia, jej włosy zwisały smętnie, posklejane i matowe. Była blada z przepracowania, po wielu bezsennych nocach i dniach pełnych zabiegania o zadowolenie męża i teściowej. Musiałam uznać i docenić jej rolę w moim projekcie. Dmuchnęłam na nią delikatnie. Zadrżała i automatycznie sięgnęła po pędzel.

Na dwóch czystych kartach poprzedzających tekst opery Ze z moją pomocą napisała esej, wyjaśniający, w jaki sposób doszło do powstania komentarza, oczywiście opuszczając wszystko, co ludziom wydawałoby się przerażające, dziwne albo po prostu nieprawdopodobne.

Była raz zakochana dziewczyna, która uwielbiała *Pawilon Peonii*. Nazywała się Chen Tong i była zaręczona z poetą

Wu Renem. Nocami spisywała swoje myśli o małżeństwie na marginesie kart opery. Po jej śmierci Wu Ren poślubił inną dziewczynę. Ta druga żona znalazła egzemplarz opery z łagodnymi słowami swojej poprzedniczki. Czuła się zobowiązana do zakończenia pracy rozpoczętej przez jej siostrę-żonę, ale nie miała drugiej części opery. Kiedy jej mąż przywiózł do domu kompletny tekst, upiła się z radości. Później, kiedy tylko Wu Ren i Tan Ze podziwiali kwiaty w ogrodzie, mąż kpił z niej łagodnie, wspominając, jak wypiła za dużo wina, zasnęła i przespała wiele godzin, aż do następnego ranka. Tan Ze była obowiązkowa, pilna i myśląca. Skończyła komentarz i przedstawiła go tym, którzy wyznają ideały *qing*.

Było to proste wyjaśnienie, czyste i prawie całkowicie zgodne z prawdą. Teraz musiał jeszcze przeczytać je Ren.

Tak przyzwyczaiłam się do posłuszeństwa Ze, iż nie zwróciłam uwagi, kiedy po wyjściu Rena na spotkanie z przyjaciółmi w herbaciarni na brzegu jeziora wzięła mój oryginalny egzemplarz tomu pierwszego. Nie poczułam najmniejszego ukłucia niepokoju, kiedy wyszła z nim z domu. Sądziłam, że zamierza przeczytać moje słowa i przemyśleć wszystko, czego nauczyłam ją o miłości. Nie zdziwiłam się, kiedy przeszła po zygzakowatym mostku, prowadzącym do letniego pawilonu na wysepce na środku stawu rodziny Wu, i w ogóle nie myślałam o tym, że sama w żadnym razie nie mogłabym pokonać ostrych kątów. W mojej głowie nadal nie odezwał się nawet jeden alarmowy dzwonek. Siedziałam na żardinierze na brzegu stawu, pod drzewem śliwy, które nie chciało stroić się w liście, kwitnąć ani wydawać owoców, i zamierzałam spędzić tu trochę czasu, delektując się spokojem roztaczającej się przede mną sceny. Był piąty miesiąc jedenastego roku panowania cesarza Kangxi. Myślałam o tym, jak kojący dla zmysłów jest okres późnej wiosny, i patrzyłam na Ze, urodziwą młodą żonę – choć może wyposażoną przez naturę w odrobinę zbyt wąskie wargi –

która podziwiała kwiaty lotosu, zdobiące powierzchnię stawu.

Kiedy jednak wyciągnęła z rękawa świeczkę i zapaliła ją (na dworze, w jasny dzień!), zerwałam się na równe nogi. Zaczęłam nerwowo przechadzać się w tę i z powrotem, a powietrze wokół mnie poruszało się wraz ze mną. Po chwili z przerażeniem ujrzałam, jak Ze wyrywa kartkę z tomu pierwszego i celowo, z rozmysłem, przytyka ją do płomienia. Uśmiechnęła się, gdy papier skurczył się i sczerniał. Kiedy płomyki zaczęły lizać jej palce, rzuciła maleńki kawałek papieru za balustradę. Zawirował, spłonął do końca i zniknął. Na powierzchnię wody spadła najwyżej szczypta czarnego popiołu.

Ze wyrwała następne trzy kartki i powtórzyła całą operację. Usiłowałam podbiec do mostka, ale moje skrępowane stopy były kompletnie bezużyteczne. Upadłam i podrapałam sobie podbródek i dłonie. Podniosłam się z trudem i pośpieszyłam do mostka. Weszłam na kładkę, dotarłam do pierwszego zakrętu i stanęłam jak wryta. Nie mogłam pokonać tej przeszkody. Zygzakowate mostki zostały specjalnie zaprojektowane jako bariera powstrzymująca duchy.

– Przestań! – krzyknęłam.

Przez chwilę cały świat dygotał jak w febrze. Pływający w stawie karp znieruchomiał, ptaki ucichły, kwiaty gubiły płatki, lecz Ze nawet nie spojrzała w moją stronę. Metodycznie wyrwała jeszcze kilka kartek i spaliła je.

Potykając się, upadając i podnosząc, wróciłam na brzeg. Krzyknęłam jeszcze raz, wysyłając fale w kierunku mostka i pawilonu, wzburzając powietrze z nadzieją, że uda mi się zgasić świecę. Ale Ze była podstępna. Zdjęła świeczkę z balustrady i uklękła na podłodze pawilonu, wiedząc, że tam będzie osłonięta przed silnymi powiewami, które poślę. I wtedy przyszedł jej do głowy nowy, jeszcze bardziej naznaczony okrucieństwem pomysł. Wydarła wszystkie kartki z księgi, pomięła je i ułożyła z nich stos. Przechyliła świecę i zawahała się na moment, patrząc, jak krople wosku spływają na pogięte kartki. Rozejrzała się dookoła, ogarnęła niespokojnym wzrokiem brzeg i pobliskie budynki, aby upewnić się, że nikt jej nie obserwuje, i szybko przytknęła płomień do papieru.

Często słyszymy o takim czy innym Manuskrypcie Uratowanym od Spalenia. To, co miałam przed oczami, nie było wypadkiem czy nawet chwilową utratą wiary w jakość i wartość dzieła. Było to celowe działanie, wymierzone we mnie i starannie przemyślane przez kobietę, którą przywykłam uważać za swoją siostrę. Załkałam w agonii, jakby mnie samą trawił ogień, lecz Ze pozostała obojętna. Miotałam ciałem i machałam ramionami tak długo, aż liście zatańczyły wokół nas niczym płatki śniegu, była to jednak najgorsza rzecz, jaką mogłam zrobić, gdyż tak gwałtowny ruch powietrza podsycił płomienie. Gdybym znajdowała się na dachu pawilonu, połknęłabym ogień, razem z żarem wchłaniając wszystkie moje słowa, ale nie było mnie tam. Byłam na brzegu, na kolanach i szlochałam rozdzierająco, świadoma, że słowa napisane moją własną ręką i zmoczone moimi łzami obracają się w popiół, dym, nicość.

Ze zaczekała, aż popioły ostygną, i wtedy zmiotła je do stawu. Przeszła szybkim krokiem przez mostek, bez cienia troski czy żalu w sercu, co wzbudziło głęboki niepokój w moim sercu. Poszłam za nią do sypialni. Otworzyła egzemplarz *Pawilonu Peonii,* na którego karty przepisywała moje komentarze i dodawała własne. Z każdą kartką, którą przewracała, narastał we mnie strach. Czy i tę księgę także zamierzała zniszczyć? Wróciła do pierwszych dwóch kart, które wyjaśniały „prawdziwe" autorstwo komentarza. Wyrwała je ruchem zdecydowanym, brutalnym i szybkim jak pchnięcie sztyletem. Było to jeszcze gorsze od spalenia książek przez moją matkę. Wiedziałam, że wkrótce nie pozostanie po mnie na ziemi nic prócz pozbawionej kropki tabliczki, ukrytej przed ludzkim wzrokiem na półce w magazynie, że Ren nigdy mnie nie usłyszy i wszyscy kompletnie o mnie zapomną.

Dwie wyrwane kartki Ze schowała w innej księdze.

– Niech tu zostaną – powiedziała do siebie.

Poczułam, że jestem uratowana. Tak właśnie się czułam – uratowana.

Byłam jednak głęboko zraniona fizycznie i duchowo. W czasie, kiedy Ze dokonywała dzieła zniszczenia, stałam się prawie niczym. Wyczołgałam się z pokoju, i podpierając się rękami, powoli popełzłam osłoniętym korytarzem. Gdy zorientowałam się, że nie mam już ani odrobiny siły, uczyniłam swój kształt małym jak porcelanowa kulka i wślizgnęłam się pod fundamenty.

Wychynęłam z ukrycia dwa miesiące później, żeby poszukać pożywienia w Święto Głodnych Duchów. Nie mogłam nawet marzyć o wędrówkach, wizycie w moim dawnym domu, wyprawie na wieś, do posiadłości ojca, gdzie przed rokiem nasyciłam się obfitymi darami rodziny Qian. Energii wystarczyło mi tylko na tyle, by wyłonić się z kryjówki, poczołgać na brzeg stawu i zjeść pozlepiane grudki, którymi ogrodnik karmił karpie. Potem zawróciłam i znowu ukryłam się w wilgotnej ciemności.

Jak to się stało, że mnie, osobę wysoko urodzoną, uprzywilejowaną, wykształconą, ładną i inteligentną, spotkało tyle okropnych rzeczy? Czy płaciłam za złe uczynki popełnione w poprzednim życiu? Czy przechodziłam przez te ciężkie doświadczenia, żeby zabawić bogów i boginie? Czy też wszystkie te przeżycia spadły na mnie po prostu dlatego, że moim przeznaczeniem jako kobiety było cierpienie? W ciągu następnych miesięcy nie znalazłam odpowiedzi na te pytania, zaczęłam jednak powoli odzyskiwać siły i odnajdywać wolę działania. Zaczęłam przypominać sobie, że pragnę zostać wysłuchana, że potrzebuję tego, podobnie jak wszystkie kobiety i dziewczęta.

Dobra żona

Minęło jeszcze pięć miesięcy i któregoś dnia usłyszałam kroki wielu osób w korytarzu nade mną. Zapanowało wielkie poruszenie. Ludzie biegali w tę i z powrotem, witając gości, wykrzykując dobre życzenia i nosząc tace z cudownie pachnącymi ofiarami z okazji Nowego Roku. Brzęk cymbałów i wybuchy sztucznych ogni zachęciły mnie do wyjścia na światło dzienne. Oczy zabolały mnie od ostrych, jasnych promieni. W czasie wielu miesięcy ukrywania się moje członki zupełnie zesztywniały, a ubranie... Cóż, moje szaty były w tak żałosnym stanie, że nawet nie chciało mi się o nich myśleć.

Na Nowy Rok z prowincji Shanxi przybyli w odwiedziny brat Rena i jego żona. Wiele lat temu szwagierka Rena przysłała mi wydany przez samego wielkiego Tang Xianzu egzemplarz *Pawilonu Peonii*. Nie żyłam dość długo, aby poznać tę kobietę, ale teraz mogłam się dokładnie przyjrzeć. Była drobnej budowy, pełna wdzięku. Z wizytą przyjechała też jej córka Shen, zaledwie szesnastoletnia i już poślubiona właścicielowi ziemskiemu z Hangzhou. Uwagę przykuwały ich przepiękne szaty, pokryte haftami przedstawiającymi antyczne sceny, mające podkreslić indywidualność oraz wrażliwość matki i córki. Ich miękkie, łagodne głosy świadczyły o subtelności, wykształceniu i umiłowaniu poezji. Siedziały w sali razem z panią Wu i opowiadały o podróżach, które odbyły w czasie świąt. Odwiedziły klasztory wśród wzgórz, chodziły po Bambusowym Lesie i udały się do Longjing, aby zobaczyć, jak wygląda proces zbierania, wędzenia i fermentacji liści herbaty. Słowa ich sprawiły, że zatęskniłam za życiem, które mnie ominęło.

Weszła Ze. W ciągu minionych siedmiu miesięcy, kiedy leżałam pod korytarzem, nie miałam z nią praktycznie żadnej styczności. Spodziewałam się, że ujrzę wąskie wargi, zaciśnięte szczęki i pełne pogardy oczy. Chciałam, żeby tak wyglądała, i do pewnego stopnia moje oczekiwania spełniły się, ale kiedy otworzyła usta, wypłynęły z nich same uprzejme, czarujące słowa.

– Shen, twój mąż na pewno jest bardzo dumny z tego, jak wspaniale potrafisz przyjmować i zabawiać gości – zwróciła się do bratanicy Rena. – To dobrze, że żona demonstruje elegancki styl bycia i zachowania. Słyszałam, że jesteś doskonałą gospodynią, w której domu bardzo dobrze czują się artyści i pisarze...

– Często bywają u nas poeci – przyznała Shen. – Cieszyłabym się, gdybyś któregoś dnia odwiedziła nas razem ze Stryjem.

– Kiedy byłam dziewczynką, dużo podróżowałam z matką – odparła Ze. – Teraz wolę spędzać czas w domu i przygotowywać posiłki dla mojego męża i teściowej...

– Oczywiście, ciociu Ze, ale...

– Żona musi być zawsze wyjątkowo staranna – ciągnęła Ze. – Czy ważyłabym się wyjść na środek słabo zamarzniętego jeziora po pierwszym mrozie? Nigdy nie brak skłonnych do obmowy ludzi... Nie chcę cierpieć upokorzeń ani ściągać wstydu na mojego małżonka. Jedynym naprawdę bezpiecznym miejscem jest nasz własny dom...

– Ludzie, którzy odwiedzają mojego męża, piastują ważne stanowiska – odparła młoda Shen, całkowicie ignorując wypowiedź Ze. – Dobrze byłoby, gdyby Stryj Ren ich poznał...

– Nie mam nic przeciwko wycieczkom – wtrąciła pani Wu. – Zwłaszcza że mój syn mógłby odnieść korzyść z nowych znajomości...

Nawet po prawie trzech latach małżeństwa nie chciała otwarcie krytykować synowej, ale każdym gestem i spojrzeniem dawała do zrozumienia, że tej żony pod żadnym względem nie można uważać za „taką samą".

Ze westchnęła.

– Skoro matka wyraża zgodę, przyjedziemy. Zrobię wszystko, aby uszczęśliwić mojego męża i teściową...

Waaa! A cóż to znowu?! Czy to możliwe, że w czasie, gdy przebywałam w ukryciu, lekcje, które wbijałam Ze do głowy, wreszcie zakiełkowały?!

W czasie trwającej tydzień wizyty cztery kobiety spędzały ranki razem, w izbach dla kobiet. Pani Wu, zachęcona przez synową i wnuczkę, zaprosiła także inne krewne oraz przyjaciółki. Li Shu, kuzynka Rena, przybyła z Lin Yining, której rodzina od wielu pokoleń związana była z rodziną Wu. Obie kobiety były poetkami i pisarkami; Lin Yining należała do słynnego Poetyckiego Klubu Bananowego Ogrodu, założonego przez pisarkę Gu Ruopu. Członkinie klubu, nie widząc żadnej sprzeczności między pędzlem do pisania a igłą do haftu, nadały idei Czterech Cnót nowy kierunek. Uważały, że najlepszym przykładem „kobiecej mowy" jest tworzona przez kobiety literatura, dlatego ich wizyta była czasem mocnych kadzidełek, otwartych okien i pędzelków do kaligrafii. Ze cieszyła wszystkich grą na cytrze. Ren i jego brat odprawili wszystkie rytualne ceremonie, aby ułagodzić, nakarmić i odziać przodków rodziny. Mój ukochany nie wahał się okazywać żonie czułości w obecności innych. Żadne z nich nie poświęciło mi ani skrawka myśli, ja zaś mogłam tylko patrzeć i znosić to wszystko w milczeniu.

I wtedy marna karta mojej egzystencji wreszcie się odwróciła. Może chciało tak przeznaczenie... Shen wzięła do ręki *Pawilon Peonii* i zaczęła czytać moje słowa, te, które Ze przepisała na karty opery. Shen otworzyła swoje serce na zawarte w notatkach uczucia i dotknęła wszystkich siedmiu emocji przodków. Zastanowiła się nad własnym życiem i chwilami miłości oraz tęsknoty, jakie były jej udziałem. Wyobraziła sobie, jakby to było, gdyby zestarzała się, hodując w sercu uczucia straty, bólu i żalu.

– Mogę to pożyczyć, ciociu Ze? – spytała niewinnie.

Moja siostra-żona po prostu nie mogła jej odmówić.

I tak *Pawilon Peonii* opuścił posiadłość rodziny Wu i znalazł się w innej części Hangzhou. Nie śledziłam Shen, wierząc, że w jej rękach moje dzieło będzie bezpieczniejsze niż w domu Ze.

Shen i jej mąż przysłali zaproszenie dla Rena, Ze, Li Shu oraz Lin Yining. Kiedy przybyły palankiny, oparłam dłonie na ramionach Ze i w ten sposób dotarłam do bramy. Ze wsiadła do palankinu, ja wspięłam się na dach. Zniesiono nas w dół góry Wushan, potem zaś drogą biegnącą obok świątyni i wzdłuż brzegu jeziora podążyliśmy do domu Shen. Nie było to przypadkowe błądzenie zmarłej dziewczyny ani gorączkowe poszukiwanie jedzenia czy ich resztek w Święto Głodnych Duchów. Wreszcie robiłam coś, co wiele lat temu obiecał mi Ren – podróżowałam.

Gdy dotarliśmy na miejsce, pierwszy raz przekroczyłam próg rezydencji, która nie należała do mojego ojca ani męża. Shen czekała na nas w pawilonie porośniętym pnączami wistarii, zbudowanym, jak powiedziała, przed dwustu laty. Wielkie grona fioletowych kwiatów wypełniały powietrze świeżym zapachem. Zgodnie z obietnicą Shen zaprosiła także znanych poetów i pisarzy. Na honorowym miejscu siedział jej nauczyciel, uczony z długą, cienką brodą, podkreślającą jego wiek i mądrość. Poeta Hong Sheng i jego ciężarna żona przynieśli w podarunku wino oraz orzechy. Kilka mężatek, także poetek, pogratulowało Li Shu wydania jej najnowszego dramatu. Szczególne wrażenie wywarło na mnie pojawienie się Xu Shijuna, który napisał *Odbicie na wiosennej fali,* utwór poświęcony Xiaoqing. Pisarz ten słynął z poparcia, jakiego udzielał publikacji kobiecej literatury. Dziś został zaproszony do dyskusji nad buddyjskimi sutrami. Moja teściowa nie myliła się – jej syn miał szansę zawrzeć tu interesujące znajomości. Ren i Ze siedzieli obok siebie i wyglądali na bardzo atrakcyjną parę młodych małżonków.

Księga rytuałów mówi, że mężczyźni i kobiety pod żadnym pozorem nie powinni używać tych samych wieszaków, ręczników ani grzebieni, nie mówiąc już o siedzeniu obok siebie, lecz tutaj mężczyźni i kobiety, zupełnie sobie obcy, przebywali razem, nie zastanawiając się nad tradycyjnym sposobem myślenia. Nalano herbatę, podano słodycze. Siedziałam na balustradzie i jak winem syciłam się rześkim zapachem wistarii oraz wierszami, które fruwały w pawilonie jak ptaki pod chmurami. Kiedy jednak nauczyciel Shen odchrząknął, wszyscy zgodnie umilkli.

– Możemy recytować i układać strofy przez całe popołudnie – odezwał się. – Chciałbym jednak dowiedzieć się czegoś więcej o tym, co Shen dała nam do przeczytania parę tygodni temu...

Kilkoro gości skinęło głowami.

– Proszę, opowiedz nam o twoim komentarzu do *Pawilonu Peonii* – zwrócił się nauczyciel do Rena.

Zaskoczona, zsunęłam się z poręczy. Podmuch wiatru przemknął przez pawilon. Kobiety ciaśniej otuliły się jedwabnymi szatami, mężczyźni skulili ramiona. Nie miałam wielkiej kontroli nad wpływem moich działań na świat, ale starałam się zachować spokój. Kiedy powietrze ucichło, Shen z uśmiechem spojrzała na Rena.

– Jak to się stało, że napisałeś ten komentarz? – zagadnęła.

– Skromność nie pozwala mi wyjawić, jak głębokie uczucia żywię do tej opery, ale nic o niej nie napisałem – odrzekł.

– Rzeczywiście jesteś skromny – zauważył nauczyciel. – Wiemy, że jesteś doskonałym krytykiem. Dużo piszesz o teatrze...

– Ale nigdy o *Pawilonie Peonii* – dokończył Ren.

– Jakże to? – nauczyciel uniósł brwi. – Moja uczennica przywiozła z twego domu egzemplarz *Pawilonu Peonii*. Z pewnością to ty zapisałeś na marginesach swoje przemyślenia...

– Niczego nie zapisywałem... – Ren rzucił pytające spojrzenie żonie.

Ze milczała.

– Shen przeczytała myśli o *Pawilonie* i przekazała je mnie – rzuciła lekkim tonem żona Hong Shenga. – Nie wydaje mi się, aby takie uczucia i wrażenia powstały w głowie mężczyzny... Te słowa napisała kobieta, osoba w moim wieku, tak mi się w każdym razie wydaje... – dodała, rumieniąc się.

Nauczyciel machnął ręką, jakby odganiał nieprzyjemny zapach.

– To, co czytałem, nie mogło wyjść spod pędzla dziewczyny albo kobiety – oświadczył. – Shen pozwoliła mi pokazać komentarz moim znajomym z Hangzhou. Wszyscy, mężczyźni i kobiety – szerokim gestem ogarnął pozostałych uczestników rozmowy – byliśmy głęboko poruszeni tymi słowami. Zadaliśmy sobie pytanie, kto mógłby z takim zrozumieniem i wrażliwością mówić o czułości, poświęceniu i miłości... Shen zaprosiła was tutaj, abyście pomogli nam znaleźć odpowiedź...

Ren dotknął dłoni Ze.

– Czy to twój egzemplarz *Pawilonu Peonii*? – spytał. – Ten sam, nad którym tak długo pracowałaś? Ten, który...

Ze obojętnie wpatrywała się w przestrzeń, jakby Ren mówił do kogoś innego.

– Kto napisał te przepiękne słowa? – odezwał się Hong Sheng.

Nawet on czytał mój komentarz? Ze wszystkich sił starałam się nie poruszać i nie krzyczeć z radości. Bratanica Rena zrobiła coś niezwykłego. Zabrała moje myśli do domu i przedstawiła je nie tylko swojemu nauczycielowi, ale także najpopularniejszym pisarzom w kraju.

Tymczasem Ze przywdziała na twarz maskę kompletnego zmieszania, jakby zapomniała, kto pisał uwagi na marginesach.

– Czy to twój mąż? – zapytał nauczyciel.

– Mój mąż? – powtórzyła Ze, pochylając głowę jak wszystkie pokorne żony. – Mój mąż?

Zawiesiła głos, inni także milczeli.

– Tak, mój mąż – wyznała po długiej chwili.

Waaa! Czy ta kobieta zamierzała bez końca mnie torturować?! Kiedyś była łagodna i łatwo poddawała się mojej sile, ale chyba aż za dobrze opanowała lekcje, które jej dawałam. Stała się zbyt dobrą żoną.

– Ależ ja nie napisałem nic o *Pawilonie Peonii,* Ze! – zawołał Ren. – Wiem, że komentarz istnieje, ale nie napisałem go – dodał, patrząc na innych. – Możesz mi go pokazać, Shen?

Shen kazała służącej przynieść książkę. Wszyscy czekali, nieco skrępowani świadomością, że między mężem i żoną doszło do nieporozumienia, i to publicznie. A ja? Ja chwiałam się na liliach moich stóp, próbując zachować spokój, chociaż w moim wnętrzu szalała burza lęku, zdziwienia, ciekawości, rozpaczy i nadziei.

Służąca wróciła z książką i włożyła ją w dłonie Rena. Goście obserwowali, jak mój ukochany przewraca kartki. Chciałam podbiec do niego, uklęknąć i patrzeć w jego oczy, czekając, aż skończy czytać moje słowa. *Słyszysz mnie?* Opanowałam się z najwyższym wysiłkiem. Mój udział w tej sytuacji – w jakiejkolwiek formie – zepsułby wszystko. Ren przerzucał kartki, zatrzymując się tu i ówdzie. Po paru chwilach podniósł wzrok i popatrzył na obecnych z dziwnym wyrazem tęsknoty i żalu na twarzy.

– Nie napisałem tego. Ten komentarz zaczęła kobieta, która miała zostać moją małżonką...

Odwrócił się do Lin Yining i Li Shu, swoich dwóch kuzynek.

– Na pewno pamiętacie, że miałem poślubić Chen Tong... Właśnie ona zaczęła to pisać. Mojej żonie bardzo spodobał się ten pomysł, dlatego w drugiej połowie dodała własne komentarze. Jesteście ze mną spokrewnione i doskonale wiecie, że mówię prawdę...

– Jeżeli tak, to dlaczego styl Ze jest tak podobny do stylu Chen Tong, że praktycznie nie sposób ich odróżnić? – wtrącił nauczyciel, zanim któraś z dwóch kobiet zdążyła się odezwać.

– Może tylko mąż – człowiek, który dobrze zna je obie – potrafi usłyszeć dwa głosy...

– Miłość rozwija się tylko wtedy, gdy para zakochanych utrzymuje ze sobą intymne stosunki – rzekł Hong Sheng. – Kiedy księżyc oświetla Zachodnie Jezioro, mąż nie przebywa samotnie w swoim pokoju... Kiedy nefrytowa spinka do włosów spada na poduszkę, żona nie jest sama... Wyjaśnij nam jednak, jak niezamężna dziewczyna mogła tyle wiedzieć o miłości i w jaki sposób potrafisz rozpoznać jej głos, skoro nigdy jej nie poślubiłeś...

– Sądzę, że pan Wu mówi prawdę – nieśmiało przerwała mi jedna z obecnych w pokoju żon, ratując Rena przed koniecznością udzielenia odpowiedzi na niewygodne pytania. – Moim zdaniem słowa Chen Tong są niezwykle romantyczne. Jej siostra-żona także świetnie wywiązała się z zadania, dodając swoje przemyślenia na temat *qing*...

Kilka innych żon zgodnie pokiwało głowami, tylko Ze pozostała nieporuszona.

– Z przyjemnością przeczytam te myśli, nawet bez opery – oświadczyła Shen.

Tak! Właśnie to chciałam usłyszeć!

Nagle Xu Shijun parsknął sceptycznie.

– Czy jakaś żona pragnęłaby, aby jej imię stało się znane poza jej własną sypialnią? – zagadnął. – Kobiety nie mają żadnego powodu, by włączać się do upokarzającego wyścigu do sławy!

I coś takiego mówił człowiek znany jako nauczyciel kobiet, człowiek, który okazał tyle zrozumienia dla losu Xiaoqing, który od lat wspierał wydawanie kobiecej literatury?

– Żadna kobieta, nie mówiąc o tych dwóch żonach, nie

chciałaby wyjawiać swoich prywatnych myśli na forum publicznym – włączył się jeden z mężów, opowiadając się za zdumiewającym stanowiskiem Xu. – Kobiety mają wewnętrzne pokoje i tam mogą przedstawiać swoje opinie. Liberalizm, popieranie opuszczania domów przez kobiety, mężczyźni, którzy zachęcają je do pisania i malowania dla zysku – wszystkie te zjawiska doprowadziły do Kataklizmu. Powinniśmy być głęboko wdzięczni, że niektóre kobiety wracają do dawnych tradycji...

Zrobiło mi się niedobrze ze zdenerwowania. Co się stało z lojalistami? Dlaczego Li Shu i Lin Yining, zawodowe pisarki, nie skorygowały zdania wyrażonego przez tego mężczyznę?

– Żony muszą umieć pisać i czytać – odezwał się nauczyciel Shen.

Poczułam się trochę lepiej.

– Muszą rozumieć najważniejsze zasady, aby mogły przekazywać je swoim synom – ciągnął. – Niestety, nie zawsze sprawy układają się w taki sposób... – Ze smutkiem potrząsnął głową. – Pozwalamy kobietom czytać i co się dzieje? Czy ich myśli podążają wtedy ku szlachetnym kwestiom? Nie! Kobiety czytają sztuki, opery, powieści oraz wiersze. Sięgają po lekturę dla rozrywki, a takie podejście w oczywisty sposób szkodzi kontemplacji...

Sparaliżowała mnie brutalność tych słów. Nie mogłam uwierzyć, że w ciągu ostatnich dziewięciu lat sytuacja uległa aż tak dramatycznej zmianie. Mój ojciec nie pozwalał mi opuszczać terenu rodzinnej posiadłości, to prawda, a moja matka nie była zachwycona, kiedy czytałam *Pawilon Peonii,* ale przedstawione przed chwilą podejście do kobiet było dla mnie czymś kompletnie obcym.

– Tak czy inaczej, możemy zgodzić się, że rozwiązaliśmy zagadkę – zakończył nauczyciel Shen. – Osiągnięcie Wu Rena jest naprawdę wyjątkowe. Otworzył nam okno na inny świat, pomógł poznać znaczenie oraz źródła miłości. Jest wielkim artystą.

– Bardzo wrażliwym artystą – dorzucił jeden z mężczyzn.

– Zbyt wrażliwym – powiedziała Lin Yining z wyraźnie wyczuwalną nutą goryczy.

Przez cały ten czas Ze milczała jak zaczarowana. Zachowywała się uprzejmie i szczerze. Oczy miała spuszczone, dłonie ukryte w rękawach. Nikt nie mógłby jej zarzucić, że nie jest idealną żoną.

Xu Shijun zabrał komentarz ze sobą i wydał go, wzbogacając o przedmowę, w której przedstawił Rena i nie szczędził mu pochwał za wnikliwe przemyślenia na temat miłości, małżeństwa i tęsknoty. Wyruszył w podróż po kraju, promując komentarz i reklamując Rena jako autora wspaniałego, jedynego w swoim rodzaju dzieła. W ten sposób moje słowa, myśli i uczucia stały się szalenie popularne wśród znawców literatury, nie tylko w Hangzhou, ale w całych Chinach.

Ren uparcie nie chciał przyjmować gratulacji i wyrazów zachwytu.

– Nic nie zrobiłem – powtarzał. – Wszystko zawdzięczam mojej żonie oraz dziewczynie, którą miałem poślubić...

– Jesteś zbyt skromny, panie Wu – nieodmiennie słyszał w odpowiedzi.

Mimo tego zachowania, a może właśnie z jego powodu, zyskał sławę jako twórca dzieła, które napisałam razem z Ze. Wydawcy ustawiali się w kolejce, aby wydać wiersze Rena. Ciągle dostawał zaproszenia na spotkania literatów. Odbywał długie, wielotygodniowe podróże i jego imię stawało się coraz bardziej znane. Zarabiał pieniądze, co uszczęśliwiało jego matkę i żonę. W końcu nauczył się przyjmować pochwały. Kiedy ludzie mówili, że kobieta nie potrafiłaby napisać tak wnikliwego komentarza, skłaniał głowę i milczał. Żadna z kobiet, które tamtego dnia gościły w domu Shen, nie opowiedziała się po mojej stronie. W tych trudnych czasach najprościej było nie zabierać głosu, aby sławić osiągnięcia innych kobiet.

Powinnam była być dumna i zadowolona z sukcesu mojego poety. Niewykluczone, że gdybym żyła, zachowałabym się dokładnie tak jak Ze, ponieważ obowiązkiem żony jest otaczanie czcią i szacunkiem imienia męża, i to pod każdym względem. Ale ja nie należałam już do świata żywych i czułam gniew, rozczarowanie oraz gorycz kobiety, której odebrano jej własne słowa. Tak się starałam, a mimo to Ren nie usłyszał mojego głosu! Byłam zdruzgotana.

Zupa na zazdrość

Po powrocie z domu Shen Ze schroniła się w swoim pokoju i poszła do łóżka. Nie chciała zapalać lamp, przestała się odzywać, nie jadła nawet wtedy, gdy posiłki przynoszono jej na tacy, nie ubierała się i nie spinała włosów. Wyrządziła mi tyle zła, że nie kiwnęłam palcem, aby jej pomóc. Kiedy Ren w końcu wrócił z długiej podróży, Ze nie wstała, żeby go przywitać. Robili chmury i deszcz, ale Ze nie okazywała cienia namiętności czy choćby zainteresowania, zupełnie jakby wrócili do pierwszych dni małżeństwa. Ren próbował wywabić ją z sypialni obietnicami przyjemnych przechadzek po ogrodzie lub spotkań z przyjaciółmi, lecz Ze tylko obejmowała się w pasie ramionami i uparcie potrząsała głową.

– Jestem twoją żoną czy konkubiną? – zapytała.

Ren popatrzył na nią uważnie. Siedziała w łóżku, twarz miała obrzmiałą, cerę poszarzałą, jej łokcie i obojczyki sterczały, podkreślając wychudzenie.

– Jesteś moją żoną – odparł. – Kocham cię, oczywiście...

Kiedy Ze w odpowiedzi zalała się łzami, Ren zachował się jak rozsądny człowiek i wezwał doktora Zhao.

– Twoja żona ma nawrót choroby miłosnej, panie – oświadczył lekarz.

Ale Ze nie mogła być chora z miłości. Przestała jeść, to

prawda, nie była jednak dziewicą, tylko osiemnastoletnią zamężną kobietą.

– Nie jestem chora z miłości! – krzyknęła z łóżka. – Nie mam w sobie ani odrobiny miłości!

Obaj mężczyźni wymienili poważne, trzeźwe spojrzenia, potem zaś popatrzyli na leżącą kobietę.

– Mężu, trzymaj się ode mnie z daleka! Stałam się zmorą, wampirem, podstępną kusicielką! Jeżeli prześpisz się ze mną, przekłuję ci stopy szydłem i wyssę krew z twoich kości, aby nakarmić pustkę, którą w sobie noszę!

Był to sposób na uniknięcie robienia chmur i deszczu, ale ja nie miałam już ochoty interweniować w tej sprawie.

– Może twoja małżonka lęka się o swoją pozycję, panie – podsunął doktor Zhao. – Czy jesteś z nią nieszczęśliwy?

– Uważaj! – ostrzegła Ze doktora. – Kiedy wieczorem zaśniesz, skręcę ci kark kawałkiem jedwabiu!

Doktor Zhao zignorował jej wynurzenia.

– Może pani Wu zbyt często ją krytykuje... – mruknął. – Nawet przypadkowa uwaga teściowej może pozbawić młodą żonę pewności siebie i poczucia bezpieczeństwa...

Gdy Ren zapewnił doktora, że to niemożliwe, Zhao przepisał Ze dietę, złożoną głównie ze świńskich nóżek.

Ze nie zamierzała jeść czegoś tak marnego.

Później doktor kazał kucharce przygotować zupę z wieprzowej wątroby, aby wzmocnić ten sam organ u Ze. Po paru dniach zaczął wypróbowywać wszystkie świńskie organy po kolei, wierząc w ich wzmacniające właściwości. Nic nie działało.

– Miałeś poślubić kogoś innego, panie... – przypomniał doktor uniżonym tonem. – Może tamta dziewczyna wróciła, żeby upomnieć się o należne jej miejsce...

Ren wzruszył ramionami.

– Nie wierzę w duchy!

Doktor Zhao zacisnął szczęki i wrócił do mierzenia pulsu chorej. Zapytał, co jej się śniło, ona zaś odpowiedziała, że jej sny pełne są okropnych demonów i przerażających scen.

– Widzę potwornie wychudzoną kobietę – opowiadała. – Jej tęsknota osacza mnie ze wszystkich stron, owija się dokoła mojej szyi jak wstążka i pozbawia mnie tchu...

– Nie postawiłem dość dokładnej diagnozy – przyznał się Renowi doktor Zhao. – Twoja żona cierpi na inną odmianę choroby miłosnej, niż początkowo sądziłem. Trapi ją najbardziej typowa ze wszystkich kobiecych dolegliwości – nadmiar kwasu...

W naszym dialekcie to ostatnie słowo miało dokładnie takie brzmienie jak „zazdrość".

– Ależ ona nie ma powodów do zazdrości! – zaprotestował Ren.

Ze wymierzyła w niego chudy palec.

– Nie kochasz mnie!

– A twoja pierwsza żona, panie? – doktor Zhao zdecydował się wrócić do pierwotnego wątku.

– Ze jest moją pierwszą żoną.

To zabolało. Jak to możliwe, że Ren zupełnie o mnie zapomniał?

– Może nie pamiętasz, panie, ale to ja zajmowałem się Chen Tong przed jej śmiercią – przypomniał lekarz. – Zgodnie z tradycją właśnie ona była twoją pierwszą żoną. Czy nie dopasowywano waszych Ośmiu Cech? Czy nie wysłano do jej rodzinnego domu darów za narzeczoną?

– Myślisz w bardzo staroświecki sposób – z dezaprobatą zauważył Ren. – To nie jest przypadek nawiedzenia przez ducha. Duchy istnieją tylko po to, aby rodzice mogli straszyć nimi dzieci, żeby młodzi mężczyźni mieli pretekst do wytłumaczenia swoich wizyt w domach kobiet złego prowadzenia i by dziewczęta mogły zastanawiać się nad sprawami, które nigdy nie będą ich dotyczyć.

Jak mógł opowiadać takie rzeczy? Czy zapomniał, jak rozmawialiśmy o *Pawilonie Peonii*? Czy zapomniał, że Liniang była duchem? Jeżeli nie wierzył w duchy, to jak miał mnie kiedykolwiek usłyszeć? Jego słowa były tak straszne i okrutne, że natychmiast doszłam do wniosku, iż wypowiadając je, chciał tylko uspokoić i pocieszyć moją siostrę-żonę.

– Wiele żon wykorzystuje zazdrość i złość po to, aby rozpocząć strajk głodowy – zasugerował doktor, próbując innego podejścia. – Usiłują zepchnąć swój gniew na innych, zmuszając ich do cierpienia z powodu wyrzutów sumienia i żalu.

Polecił przyrządzić dla Ze miskę zupy na zazdrość na bulionie z wilgi. W jednej ze sztuk o Xiaoqing takie właśnie lekarstwo podano zazdrosnej żonie. Zmniejszyło to jej zazdrość o połowę, ale doprowadziło do pojawienia się na twarzy dziobów jak po ospie.

– Chcecie mnie zrujnować? – Ze odepchnęła miskę z zupą. – Co będzie z moją cerą?

Doktor położył rękę na ramieniu Rena i odezwał się na tyle głośno, aby Ze dobrze go słyszała.

– Nie zapominaj, panie, że zazdrość to jedna z siedmiu przyczyn usprawiedliwiających rozwód!

Gdybym wiedziała więcej, spróbowałabym coś zrobić. Albo gdybym wiedziała więcej, może sama bym nie umarła... Dlatego spokojnie siedziałam na belce pod sufitem i obserwowałam, jak doktor stara się przygasić ogień w brzuchu Ze, uciekając się do mniej ryzykownej metody, czyli przepłukania jelit tonikiem z dzikiego selera. Służące wynosiły nocnik za nocnikiem, ale Ze nie odzyskała siły.

Potem pojawił się mag. Trzymałam się z daleka, gdy wymachiwał nad łóżkiem Ze mieczem zwilżonym krwią, i zasłoniłam uszy, kiedy wykrzykiwał inkantacje. Jednak cierpienia Ze nie miały nic wspólnego z nawiedzeniem przez złe duchy, więc wysiłki maga nie przyniosły oczekiwanych rezultatów.

Minęło sześć tygodni. Stan Ze pogorszył się. Kiedy budziła się rano, wymiotowała. Kiedy poruszała głową w ciągu dnia, wymiotowała. Kiedy teściowa przynosiła jej czyste wywary z warzyw i mięsa, odwracała głowę i wymiotowała.

Pani Wu wezwała doktora i maga na tę samą godzinę.

– Przeżywamy w domu mnóstwo niepokoju z powodu mojej synowej – oznajmiła niejednoznacznie. – Możliwe jednak, że to, co się dzieje, ma najzupełniej naturalną przyczynę. Wydaje mi się, że powinniście zbadać chorą jeszcze raz, biorąc pod uwagę, że jest żoną, a mój syn jej mężem...

Doktor obejrzał język i gałki oczne Ze. Znowu zmierzył jej tętno w przegubie dłoni. Mag przeniósł więdnącą orchideę z jednego stołu na drugi. Porównał horoskopy Ze i Rena. Zapisał pytanie na skrawku papieru, spalił go, aby słowa dotarły do Nieba, i uważnie przyjrzał się popiołowi, szukając w nim odpowiedzi. Na koniec obaj pochylili się ku sobie, aby omówić i postawić ostateczną diagnozę.

– Matka jest bardzo mądra – oświadczył doktor Zhao. – Kobiety zawsze pierwsze rozpoznają tego rodzaju symptomy. Twoja synowa, pani, zachorowała na najlepszą odmianę choroby miłosnej – oczekuje dziecka.

Po tylu tygodniach sprzecznych, niejasnych diagnoz nie uwierzyłam im, ale byłam zaciekawiona. Czy to możliwe? – pomyślałam. Mimo że w pokoju obecni byli inni ludzie, opuściłam się na łóżko Ze. Usiadłam na niej i zajrzałam do jej brzucha. Dostrzegłam maleńki płomyk życia, oczekującą na ponowne narodziny duszę. Powinnam była zauważyć to wcześniej, byłam jednak młoda i niewiele wiedziałam o takich sprawach. Ze nosiła syna.

– To nie moje! – wrzasnęła przeraźliwie. – Wyjmijcie je!

Doktor Zhao i mag zaśmiali się dobrodusznie.

– Często słyszymy takie słowa z ust młodych żon – rzekł doktor. – Pani Wu, proszę jeszcze raz pokazać jej intymny poradnik i wyjaśnić, co się stało. Pani Ze, proszę odpoczywać, unikać plotek i jeść zdrowe posiłki. Musisz trzymać się z dala od kasztanów, piżmowych jeleni, jagnięciny oraz króliczego mięsa, pani.

– I codziennie przypinać do talii lilię – dodał mag. – Pomoże to zmniejszyć porodowe bóle i zapewni narodziny zdrowego syna.

Ren, jego matka i służba z niekłamaną radością rozmawiali o wielkim wydarzeniu.

– Najlepszy byłby syn – powiedział Ren. – Ale córkę także przyjąłbym z otwartymi ramionami...

Takim właśnie był człowiekiem. Dlatego nie przestałam go kochać.

Ale Ze nie była jednak szczęśliwa i jej stan się nie poprawił. Nie miała możliwości natknąć się na piżmowego jelenia, a kucharka kompletnie wykluczyła z jadłospisu mięso królika i jagnięcinę, ale Ze nocami zakradała się do kuchni i pogryzała kasztany. Zmięła przypięty do talii kwiat i rzuciła go na ziemię. Nie chciała karmić rosnącego w niej dziecka. Codziennie do późna pisała na karteczkach wiadomość, że dziecko nie należy do niej. Kiedy widziała męża, zawodziła, że Ren jej nie kocha, a gdy nie płakała, nikogo nie oskarżała ani nie odsuwała tac z jedzeniem, wymiotowała. Wkrótce zobaczyliśmy różowe fragmenty tkanki żołądka w miskach, które służące wynosiły z pokoju. Wszyscy rozumieli powagę sytuacji. Nie ma chyba człowieka, który nie rozpaczałby z powodu śmierci kochanej osoby, ale jeśli kobieta umiera w ciąży lub w czasie porodu, zostaje skazana na straszny los – deportację do Jeziora Gromadzącej się Krwi.

Święto Środka Jesieni przyszło i minęło. Ze nie brała już do ust nawet wody. W pokoju zawieszono lustro i sito. Na szczęście żaden z tych przedmiotów nie był zwrócony w stronę sufitu, pod którym czuwałam.

– Nic jej nie dolega – oświadczył komisarz Tan, który przybył odwiedzić córkę. – Nie chce dziecka, które nosi w łonie, ponieważ w jej sercu mieszka tylko pustka.

– To twoja córka, panie – przypomniał mu Ren. – A moja żona...

Uwaga ta nie wywarła na komisarzu większego wrażenia. Odszedł, zostawiając Renowi radę i ostrzeżenie.

– Kiedy dziecko się urodzi, nie zostawiajcie go z nią. Tak będzie najbezpieczniej. Ze nie lubi, by uwaga otaczających ją ludzi skupiona była na kimkolwiek innym niż ona sama.

Ze nie mogła zaznać spokoju. W dzień wydawała się przerażona – drżała, płakała, zasłaniała oczy. Noce nie przynosiły wytchnienia. Rzucała się na łóżku, wydawała żałosne okrzyki i budziła się, zlana potem. Mag przyniósł specjalny ołtarz z drzewa brzoskwiniowego, ustawił na nim kadzidełka i świece. Napisał zaklęcie, spalił je i zmieszał popiół z wodą ze źródełka. Potem modlił się, trzymając w prawej ręce miecz, a w lewej czarkę z rozprowadzonym wodą popiołem.

– Oczyść ten dom z czyhającego tutaj zła... – mamrotał.

Umoczył wierzbową witkę w wodzie z popiołem i pokropił nią pokój, zwracając się w cztery strony świata. Aby wzmocnić zaklęcie, nabrał wody w usta i opryskał ścianę nad łóżkiem Ze.

– Oczyść umysł tej kobiety, uwolnij go spod wpływu duchów ciemności...

Jednak dręczące Ze koszmary nie ustały, a efekty z każdym dniem stawały się gorsze. Sporo wiedziałam o snach i przyszło mi do głowy, że mogłabym pomóc, ale kiedy wybrałam się do świata snów Ze, nie znalazłam tam nic przerażającego czy niezwykłego. W snach nic jej nie straszyło ani nie prześladowało, co bardzo mnie zdziwiło.

Wraz z pierwszym śniegiem w domu znowu pojawił się doktor Zhao.

– Twoja żona nie nosi dobrego dziecka, panie – poinformował Rena. – Dziecko wisi na wnętrznościach żony i nie chce puścić. Jeśli udzielisz mi pozwolenia, pozbędę się go za pomocą akupunktury...

Z pozoru wydawało się to logicznym wyjaśnieniem, a przedstawione rozwiązanie sprawiało wrażenie praktycznego i rozsądnego, lecz ja widziałam dziecko. Nie było złym duchem, starało się tylko utrzymać przy życiu.

– A jeśli to syn? – spytał Ren.

Doktor zawahał się. Kiedy ujrzał zapisane przez Ze skrawki papieru rozsypane po całym pokoju, ze smutkiem pokręcił głową.

– Widuję takie sytuacje codziennie i nie wiem, co robić... – wyznał. – Zdolność pisania i czytania stanowi wielkie zagrożenie dla kobiet. Aż zbyt często jestem świadkiem, jak zdrowie i szczęście młodych kobiet gaśnie, ponieważ nie chcą zrezygnować z używania pędzla oraz tuszu. Obawiam się, że gdy za jakiś czas spojrzymy wstecz, będziemy musieli przyznać, że winę za śmierć twej żony, panie, przypisać trzeba wywołanej przez pisanie chorobie miłosnej...

I ze smutną miną położył dłoń na ramieniu Rena, usiłując go pocieszyć.

Nie po raz pierwszy pomyślałam sobie, że doktor Zhao bardzo niewiele wie o kobietach.

W tym niezwykle ponurym momencie, kiedy dom rodziny Wu przygotowywał się do czuwania przy umierającej, do bramy zapukał mój adoptowany brat Bao. Jego wygląd zaskoczył nas wszystkich, ponieważ od wielu dni patrzyliśmy na osobę, która dosłownie marniała na naszych oczach, tymczasem Bao był potwornie gruby. W tłustych palcach trzymał wiersze, które napisałam przed śmiercią i ukryłam w książce o budowie tam, znajdującej się w bibliotece mojego ojca. W jaki sposób je znalazł? Patrząc na jego miękkie białe dłonie, doszłam do wniosku, że nie wygląda na człowieka, który zamierza przystąpić do budowy tamy. Jego otoczone fałdami tłuszczu oczka, blisko osadzone, były zbyt małe, aby mogły odnaleźć przyjemność w lekturze, z pewnością nie kierowała nim też intelektualna ciekawość. Coś innego skłoniło go do otworzenia tego konkretnego tomu.

Kiedy zażądał pieniędzy za moje prościutkie wiersze, zrozumiałam, że wcale nie przybył tu jako szwagier, który przynosi dar drugiemu szwagrowi, uświadomiłam sobie, że w rodzinnej rezydencji Chen źle się dzieje. W gruncie rzeczy spodziewałam się tego. Nie mogli przecież liczyć, że ignorowanie mojej śmierci ujdzie im płazem. Bao musiał rozbierać bibliotekę i przy tej okazji natknął się na wiersze. Ale gdzie był mój ojciec? Tata wolałby sprzedać raczej konkubiny niż bibliotekę. Czy był chory? Umarł? Chyba dowiedziałabym się, gdyby odszedł z tego świata... Czy powinnam natychmiast udać się do rodzinnego domu?

Ale teraz mój dom był tutaj. Ren był moim mężem, a Ze moją siostrą-żoną. Ze była śmiertelnie chora, tutaj i teraz. Och, tak, czasami wściekałam się na nią, można powiedzieć, że nawet czułam do niej nienawiść, ale wiedziałam, że w chwili śmierci będę u jej boku. Powitam ją w zaświatach i podziękuję za to, że była moją siostrą-żoną.

Ren zapłacił mojemu adoptowanemu bratu, Ze była już jednak w tak złym stanie, że nawet nie spojrzał na wiersze. Zdjął jakąś książkę z półki w bibliotece, włożył wiersze do środka, odłożył tom na miejsce i wrócił do sypialni.

Czekaliśmy. Pani Wu przyniosła synowi herbatę i przekąski, lecz on prawie ich nie tknął. Znowu przybył komisarz Tan z żoną. Ich surowość rozwiała się jak mgła, gdy pojęli, że Ze naprawdę umiera.

– Powiedz nam, co się dzieje! – błagała córkę pani Tan.

Napięte mięśnie Ze rozluźniły się, a policzki lekko zaróżowiły na dźwięk głosu matki. Pani Tan spróbowała raz jeszcze, zachęcona tą reakcją.

– Możemy zabrać cię stąd do nas... Wrócisz do domu i będziesz spała we własnym łóżku... Na pewno szybko poczujesz się lepiej...

Słysząc te słowa, Ze cała zesztywniała. Wydęła wargi i odwróciła wzrok. Po twarzy pani Tan popłynęły łzy.

Komisarz długo wpatrywał się w swoją nieustępliwą córkę.

– Zawsze byłaś uparta, ale ja wciąż wracam we wspomnieniach do nocy, kiedy oglądaliśmy *Pawilon Peonii* – rzekł. – To wtedy twoje uczucia stały się twarde jak kamień. Od tamtego czasu ani razu nie posłuchałaś moich ostrzeżeń i rad. Teraz za to płacisz. Będziemy pamiętać o tobie, składając ofiary...

Kiedy pani Wu poszła odprowadzić komisarza z żoną do palankinów, chora zaczęła skarżyć się na dolegliwości, o których nie chciała powiedzieć rodzicom.

– Ogarnia mnie odrętwienie... Nie mogę poruszać rękami i nogami... Oczy mam zupełnie suche, nie ma w nich łez... Mój duch przemarzł do kości...

Co parę chwil otwierała oczy, patrzyła na sufit, drżała i znowu zamykała powieki. Przez cały czas Ren trzymał ją za rękę i łagodnie przemawiał.

Później, kiedy zapadła głęboka noc i nie musiałam już obawiać się odbicia w lustrzanych taflach, opadłam na łóżko. Dmuchnęłam lekko, rozsuwając zasłony i wpuszczając do sypialni księżycowy blask. Ren zasnął na krześle. Musnęłam dłonią jego włosy i poczułam, jak zadrżał. Usiadłam obok mojej siostry-żony i stwierdziłam, że zimno przenika jej kości. Wszyscy domownicy błąkali się w swoich snach, zostałam więc przy Ze, aby chronić ją i pocieszać. Położyłam rękę na jej sercu. Zwolniło, zmyliło rytm, gwałtownie załomotało i znowu zwolniło. Gdy ciemność zaczęła ustępować miejsca różowym odcieniom wschodu słońca, powietrze w pokoju poruszyło się. Kości Tan Ze zapadły się, dusza rozpłynęła się i moja siostra-żona uleciała ku niebu.

Jezioro Gromadzącej się Krwi

Dusza Ze rozpękła się na trzy części. Jedna wyruszyła w drogę w zaświaty, druga została na ziemi, aby wejść do trumny, a ostatnia miała wędrować bez celu do chwili, kiedy znajdzie spoczynek w tabliczce. Ciało Ze pokornie poddało się rytuałom, które należało odprawić. Doktor wyciął dziecko z brzucha Ze i wyrzucił je, żeby nie udało się razem z nią do Jeziora Gromadzącej się Krwi i nie miało szansy na ponowne narodziny. Potem jej wychudzone zwłoki zostały umyte i ubrane. Ren nie odchodził od niej nawet na krok. Nie odrywał oczu od bladej twarzy i nadal czerwonych warg, zupełnie jakby spodziewał się jej przebudzenia. Ja czekałam na wędrującą bez celu część duszy Ze. Byłam pewna, że ucieszy ją widok kogoś znajomego, ale okazało się, że nie mogłam się bardziej mylić. Gdy zobaczyła mnie, obnażyła zęby jak wściekły pies.

– Ty! Wiedziałam, że znowu cię zobaczę!

– Wszystko będzie dobrze... Jestem tu po to, żeby ci pomóc...

– Pomóc mi?! Przecież ty mnie zabiłaś!

– Wszystko ci się myli – powiedziałam uspokajająco.

Ja także zaraz po śmierci czułam się kompletnie zagubiona. Ze miała szczęście, że był przy niej ktoś gotowy nieść ulgę i pociechę.

– Już przed ślubem wiedziałam, że będziesz próbowała mnie skrzywdzić – ciągnęła z niegasnącą wściekłością. – Byłaś przy mnie w dzień ślubu, prawda?

Kiedy kiwnęłam głową, prychnęła triumfalnie.

– Powinnam była posmarować twój nagrobek krwią czarnego psa! – krzyknęła.

Była to najgorsza rzecz, jaką można zrobić duszy zmarłej osoby, ponieważ taka krew ma podobno równie złowrogie działanie jak comiesięczne kobiece wydzieliny. Gdyby to uczyniła, musiałabym zabić moją własną rodzinę. Byłam zaskoczona jej goryczą i złością, ale ona jeszcze nie skończyła.

– Prześladowałaś mnie od samego początku – ciągnęła. – Słyszałam twój płacz w wietrzne, burzliwe noce...

– Myślałam, że cię uszczęśliwiam...

– Nie! Zmusiłaś mnie do przeczytania tej opery, a potem kazałaś mi o niej pisać! Musiałam naśladować cię we wszystkim, aż wreszcie nic ze mnie nie zostało! Umarłaś przez tę operę i kazałaś mi zrobić to, co sama zrobiłaś, idąc za przykładem Liniang!

– Chciałam tylko, żeby Ren mocniej cię pokochał, nie rozumiałaś tego?

Moje słowa trochę ją uspokoiły, zaraz jednak spojrzała na swoje paznokcie, które już zaczęły czernieć, i twarda rzeczywistość stłumiła resztki jej gniewu.

– Próbowałam się bronić, ale przecież w walce z tobą nie miałam żadnych szans... – wyznała żałośnie.

Sama wiele razy powtarzałam sobie to zdanie... W walce ze mną moja siostra-żona naprawdę nie miała żadnych szans.

– Sądziłam, że Ren pokocha mnie, jeśli przeczyta komentarz i uwierzy, że to moje dzieło – podjęła. – Wcale nie chciałam, żeby czytał o twojej chorobie miłosnej! Nie chciałam, by pomyślał, że zajęłam się operą, aby oddać cześć „pierwszej żonie"! Słyszałaś chyba mojego męża, prawda? Nigdy nie wzięliście ślubu, a Ren nic do ciebie nie czuje!

Była bezwzględna w śmierci.

– Zostaliśmy sobie przeznaczeni – powiedziałam, nadal w to wierząc. – Ale Ren ciebie także kochał...

– Skąd w tobie taka chora przebiegłość?! Przez ciebie marzłam, przesiadywałam w ciemności i drżałam ze strachu przez sen. Przez ciebie zaniedbywałam posiłki i odpoczynek...

To, że te słowa pochodziły z *Pawilonu Peonii* bynajmniej mnie nie uspokoiło, ponieważ rzeczywiście przeze mnie zaniedbywała posiłki i odpoczynek.

– Jedynym bezpiecznym schronieniem był dla mnie pawilon nad stawem...

– Ten, do którego idzie się po zygzakowatym mostku – wtrąciłam.

– Tak! – znowu pokazała mi białe martwe zęby. – Spaliłam twój egzemplarz *Pawilonu Peonii*, bo chciałam wygnać cię z mojego życia! Sądziłam, że mi się udało, ale ty wcale nie odeszłaś...

– Nie mogłam odejść, nie po tym, co później zrobiłaś... Pozwoliłaś innym uwierzyć, że to nasz mąż napisał komentarz...

– W jakiż lepszy sposób mogłam okazać mu poświęcenie?! Jak lepiej dowieść mu, że jestem idealną żoną?!

Miała rację, oczywiście...

– A co ze mną? – zapytałam. – Próbowałaś mnie wygonić, unicestwić! Jak mogłaś, przecież jesteśmy siostrami-żonami...

Ze zaśmiała się, rozbawiona moją naiwnością.

– Mężczyźni są esencją czystego *yang*, a duchy takie jak ty symbolem wszystkiego, co słabe, podłe i chore w *yin*! Próbowałam z tobą walczyć, ale twoje bezustanne wtrącanie się w moje życie w końcu mnie zabiło! Idź precz! Nie chcę twojej przyjaźni! Nie jesteśmy przyjaciółkami! Nie jesteśmy siostrami-żonami! Ja przetrwam w pamięci żyjących, ty zostaniesz zapomniana! Zadbałam o to!

– Ukrywając brakujące karty, które świadczą o prawdziwym autorstwie...

– Wszystko, co kazałaś mi napisać, było kłamstwem!

– Ale uznałam twoją rolę i pozycję... Prawie cały komentarz był o tobie...

– Nie pisałam komentarza z chęci kontynuowania twojej pracy! Nie pisałam z serca... Uczyniłaś swoją obsesję moją! Byłaś duchem i nie chciałaś przyznać się do tego, co zrobiłaś, więc wyrwałam te karty z książki! Ren nigdy ich nie znajdzie!

Podjęłam jeszcze jedną próbę.

– Chciałam, żebyś była szczęśliwa...

– I dlatego wykorzystałaś moje ciało?!

– Cieszyłam się, kiedy zaszłaś w ciążę...

– To dziecko nie było moje!

– Ależ było twoje...

– Nie! Noc w noc sprowadzałaś Rena do mego łóżka, oczywiście wbrew mojej woli! Zmuszałaś mnie do rzeczy... – Zadrżała z gniewu i obrzydzenia. – A potem umieściłaś we mnie to dziecko...

– Mylisz się, to nie ja je tam umieściłam, ja tylko czuwałam nad jego bezpieczeństwem...

– Dobre sobie! Zabiłaś mnie i dziecko!

– Nikogo nie zabiłam...

Jaki jednak sens miało zaprzeczanie jej oskarżeniom, skoro tak wiele z nich było prawdą? Rzeczywiście nie pozwalałam jej zaznać odpoczynku, gdyż najpierw sprowadzałam do niej męża, a potem zmuszałam do pisania. Wyziębiałam jej pokój, przetrzymywałam ją w ciemności, żeby chronić moje wrażliwe oczy, i wszędzie posyłałam za nią podmuchy wiatru. Kiedy pracowała nad komentarzem, nie siadała do stołu z mężem i teściową. Później, kiedy zamknęła się w sypialni po spaleniu mojego dzieła i przypisaniu całej zasługi Renowi, nie zachęcałam jej do jedzenia, ponieważ byłam przybita i ledwo „żywa". Zaprzeczałam, lecz w pełni uświadamiałam sobie, co jej zrobiłam, tak samo jak doskonale wiedziałam, jaką krzywdę wyrządziłam samej sobie. Prawda wreszcie do mnie dotarła i nagle zemdliło mnie z przerażenia. Co ja zrobiłam?!

Ze uniosła górną wargę, znowu odsłaniając swoją paskudną esencję. Odwróciłam wzrok.

– Zabiłaś mnie – oświadczyła. – Ukrywałaś się wśród belek pod sufitem, bo sądziłaś, że tam nikt cię nie zobaczy, ale ja cię widziałam...

– Jak to możliwe?

Cała moja wcześniejsza pewność siebie zniknęła bez śladu. Teraz to w moim głosie brzmiała żałosna nuta lęku.

– Umierałam i widziałam cię! Starałam się nie podnosić powiek, ale za każdym razem, gdy otwierałam oczy, widziałam, jak gapisz się na mnie tymi martwymi gałami! Na koniec zeszłaś i położyłaś rękę na moim sercu...

Waaa! Czy naprawdę odegrałam jakąś rolę w jej śmierci, czy w jakiś sposób przyczyniłam się do jej odejścia ze świata? Czy obsesja w dążeniu do celu tak dalece mnie zaślepiła, że najpierw sama doprowadziłam się do śmierci, a później uśmierciłam siostrę-żonę?

Widząc malujące się na mojej twarzy przerażenie, uśmiechnęła się triumfalnie.

– Zabiłaś mnie, to prawda, ale ja zwyciężyłam! Najwyraźniej zapomniałaś, jakie jest najgłębsze przesłanie *Pawilonu Peonii*! Ta historia opowiada o spełnieniu miłości przez śmierć, i to mnie udało się tego dokonać! Ren będzie o mnie pamiętał, ale zapomni o głupiej pannie, która nic dla niego nie znaczyła! Zmarniejesz, obrócisz się w nicość, zobaczysz! Ludzie zapomną o twoim dziele, tak samo jak o tobie!

Odwróciła się, opuściła pokój i znowu ruszyła w pozbawioną celu drogę.

Czterdzieści dziewięć dni później ojciec Ze przybył do domu Rena, aby postawić kropkę na tabliczce córki. Tabliczka miała się odtąd znajdować w Sali Przodków rodziny Wu. Ponieważ Ze zmarła jako ciężarna mężatka, jedna część jej duszy została zamknięta w trumnie, która miała czekać, wystawiona na działanie sił przyrody, aż do śmierci jej męża; potem rodzina musiała zostać ponownie połączona przez jednoczesny pogrzeb, zgodnie z tradycją. Ostatnia część duszy Ze została zawleczona do Jeziora Gromadzącej się Krwi, podobno tak ogromnego, że przedostanie się na jego drugi brzeg miało zająć osiemset czterdzieści tysięcy dni. Tam Ze czekało sto dwadzieścia rodzajów tortur; wiedziałam, że będzie też musiała codziennie pić krew albo poddać się chłoście żelaznymi kijami. Taka czekała ją wieczność. Mogła tylko mieć nadzieję, że rodzina wykupi ją ze straszliwej niewoli poprzez odprawianie modłów i ceremonii, składanie ofiar w postaci jedzenia mnichom i bogom oraz przekazywanie łapówek biurokratom, którzy rządzili piekłem. Tylko wtedy łódź mogła zabrać ją z jeziora cierpienia na brzeg, gdzie miała szansę dołączyć do grona przodków albo ponownie narodzić się w błogosławionej krainie.

Jeśli zaś o mnie chodzi, to uświadomiłam sobie, że jeżeli rzeczywiście przyczyniłam się do śmierci Tan Ze i jej dziecka, świadomie czy nie, to w takim razie nie nosiłam już w sobie żadnych moralnych myśli, żadnego współczucia ani wstydu, żadnego wyczucia, co jest dobre, a co nie. Wydawało mi się, że jestem bardzo sprytna, ale Ze miała słuszność – byłam duchem najgorszego rodzaju.

CZĘŚĆ 3

Pod drzewem śliwy

Wygnanie

Mama mawiała, że duchy nie są z natury złe. Jeśli duch ma jakieś własne miejsce, nigdy nie staje się niebezpieczny. Jednak wiele duchów działa pod wpływem pragnienia zemsty. Nawet tak maleńkie stworzenie jak świerszcz może wywrzeć straszną zemstę na tych, którzy wyrządzili mu krzywdę. Nie sądziłam, że kieruje mną chęć skrzywdzenia Ze, ale jeżeli jej słowa nie mijały się z prawdą, to właśnie tak było. Przeniknięta pragnieniem ukarania samej siebie i przerażona, że przypadkiem mogłabym zrobić coś złego mojemu mężowi, skazałam się na wygnanie z domu Rena. W ziemskiej rzeczywistości miałam dwadzieścia pięć lat. Byłam kompletnie zrezygnowana. Stałam się prawie niczym, jak przepowiedziała mi Ze.

Wygnanie...

Nie wiedząc, dokąd się udać, wyruszyłam w drogę dokoła jeziora, do rezydencji Chen. Dom, ku mojemu zdziwieniu, wyglądał piękniej niż kiedykolwiek. Bao dokupił do każdego pokoju meble, porcelanę i rzeźby z nefrytu, na ścianach wisiały nowe jedwabne draperie. Ale choć wszystko wyglądało wspaniale, nad domem wisiała niepokojąca cisza. Mieszkało tu teraz znacznie mniej palców. Mój ojciec nadal przebywał w stolicy. Dwóch jego braci już zmarło, podobnie jak konkubiny dziadka. Miotła, Kwiat Lotosu i kilka innych kuzynek wyszło za mąż. Ponieważ liczba członków rodziny na terenie rezydencji zmniejszyła się, część służących odesłano. Cała posiadłość wyglądała imponująco, emanowała aurą bogactwa i wszelkiej obfitości, była jednak pozbawiona głosów dzieci, śmiechu i radości.

Dziwną ciszę zakłócił przejmujący dźwięk cytry. Orchidea, teraz czternastoletnia, grała dla mojej matki i ciotek w Sali Kwitnącego Lotosu. Była ładną dziewczyną i na moment ogarnęła mnie duma, że jej skrępowane stopy są tak drobne i zgrabne. Obok Orchidei siedziała Mama. Minęło zaledwie dziewięć lat, lecz w tym czasie jej włosy kompletnie posiwiały. Z oczu przebijał głęboki smutek. Kiedy ją pocałowałam, zadrżała, grzechocząc kłódkami ukrytymi w fałdach.

Twarz żony Bao ściągnięta była rozczarowaniem z powodu bezpłodności. Nie została sprzedana, ale jej mąż sprowadził do domu dwie konkubiny, które także nie urodziły dzieci. Trzy kobiety siedziały razem, nie walcząc ze sobą, lecz wspólnie opłakując niespełnione życie. Nie widziałam Bao, musiałam jednak wziąć pod uwagę możliwość, że myliłam się co do niego. Miał całkowite prawo sprzedać żonę oraz konkubiny, ale nie zrobił tego. W ciągu minionych lat wyobrażałam sobie, że ten adoptowany obcy zrujnuje moją rodzinę przez złe zarządzanie majątkiem, hazard i opium, a być może w skrytości ducha pragnęłam nawet, żeby tak się stało... Oczami wyobraźni widziałam, jak majątek kurczy się coraz bardziej, a Bao wyprzedaje zgromadzone przez mojego ojca kolekcje książek, herbaty, kamieni, antyków i kadzideł, tymczasem zbiory uległy powiększeniu i wzbogaceniu. Bao dokupił nawet te księgi, które spaliła moja matka. Musiałam niechętnie przyznać, że Bao najprawdopodobniej znalazł moje wiersze w trakcie lektury dzieła o budowie tam, ale dlaczego je sprzedał? Z całą pewnością nie potrzebował przecież pieniędzy...

Poszłam do Sali Przodków. Nad ołtarzem nadal wisiały portrety Babci i Dziadka. Mimo że byłam duchem, oddałam im pokłon, potem zaś skłoniłam się przed tabliczkami innych krewnych. Potem udałam się do magazynu, w którym ukryta była moja tabliczka. Nie mogłam wejść do środka, ponieważ narożnik był bardzo ostry, dostrzegłam jednak zakurzony brzeg tabliczki na półce pokrytej mysimi i szczurzymi odchodami. Moja matka opłakiwała mnie, ale reszta rodziny kompletnie o mnie zapomniała. Nikomu z nich nie życzyłam źle, zorientowałam się jednak, że nie mam tu czego szukać.

Wygnanie...

Musiałam dokądś pójść. Jedynym miejscem poza domem, które odwiedziłam w czasie Święta Głodnych Duchów, była wioska Gudang. Rodzina Qian karmiła mnie przez dwa lata, pomyślałam więc, że może mogłabym zatrzymać się u nich.

Po zapadnięciu nocy wyruszyłam w drogę. Ścieżkę oświetlały mi świętojańskie robaczki. Teraz, kiedy nie powodował mną straszny głód, a moim jedynym towarzyszem był żal, podróż okazała się dłuższa, niż pamiętałam. Bolały mnie stopy i nogi, a gdy zaczęło robić się jasno, poczułam kłucie w oczach. Do domu rodziny Qian dotarłam w południe. Dwie najstarsze córki pracowały na zewnątrz, pod markizą, dokładając pożywienia rozmieszczonym na tacach jedwabnikom, które łapczywie pożerały świeżo ścięte liście morwy. Dwie młodsze stały w otwartej szopie razem z kilkunastoma innymi dziewczętami, płucząc w gorącej wodzie kokony i wyciągając jedwabne nitki. Pani Qian była w domu, zajęta przygotowywaniem obiadu. Yi, dziewczynka, którą pierwszy raz widziałam jako niemowlę na rękach matki, miała teraz trzy latka. Była chorowitym dzieckiem, chudziutkim i bladym. Leżała na niskiej drewnianej platformie w głównej izbie, gdzie matka mogła mieć ją na oku. Usiadłam obok niej, a gdy zaczęła się wiercić, położyłam rękę na jej kostce. Zachichotała cicho. Wszystko wskazywało na to, że ma niewielkie szanse dożyć siódmego roku życia.

Pan Qian (trudno mi było myśleć o nim jako o panu czegokolwiek) wrócił z morwowego gaju i wszyscy usiedli do obiadu. Yi nic nie dostała; była tylko jeszcze jedną gębą do nakarmienia, bezużyteczną gałęzią, którą trzeba zajmować się aż do czasu, gdy wreszcie uschnie.

Zaraz po posiłku pan Qian rozkazującym gestem kazał najstarszym córkom wstać.

– Głodne larwy nie produkują jedwabiu! – rzucił ostro.

Dziewczęta podniosły się pośpiesznie i wyszły na swoich wielkich, klapiących o podłoże stopach. Pani Qian nalała mężowi herbaty, sprzątnęła ze stołu i przeniosła Yi z powrotem na platformę. Wyciągnęła spod niej kosz i podała dziecku kawałek tkaniny z wetkniętą weń igłą z nitką.

– Nie potrzebuje uczyć się haftowania – wzgardliwie zauważył ojciec dziewczynki. – Potrzeba jej tylko siły, żeby mogła mi pomagać!

– Nie będzie córką, jakiej ci potrzeba – odparła pani Qian. – Obawiam się, że jest podobna do swojej matki...

– Byłaś tania, ale gorzko zapłaciłem za małżeństwo z tobą. Urodziłaś same dziewczynki...

– I nie pomagam przy larwach – dokończyła za niego.

Zadrżałam, pełna odrazy i oburzenia. Subtelnej, wykształconej kobiecie musiało być wyjątkowo trudno w takich warunkach. Pani Qian upadła bardzo nisko.

– Yi jest tak słaba, że na pewno nie uda mi się wydać jej za mąż – poskarżył się jej małżonek. – Jaka rodzina chciałaby przyjąć tak bezużyteczną żonę? Powinniśmy byli pozwolić jej umrzeć zaraz po urodzeniu!

Ostatni raz siorbnął, przełknął herbatę i wyszedł. Teraz pani Qian mogła poświęcić całą uwagę Yi. Pokazała małej, jakimi ściegami wyszywa się nietoperza, symbol szczęścia.

– Moi rodzice należeli do szlachetnie urodzonych – z rozmarzeniem opowiadała córeczce. – Ale w czasie Kataklizmu straciliśmy wszystko... Całymi latami błąkaliśmy się po kraju i żebraliśmy, aby przeżyć. Miałam trzynaście lat, kiedy przyszliśmy do tej wioski. Rodzice twojego ojca kupili mnie z litości. Nie mieli dużo, ale chyba rozumiesz, jak to jest... Skoro przeżyłam tak długo, włócząc się i żebrząc, musiałam być silna. I byłam silna.

Moje przygnębienie jeszcze się pogłębiło. Czy każda dziewczyna cierpiała?

– Ponieważ miałam krępowane stopy, nie mogłam pracować u boku twego ojca, ale przyczyniłam się do jego dostatku pod wieloma innymi względami – ciągnęła pani Qian. – Umiem szyć pościel, buty i stroje tak eleganckie, że można je sprzedawać w Hangzhou. Twoje siostry są skazane na ciężką fizyczną pracę do końca życia. Mogę tylko domyślać się, jaki ból drąży ich serca, lecz nie potrafię im pomóc...

Pochyliła głowę. Z jej oczu spłynęły łzy wstydu na spódnicę ze zwykłej bawełny. Czułam, że nie przełknę już ani odrobiny więcej smutku i rozpaczy. Opuściłam dom i oddaliłam się od gospodarstwa, zażenowana swoją słabością i przestraszona, że nawet najzupełniej nieświadomie mogłabym skrzywdzić tę już i tak nieszczęśliwą rodzinę.

Wygnanie...

Usiadłam przy drodze. Dokąd miałam pójść? Pierwszy raz od wielu lat pomyślałam o mojej dawnej służącej, Wierzbie, nie miałam jednak pojęcia, jak ją odnaleźć. Zresztą nawet gdyby mi się to udało, to w jaki sposób mogłaby mi pomóc? Uważałam ją za przyjaciółkę, lecz w czasie naszej ostatniej rozmowy zorientowałam się, że Wierzba nie odwzajemniała mojej sympatii. Za życia nie miałam ani jednej przyjaciółki, po śmierci zaś liczyłam, że dołączę do kręgu chorych z miłości dziewcząt. Próbowałam być dobrą siostrą-żoną dla Ze, ale zawiodłam ją. Decyzja o podróży do wioski Gudang także była pomyłką. Nie miałam nic wspólnego z rodziną Qian, a ich ze mną nic nie łączyło. Może przebywałam na wygnaniu przez całe życie... I śmierć.

Musiałam znaleźć jakieś miejsce zamieszkania i zdobyć pewność, że nikomu tam nie zaszkodzę. Wróciłam do Hangzhou. Kilka dni szukałam schronienia wzdłuż brzegu jeziora, jednak w jaskiniach, bezpiecznych zakamarkach za skałami czy w korzeniach drzew mieszkało już aż za dużo duchów. Błąkałam się bez celu. Kiedy dotarłam do mostu Xiling, przedostałam się na Samotną Wyspę, gdzie dawno temu Xiaoqing znalazła schronienie przed zazdrosną żoną swego właściciela. Było to spokojne, położone na uboczu miejsce, wprost idealne dla mnie, abym mogła oddawać się tu smutkowi i wyrzutom sumienia. Znalazłam grób Xiaoqing, ukryty między jeziorem i niewielkim stawem, w którym oglądała swoje słabe odbicie. Zwinęłam się w kłębek u wejścia do grobu i zasłuchana w śpiew wilg przeskakujących z jednej gałęzi na drugą pogrążyłam się w rozmyślaniach o krzywdzie, jaką wyrządziłam niewinnej żonie.

Jednak w ciągu następnych dwóch lat rzadko cieszyłam się samotnością. Nie było prawie dnia, aby kobiety i dziewczęta nie odwiedzały grobu Xiaoqing, uświęcając to miejsce winem, lekturą wierszy oraz rozmowami o miłości, smutku i żalu. Wszystko wskazywało, że byłam tylko jedną z setek kobiet i młodych dziewczyn, które cierpiały dla miłości, myślały o miłości i pragnęły jej całym sercem. Nie były tak głęboko dotknięte tęsknotą jak chore z miłości panny – Xiaoqing czy ja – które umarły z nadmiaru *qing*, ale bardzo chciały się do nas upodobnić. Każda pragnęła miłości mężczyzny albo odczuwała niepokój wywołany tym uczuciem.

Wreszcie któregoś dnia grób odwiedziły członkinie Klubu Bananowego Ogrodu. Nie ulegało najmniejszej wątpliwości, że są sławne. Tych pięć kobiet lubiło spotykać się razem, podróżować i pisać wiersze. Nie paliły swoich manuskryptów w odruchu zwątpienia w wartość utworów czy w geście pokory. Ich dzieła były publikowane, i to nie przez rodziny, w formie wspomnień dla przyszłych pokoleń, ale przez komercyjnych wydawców, którzy sprzedawali je w całym kraju.

Pierwszy raz od dwóch lat zaciekawienie wygnało mnie z bezpiecznej kryjówki przy wejściu do grobowca Xiaoqing. Ruszyłam za kobietami, które przechadzały się po ścieżkach wysadzanych drzewami, odwiedziły świątynie Samotnej Wyspy i na koniec usiadły w pawilonie, aby napić się herbaty i pożywić pestkami słonecznika. Kiedy weszły na pokład łodzi, podążyłam za nimi i usiadłam na dziobie. Kobiety śmiały się wesoło, popijały wino i wymyślały gry, rzucając sobie nawzajem rozmaite wyzwania, polegające głównie na układaniu wierszy pod otwartym niebem, w biały dzień. Kiedy wycieczka dobiegła końca i kobiety wróciły do domów, zostałam na łodzi. Gdy następnym razem spotkały się i wybrały na przejażdżkę po jeziorze, już na nie czekałam, gotowa wyruszyć z nimi, dokądkolwiek by chciały.

Jako młoda dziewczyna pragnęłam odbywać podróże i wycieczki. Po śmierci błąkałam się bez celu, na ślepo, teraz zaś spędzałam dni w uczuciu rozleniwienia, siedząc na burcie łodzi, słuchając i ucząc się, kiedy przepływałyśmy obok prywatnych rezydencji, gospod, restauracji i domów pieśni. Odnosiłam wrażenie, że cały świat przybył do mojego rodzinnego miasta. Słyszałam różne dialekty i widziałam ludzi różnych stanów – kupców, którzy manifestowali swoje bogactwo, malarzy, których można było od razu rozpoznać, ponieważ nosili z sobą pędzle, tusze oraz zwoje jedwabiu i papieru, chłopów, rzeźników i rybaków, którzy przyjeżdżali tu sprzedawać swoje produkty, oraz obcokrajowców w dziwacznych strojach, z dziwnymi włosami i skórą. Wszyscy chcieli albo coś sprzedać, albo kupić. Kurtyzany o drobniutkich stopach i śpiewnych głosach sprzedawały intymne części swoich ciał budowniczym statków, zawodowe artystki sprzedawały swoje obrazy i wiersze wybrednym kolekcjonerom, łuczniczki sprzedawały swoje umiejętności, zabawiając celnością strzałów kupców solnych, a rzemieślnicy – nożyce i parasolki żonom oraz córkom z dobrych rodzin, które przyjechały do mojego pięknego miasta, żeby odpocząć i przede wszystkim dobrze się zabawić. Zachodnie Jezioro było miejscem, gdzie skupiały się legendy, mity oraz życie codzienne, gdzie naturalne piękno i cisza bambusowych gajów i wielkich kamforowców stykała się z gwarną, jazgotliwą cywilizacją, gdzie mężczyźni z zewnętrznego świata i uwolnione z wewnętrznego kobiety rozmawiali spokojnie, nierozdzieleni bramą, murem, parawanem ani zasłoną.

W pogodne, ciepłe dni na wody jeziora wypływało wiele barwnie pomalowanych łodzi z rozpiętymi na pokładach haftowanymi namiotami. Widziałam kobiety, bogato ubrane w szaty z najcieńszego jedwabiu o długich trenach, z wpiętymi w uszy kolczykami ze złota i nefrytu oraz w ozdobach z piór zimorodka na głowach. Wpatrywały się w nas z zaciekawieniem. Kobiety na mojej łodzi nie należały do tych, które zapracowały na złą sławę i chciały imponować nowymi bogactwami oraz ich wulgarną obfitością. Moje towarzyszki pochodziły ze szlachetnych rodów, podobnie jak moja matka i stryjenki. Były wielkimi damami, które dzieliły się słowem, papierem, pędzlami i tuszem. Nosiły się skromnie i nie upinały włosów w skomplikowane konstrukcje. Oddychały i żyły słowami, które unosiły się w powietrzu na podobieństwo wierzbowych pyłków.

Filozofowie uważają, że powinniśmy się oderwać od tego, co światowe. Nie potrafiłam określić wszystkich krzywd, jakie wyrządziłam, ale członkinie klubu pomogły mi zrozumieć, że tęsknota, którą czułam, oraz cierpienie, którego doświadczyłam, ostatecznie uwolniły mnie od wszystkiego, co materialne i przeciętne. Z moich ramion spadło przytłaczające brzemię, ale nad działalnością klubu zaciążył niepokój i troska. Mandżurowie rozwiązali większość męskich klubów poetyckich. Nie wpadli jeszcze na trop kobiecych grup, lecz była to tylko kwestia czasu.

– Musimy nadal się spotykać – z naciskiem powiedziała Gu Yurei, siostrzenica błyskotliwej Gu Ruopu, nalewając herbatę pozostałym kobietom.

– Pozostajemy lojalistkami, ale w oczach Mandżurów nie mamy żadnego znaczenia – spokojnie odparła Lin Yining. – Jesteśmy tylko kobietami. Nie możemy obalić rządu.

– Ale drażnimy ich i denerwujemy, siostro – nie ustępowała Gu Yurei. – Moja ciotka mawiała, że wolność pisarek ma więcej wspólnego ze swobodą ich myśli niż fizyczną wolnością ciał...

– A jej przemyślenia i działania stały się inspiracją dla

nas wszystkich – zgodziła się Lin Yining, ogarniając gestem pozostałe członkinie klubu.

Tylko w nielicznych aspektach przypominały one kobiety z mojej rodziny, które zawsze z uśmiechem na twarzach podążały za przewodnikiem stada, ponieważ musiały, a także chore z miłości panny, zjednoczone obsesją przedwczesnej śmierci. Członkinie klubu spotkały się i zawiązały grupę z wyboru, z wolnej woli. Nie pisały o motylach, kwiatach oraz innych rzeczach, które mogły zobaczyć w ogrodach. Pisały o literaturze, sztuce, polityce oraz o tym, co widziały i robiły w zewnętrznym świecie. Poprzez swoje pisane słowa dodawały mężom i synom odwagi, wspierały ich w działaniach pod panowaniem nowego reżimu. Odważnie przyglądały się głębokim uczuciom, nawet jeśli były one ponure – samotności rybaka na jeziorze, przygnębieniu matki, która rozstała się z córką, rozpaczy żyjącej na ulicy dziewczyny. Stworzyły siostrzany związek przyjaciółek i pisarek, potem zaś zbudowały intelektualną i emocjonalną wspólnotę kobiet z całego kraju, złączonych przeżyciami wynikającymi z lektury. Szukając pociechy, spełnienia, godności i uznania, przybliżyły swoje dążenia innym kobietom, które nadal żyły za zamkniętymi bramami albo zostały wepchnięte z powrotem do wewnętrznych izb przez Mandżurów.

– Dlaczego posiadanie dzieci i prowadzenie domu miałoby uniemożliwić nam myślenie o sprawach publicznych oraz przyszłości naszego kraju? – ciągnęła Lin Yining. – Małżeństwo i rodzenie synów to nie jedyna droga, jaką podąża kobieta, starając się odzyskać i zachować godność...

– Mówisz takie rzeczy, ponieważ w głębi serca chciałabyś być mężczyzną – łagodnie zakpiła Gu Yurei.

– Wykształcenie odebrałam z rąk matki, więc jakże mogłabym pragnąć być mężczyzną? – odparowała Yining, zanurzając palce w wodzie i wywołując maleńkie fale na powierzchni jeziora. – Sama jestem żoną i matką, wiem jednak, że gdybym była mężczyzną, odniosłabym większy sukces...

– Gdybyśmy były mężczyznami, prawdopodobnie Mandżurowie w ogóle nie pozwoliliby nam pisać ani wydawać utworów – zauważyła inna.

– Mówię tylko, że także dzięki mojej twórczości wydałam na świat synów – dodała Yining.

Pomyślałam o moim nieszczęsnym dziele. Czy nie było ono trochę jak dziecko, którym starałam się obdarzyć świat i które chciałam wykorzystać, aby na zawsze związać się z Renem? Zadrżałam. Moja miłość do Rena nigdy nie umarła, zmieniła się tylko, zyskując głębszy smak, jak poddawane fermentacji wino lub zanurzone w marynacie warzywa. Przenikała mnie z uporczywą, nieposkromioną siłą wody, drążącej kanał biegnący aż do środka góry.

Zamiast popaść w nieznośną rozpacz i przygnębienie, zaczęłam wykorzystywać swoje uczucia w dobrym celu. Kiedy któraś z kobiet miała kłopoty ze sformułowaniem frazy czy dokończeniem wiersza, pomagałam jej. Gdy Lin Yining zaczęła strofę od: „Czuję więź pokrewnych dusz z...", podsunęłam jej zakończenie: „oparami mgieł i obłokami". Księżyc w nowiu przepięknie wygląda, gdy wysuwa się zza chmur, lecz pod jego wpływem może obudzić się w nas melancholia i poczucie ulotności życia. Kiedy zanurzałyśmy się w smutku, moje poetki przypominały głosy skazanych na zagładę, zrozpaczonych kobiet, które podczas Kataklizmu pisały na murach domów.

„Moje serce jest puste, a życie nie ma żadnej wartości. Każda chwila to tysiąc łez" – wyrecytowała któregoś dnia Gu Yurei, przywołując wiersz mówiący o mojej smutnej egzystencji.

Członkinie klubu umiały też żartować ze swojego braku znaczenia w oczach Mandżurów, nie ulegało jednak wątpliwości, że stanowią zagrożenie dla obecnego porządku moralnego. Zastanawiałam się, ile czasu dzieli nas od chwili, kiedy Mandżurowie i ich poplecznicy wyślą wszystkie kobiety – zarówno te, które w tak piękne wiosenne dni żeglowały po jeziorze, jak i te, które tylko czytały, aby rozszerzyć umysł i serce – z powrotem do wewnętrznych izb, już na stałe.

Macierzyńska miłość

Całe trzy lata bałam się nawet spojrzeć na Rena, lecz w miarę jak zbliżało się tegoroczne Święto Podwójnej Siódemki, coraz częściej myślałam o Tkaczce i Pasterzu oraz o wszystkich srokach na ziemi, które uformowały most, aby zakochani mogli spotkać się w tę jedną, wyjątkową noc. Zastanawiałam się, czy Ren i ja nie moglibyśmy się spotkać tak jak tamta para; byłam przekonana, że przeżyłam i nauczyłam się już dosyć, aby nie skrzywdzić ukochanego. Dlatego dwa dni przed świętem, w dwunastą rocznicę naszego pierwszego spotkania, opuściłam Samotną Wyspę, popłynęłam zboczem góry Wushan i przybyłam do domu Rena.

Zaczekałam na niego pod bramą. Kiedy wyszedł, objęłam go pełnym uwielbienia spojrzeniem. Dla mnie zawsze był taki sam – przystojny i męski. Delektowałam się jego zapachem, głosem, obecnością. Bezmyślnie oparłam ręce na jego ramionach, żeby mógł pociągnąć mnie ze sobą do księgarni i na spotkanie z innymi mężczyznami, w trakcie którego wygłosił mowę. Nie mógł potem znaleźć sobie miejsca i był bardzo niespokojny. Przez resztę nocy pił i grał. Wróciłam z nim do domu i zobaczyłam, że od śmierci Ze sypialnia pozostała nietknięta. Na stojaku w kącie spoczywała cytra zmarłej, na jej perfumach, szczotkach i ozdobach do włosów zbierał się kurz i pajęczyny. Ren długo zdejmował jej książki z półek i przeglądał je. Myślał o niej czy o mnie? A może o nas obu?

Położył się do łóżka i spał do popołudnia, później zaś wszystko potoczyło się tak samo jak dzień wcześniej. Dopiero w Święto Podwójnej Siódemki, a moje dwudzieste ósme urodziny, spędził popołudnie z matką. Pani Wu czytała synowi wiersze, nalewała herbatę i głaskała go po smutnej twarzy. Teraz byłam już pewna, że Ren wspomina spędzone ze mną chwile.

Kiedy jego matka poszła spać, Ren znowu zajął się przeglądaniem książek Ze. Wróciłam na dawne miejsce pod sufitem, gdzie moje uczucia żalu i wyrzutów sumienia z powodu Rena, Ze oraz mojego życia i śmierci przepłynęły przeze mnie silnymi falami. Popełniłam tyle błędów, a teraz widok mojego poety, otwierającego jedną książkę po drugiej, błądzącego myślami w przeszłości, zabolał mnie bardziej, niż potrafiłabym to wyrazić. Zamknęłam oczy, chcąc przynajmniej na chwilę uwolnić się od cierpienia. Zasłoniłam rękoma uszy, które nigdy nie przystosowały się do odgłosów ziemskiej rzeczywistości, ale nadal słyszałam szelest kart, a każdy taki dźwięk przypominał mi, co oboje straciliśmy.

Kiedy jęknął cicho, moje serce rozdarło się na dwie części. Otworzyłam oczy i spojrzałam w dół. Ren siedział na brzegu łóżka i trzymał w ręku dwie kartki. Książka, z której je wyjął, leżała otwarta obok niego. Zsunęłam się z belki i spoczęłam u jego boku. Były to te same dwie kartki, które Ze z takim okrucieństwem wyrwała z naszego wspólnego egzemplarza *Pawilonu Peonii*, kartki z opisem powstania komentarza. Ren miał teraz przed sobą dowód, że ja i Ze pracowałyśmy razem. Byłam zachwycona, lecz Ren nie wyglądał na uszczęśliwionego.

Złożył kartki, wsunął je pod tunikę i wyszedł prosto w noc, ze mną mocno trzymającą się jego ramion. Szedł ulicami, aż w końcu dotarł do nieznanego mi domu. Wpuszczono go i wprowadzono do pokoju pełnego mężczyzn, którzy czekali, aż ich żony zakończą tradycyjne obchody Święta Podwójnej Siódemki oraz gry, żeby móc zasiąść do stołu. Powietrze było mgliste i gęste od dymu oraz zapachu kadzidła i w pierwszej chwili Ren nikogo nie rozpoznał, zaraz jednak pośpieszył ku niemu Hong Sheng, który był w domu bratanicy Rena w dniu mojej pierwszej wycieczki. Widząc, że Ren nie przyszedł świętować, Hong Sheng chwycił jedną ręką olejną lampę, drugą zaś dwie czarki i butelkę wina i zaprowadził gościa do znajdującego się na terenie posiadłości pawilonu.

– Jadłeś coś? – spytał Hong Sheng, kiedy usiedli.

Ren uprzejmie odmówił poczęstunku.

– Przyszedłem... – zaczął.

– Tatusiu!

Kilkuletnia dziewczynka, tak mała, że jej stopy nie zostały jeszcze skrępowane, wbiegła do pawilonu i wdrapała się na kolana Hong Shenga. Przypomniałam sobie, że podczas naszego pierwszego spotkania żona poety była w ciąży. Nosiła wtedy właśnie to dziecko.

– Nie powinnaś przypadkiem towarzyszyć matce i innym damom? – zagadnął Hong Sheng.

W odpowiedzi mała lekko wzruszyła ramionami, zarzuciła ojcu ręce na szyję i wtuliła buzię w jedwab szaty na jego ramieniu.

– W porządku – rzekł Hong Sheng. – Możesz zostać, ale musisz zachowywać się bardzo cichutko, a kiedy matka przyjdzie po ciebie, wrócisz do tamtej sali razem z nią. Bez żadnych awantur i łez, rozumiemy się?

Ileż razy sama szukałam schronienia w ramionach ojca... Czy ta dziewczynka nosiła w sercu fałszywy obraz Hong Shenga, tak jak dawniej ja wyidealizowany obraz Taty?

– Przypominasz sobie wizytę w domu mojej bratanicy kilka lat temu? – zapytał Ren. – Shen i inni czytali wtedy komentarz do *Pawilonu Peonii*...

– Ja także go czytałem i do dziś jestem pod ogromnym wrażeniem twojego utworu!

– Tamtego dnia powiedziałem wszystkim, że to nie ja go napisałem...

– Zawsze jesteś bardzo skromny. To wspaniała cecha.

Ren wyjął zza tuniki dwie kartki i podał je przyjacielowi. Poeta zbliżył papier do światła lampy i zaczął czytać. Kiedy skończył, popatrzył na Rena z wyrazem zdumienia na twarzy.

– Czy to prawda?

– Zawsze to powtarzałem, ale nikt nie chciał mnie słuchać... – Ren zwiesił głowę. – Teraz chciałbym pokazać to wszystkim...

– Co dobrego wyniknie z tej historii? – Hong Sheng pytająco uniósł brwi. – Jeśli teraz przekonasz ludzi, że nie mieli wtedy racji, w najlepszym razie zrobisz z siebie głupca, a w najgorszym mężczyznę, który stara się głosić sławę kobiet...

Hong Sheng miał rację. Zdarzenie, które ja uznałam za cudowne odkrycie, jeszcze głębiej pogrążyło Rena w smutku i przygnębieniu. Sięgnął po butelkę wina, napełnił czarkę i natychmiast ją opróżnił. Kiedy próbował znowu nalać sobie alkoholu, Hong Sheng przytrzymał jego dłoń.

– Przyjacielu, musisz wrócić do pracy, zająć się czymś nowym – rzekł. – Powinieneś spróbować zapomnieć o swoim cierpieniu oraz tragedii tamtej dziewczyny i twojej żony...

Co stałoby się ze mną, gdyby Ren usłuchał tej sugestii? Skądinąd doskonale widziałam, że zatrzymując nas w swoim sercu, cierpiał niewymowne męki. Dostrzegłam to w jego samotności, piciu i pełnych czułości gestach, kiedy brał do ręki należące do Ze księgi. Ren musiał pokonać rozpacz i zapomnieć o operze. Opuściłam pawilon, zastanawiając się, czy jeszcze go kiedyś zobaczę.

Na ciemnym niebie wisiał plasterek księżyca. Powietrze było wilgotne i ciepłe. Szłam i szłam, przekonana, że z każdym krokiem udaję się coraz dalej na wygnanie. Całą noc obserwowałam niebo i nie widziałam spotkania Tkaczki z jej Pasterzem. I nie miałam pojęcia, co Ren postanowił zrobić z tymi dwoma kartkami...

Tydzień później nadeszło Święto Głodnych Duchów. Po tylu latach wiedziałam już, czym jestem i co muszę robić. Przepychałam się. Brutalnie odsuwałam innych na bok. Chciwie pochłaniałam wszystko, co wpadło mi w ręce.

Tym razem także chodziłam od domu do domu, lecz w końcu, jakżeby inaczej, znalazłam się przed bramą rezydencji rodziny Chen. Zanurzyłam właśnie twarz w misce skórek melonów tak starych, że stały się miękkie i śliskie, kiedy usłyszałam, że ktoś woła moje imię. Odwróciłam się z groźnym, ostrzegawczym warknięciem i nagle znalazłam się twarzą w twarz z moją matką.

Jej policzki pokryte były bielidłem, miała na sobie wiele warstw najwspanialszego jedwabiu. Cofnęła się z lękiem, gdy zobaczyła, że to naprawdę ja. Rzuciła we mnie papierowymi pieniędzmi i zrobiła jeszcze kilka kroków do tyłu, potykając się o swój tren.

– Mamo! – Podbiegłam i pomogłam jej się podnieść.

Jak to możliwe, że mnie widziała? Czy zdarzył się jakiś cud?

– Trzymaj się z daleka ode mnie! – znowu rzuciła we mnie pieniędzmi, na które natychmiast rzuciły się inne istoty z zaświatów.

– Mamo, Mamo...

Zaczęła się odsuwać, ale ja pozostałam u jej boku. W końcu oparła się plecami o mur rezydencji po drugiej stronie ulicy. Rozejrzała się dookoła, szukając jakiejś drogi ucieczki, lecz ze wszystkich stron otaczały ją duchy, które chciały zdobyć jak najwięcej pieniędzy.

– Daj im to, czego chcą – powiedziałam.

– Nie mam już nic!

– Więc pokaż im...

Mama uniosła puste dłonie i rozgarnęła fałdy szat, aby pokazać, że nie ukrywa w nich niczego prócz dwóch kłódek w kształcie ryb. Inne duchy oraz istoty, gnane nienasyconym głodem, odwróciły się i pobiegły z powrotem do ołtarza.

Delikatnie dotknęłam jej policzka. Był miękki i zimny. Zamknęła oczy. Całe jej ciało dygotało ze strachu.

– Mamo, dlaczego jesteś tutaj?

Otworzyła oczy i spojrzała na mnie, zagubiona i zmieszana.

– Chodź ze mną – poprosiłam.

Ujęłam ją pod łokieć i poprowadziłam do oświetlonego promieniami księżyca zaułka na terenie naszej posiadłości. Popatrzyłam na ziemię. Żadna z nas nie rzucała cienia, ale ja nie chciałam przyjąć tego do wiadomości. Zatoczyłam szeroki łuk, omijając róg pawilonu nad brzegiem. Kiedy zobaczyłam, że nasze stopy nie zostawiają odcisków w miękkim błocie i że rąbki naszych spódnic nie są poplamione, nadal uparcie odrzucałam oczywistą prawdę. Dopiero gdy zorientowałam się, że Mama po najwyżej dziesięciu krokach chwieje się i nie może iść dalej, powiedziałam sobie, że moja matka nie żyje i wędruje po świecie, chociaż jeszcze o tym nie wie.

Dotarłyśmy do naszego Pawilonu z Widokiem na Księżyc. Pomogłam Mamie wejść i stanęłam obok niej.

– Pamiętam to miejsce – powiedziała. – Kiedyś przychodziłam tu z twoim ojcem... Ale ciebie nie powinno tu być, a ja muszę już wracać... Powinnam jak najszybciej wystawić noworoczne ofiary... – Na jej twarzy znowu pojawił się wyraz zagubienia. – Ofiary przeznaczone są dla przodków, a ty jesteś...

– Duchem – dokończyłam. – Wiem, Mamo... I dzisiaj nie obchodzimy Nowego Roku...

Musiała umrzeć bardzo niedawno, ponieważ nadal zupełnie nie wiedziała, co się z nią dzieje.

– Jak to? Przecież masz tabliczkę! Twój ojciec zamówił ją, chociaż było to wbrew tradycji...

Moja tabliczka...

Babcia powiedziała, że nie mogę nic zrobić, aby ktoś postawił na niej kropkę, pomyślałam jednak, że może Mama zdoła mi jakoś pomóc.

– Kiedy widziałaś ją ostatni raz? – zapytałam, starając się, by mój głos brzmiał całkowicie spokojnie.

– Twój ojciec zabrał ją ze sobą do stolicy. Nie mógł znieść rozstania z tobą.

Ułożyłam sobie w głowie kilka zdań, żeby powiedzieć jej, co naprawdę się stało, ale chociaż bardzo się starałam, z moich ust nie wydostało się ani jedno słowo. Ogarnęło mnie uczucie przerażającej bezradności. Mogłam zrobić wiele rzeczy, lecz w tej sprawie byłam bezsilna.

– Wyglądasz dokładnie tak samo jak za życia – odezwała się Mama po długiej chwili. – Jednak w twoich oczach widzę tyle przeżyć... Dorosłaś. Zmieniłaś się.

Ja także widziałam w jej oczach dużo emocji – smutek samotności, rezygnację i wyrzuty sumienia.

Spędziłyśmy trzy dni w Pawilonie z Widokiem na Księżyc. Mama nie mówiła dużo i ja także nie. Jej serce musiało odnaleźć spokój, aby mogła zrozumieć, że nie żyje. Stopniowo zaczęła przypominać sobie, że przygotowywała ucztę dla głodnych duchów i nagle osunęła się na podłogę w kuchni. Powoli uświadamiała sobie, że istnieją jeszcze dwie części jej duszy – jedna oczekująca na pogrzeb, druga odbywająca podróż w zaświaty. Trzecia przebywała ze mną i mogła się swobodnie przemieszczać, lecz Mama nie miała ochoty opuszczać pawilonu.

– Nie wychodzę z domu – powiedziała trzeciej nocy, patrząc na drżące wokół nas cienie kwiatów. – I ty także nie powinnaś tego robić. Twoje miejsce jest w domu, bo tam nie grozi ci nic złego...

– Od dawna już wędruję po świecie, Mamo... – starałam się ważyć słowa i nie śpieszyłam się ze zwierzeniami. – Nigdy nie przydarzyło mi się nic złego od strony fizycznej...

Popatrzyła na mnie. Nadal była piękna – szczupła, wiotka, elegancka, dotknięta smutkiem tak głębokim, że jeszcze przydawało jej to uroku i godności. Jak mogłam nie dostrzec tego za życia?

– Byłam w Gudang, w naszych morwowych gajach – ciągnęłam. – Odbyłam też kilka innych wycieczek. Przyłączyłam się nawet do klubu poetyckiego. Słyszałaś o Klubie Bananowego Ogrodu? Czasami wyprawiamy się na przejażdżki łodzią po jeziorze... Pomagam poetkom pisać...

Mogłam opowiedzieć jej o mojej pracy, o moich osiągnięciach i o tym, jak mój mąż zyskał sławę dzięki napisanemu przeze mnie komentarzowi. Jednak Mama nie wiedziała o tym, kiedy jeszcze żyłam, po śmierci zaś dążyłam do wytyczonego celu w tak bezwzględny sposób, że ostatecznie doprowadziłam do śmierci Ze. Mama nie byłaby ze mnie dumna, wręcz odwrotnie, czułaby tylko obrzydzenie i wstyd.

Ona jednak chyba w ogóle mnie nie słyszała.

– Nie chciałam, żebyś wychodziła z domu – podjęła. – Ze wszystkich sił próbowałam cię chronić i osłaniać. Tyle było rzeczy, o których nie chciałam ci mówić... Twój ojciec i ja nie chcieliśmy, aby ktokolwiek się o nich dowiedział...

Wsunęła dłoń między fałdy i dotknęła kłódek w kształcie ryb. Stryjenki musiały je tam umieścić, kiedy przygotowywały ją do pogrzebu.

– Jeszcze przed twoim przyjściem na świat marzyłam o tobie i zastanawiałam się, kim będziesz... Kiedy miałaś siedem lat, napisałaś pierwszy wiersz, bardzo piękny... Pragnęłam, żeby twój talent wzleciał wysoko, aż pod niebo, jak ptak, lecz gdy tak się stało, ogarnął mnie strach. Martwiłam się, co z tobą będzie... Widziałam, że twoje uczucia kryją się tuż pod skórą, że można ich dotknąć, i wiedziałam, że nie zaznasz dużo szczęścia w życiu... Właśnie wtedy uświadomiłam sobie, jakie jest prawdziwe przesłanie mitu o Tkaczce i Pasterzu – dar bystrego umysłu i umiejętności pięknego tkania, który posiada Panna, wcale nie uratował jej od cierpienia, ale je spowodował. Gdyby nie była tak zręczną tkaczką, gdyby nie tkała tak pięknych tkanin dla bogów, mogłaby na zawsze pozostać z Pasterzem na ziemi...

– Zawsze wydawało mi się, że opowiadałaś mi tę historię, ponieważ była bardzo romantyczna... Nie rozumiałam jej.

Zapadło długie milczenie. Przedstawiona przez Mamę interpretacja mitu okazała się mroczna i negatywna. Było tyle rzeczy, których o niej nie wiedziałam...

– Proszę cię, Mamo... Co cię spotkało?

Szybko odwróciła wzrok.

– Jesteśmy bezpieczne... – Ruchem dłoni ogarnęłam przestrzeń wokół nas. Siedziałyśmy na dachu Pawilonu z Widokiem na Księżyc, świerszcze grały, przed nami rozpościerała się chłodna i spokojna tafla jeziora. – Tutaj naprawdę nic nam nie grozi...

Uśmiechnęła się lekko i zaczęła mówić. Wspominała, jak weszła do rodziny Chen i wyprawiała się na wycieczki z teściową, opowiadała mi o swoich wierszach i co one dla niej znaczyły, a także o zbieraniu utworów zapomnianych poetek, które pisały praktycznie od początku istnienia naszego kraju.

– Nigdy nie pozwól sobie wmówić, że kobiety nie pisały – rzekła z naciskiem. – Pisały. W każdej chwili możesz zajrzeć do stworzonej ponad dwa tysiące lat temu *Księgi pieśni* i zorientować się, że wiele z tych wierszy zostało napisanych przez kobiety i dziewczęta. Czy mamy założyć, że tworzyły je, otwierając usta i bezmyślnie wypluwając słowa? Nie, oczywiście, że nie! Mężczyźni w poszukiwaniu sławy sięgają po słowa – piszą mowy, sporządzają zapisy historii, radzą lub nakazują nam, jak mamy żyć – ale to my chronimy emocje, zbieramy okruchy pozornie pozbawionych sensu dni, dotykamy cyklu życia i pamiętamy, co zdarzyło się w naszych rodzinach. Czy to nie ważniejsze, Peonio, niż napisanie ośmioczłonowego eseju dla cesarza?

Nie czekała na odpowiedź. Nie potrzebowała jej.

Mówiła o dniach bezpośrednio poprzedzających Kataklizm i o nadejściu przewrotu; wszystko to zgadzało się z tym, co wcześniej słyszałam od Babci. Przerwała w momencie, kiedy dostały się do pawilonu dla dziewcząt i sama zebrała srebra oraz kosztowności, które konkubiny ukryły w szatach.

– Przed Kataklizmem byłyśmy takie szczęśliwe, że możemy wychodzić z domu... Nie rozumiałyśmy jednak, że istnieje ogromna różnica między opuszczeniem domu z własnej woli a przymusowym wygnaniem. Mówią nam wiele rzeczy na temat zachowania i obowiązków, że powinnyśmy rodzić męskich potomków, poświęcać się dla mężów i synów, że lepiej jest umrzeć niż sprowadzić hańbę na rodzinę... Wierzyłam w to i nadal wierzę...

Chyba czuła ulgę, że wreszcie może mówić o tym wszystkim, ale nadal nie wyjawiła mi tego, co chciałam wiedzieć.

– Co się stało, kiedy opuściłaś pawilon? – spytałam łagodnie, ujmując jej dłoń i ściskając lekko. – Niezależnie od tego, co mi powiesz, i tak nie przestanę cię kochać... Jesteś moją Mamą. Zawsze będę cię kochać...

Utkwiła wzrok w spowitym mgłą i ciemnością jeziorze.

– Nie byłaś mężatką, więc nic nie wiesz o chmurach i deszczu – podjęła po chwili. – Z twoim ojcem przeżywałam piękne chwile – tworzenie się chmur, spadający deszcz, uczucie, że jesteśmy jednym duchem, nie dwoma odrębnymi...

O chmurach i deszczu wiedziałam więcej, niż chciałabym powiedzieć mojej matce, lecz nadal nie rozumiałam, o czym mówi.

– To, co zrobili ze mną żołnierze, nie miało nic wspólnego z chmurami i deszczem – powiedziała. – Było to brutalne, bezsensowne i niedające satysfakcji, nawet moim gwałcicielom. Wiedziałaś, że byłam wtedy w ciąży? Nie, nie mogłaś wiedzieć... Nie mówiłam o tym nikomu poza twoim ojcem. Byłam w piątym miesiącu, ale tunika i spódnice świetnie maskowały sylwetkę, więc nic nie było widać. Twój ojciec i ja chcieliśmy odbyć tę ostatnią wycieczkę przed moim połogiem. W ostatnią noc pobytu w Yangzhou zamierzaliśmy zdradzić tę wielką nowinę twoim dziadkom, lecz nie było nam to dane...

– Przyszli Mandżurowie...

– Chcieli zniszczyć wszystko, co było mi drogie. Kiedy zabrali twojego ojca i dziadka, uświadomiłam sobie, na czym polega mój obowiązek...

– Twój obowiązek? Czy byłaś im coś winna? – spytałam, przypominając sobie gorzką nutę, brzmiącą w wynurzeniach Babci.

Popatrzyła na mnie ze zdziwieniem.

– Kochałam ich – powiedziała.

Mój umysł przyśpieszył i potknął się, próbując dotrzymać jej kroku. Podniosła głowę.

– Mandżurscy wojownicy wzięli kosztowności, a potem mnie... Zostałam zgwałcona wiele razy, przez wielu mężczyzn, ale nie zadowolili się tym. Tak długo płazowali mnie mieczami, aż popękała mi skóra. Kopali mnie w brzuch, dokładając starań, aby nie uszkodzić twarzy...

Zbierające się nad jeziorem mgły i chmury zgęstniały, w powietrzu pojawiła się najpierw mżawka, a później spadły duże krople deszczu. Babcia na pewno słuchała opowieści Mamy, siedząc na Widokowym Tarasie.

– Czułam się tak, jakby tysiąc demonów gnało mnie ku śmierci, ale przełknęłam rozpacz i ukryłam łzy. Gdy zaczęłam krwawić z wewnątrz, cofnęli się i patrzyli, jak czołgam się po trawie, byle dalej od nich. Potem zostawili mnie w spokoju. Ból szarpał mnie od środka, był tak wielki, że pokonał nawet nienawiść i strach. Kiedy mój syn wypłynął ze mnie, trzech mężczyzn, którzy wpychali we mnie swoje członki, podeszło bliżej. Jeden przeciął pępowinę i zabrał moje dziecko, drugi podnosił mnie w czasie skurczów, żeby łatwiej było wypchnąć łożysko, ostatni zaś trzymał mnie za rękę i mamrotał coś w swoim szorstkim, barbarzyńskim dialekcie. Dlaczego po prostu mnie nie zabili? Zabili już tylu ludzi, jakie znaczenie miała dla nich jeszcze jedna kobieta?

Wszystko to wydarzyło się w ostatnią noc Kataklizmu, kiedy nawet wojownicy nagle zaczęli sobie przypominać, kim są. Spalili trochę bawełny i ludzkich kości oraz przyłożyli popiół na rany mojej matki. Potem ubrali ją w czystą szatę z surowego jedwabiu i wśród zrabowanych rzeczy znaleźli kawałki tkanin, które włożyli jej między nogi. Szybko okazało się jednak, że nie zrobili tego z dobrego serca.

– Myślałam, że przypomnieli sobie własne matki, siostry, żony i córki, ale nie, oni myśleli o mnie jako o łupie... – kłódki w fałdach spódnic Mamy zabrzęczały, gdy poruszyła drżącymi palcami. – Zaczęli kłócić się, który z nich mnie weźmie. Jeden chciał sprzedać mnie do domu publicznego, drugi oświadczył, że zatrzyma mnie w domu jako niewolnicę, trzeci uznał, że mogę być jego konkubiną. „Nie jest odrażająca" – powiedział ten, który chciał mnie sprzedać. „Dam ci za nią dwadzieścia uncji srebra". „Wezmę za nią trzydzieści uncji i ani trochę mniej" – warknął ten, który wolał zrobić ze mnie niewolnicę. „Wygląda tak, jakby urodziła się do śpiewu i tańca, nie do tkania i przędzenia" – przekonywał pierwszy. I tak dalej... Spierali się o mnie jak o zwierzę. Miałam dopiero dziewiętnaście lat i przeżywałam właśnie najmroczniejsze chwile swojego życia. Czy sprzedanie mnie na nałożnicę dziesięciu tysięcy mężczyzn w jakiś sposób różniło się od ogólnie akceptowanego handlu kobietami jako żonami, konkubinami i służącymi? Czy sprzedanie mnie lub handlowanie moim ciałem w ogóle różniło się na przykład od handlu solą? Tak, ponieważ byłam kobietą i jako taka byłam mniej warta niż sól...

Słuchając słów Mamy, widziałam i czułam wszystko. Następnego ranka zjawił się wysokiej rangi mandżurski generał w czerwonej tunice i z rapierem u pasa, a razem z nim Mandżurka o wielkich stopach, z włosami ściągniętymi w kok i kwiatem przypiętym do skroni. Byli to wysłannicy mandżurskiego księcia. Odebrali Mamę wojownikom i zaprowadzili ją na teren posiadłości, gdzie dwie noce wcześniej była przetrzymywana razem z teściową, konkubinami oraz wszystkimi innymi kobietami, które oderwano od rodzin.

– Po czterech dniach ulewnego deszczu i zabijania zaświeciło słońce – wspominała Mama. – Zrobiło się gorąco. Smród rozkładających się trupów był porażający, a nad nami niebo zachwycało najczystszym błękitem... Czekałam w kolejce na oględziny. Kobiety płakały. Dlaczego się nie zabiłyśmy? Bo nie miałyśmy sznurów, noży ani skał, z których mogłybyśmy skoczyć. W końcu zaprowadzono mnie przed oblicze tej Mandżurki. Uważnie obejrzała moje włosy, ramiona, dłonie i palce. Przez ubranie obmacała moje piersi i obrzmiały brzuch. Podniosła moją spódnicę i popatrzyła na lilie stóp, które mówiły wszystko o mojej pozycji w świecie. „Widzę, w czym kryje się twój talent – rzuciła wzgardliwie. – Ujdziesz w tłoku...". Jak to możliwe, że kobieta robiła coś takiego innym kobietom? Wyprowadzono mnie z sali i zamknięto w pustym pokoju.

Mama sądziła, że może uda jej się popełnić samobójstwo, nie miała jednak żadnego narzędzia, którym mogłaby podciąć sobie gardło. Pokój znajdował się na parterze, więc nie miała szans zabić się, skacząc z okna. Nie miała sznura, ale miała suknię. Usiadła i oddarła pas tkaniny od dołu. Potem podarła go na węższe pasma i splotła.

– Wreszcie byłam gotowa, musiałam jednak zrobić jeszcze jedną rzecz. Obok kosza znalazłam kawałek węgla, sprawdziłam, czy zostawia ślad na murze, i zaczęłam pisać...

Kiedy Mama zaczęła recytować, moje serce skuliło się z bólu.

Drzewa są nagie.
Z oddali dobiega smutny klangor gęsi.
Gdyby tylko moje krwawe łzy
Mogły zabarwić na czerwono kwiaty śliwy...
Ale ja nie doczekam wiosny.
Moje serce jest puste, życie nie ma już wartości.
Każda chwila to tysiąc łez.

Babcia mówiła mi, że Mama była świetną poetką. Nie wiedziałam tylko jednego – moja matka była najsławniejszą poetką ze wszystkich, i to ona zostawiła wiersz o tragicznej wymowie na murze domu w Yangzhou. Popatrzyłam na nią ze zdumieniem i podziwem. Jej utwór otworzył bramę nieśmiertelności, jaką osiągnęli tak wybitni poeci jak Xiaoqing, Tang Xianzu i inni. Nic dziwnego, że Tata pozwolił Mamie wziąć moją tabliczkę. Mama była ważną osobistością i dziś byłabym najszczęśliwsza na świecie, gdyby postawiła na niej kropkę. Tyle błędów, tyle nieporozumień...

– Pisząc te słowa, nie wiedziałam, że będę żyła i że inni podróżni, głównie mężczyźni, natkną się na nie, przepiszą, opublikują wiersz i puszczą w obieg – rzekła Mama. – Nie szukałam rozgłosu, nie chciałam, by ktoś uznał mnie za spragnioną sławy... Och, Peonio, kiedy tamtego dnia w Sali Kwitnącego Lotosu usłyszałam, jak recytujesz ten utwór, przerażenie zaparło mi dech w piersiach. Byłaś moją jedyną małą arterią życiodajnej krwi, moim jedynym dzieckiem... Pomyślałam, że wiesz wszystko, bo przecież ty i ja, jako matka i córka, byłyśmy ze sobą tak mocno związane... Przez głowę przemknęła mi myśl, że się mnie wstydzisz...

– Gdybym wiedziała, nigdy nie wyrecytowałabym tego wiersza... Nigdy bym cię tak nie zraniła...

– Ale ja tak się bałam, że zamknęłam cię w pokoju... Od tamtej pory wyrzuty sumienia nie dają mi spokoju.

Nic nie mogłam na to poradzić, lecz uważałam, że to mój ojciec i dziadek ponoszą odpowiedzialność za tragedię mojej matki i babki. Byli przecież mężczyznami! Powinni wtedy ratować swoje żony...

– Jak mogłaś wrócić do Taty, który pozwolił, żebyś go uratowała, i zostawił cię na łasce losu? – spytałam. – Po tym, jak Dziadek posłużył się Babcią, żeby uratować siebie i mojego ojca?

Mama zmarszczyła brwi.

– Nie wróciłam do Taty – powiedziała. – To on wrócił po mnie... To dzięki niemu przeżyłam i zostałam twoją matką.

Skończyłam pisać wiersz, zaczepiłam moją linę o belkę i zawiązałam sobie pętlę na szyi, ale właśnie wtedy do pokoju wpadła Mandżurka. Wściekła się na mnie i mocno mnie uderzyła, lecz to nie odwiodło mnie od powziętego postanowienia. Raz mi się nie udało, wiedziałam jednak, że wykorzystam jakąś szansę. Jeśli zamierzali podarować mnie mandżurskiemu księciu, to musieliby też ubierać mnie, żywić, zapewnić dach nad głową... Wcześniej czy później na pewno znalazłabym jakieś narzędzie śmierci...

Mandżurka zaprowadziła Mamę do głównej sali. Generał siedział za biurkiem, a mój ojciec klęczał przed nim z czołem opartym o podłogę i czekał.

– W pierwszej chwili pomyślałam, że złapali go i chcą ściąć mu głowę – ciągnęła Mama. – Wszystko, co zrobiłam i przez co przeszłam, byłoby na darmo... Jednak on przyszedł sam, żeby mnie wykupić. Dni mordu skończyły się i Mandżurowie starali się dowieść, że są cywilizowanymi ludźmi. Mieli nadzieję, że uda im się stworzyć nowy porządek, wyłonić nowy rząd z całkowitego chaosu. Słuchałam, jak wykłócali się o cenę, jaką twój ojciec miał za mnie zapłacić. Byłam tak odrętwiała z bólu i rozpaczy, że dopiero po dłuższym czasie odzyskałam głos. „Mężu, nie możesz zabrać mnie ze sobą do domu – powiedziałam. – Jestem zrujnowana". Pojął, co miałam na myśli, ale to wcale nie osłabiło jego determinacji. „Straciłam naszego syna" – wyznałam. Po policzkach twojego ojca potoczyły się łzy. „Nie obchodzi mnie to – powiedział. – Nie chcę, żebyś umarła, i nie chcę cię stracić". Zatrzymał mnie przy sobie po tym wszystkim, rozumiesz, Peonio? Byłam tak załamana, że mógł mnie sprzedać czy wymienić, jak planowali to zrobić tamci, którzy mnie zgwałcili, albo po prostu porzucić...

Czy Babcia słuchała słów Mamy? Nie pozwoliła, żeby w naszej rodzinie rodzili się synowie, ponieważ chciała ukarać mojego ojca i dziadka. Czy teraz widziała, że popełniła błąd?

– Jak możemy obwiniać mężczyzn, kiedy same dokonałyśmy wyboru, twoja babka i ja? – spytała Mama, jakby czytała w moich myślach. – Twój ojciec uratował mnie od strasznego losu i od samobójstwa...

– Ale później zaczął pracować dla Mandżurów! Jak mógł?! Czy zapomniał, co zrobili tobie i Babci?!

– Jakże mógłby zapomnieć? – Mama posłała mi pełen wyrozumiałości uśmiech. – Nie zapomniał ani na chwilę... Wygolił sobie czoło, zaplótł warkocz i przywdział mandżurski strój, ale to tylko kostium, maska... Dowiódł mi, że jest człowiekiem wielkiej lojalności i nade wszystko kocha rodzinę...

– Ale po mojej śmierci pojechał do stolicy... Zostawił cię samą i...

Chyba za bardzo zbliżyłam się do tematu tabliczki, bo znowu nie mogłam wydobyć głosu z gardła.

– Planował to od dawna. – Mama wróciła wspomnieniami do okresu przed moją śmiercią. – Miałaś wkrótce wyjść za mąż, prawda? Ojciec bardzo cię kochał i nie mógł znieść myśli, że cię traci, więc postanowił przyjąć urząd w stolicy, żeby mieć mniej czasu na rozważanie straty. Kiedy umarłaś, jeszcze mocniej zapragnął oderwać się od wspomnień o tobie...

Zbyt długo wierzyłam, że mój ojciec nie jest uczciwym człowiekiem. Myliłam się, ale przecież nie była to moja pierwsza pomyłka...

Mama westchnęła i znowu niespodziewanie zmieniła temat.

– Nie wiem, co stanie się z naszą rodziną, jeżeli Bao szybko nie spłodzi syna...

– Babcia na to nie pozwoli...

Mama pokiwała głową.

– Kochałam twoją babkę, lecz to nie zmienia faktu, że potrafi być mściwa. Tak czy inaczej, w tym wypadku nie ma racji. Umarła w Yangzhou, nie widziała, co się dalej ze mną działo, i nie było jej na ziemi, kiedy ty żyłaś. Tata kochał cię całym sercem, byłaś jak najcenniejszy klejnot w jego ręku, ale potrzebował syna, który zadbałby o przodków. Co stanie się z nią i z innymi przodkami rodziny Chen, jeśli nie będziemy mieć synów, wnuków i prawnuków, którzy odprawią za nas rytuały, jak myślisz? Tylko synowie mogą to zrobić i Babcia dobrze o tym wie.

– Tata zaadoptował tego mężczyznę, tego Bao... – bąknęłam, nawet nie starając się ukryć rozczarowania, jakie nadal budziła we mnie myśl, że ojciec tak łatwo wyrzucił mnie z serca.

– Trochę to trwało, zanim Bao poznał nasze zwyczaje, ale to nie jest zły człowiek. Popatrz, jak teraz o mnie dba – jestem ubrana we wszystko, co może przydać się w wieczności... Zostałam nakarmiona i dostałam mnóstwo pieniędzy na podróż...

– Bao znalazł moje wiersze – przerwałam jej. – I poszedł do Rena, żeby mu je sprzedać...

– Mówisz jak zazdrosna siostra – skomentowała Mama. – Nie myśl w taki sposób. Twój ojciec i ja naprawdę bardzo cię kochaliśmy...

Dotknęła mojego policzka. Od tak dawna nikt nie okazywał mi czułości...

– To ja znalazłam twoje wiersze przypadkiem, kiedy od nowa układałam książki ojca na półkach – powiedziała Mama. – Przeczytałam je i poprosiłam Bao, aby zaniósł je twojemu mężowi. Kazałam mu też zadbać, żeby Ren dobrze zapłacił. Chciałam przypomnieć mu o twojej wartości...

Objęła mnie i przytuliła.

– Mandżurowie napadli na nasz region, ponieważ był najbogatszy w całym kraju – ciągnęła. – Postanowili dać nam nauczkę, która miała posłużyć jako przykład i groźba dla innych, ale wiedzieli też, że właśnie my posiadamy największy potencjał, aby szybko podźwignąć się z klęski. Pod tym względem nie mylili się, lecz jak mogliśmy pogodzić się z bolesnymi stratami, jakie ponieśliśmy w rodzinach? Wróciłam do domu i zamknęłam za sobą drzwi. Teraz, patrząc na ciebie, wiem, że matka zawsze stara się chronić córkę, ale nie zawsze jej się to udaje. Trzymałam cię w zamknięciu od dnia narodzin, lecz nie zdołałam zapobiec twojej przedwczesnej śmierci... Widzę jednak, że pływałaś po jeziorze łodzią, podróżowałaś...

– I krzywdziłam innych – wyznałam.

Czułam, że po wszystkim, co mi powiedziała, jestem jej winna prawdę o moim zachowaniu wobec Tan Ze.

– Przeze mnie umarła moja siostra-żona...

– Słyszałam inną wersję tej historii – odezwała się Mama. – Matka Ze obwiniała córkę o to, że nie wypełniała małżeńskich obowiązków. Tan Ze należała do tych młodych kobiet, które każą mężom nosić wodę, czy nie tak?

Kiwnęłam głową.

– Nie możesz obciążać się odpowiedzialnością za głodowy strajk Ze – podjęła Mama. – To strategia stara jak świat... Najgorsza i najbardziej okrutna rzecz, na jaką może zdobyć się kobieta, to kazać mężowi bezradnie przyglądać się, jak umiera. – Objęła moją twarz dłońmi i popatrzyła w oczy. – Jesteś moją ukochaną córką, niezależnie od tego, o co się obwiniasz...

Ale Mama nie wiedziała wszystkiego.

– Poza tym jaki miałaś wybór? Twoi rodzice cię zawiedli. Ja poczuwam się do szczególnej odpowiedzialności... Chciałam, żebyś była mistrzynią haftu, pędzla i cytry. Pragnęłam, żebyś nie odzywała się, uśmiechała i była posłuszna, tymczasem popatrz, co się stało – wyfrunęłaś z domu i znalazłaś wolność tutaj... – Wskazała moje serce. – W siedzibie świadomości i sumienia...

Dostrzegałam prawdę jej słów. Moja matka zadbała, żebym otrzymała jak najlepsze wykształcenie, ponieważ dzięki niemu miałam być dobrą żoną, ale w rezultacie zainspirowała mnie do odejścia od przyjętego idealnego obrazu młodej kobiety tuż przed wstąpieniem w związek małżeński...

– Masz duże i dobre serce – ciągnęła. – I niczego nie musisz się wstydzić. Pomyśl o swoich pragnieniach, wiedzy i wielkoduszności... Mencjusz wyraźnie podkreśla, że ten, kto nie zna litości i współczucia, nie jest człowiekiem, podobnie jak ten, kto nie zna wstydu, pokory oraz wyczucia dobra i zła...

– Ale ja nie jestem człowiekiem. Jestem głodnym duchem.

Nareszcie... Powiedziałam jej, lecz ona nawet nie zapytała, jak to się stało. Może nie chciała wiedzieć wszystkiego, nie była w stanie przyjąć całej okropnej prawdy naraz...

– Doświadczyłaś żalu, prawda? – spytała po chwili. – Czułaś litość, wstyd, żal i smutek z powodu wszystkiego, co spotkało Tan Ze, tak?

Oczywiście... Sama wymierzyłam sobie karę i skazałam się na wygnanie za to, co uczyniłam.

– Jak można sprawdzić, czy ktoś jest człowiekiem, czy nie? – westchnęła Mama. – Czy podstawą ma być to, czy ktoś rzuca cień i zostawia ślady stóp na piasku? Tang Xianzu udzielił odpowiedzi na te pytania w twojej ukochanej operze, pisząc, że nie ma istnienia, nie ma życia bez radości, gniewu, lęku, miłości, nienawiści i pożądania. Tak więc *Księga rytuałów, Pawilon Peonii* i ja mówimy ci, że to Siedem Uczuć czyni nas ludźmi, a ty nadal nosisz je w sercu...

– Ale jak mogę naprawić zło, które uczyniłam?

– Nie wierzę, że naprawdę zrobiłaś coś złego, lecz jeśli nawet tak było, to musisz po prostu zaangażować wszystkie swoje atrybuty w dobrym celu. Powinnaś znaleźć inną dziewczynę, której życie możesz naprawić...

W tej samej chwili przed moimi oczami przemknął obraz takiej dziewczyny. Potrzebowałam jednak pomocy Mamy.

– Pójdziesz ze mną? – spytałam. – To daleka wyprawa...

Uśmiechnęła się i ciemna powierzchnia jeziora rozbłysła jak w słońcu.

– Bardzo chętnie – odparła. – Powinnam przecież teraz wędrować...

Wstała i ostatni raz rozejrzała się po Pawilonie z Widokiem na Księżyc. Pomogłam jej przejść przez balustradę i ostrożnie zeszłyśmy na brzeg. Mama sięgnęła między fałdy spódnic i wyjęła kłódki w kształcie rybek. Wrzuciła je do jeziora, jedną po drugiej, a one wpadały do wody z bezgłośnym pluskiem i tworzyły ledwo widoczne kręgi, rozchodzące się daleko, aż w nieskończoność.

Ruszyłyśmy w drogę. Poprowadziłam Mamę przez miasto. Rankiem byłyśmy już na wsi, wśród pól podobnych do tkanych mistrzowską ręką kawałków jedwabnego brokatu. Liście na gałęziach morw były mięsiste i zielone. Kobiety o wielkich stopach, w słomianych kapeluszach i spłowiałych błękitnych strojach wspinały się na drzewa i ścinały liście. Niżej inne, brązowe od słońca i krzepkie od ciężkiej pracy, podlewały nawozem glebę wokół korzeni i przenosiły pełne liści kosze w inne miejsce.

Mama już się nie bała. Jej twarz promieniała spokojem i radością. Dawno temu często podróżowała tą trasą z moim ojcem i teraz z przyjemnością rozpoznawała znajome punkty. Wymieniałyśmy zwierzenia, dzieliłyśmy się współczuciem i miłością, wszystkim, czym tylko matka i córka mogą się dzielić.

Tak długo pragnęłam stać się częścią jakiegoś siostrzanego związku... Nie znalazłam przyjaźni za życia, wśród moich kuzynek, ponieważ nigdy mnie nie lubiły. Nie znalazłam jej na Widokowym Tarasie, wśród innych chorych z miłości dziewcząt, gdyż ich choroba różniła się od mojej. Nie znalazłam jej też wśród członkiń poetyckiego klubu, bo one najzwyczajniej w świecie nie miały pojęcia o moim istnieniu. Doznałam jednak przyjaźni, przebywając z matką i babką. Każda z nas miała wady i słabości, łączyła nas jednak silna więź, moją babkę, osobę zgorzkniałą i złośliwą, moją złamaną przez życie matkę i mnie, żałosnego głodnego ducha. Kiedy tak podążałyśmy przez noc, uświadomiłam sobie, że wreszcie nie jestem sama.

Los córki

Do wioski Gudang dotarłyśmy wczesnym rankiem następnego dnia i od razu skierowałyśmy się do domu naczelnika. Tak długo tułałam się już po świecie, że pokonywanie dużych odległości przestało stanowić dla mnie jakikolwiek problem, ale Mama musiała usiąść i rozmasować sobie stopy.

Nagle usłyszałyśmy pisk jakiegoś dziecka i po chwili ujrzałyśmy małą Qian Yi, która boso wybiegła z domu. Włosy miała związane w małe kucyki, co nadawało jej buzi wyraz ożywienia i energii, kontrastujący z jej chudziutką sylwetką i bladą cerą.

– To ta? – sceptycznie zapytała Mama.

Przytaknęłam.

– Wejdźmy do środka – zaproponowałam. – Chciałabym, żebyś zobaczyła jej matkę.

Pani Qian siedziała w kącie i haftowała. Mama obejrzała ścieg i rzuciła mi pełne zdumienia spojrzenie.

– To kobieta z naszej klasy – powiedziała. – Popatrz, jakie ma dłonie – nawet w takich warunkach miękkie i białe... I tak delikatne ściegi... Jak to się stało, że skończyła w tej wiosce?

– Przez Kataklizm.

Zdziwienie Mamy przerodziło się w troskę i niepokój,

kiedy wyobraziła sobie zdarzenia, jakie mogły być udziałem pani Qian. Wsunęła rękę między fałdy spódnicy, szukając kłódek, którymi zawsze pobrzękiwała w chwilach zdenerwowania, ale nie znalazła ich i mocno splotła palce obu dłoni.

– Pomyśl o dziewczynce, Mamo... Czy ona także ma cierpieć?

– Może płaci za jakiś zły czyn z poprzedniego życia – zasugerowała. – Może taki los jest jej pisany...

Ściągnęłam brwi.

– A jeśli w jej przeznaczeniu przewidziana jest nasza interwencja dla jej dobra?

Mama popatrzyła na mnie z powątpiewaniem.

– Ale co możemy dla niej zrobić?

– Pamiętasz, jak kiedyś powiedziałaś mi, że krępowanie stóp jest aktem oporu wobec Mandżurów? – odpowiedziałam pytaniem na pytanie.

– Pamiętam. I nadal tak uważam.

– Tutaj nikt nie podziela twojego zdania. Ta rodzina potrzebuje córek o wielkich stopach, silnych i zdolnych do ciężkiej pracy, ale ta mała nigdy nie będzie w stanie ciężko pracować.

Mama zgodziła się z moją oceną.

– Dziwi mnie, że dziewczynka żyje tak długo – dodała. – W jaki sposób zamierzasz jej pomóc?

– Chciałabym skrępować jej stopy.

Pani Qian zawołała córkę. Yi posłusznie wróciła do izby i stanęła obok matki.

– Samo krępowanie stóp nie odmieni jej losu – zauważyła Mama. – My nie przędziemy i nie tkamy dla naszych rodzin. Haftujemy, żeby dać wyraz naszej kreatywności, subtelności i elegancji.

– Mogłabym w tym pomóc małej, podobnie zresztą jak jej matka...

Mama wciąż nie była do końca przekonana.

– Jeżeli mam dokonać zadośćuczynienia za zło, jakie wyrządziłam, nie mogę zdecydować się na coś łatwego – powiedziałam.

– Tak, ale...

– Jej matka zeszła kilka stopni niżej w wyniku Kataklizmu. Dlaczego Yi nie miałaby wspiąć się wyżej?

– Wyżej, czyli dokąd?

– Nie wiem, ale nawet jeśli jest jej przeznaczone być tylko chudą szkapą, to dobrze skrępowane stopy pozwoliłyby jej znaleźć miejsce w lepszym domu, prawda?

Mama rozejrzała się po skromnie urządzonym pokoju i znowu popatrzyła na panią Qian i jej córeczkę.

– To nie jest dobra pora na krępowanie – oznajmiła. – Jest za gorąco.

Wiedziałam już, że zwyciężyłam.

Podsunięcie pomysłu pani Qian było nadzwyczaj łatwe, lecz nakłonienie jej męża do wyrażenia zgody okazało się nieporównanie trudniejsze. Natychmiast przedstawił argumenty przeciwko rozpoczęciu krępowania. Po pierwsze, Yi nie będzie mogła pomagać mu w prowadzeniu hodowli jedwabników (co było prawdą), a po drugie, żaden mieszkający na wsi mężczyzna nie poślubiłby bezużytecznej kobiety ze skrępowanymi stopami (co było celowo wypowiedzianą obelgą pod adresem jego żony).

Pani Qian wysłuchała go cierpliwie, czekając, kiedy będzie mogła przemówić.

– Wydajesz się zapominać, mężu, że ze sprzedaży córki można uzyskać sporą sumę – rzekła w odpowiednim momencie.

Następnego dnia, chociaż Mama znowu przypomniała mi, że nie jest to właściwa pora roku, pani Qian zgromadziła ałun, środek ściągający, płótno do krępowania, nożyczki, obcinacz do paznokci, igłę i nici. Mama uklękła obok mnie, kiedy położyłam chłodne dłonie na rękach pani Qian. Pomogłyśmy jej umyć stopy córki, a następnie namoczyć je w zmiękczającej skórę ziołowej kąpieli. Potem obcięłyśmy Yi paznokcie, przetarłyśmy skórę środkiem ściągającym, podwinęłyśmy palce, starannie obandażowałyśmy stopy i mocno zszyłyśmy końce płóciennych pasów, aby Yi nie mogła się z nich uwolnić. Mama szeptała mi do ucha słowa zachęty i pochwały. Obdarzała mnie macierzyńską miłością, ja zaś przekazywałam ją Yi poprzez jej stopy.

Mała rozpłakała się dopiero w nocy, kiedy stopy zaczęły ją palić z powodu upośledzonego krążenia i nieustannego ucisku bandaży. W ciągu następnych kilku tygodni, kiedy co cztery dni coraz mocniej zaciskałyśmy płótna i kazałyśmy Yi chodzić w tę i z powrotem po pokoju, aby wzmocnić obciążenie kości, które musiały popękać, nie poddawałam się zwątpieniu. Najgorsze były noce, gdy Yi szlochała głośno, zasysając duże łyki powietrza w bólu i rozpaczy.

Proces krępowania trwa dwa lata. Yi była dla mnie natchnieniem, nie brakowało jej bowiem odwagi, wewnętrznej siły i wytrwałości. W chwili, kiedy bandaże objęły jej stopy, automatycznie znalazła się o klasę wyżej od ojca i swoich sióstr. Nie mogła już uciekać matce i boso biegać za siostrami po pełnej pyłu i kurzu wiosce. Była teraz dziewczyną żyjącą wewnątrz domu i z konsekwencji tego jej matka doskonale zdawała sobie sprawę. W mieszkaniu nie było dobrej wentylacji. Mimo iż zawsze otaczał mnie obłok chłodu, to jednak w najbardziej upalne dni nawet ja nie mogłam poradzić sobie z duchotą i wilgocią. I kiedy cierpienia Yi narastały, pani Qian wyjmowała *Księgę pieśni*. Oślepiająco biały ból w umyśle Yi tracił na sile i kurczył się, gdy jej matka recytowała wiersze miłosne, które wyszły spod pędzla kobiet setki lat temu. Po pewnym czasie jednak palący, pulsujący ból w stopach Yi znowu brał ją we władanie.

Pewnego dnia pani Qian podniosła się z łóżka, podeszła do okna na złocistych liliach stóp i długo wpatrywała się w pola. Przygryzła górną wargę i zacisnęła palce na parapecie. Czy myślała, że popełniła straszny błąd podobnie jak ja? Że niepotrzebnie naraziła córkę na tak wielkie cierpienie?

Mama stanęła obok mnie.

– Wszystkie matki mają wątpliwości – powiedziała. – Nie zapominaj jednak, że tylko w ten sposób możemy dać córkom szansę na lepsze życie...

Pani Qian rozluźniła palce. Zamrugała, powstrzymując łzy, wzięła głęboki oddech, wróciła na swoje miejsce i znowu otworzyła książkę.

– Teraz, kiedy twoje stopy zostały skrępowane, nie jesteś już taka jak twoje siostry – rzekła. – Mogę ci jednak dać coś jeszcze cenniejszego... Dzisiaj, moja malutka, zaczniesz się uczyć czytać.

Pani Qian wskazywała jeden znak po drugim, wyjaśniając ich pochodzenie i znaczenie, a Yi powoli zapominała o bólu. Jej zrelaksowane mięśnie odpoczywały. Dziewczynka miała sześć lat i była już za duża, by rozpocząć właściwy tok edukacji, lecz ja tylko czekałam, by w jakiś sposób odkupić za swoje winy, a na czytaniu i pisaniu znałam się doskonale. Z moją pomocą Yi miała szansę nadrobić zaległości.

Kilka dni później Mama zwróciła uwagę na twórczą ciekawość Yi oraz jej wyraźnie widoczne zdolności.

– Myślę, że temu dziecku potrzebny będzie posag – oświadczyła. – Kiedy znajdę sobie miejsce, będę mogła jej pomóc.

Ponieważ całkowicie skupiłyśmy się na Qian Yi, przestałam śledzić upływ czasu i niemiło zaskoczyła mnie wiadomość, że czterdzieści dziewięć dni tułaczki Mamy dobiegło końca.

– Jaka szkoda, że nie mamy więcej czasu – powiedziałam. – I że wcześniej nie spędzałam z tobą tyle czasu co teraz... I że...

– Przestań żałować, Peonio – Mama uściskała mnie mocno i odsunęła od siebie, żeby móc spojrzeć mi w twarz. – Obiecaj mi, że już więcej nie będziesz tego robić... Niedługo ty także udasz się do domu.

– Do rezydencji Chen? – spytałam niepewnie. – Czy na Widokowy Taras?

– Do domu twojego męża. Tam jest twoje miejsce.

– Nie mogę tam wrócić.

– Zrób tutaj wszystko, co możesz najlepszego, a potem wróć do domu...

Nagle zaczęła oddalać się ode mnie, wnikając w swoją tabliczkę.

– Będziesz wiedziała, kiedy przyjdzie czas! – zawołała jeszcze.

Przez następne jedenaście lat mieszkałam w Gudang, poświęcając czas Qian Yi oraz jej rodzinie. Udoskonaliłam kontrolę nad najbardziej prymitywnymi odruchami głodnego ducha, wznosząc wokół siebie ochronne tarcze, które mogłam podnosić i opuszczać. Latem wprowadzałam się do domu i chłodziłam powietrze, żeby Qian nie cierpiała z powodu upałów. Kiedy przychodziła jesień, dmuchałam na węgle w koszu i rozniecałam ogień, nie parząc się i nie przypalając ubrania.

Podobno czysty śnieg zapowiada dostatek na następny rok. W czasie mojej pierwszej zimy w Gudang czyściutki biały śnieg otulał dom rodziny Qian i otaczający go teren. W Nowy Rok, gdy Bao przyjechał obejrzeć posiadłości ojca i zachęcać wieśniaków do zwiększenia produkcji, przywiózł ważną nowinę – jego żona była w ciąży i z tego powodu Bao nie zamierzał podwyższać opłat za dzierżawę oraz innych kwot, które jak zwykle należały się rodzinie Chen.

Przyszła następna zima i dom Qian znowu tonął w czystym śniegu. Tym razem Bao oznajmił, że jego żona urodziła synka, a ja odgadłam, że Mama ciężko napracowała się w zaświatach. Bao nie podarował wszystkim czerwonych jaj, aby uczcić ten cud. Zrobił coś lepszego: przyznał naczelnikom wszystkich wiosek mojego ojca nagrodę w postaci *mu* ziemi. Rok później żona Bao znowu zaszła w ciążę i powiła drugiego syna. Teraz, kiedy przyszłość rodu Chen była zabezpieczona, Bao mógł pozwolić sobie na hojność. Po narodzinach każdego kolejnego syna obdarowywał naczelnika wioski *mu* ziemi. Dzięki temu majątek rodziny Qian systematycznie się powiększał. Starsze siostry otrzymały niewielkie posagi i powychodziły za mąż, a pan Qian otrzymał dary za córki, co także uczyniło go stosunkowo zamożnym.

Yi rosła. Lilie jej stóp okazały się przepiękne – drobne, pachnące, o idealnym kształcie. Dziewczyna nadal była chorowita, chociaż nie dopuszczałam do niej żadnych duchów żerujących na słabości. Odkąd jej siostry wyprowadziły się z domu, dbałam, żeby dostawała większe porcje jedzenia, więc jej *qi* była teraz większa. Do spółki z panią Qian uczyniłyśmy z dziecka podobnego do surowego, nieociosanego kawałka nefrytu osobę piękną, wykształconą i delikatną. Nauczyłyśmy Yi tańczyć i kiedy kołysała się na liliach stóp, wyglądała, jakby unosiła się na obłoku. Dziewczyna nauczyła się grać na cytrze w czystym, eleganckim stylu. Jej strategia gry w szachy stała się bezwzględna i podstępna jak myśli pirata. Umiała też śpiewać, haftować i malować. Brakowało nam książek, ale na to nic nie mogłyśmy poradzić, ponieważ pan Qian nie doceniał ich roli.

– Edukacja Yi to część długoterminowej inwestycji – przypominała mężowi pani Qian. – Myśl o niej jak o tacy z larwami jedwabników, którym trzeba zapewnić odpowiednie warunki, żeby utkały swoje kokony. Musisz pamiętać, że jeśli i córce zapewnisz dobre warunki rozwoju, stanie się bezcenna...

Pan Qian obstawał jednak przy swoim, więc musiałyśmy jakoś radzić sobie za pomocą *Księgi pieśni*. Yi uczyła się wierszy na pamięć i recytowała je, ale nie do końca pojmowała ich znaczenie.

Bardzo szybko stała się dojrzałą śliwką. W wieku siedemnastu lat była drobna, szczuplutka i piękna. Miała bardzo delikatną urodę: czarne jak węgiel włosy, czoło jak biały jedwab, wargi koloru moreli i policzki jasne i promienne jak alabaster – przy każdym uśmiechu powstawały w nich dołeczki. W oczach lśniła skłonność do psot, prosta linia noska i pytający wyraz spojrzenia świadczyły o ciekawości świata, niezależności oraz inteligencji. To, że przetrwała choroby, zaniedbanie, krępowanie stóp i ogólną słabość organizmu, świadczyło o ukrytej sile i wytrwałości. Trzeba było zacząć szukać dla niej męża.

Jednak na wsi Yi miała niewielkie szanse na korzystne małżeństwo. Nie mogła ciężko pracować, nadal od czasu do czasu zapadała na zdrowiu, a poza tym miała zbijający z tropu zwyczaj mówienia tego, co myślała. Odebrała przyzwoite, lecz nie najlepsze wykształcenie, więc nawet jeśli jakaś rodzina z miasta wzięłaby pod uwagę dziewczynę ze wsi, szybko uznano by ją za nieodpowiednią lub jeszcze niedojrzałą do zawarcia małżeństwa kandydatkę. Zresztą nawet bogate i oświecone rodziny nie chciałyby drugiej, trzeciej, czwartej, a cóż dopiero piątej córki, ponieważ wskazywało to, że kandydatka również może rodzić same dziewczynki. Ze wszystkich tych powodów miejscowa swatka uznała Yi za beznadziejny przypadek, lecz ja byłam innego zdania.

Pierwszy raz od jedenastu lat opuściłam Gudang i udałam się do Hangzhou, prosto do domu Wu Rena. Ren miał teraz czterdzieści jeden lat. Pod wieloma względami w ogóle się nie zmienił. Włosy pozostały czarne, nadal był szczupły i pełen uroku. Wciąż miał przepiękne dłonie. W czasie mojej nieobecności przestał pić i odwiedzać domy rozkoszy. Napisał doskonale przyjęty przez czytelników komentarz do *Wiecznego miejsca,* sztuki, której autorem był jego przyjaciel Hong Sheng. Utwory poetyckie Rena ukazywały się w zbiorach zawierających wiersze najwybitniejszych poetów naszego regionu. Zdobył sobie trwałą pozycję jako szanowany krytyk dzieł teatralnych. Przez pewien czas pracował jako sekretarz uczonego rangi *juren*. Inaczej mówiąc, znalazł spokój beze mnie, bez Tan Ze oraz innych kobiet. Czuł się jednak samotny. Gdybym żyła, miałabym teraz trzydzieści dziewięć lat, bylibyśmy małżeństwem od dwudziestu trzech lat i musiałabym zacząć rozglądać się za odpowiednią konkubiną dla mojego męża, tymczasem ja chciałam obdarzyć go żoną.

Poszłam do pani Wu. Byłyśmy „takie same" i obie kochałyśmy Rena. Pani Wu zawsze odbierała moje wibracje, więc od razu zaczęłam szeptać jej do ucha.

– Jedynym obowiązkiem syna jest zapewnienie rodzinie męskich potomków... Twój pierwszy syn nie sprostał temu zadaniu... Jeżeli nie będziesz miała wnuka, nikt nie zadba o ciebie ani o innych przodków Wu... Teraz z pomocą przyjść ci może tylko drugi syn...

W następnych dniach pani Wu uważnie obserwowała Rena. Wyczuwała jego nastroje, dostrzegała osamotnienie i co jakiś czas wspominała, że w rodzinnej posiadłości już od dawna nie słychać dziecięcych głosików.

Kiedy w ciągu upalnego dnia odpoczywała, wachlowałam ją cierpliwie.

– Klasa nie jest ważna... – szeptałam. – Ren nie był złotym chłopcem, kiedy zaręczono go z córką rodu Chen, ani później, gdy poślubił dziewczynę Tan, zresztą oba te związki skończyły się katastrofą...

Okazywałam szacunek teściowej, nigdy nie siadając w jej obecności, ale musiałam trochę przyśpieszyć jej decyzję.

– Niewykluczone, że to ostatnia szansa – ciągnęłam. – Musisz zrobić coś teraz, kiedy społeczeństwo jest jeszcze płynne, zanim cesarz okrzepnie na tronie...

Tego wieczoru pani Wu poruszyła temat nowej żony. Nie protestował, wezwała więc najlepszą swatkę w mieście.

Swatka wymieniła kilka dziewcząt, a ja zadbałam, aby kandydatury wszystkich zostały odrzucone.

– Dziewczęta z Hangzhou są uparte i rozpuszczone – szepnęłam do ucha pani Wu. – Raz już miałaś w domu taką synową i wcale nie byłaś z tego zadowolona...

– Musisz poszukać poza miastem – poleciła pani Wu swatce. – Rozglądaj się za kimś o miłym usposobieniu, kto mógłby dotrzymać mi towarzystwa w starości. Nie zostało mi już wiele lat.

Swatka wsiadła do palankinu i wyruszyła na wieś. Kilka odłamków skał zepchniętych tu i ówdzie na drogę skłoniło tragarzy, aby udali się do Gudang. Swatka dość długo wypytywała o niezamężne dziewczęta i w końcu została skierowana do domu rodziny Qian, gdzie mieszkały dwie wykształcone kobiety z krępowanymi stopami. Pani Qian wykazała się godnym podziwu opanowaniem i szczerze odpowiedziała na wszystkie dotyczące córki pytania. Wyjęła z ukrycia kartę, na której spisała trzy pokolenia przodków Yi ze strony matki, a także tytuły jej dziadka i pradziadka.

– Czego dziewczyna się uczyła? – zapytała swatka.

Pani Qian wyliczyła umiejętności córki.

– Nauczyłam ją, że mąż jest słońcem, a żona księżycem – dodała. – Słońce zawsze jest w pełni, natomiast księżyc blednie, traci idealny kształt i maleje. Mężczyźni kierują się w działaniu siłą woli, kobiety emocjami. Mężczyźni inicjują działanie, kobiety w nim trwają. Właśnie dlatego mężczyźni odwiedzają świat zewnętrzny, podczas gdy kobiety pozostają wewnątrz domu.

Swatka w zamyśleniu pokiwała głową i spytała, czy może zobaczyć Yi. W czasie potrzebnym do wypalenia do cna jednej świecy Yi została wprowadzona do pokoju i uważnie obejrzana, jej posag został wynegocjowany, a ewentualna cena za pannę młodą dokładnie omówiona. Pan Qian zgłosił gotowość oddawania pięciu procent zbiorów jedwabiu przez pięć lat, zgodził się też oddać jedno *mu* ziemi. Poza tym dziewczyna miała wnieść do nowego domu kilka skrzyń pościeli, pantofelków, strojów oraz innych haftów, oczywiście wszystko to z jedwabiu, uszyte przez narzeczoną.

Swatka była pod dużym wrażeniem, i nic dziwnego.

– Często lepiej jest, kiedy żona pochodzi z niżej postawionej i gorzej sytuowanej rodziny, ponieważ wtedy łatwiej jej jest przystosować się do nowej pozycji synowej w domu męża – zauważyła.

Swatka wróciła do Hangzhou i natychmiast udała się do domu Wu.

– Znalazłam żonę dla twojego syna, pani – oświadczyła. – Tylko mężczyzna, który stracił już dwie żony, będzie gotowy ją poślubić.

Obie kobiety porównały daty urodzin Ren oraz Yi, a także i ich horoskopy, sprawdzając, czy Osiem Cech jest dobrze dopasowanych. Omówiły cenę panny młodej, biorąc pod uwagę, że jej ojciec jest zwykłym wieśniakiem. Następnie swatka wróciła do Gudang. Przywiozła ze sobą cztery dzbany wina, dwie bele materiału, odpowiednią ilość herbaty i baranią nogę na przypieczętowanie umowy.

Ren i Qian Yi pobrali się w dwudziestym szóstym roku panowania cesarza Kangxi. Ojciec panny młodej z ulgą pozbył się niechcianej i bezużytecznej córki, a matka z uśmiechem przyjęła odmianę losu dla swojej rodziny. Chciałam przekazać Yi wiele rad, ale w chwili rozstania zasznurowałam usta i pozwoliłam mówić jej matce.

– Bądź uprzejma, pełna szacunku dla innych i ostrożna – mówiła pani Qian. – Ucz się pilnie i pracuj. Kładź się spać późno i wstawaj wcześnie, tak jak zawsze. Podawaj herbatę teściowej i dobrze ją traktuj. Jeżeli w twoim nowym domu będą jakieś zwierzęta, karm je. Dbaj o stopy, ubieraj się gustownie i rozczesuj włosy. W żadnej sytuacji nie wpadaj w złość. Jeśli weźmiesz sobie moje uwagi do serca, zasłużysz na dobrą opinię...

Długo trzymała córkę w ramionach.

– I jeszcze coś... – powiedziała łagodnie. – Wszystko potoczyło się tak szybko, że nie możemy mieć absolutnej pewności, czy swatka była z nami całkiem szczera... Jeżeli twój mąż okaże się ubogi, nie wiń go za to. Jeżeli będzie miał szpotawą stopę albo ograniczony umysł, nie miej mu tego za złe. Nie narzekaj, nie zachowuj się nielojalnie, nie odwracaj się od męża. Teraz on jest jedyną osobą na świecie, na której możesz się oprzeć. Nie możesz cofnąć czasu, co się stało, to się nie odstanie... Zadowolenie z życia zależy od nas samych – po twarzy pani Qian popłynęły łzy. – Byłaś dobrą córką... Postaraj się o nas całkiem nie zapomnieć...

Potem opuściła matowy czerwony welon na twarz Yi i pomogła jej wsiąść do palankinu. Muzykanci zaczęli grać, miejscowy specjalista od *feng shui* obrzucił lektykę ziarnem, fasolą, małymi owocami i miedzianymi monetami, aby odegnać złe duchy. Ja widziałam jednak, że w pobliżu nie ma nikogo poza mną, radosną i zadowoloną, oraz dziećmi z wioski, które wyszarpywały sobie nawzajem słodycze. Yi, która nie miała nic do powiedzenia w całej tej historii, opuściła rodzinną wioskę. Nie spodziewała się, że na końcu drogi czeka na nią miłość i czułość, miała jednak w sercu ogromną odwagę swojej matki.

Matka Rena powitała palankin przed główną bramą. Nie mogła zobaczyć twarzy dziewczyny, ale uważnie obejrzała jej stopy i uznała je za więcej niż ładne. Obie przeszły przez dziedziniec i udały się do sypialni. Tu pani Wu włożyła intymny poradnik w ręce synowej.

– Przeczytaj to – poleciła. – Dowiesz się, co powinnaś robić dziś wieczorem. Mam nadzieję, że za dziewięć miesięcy doczekam się wnuka...

Po paru godzinach przybył Ren. Widziałam, jak podniósł welon i uśmiechnął się do pięknej dziewczyny. Był zadowolony. Wypowiedziałam pod ich adresem życzenia Potrójnej Obfitości – przychylnego losu, długiego życia oraz synów – i oddaliłam się.

Nie miałam najmniejszego zamiaru popełnić tych samych błędów co w przypadku Ze. Postanowiłam, że nie będę mieszkała w sypialni Rena i Yi, ponieważ mogłabym ulec pokusie wtrącania się, tak jak poprzednio. Przypomniałam sobie, że Liniang zawsze z zachwytem myślała o śliwie, którą widziała w ogrodzie: *Uznałabym to za szczęście, gdyby po śmierci pogrzebano mnie pod tym drzewem...* Uważała, że w tym miejscu mogłaby przeprowadzić swego ducha przez ciemne letnie deszcze i dotrzymać towarzystwa korzeniom drzewa. Gdy umarła, rodzice spełnili jej życzenie. Później Siostra Kamień włożyła gałązkę kwitnącej śliwy do wazonu i postawiła go na ołtarzu Liniang. W odpowiedzi duch

Liniang zesłał deszcz płatków kwiatu śliwy. Przystanęłam pod śliwą rodziny Wu, która od mojej śmierci ani razu nie kwitła, ani nie rodziła owoców. Urządziłam sobie mieszkanie pod porośniętymi mchem kamieniami, otaczającymi pierścieniem pień drzewa. Czułam, że stąd będę mogła czuwać nad Yi oraz Renem i nie wtrącać się zbytnio w ich życie.

Yi szybko weszła w rolę żony. Była teraz bogatsza, niż wcześniej mogła to sobie wyobrazić, ale nie szastała pieniędzmi na prawo i lewo. Od lat dzieciństwa szukała wewnętrznego spokoju, nie pozornego piękna. Teraz, jako żona, ze wszystkich sił starała się stać czymś więcej niż tylko ładną sukienką. Była naprawdę urzekająca – jej skóra wydawała się gładsza od nefrytu, każdy krok pięknych lilii stóp był tak pełen gracji, że inne kwiaty więdły z zazdrości, a spódnice Yi tańczyły wokół niej jak lekka mgiełka. Nigdy nie narzekała, nawet wtedy, gdy ogarniała ją wielka tęsknota za matką. W takich chwilach, zamiast płakać, wrzeszczeć na służbę i rzucać filiżankami ze złości, siadała przy północnym oknie i wprawiała się w milczeniu, za jedyne towarzystwo mając zapalone kadzidełko, no i mnie.

Nauczyła się kochać Rena i szanować panią Wu. W izbach dla kobiet nie wybuchały żadne konflikty, ponieważ Yi dokładała wszelkich starań, żeby jej teściowa była szczęśliwa. Nie skarżyła się też na kobiety, które wcześniej zajmowały tę samą pozycję. Nie wyśmiewała nas, nie kpiła z naszej przedwczesnej śmierci. Wolała zabawiać męża i teściową śpiewem, tańcem oraz grą na cytrze, a oni cieszyli się jej niewinnością i żywym sposobem bycia. Serce Yi było niczym szeroka droga, na której jest miejsce dla każdego. Dobrze traktowała służbę, zawsze chwaliła kucharkę i nawet z handlarzami rozmawiała jak z członkami rodziny. Teściowa bardzo ją ceniła, a mąż po prostu uwielbiał przebywać w jej towarzystwie. Yi dobrze się teraz odżywiała, haftowała piękne stroje i miała o wiele lepszy dom. Ale nie była jeszcze dość dobrze wykształcona, dlatego teraz, kiedy zyskałam dostęp do biblioteki Rena, mogłam znów pomóc jej w nauce. Nie ja jedna miałam wobec niej takie zamiary.

Świetnie pamiętałam, jak mój ojciec uczył mnie czytać i rozumieć słowo pisane, więc któregoś dnia popchnęłam Yi na kolana Rena. Oczarowany jej niewinnością i szczerością, zaczął wypytywać ją o dotychczasowe lektury, zmuszając do myślenia i wyrażania własnych opinii. Yi stała się pomostem łączącym Rena i mnie. Zabiegając o wykształcenie Yi, byliśmy w jedności. Yi szybko zdobyła szeroką wiedzę z dziedziny filozofii klasycznej, literatury i matematyki. Ren i ja z dumą myśleliśmy o jej osiągnięciach.

Z niektórymi rzeczami radziła sobie jednak nieco słabiej. Nadal dziwnie niepewnie trzymała pędzel do kaligrafii i każde pociągnięcie wykonywała z lekkim drżeniem. Pani Wu włączyła się do „zabawy" i za jej pośrednictwem wbijałam Yi do głowy zasady, z którymi zapoznała mnie Piąta Stryjenka, posługując się *Obrazkami bitewnych formacji pędzla;* wkrótce zdolności Yi poprawiły się, podobnie jak moje przed wielu laty. Kiedy czasami recytowała wiersze jak papuga, bez zrozumienia ich głębszego znaczenia, uświadamiałam sobie, że być może moje wysiłki nie wystarczą. Któregoś dnia przypomniałam sobie o kuzynce Rena. Wyszłam i przyprowadziłam Li Shu, która została nauczycielką Yi. Teraz recytacje Yi otwierały nasze serca na Siedem Uczuć i przenosiły nas w utrwalone w pamięci lub stworzone w wyobraźni miejsca. Wszyscy domownicy pokochali Yi jeszcze mocniej.

Ani razu nie poczułam ukłucia zazdrości, ani razu nie ogarnęła mnie ochota, aby pożreć serce Yi i porzucić jej głowę oraz członki w widocznym miejscu, ani razu nie próbowałam pokazać jej się albo nawiedzić we śnie. Teraz umiałam już robić prawie wszystko, więc z samego rana chłodziłam wodę, którą obmywali twarze. Kiedy Yi czesała włosy, przeistaczałam się w zęby grzebienia i bezboleśnie rozdzielałam wszystkie splątane pasma oraz pozlepiane kosmyki. Gdy Ren wychodził, ułatwiałam mu przejście, odsuwając na bok wszelkie przeszkody i eliminując zagrożenia, a na koniec sprowadzałam go bezpiecznie do domu. Nauczyłam służącą, żeby w najbardziej upalne dni lata obwiązywała melony siatką i opuszczała je do studni, potem zaś sama schodziłam do wody i sprawiałam, że stawała się lodowata. Z przyjemnością obserwowałam, jak Ren i Yi zjadają melona po kolacji, ciesząc się jego odświeżającym aromatem. Na wszelkie możliwe sposoby dziękowałam siostrze-żonie za jej dobroć dla mojego męża, a Renowi za to, że po tylu latach samotności wreszcie odnalazł szczęście w bliskości drugiego człowieka, wszystko to były jednak drobiazgi...

Chciałam wyrazić swoją wdzięczność w taki sposób, aby odczuli głęboką radość, której zaznałam, patrząc na Yi siedzącą na kolanach Rena albo słuchającą, jak on wyjaśnia ukryte znaczenie jednego z wierszy Klubu Bananowego Ogrodu. Jakiej jednej, jedynej rzeczy mogli jeszcze pragnąć? Czego pragnie każda małżeńska para? Syna, rzecz jasna. Nie należałam do grona przodków, więc raczej nie mogłam obdarzyć ich tą łaską, kiedy jednak nadeszła wiosna, wydarzyło się coś cudownego. Zakwitła moja śliwa. Posiadłam już na tyle obszerną wiedzę, że udało mi się to sprawić. Gdy płatki kwiatów opadły i zaczęły tworzyć się zalążki owoców, zrozumiałam, że mogę też postarać się, aby Yi zaszła w ciążę.

Perły
w moim sercu

Pozostałam wierna danej obietnicy i wieczorami trzymałam się z dala od sypialni, ale innymi sposobami kontrolowałam to, co się tam działo. Niektóre noce były niekorzystne i potencjalnie niebezpieczne dla chmur i deszczu. W te wyjątkowo wietrzne, pochmurne, deszczowe, mgliste lub upalne zabiegałam o to, aby Yi wysłała Rena w odwiedziny do przyjaciół, na spotkania z innymi poetami lub na wykłady. W inne, gdy zmiany w powietrzu zwiastowały błyskawice, grzmoty, zaćmienia planet lub trzęsienia ziemi, obdarzałam Yi bólem głowy. Na szczęście nieprzychylne noce zdarzały się rzadko, więc najczęściej kiedy tylko szelest pościeli ucichł, przez uchylone okno wślizgiwałam się z powrotem do pokoju.

Robiłam się bardzo malutka, wnikałam w ciało Yi i zabierałam się do pracy, szukając odpowiedniego nasienia, które mogłabym przenieść do jajeczka. Poczęcie dziecka to nie tylko chmury i deszcz, chociaż z chichotów i jęków, które dobiegały mnie przez okno, jasno wynikało, że Ren i Yi dobrze się bawią i sprawiają sobie nawzajem mnóstwo przyjemności. Poczęcie dziecka wiąże się także ze stworzeniem związku dwóch dusz, które mają sprowadzić z zaświatów tę trzecią, w celu rozpoczęcia nowego życia na ziemi. Szukałam i szukałam, aż wreszcie, po wielu miesiącach, znalazłam nasienie, o jakie mi chodziło. Pokierowałam nim, gdy płynęło do jajeczka Yi i przedostało się do środka. Zmniejszyłam się jeszcze bardziej, żeby móc ukoić nową duszę, przybywającą do tymczasowego domu. Towarzyszyłam jej, dopóki nie dotarła do ścianki macicy Yi i nie wbiła się w nią. Teraz, gdy była już bezpieczna, mogłam zająć się innymi sprawami.

Kiedy comiesięczne krwawienie Yi nie nadeszło, w całym domu zapanowała wielka radość, pod którą pulsowała wcale nie mniejsza troska. Ostatnia ciężarna kobieta, która tu mieszkała, umarła; istniało podejrzenie, że prześladowały ją złe duchy. Wszyscy zgadzali się, że Yi, obdarzona przez los słabym zdrowiem, jest szczególnie narażona na zło, jakie mogą wyrządzić istoty z zaświatów.

– Nigdy nie dosyć ostrożności, jeśli chodzi o poprzednie żony – rzekł doktor Zhao, który razem z magiem przybył na jedną z regularnych wizyt.

Zgadzałam się z nim, ale pocieszała mnie świadomość, że Ze tkwi w Jeziorze Gromadzącej się Krwi. Mimo to słowa maga przyprawiły mnie o dreszcz przerażenia.

– Zwłaszcza gdy jedna z nich w ogóle nie została we właściwy sposób poślubiona... – wymamrotał złowieszczo i na tyle głośno, aby wszyscy go usłyszeli.

Ale przecież ja kochałam Yi i nigdy nie zrobiłabym nic, co mogłoby jej zaszkodzić!

Pani Wu załamała ręce.

– Tak jest – powiedziała. – Mnie także niepokoi myśl o tej dziewczynie... Wywarła już swą zemstę na Ze i jej dziecku. Może i miała po temu powody, lecz mój syn ciężko przeżył tę stratę. Doradźcie nam, co zrobić...

Pierwszy raz od dawna dosłownie płonęłam ze wstydu. Nie miałam pojęcia, że teściowa właśnie mnie obarczała winą za to, co stało się z Ze. Musiałam odzyskać jej szacunek, a najlepszym sposobem było osłanianie Yi i dziecka przed lękami, które zagnieździły się w domu. Niestety, moje zadanie utrudniały instrukcje, pozostawione przez doktora i maga, oraz sama pacjentka, która mimo całej swej kruchości okazała się uparta i nieskłonna do współpracy.

Służący przygotowali specjalne amulety i lekarstwa, lecz Yi była zbyt skromna, aby przyjąć cokolwiek od tych, którzy mieli mniej od niej. Pani Wu starała się zatrzymać synową w łóżku, ale Yi, dobra i pełna poświęcenia, nie chciała zrezygnować z robienia herbaty i posiłków dla teściowej, prania jej strojów i dbania o nie, nadzorowania sprzątania jej pokoju czy mycia jej pleców podczas kąpieli. Ren starał się dopieścić żonę, karmiąc ją własnymi pałeczkami, nacierając jej plecy i poprawiając poduszki, ale Yi nie mogła spokojnie usiedzieć w miejscu.

Z mojej perspektywy – ducha, mieszkającego w świecie demonów i innych istot, które mogą wyrządzić szkodę żywym – widziałam, że zabiegi doktora i maga wcale nie służą ochronie Yi, wręcz odwrotnie, przyprawiają ją o zdenerwowanie i lęk.

Pewnego wiosennego popołudnia, w nietypowo chłodny dzień, zabiegi maga zirytowały mnie do nieprzytomności. Wypchnął Yi z łóżka, żeby przestawić meble i zbudować barierę między nią i mną, wywołał u niej mdłości, paląc za dużo kadzidełek naraz, aby wygnać mojego ducha z pokoju, i tak mocno uciskał jej głowę palcami, starając się akupunkturą pobudzić ochronne punkty, że w końcu nieszczęsna dostała okropnej migreny.

– Aiya! – krzyknęłam z najwyższym niesmakiem. – Dlaczego po prostu nie urządzicie ceremonii ślubu z duchem i nie zostawicie jej w spokoju?!

Yi drgnęła, kilka razy zamrugała i rozejrzała się po pokoju. Mag, który ani razu nie wyczuł mojej obecności, spakował torbę, skłonił się i wyszedł. Zostałam na swoim stanowisku przy oknie. Zamierzałam stać tam cały dzień i noc, aby chronić dwoje ludzi, których kochałam najbardziej na świecie. Po południu Yi odpoczywała w łóżku. Nerwowo szarpała palcami brzeg kołdry, pogrążona w głębokim zamyśleniu. Kiedy służąca przyniosła kolację, Yi podjęła już decyzję.

– Skoro wszyscy tak niepokoją się, że siostra-żona Tong może wyrządzić mi krzywdę, powinniście zostać połączeni ceremonią małżeństwa, aby w końcu mogła odzyskać należne jej miejsce pierwszej żony – powiedziała, gdy przyszedł Ren.

Byłam tak zaskoczona, że w pierwszej chwili znaczenie jej słów w ogóle do mnie nie dotarło. Wykrzyczałam tę sugestię w chwili najwyższego rozdrażnienia i nawet nie przyszło mi do głowy, że Yi usłyszy ją i poważnie potraktuje.

– Ślub z duchem? – Ren potrząsnął głową. – Nie boję się duchów...

Utkwiłam w nim uważne spojrzenie, ale nie mogłam odczytać myśli kłębiących się w jego umyśle. Przed czternastu laty, kiedy umierała Ze, powiedział, że nie wierzy w duchy. Sądziłam wtedy, że stara się ją uspokoić, ale czy naprawdę nie bał się duchów ani nie wierzył w ich istnienie? A co z naszymi spotkaniami w jego snach? Co z Ze, którą przeistoczyłam w dobrą towarzyszkę w łóżku i posłuszną małżonkę? Co z uleczeniem jego niedawnej samotności? Czyżby Ren uważał, że to los obdarzył go tym cudem, jakim była Yi?

Miałam pewne wątpliwości co do Rena, ale Yi najwyraźniej ich nie podzielała. Uśmiechnęła się do niego wyrozumiale.

– Mówisz, że nie boisz się duchów, lecz ja czuję twój niepokój – powiedziała. – Nie boję się, ale wszędzie dookoła widzę oznaki przerażenia...

Ren podniósł się i podszedł do łóżka.

– Cała ta panika nie służy naszemu synowi – ciągnęła Yi. – Zajmij się przygotowaniami do ślubu z duchem. Ceremonia odegna wszelkie obawy, a wtedy ja będę mogła spokojnie zająć się naszym dzieckiem.

Miejsce urazy w moim sercu zajęła nadzieja. Yi, moja

piękna, dobra Yi... Czy naprawdę chciała tego nie ze względu na siebie, lecz dla spokoju w domu? Dziecku nic nie zagrażało, tego byłam pewna. Ślub z duchem? Czy w końcu czekało mnie coś dobrego?

Ren zacisnął dłonie na parapecie. Wyglądał na spokojnego, chyba nawet pełnego optymizmu. Czy wyczuwał moją bliskość? Czy wiedział, że nadal kochałam go całym sercem?

– Masz rację – odezwał się w końcu, przywołując odległe wspomnienia. – Peonia miała zostać moją pierwszą żoną...

Pierwszy raz od dwudziestu trzech lat wymówił moje prawdziwe imię! Byłam zaskoczona, rozradowana.

– Po jej śmierci powinienem wziąć z nią ślub, o którym mówisz, pojawiły się jednak pewne... pewne problemy i do ceremonii nigdy nie doszło... Peonia... Peonia była... – zdjął dłonie z parapetu i odwrócił się twarzą do żony. – Peonia nigdy by cię nie skrzywdziła. Nie mam co do tego najmniejszych wątpliwości i ty także powinnaś o tym wiedzieć. Masz jednak słuszność, tu chodzi o innych... Zaaranżujemy ceremonię i usuniemy przeszkodę, która zdaniem innych stoi na drodze do twojego bezpieczeństwa i szczęścia...

Zasłoniłam twarz dłońmi i bezgłośnie rozpłakałam się z wdzięczności. Czekałam na ceremonię ślubu z duchem prawie od chwili mojej śmierci. Jeżeli naprawdę miało się to zdarzyć, mogłam liczyć na odnalezienie mojej tabliczki. Ktoś wyjmie ją z ukrycia, zauważy, że nie ma na niej kropki i w końcu spełni obowiązek, a wtedy przestanę być głodnym duchem, zakończę podróż w zaświaty i dołączę do grona przodków, stając się szacowną i godną czci pierwszą małżonką drugiego syna klanu Wu. Fakt, że sugestia ta wyszła od mojej siostry-żony, napełnił mnie większym szczęściem, niż kiedykolwiek zdołałabym to opisać. Słysząc, że Ren – mój poeta, mój ukochany, moje życie – zgadza się na tę propozycję, poczułam się tak, jakby ktoś napełnił moje serce perłami.

Oparłam dłonie na ramionach swatki i wyruszyłam z nią do rezydencji rodziny Chen, aby obserwować negocjacje o cenę narzeczonej. Tata w końcu przestał pracować i wrócił do domu, jedynego miejsca, gdzie mógł cieszyć się wnukami. Nadal sprawiał wrażenie dumnego i pewnego siebie, ale ja wyczuwałam, że moja śmierć nadal go prześladuje. Chociaż nie mógł mnie zobaczyć, uklękłam przed nim i skłoniłam się głęboko, mając nadzieję, że jakaś część jego istoty przyjmie moje przeprosiny za to, że tak bardzo w niego zwątpiłam. Potem usiadłam i zaczęłam słuchać, jak negocjuje nową i wyższą cenę za pannę młodą od tej, na którą przystał za mojego życia, czego w pierwszej chwili nie zrozumiałam. Swatka zaproponowała niższą, apelując do jego poczucia *qing*.

– Już dawno temu porównano Osiem Cech twojej córki i drugiego syna rodu Wu, panie. Okazało się, że same Niebiosa przeznaczyły ich sobie na męża i żonę. Nie powinieneś stawiać tak wysokiej ceny...

– Zostaję przy niej.

– Ale twoja córka nie żyje, panie!

– Trzeba wziąć pod uwagę odsetki za miniony okres.

Oczywiście negocjacje zakończyły się niepowodzeniem, co bardzo mnie rozczarowało. Pani Wu również okazała niezadowolenie z raportu swatki.

– Zamówcie palankin! – rzuciła rozkazująco. – Wracamy do rezydencji Chen!

Kiedy obie kobiety wysiadły z palankinu i weszły do Sali Siedzenia, służba pośpiesznie przyniosła herbatę i wilgotne, schłodzone kawałki materiału, aby mogły odświeżyć twarze po podróży dookoła jeziora. Potem przez dziedzińce poprowadzono je do biblioteki ojca, który odpoczywał na ławie, podczas gdy jego najmłodsi wnukowie i bratankowie łazili po nim jak małe tygrysiątka. Na widok gości powierzył dzieci opiece służącego, który szybko wyprowadził maluchy na zewnątrz, podszedł do biurka i usiadł.

Pani Wu zajęła to samo krzesło, na którym dawniej siadywałam. Swatka przycupnęła obok niej, po prawej ręce, a inny służący stanął przy drzwiach, czekając na polecenia ojca. Tata potarł czoło tym samym gestem, który zapamiętałam z dawnych lat.

– Pani Wu... – odezwał się. – Długo się nie widzieliśmy...

– Nie wyprawiam się już na wycieczki – odparła. – Zasady zachowania zmieniają się, ale nawet kiedy jeszcze co jakiś czas opuszczałam dom, wiedziałeś, że spotkania z mężczyznami nie sprawiają mi przyjemności, panie...

– Pod tym względem dobrze służyłaś swojemu mężowi, a mojemu staremu przyjacielowi, pani.

– Dzisiaj także sprowadza mnie tutaj przyjaźń i lojalność. Można by pomyśleć, że zapomniałeś o obietnicy, jaką kiedyś złożyłeś mojemu mężowi... Przyrzekłeś mu, że nasze rodziny połączą się, pamiętasz?

– Nigdy o tym nie zapomniałem, ale co miałem zrobić... Moja córka umarła.

– Doskonale zdaję sobie z tego sprawę, panie Chen. Od ponad dwudziestu lat codziennie widzę, jak mój syn opłakuje tę stratę. – Nachyliła się nad biurkiem i postukała palcem w blat. – W dobrej wierze wysłałam do ciebie swatkę, lecz ty odesłałeś ją, stawiając niewyobrażalne wymagania...

Tata swobodnie odchylił się do tyłu w krześle.

– Cały czas wiedziałeś, co trzeba zrobić – dodała pani Wu. – Wiele razy przychodziłam już do ciebie negocjować cenę...

Naprawdę? Jak mogłam tego nie zauważyć?

– Moja córka jest warta więcej, niż proponujesz – rzekł Tata. – Jeżeli ci na niej zależy, będziesz musiała za nią zapłacić.

Westchnęłam ze zrozumieniem. Mój ojciec nadal bardzo mnie cenił.

– Dobrze... – Pani Wu wydęła wargi i zmrużyła powieki.

Sama często złościłam się na Ze, ale kobietom nie wolno było okazywać gniewu wobec mężczyzn.

– Powinieneś jednak wiedzieć, że tym razem nie wyjdę

stąd, dopóki się nie zgodzisz – wzięła głęboki oddech. – Jeśli chcesz podwyższyć cenę, ja dorzucę kilka rzeczy do listy posagowej...

Nie mogłam oprzeć się wrażeniu, że Tata tylko na to czekał. Układali się. Sprzeczali. Ojciec podniósł cenę za pannę młodą; pani Wu postawiła kilka równie wysokich żądań w kwestii posagu. Oboje wydawali się doskonale obeznani ze stawianymi warunkami, co było dla mnie szokujące, ponieważ wskazywało, że podobną rozmowę odbywali już któryś raz z rzędu. Cała ta sytuacja poruszała mnie do głębi, zdumiewała i cieszyła.

Kiedy wydawało się, że wreszcie doszli do porozumienia, nagle mój ojciec dorzucił nowy warunek.

– Dwadzieścia żywych gęsi, dostarczonych w ciągu dziesięciu dni – oświadczył. – W przeciwnym razie nie zgodzę się na ślub!

Nie było to nic wielkiego, ale pani Wu zapragnęła czegoś w zamian.

– O ile pamiętam, twoja córka miała przybyć do naszego domu z własną służącą... Teraz także ktoś będzie musiał zajmować się jej tabliczką, kiedy zostanie do nas przeniesiona...

Tata pozwolił sobie na uśmiech.

– Czekałem, kiedy z tym wystąpisz, pani...

Gestem przywołał stojącego przy drzwiach służącego i szepnął mu coś do ucha. Mężczyzna wyszedł i po paru chwilach wrócił z kobietą, która zbliżyła się, uklękła i głęboko skłoniła się przed panią Wu. Kiedy podniosła głowę, ujrzałam zniszczoną ciężkim życiem twarz Wierzby.

– Ta sługa niedawno powróciła do mojego domu. Zrobiłem błąd, sprzedając ją wiele lat temu. Dziś jest dla mnie jasne, że jej przeznaczeniem zawsze była opieka nad moją córką.

– Jest stara – zauważyła pani Wu. – Co mam z nią zrobić?

– Wierzba ma trzydzieści dziewięć lat. Urodziła trzech synów, którzy zostali u jej poprzedniego właściciela. Jego żona chciała mieć synów i Wierzba obdarzyła nimi ich dom. Może nie wygląda zbyt dobrze, ale mogłaby przydać się jako konkubina, gdybyście jej potrzebowali. – Tata okazał się praktyczny. – Jestem pewny, że urodziłaby ci wnuków, pani.

– Za dwadzieścia gęsi?

Ojciec skinął głową.

Swatka uśmiechnęła się szeroko. Wiedziała, że negocjacje przyniosą jej spory zysk. Wierzba poczołgała się po podłodze i oparła czoło na liliowych stopach pani Wu.

– Przyjmę twoją propozycję pod jednym warunkiem – oznajmiła pani Wu. – Chciałabym poznać odpowiedź na pytanie: dlaczego wcześniej nie zgodziłeś się na małżeństwo córki? Jedna dziewczyna umarła, ponieważ nie przystałeś na moją ofertę, teraz zaś zagrożone jest życie drugiej, która nosi w łonie mojego wnuka. Łatwo jest naprawić taką sytuację, ślub z duchem to powszechnie akceptowana ceremonia, która uwalnia od wielu niepokojów...

– Ale mnie nie uwolniłaby od cierpienia – wyznał Tata. – Nie byłem w stanie rozstać się z Peonią, bezustannie tęskniłem za jej obecnością i towarzystwem. Zatrzymując tabliczkę tutaj, w rezydencji rodziny Chen, chciałem zachować z nią kontakt...

Przecież mnie nigdy tu nie było – pomyślałam ze zdumieniem.

Oczy mojego ojca pociemniały.

– Przez wszystkie te lata liczyłem, że poczuję jej bliskość, lecz nigdy nie było mi to dane. Kiedy dziś przysłałaś swatkę, pani, postanowiłem, że wreszcie nadszedł czas, aby pozwolić córce odejść. Peonia miała zostać żoną twojego syna. A teraz... To dziwne, ale teraz wreszcie czuję, że Peonia jest blisko mnie...

Pani Wu prychnęła lekceważąco.

– Powinieneś był już dawno zrobić to dla córki, ale nie zrobiłeś. Dwadzieścia trzy lata to mnóstwo czasu, panie Chen, naprawdę...

Z tymi słowami wstała i kołysząc się na złocistych liliach, opuściła bibliotekę. Zostałam w domu, żeby przygotować się do ceremonii.

Śluby z duchem to nie są tak rozbudowane, skomplikowane ani czasochłonne ceremonie jak śluby zawierane przez żyjących partnerów. Tata zajął się przekazaniem mojego posagu – przedmiotów, pieniędzy i żywności. Pani Wu ze swej strony przysłała wszystko, co zostało uzgodnione w ramach ceny za pannę młodą. Wyszczotkowałam włosy, upięłam je i otrzepałam stare, znoszone ubranie. Chciałam owinąć stopy świeżymi bandażami, ale nie dostałam nowych od chwili opuszczenia Widokowego Tarasu. Nic więcej nie mogłam już zrobić.

Jedynym prawdziwym wyzwaniem było odnalezienie mojej tabliczki. Bez niej ceremonia nie mogłaby się rozpocząć. Cóż, kiedy została schowana tak dawno temu, że nikt już nie pamiętał, co się z nią stało... Tylko jedna osoba wiedziała, gdzie ją znaleźć – Shao, długoletnia piastunka i niania rodziny Chen. Oczywiście teraz Shao prawie w ogóle już nie pracowała – straciła wszystkie zęby, większość włosów i miała kiepską pamięć. Była za stara, żeby ją sprzedać, i za tania, aby pozwolić jej całkowicie porzucić zajęcia. Tak czy inaczej, okazała się całkowicie bezużyteczna, jeśli chodzi o odszukanie tabliczki.

– To paskudztwo zostało wyrzucone wiele lat temu – oświadczyła.

Po godzinie zmieniła zdanie.

– Jest w Sali Przodków, obok tabliczki jej matki.

Dwie godziny później nawiedziło ją inne wspomnienie.

– Zakopałam ją pod śliwą, tak jak w *Pawilonie Peonii*. Wiedziałam, że Peonia właśnie tam chciała spocząć.

Przez trzy dni inni służący, Bao i nawet mój ojciec błagali ją i rozkazywali, aby przypomniała sobie, gdzie ukryła tabliczkę, zachęcali i grozili. Shao płakała i narzekała jak przestraszona, słaba staruszka, którą ostatecznie była.

– Nie wiem, gdzie ona jest! – powtarzała kłótliwym tonem. – I nie wiem, dlaczego ciągle wypytujecie mnie o to paskudztwo!

Skoro nie mogła przypomnieć sobie, gdzie ukryła tabliczkę, to tym bardziej nie można było liczyć na to, że przypomni sobie, iż to przez nią nie dopełniono ceremonii postawienia kropki. Byłam już tak bliska zwycięstwa, nie mogłam pozwolić, aby wszystko zawaliło się z powodu starej kobiety, która nie mogła przypomnieć sobie, że kiedyś ukryła pewne paskudztwo w magazynie, na najwyższej półce, za słojem z marynowaną rzepą.

Poszłam do pokoju Shao. Był środek popołudnia i staruszka spała. Stanęłam nad nią i wyciągnęłam rękę, aby ją obudzić, ale moja dłoń zatrzymała się w powietrzu. Nawet teraz, kiedy problem mojego dalszego istnienia był już prawie rozwiązany, nie mogłam zrobić nic, co spowodowałoby postawienie kropki na mojej tabliczce. Spróbowałam kilka razy, byłam jednak bezsilna.

Nagle poczułam czyjąś dłoń na swoim ramieniu.

– Pozwól, że my to zrobimy – rozległ się głos.

Odwróciłam się i zobaczyłam Mamę i Babcię.

– Przyszłyście! – wykrzyknęłam. – Jakim cudem?

– Jesteś ukochanym dzieckiem mojego serca – odparła Mama. – Jakże mogłabym z daleka przyglądać się, jak moja córka bierze ślub?

– Zwróciłyśmy się do urzędników z zaświatów i dostałyśmy jednorazowe przepustki – wyjaśniła Babcia.

Do mojego serca posypały się następne perły.

Zaczekałyśmy, aż Shao się przebudziła. Potem Babcia i Mama ujęły ją pod łokcie i zaprowadziły do magazynu, gdzie udało jej się znaleźć tabliczkę. Mama i Babcia puściły Shao i cofnęły się. Stara kobieta dłonią omiotła tabliczkę z kurzu. Miała fatalny wzrok, ale byłam pewna, że zauważy brak kropki i natychmiast zaniesie tabliczkę mojemu ojcu. Kiedy tak się nie stało, niespokojnie zerknęłam na Mamę i Babcię.

– Pomóżcie mi zwrócić jej uwagę na brak kropki! – poprosiłam.

– Nie możemy tego zrobić – z żalem powiedziała Mama. – Nie wolno nam.

Shao poszła z tabliczką do mojego dawnego pokoju. Na podłodze leżała tam lalka zrobiona ze słomy, papieru, drewna i kawałków materiału, przygotowana przez służbę specjalnie na ceremonię ślubu. Spoczywała na plecach, brzuch miała otwarty. Wierzba namalowała na kawałku papieru dwoje prymitywnych oczu, nos i wargi, następnie ryżową masą przykleiła rysunek do twarzy „panny młodej". Shao uklękła i tak szybko wepchnęła tabliczkę do lalki, że znajdująca się w pokoju Wierzba nie zdążyła tego zauważyć. Potem stara służąca nawlekła igłę, zaszyła brzuch kukły, podeszła do skrzyni i otworzyła ją.

W środku znajdował się mój ślubny strój. Rodzice powinni byli wyrzucić go razem z wszystkimi innymi moimi rzeczami.

– Zatrzymałaś mój ślubny strój? – zapytałam Mamę.

– Oczywiście – odparła. – Musiałam wierzyć, że całe to nieszczęście da się kiedyś naprawić, przynajmniej w części...

– Przyniosłyśmy też dary – dodała Babcia.

Spomiędzy fałd szaty wyciągnęła czyste bandaże i nowe pantofelki, natomiast Mama wyjęła z torby spódnicę i tunikę. Ubrania ze świata duchów były przepiękne. Kiedy mnie ubierały, służące nieświadomie powtarzały nasze ruchy, nakładając na słomianą kukłę halkę, spódnicę z czerwonego jedwabiu w drobniutkie plisy zszywane tak, aby zachować wzory kwiatów, chmur i zazębiających się symboli szczęścia. Potem włożyły jej tunikę i zapięły wszystkie zapinki w kształcie żabek. Owinęły pokryte muślinem stopy ze słomy długimi bandażami, mocując je i ściskając płótnem tak długo, aż udało im się wepchnąć je w czerwone ślubne pantofelki. Oparły lalkę o ścianę, umocowały jej na głowie koronę i zasłoniły groteskową twarz czerwonym welonem.

Gdyby na mojej tabliczce postawiono wcześniej kropkę, mogłabym zamieszkać w starannie przygotowanej „zastępczyni".

Służące wyszły. Uklękłam przy lalce. Dotknęłam jedwabiu i złotych liści korony. Powinnam być szczęśliwa, ale nie byłam. Tak niewiele brakowało, aby udało mi się wyprostować moją ścieżkę, lecz na tabliczce nadal brakowało kropki, co oznaczało, że ceremonia nie będzie miała żadnego znaczenia.

– Teraz wszystko już wiem – odezwała się Mama. – I przepraszam. Przepraszam, że byłam zbyt zrozpaczona, aby postawić kropkę na twojej tabliczce. Przepraszam, że pozwoliłam, aby Shao mi ją odebrała, i że później nie zapytałam twojego ojca, co z nią zrobił. Myślałam, że zabrał ją ze sobą...

– Nie zabrał jej.

– Nie powiedział mi o tym, ja nie zapytałam, a po mojej śmierci ty nie wyjaśniłaś mi, co się stało. Dowiedziałam się prawdy dopiero na Widokowym Tarasie. Dlaczego milczałaś?

– Nie wiedziałam, jak to zrobić... Byłaś bardzo zagubiona, poza tym to Shao...

– Nie możesz jej obwiniać. – Mama machnęła ręką, jakby było to zupełnie nieważne. – Twój ojciec i ja mieliśmy tyle wyrzutów sumienia z powodu twojej śmierci, że całkowicie zaniedbaliśmy swoje obowiązki. Tata winił siebie za twoją chorobę i śmierć. Uważał, że żyłabyś nadal, gdyby nie podsunął ci pomysłu miłosnej choroby, że za dużo i za często rozmawiał z tobą o Xiaoqing i Liniang... Że gdyby nie zachęcał cię do nauki pisania i czytania, do samodzielnego myślenia...

– Przecież to dzięki tym rzeczom jestem sobą! – przerwałam jej.

– Właśnie! – potwierdziła Babcia.

– Cicho bądź – rzekła Mama niezbyt uprzejmym tonem. – Ta dziewczyna dosyć już się przez ciebie nacierpiała!

Babcia mocno zacisnęła szczęki i odwróciła wzrok.

– Bardzo mi przykro z tego powodu – powiedziała cicho. – Nie wiedziałam...

Mama lekko dotknęła jej rękawa, żeby powstrzymać dalsze wynurzenia.

– Peonio, gdybyś słuchała tylko mnie, nie byłabyś córką, z której dzisiaj jestem taka dumna. Każda matka boi się o córkę, ale ja byłam przerażona. Potrafiłam myśleć tylko o wszystkich okropnych rzeczach, jakie mogłyby ci się przydarzyć. Jaka jest jednak ta najgorsza rzecz? To, co spotkało mnie w Yangzhou? Nie. Najgorszą rzeczą było dla mnie twoje odejście. Muszę jednak wiedzieć także i to, co zrobiłaś w ciągu minionych lat, to, co rozbudziła w tobie miłość do Wu Rena. Napisałam wiersz na murze, ogarnięta strachem i wielkim smutkiem. Robiąc to, zamknęłam się na wszystko, co wcześniej czyniło mnie szczęśliwą. Babcia i ja, podobnie jak wiele innych kobiet, pragnęłyśmy, aby ludzie usłyszeli nasz głos. Wyszłyśmy poza bramę domu i ludzie zaczęli nas słuchać. Kiedy wreszcie usłyszeli mnie naprawdę i zastanowili się nad moimi słowami, chciałam umrzeć, ale z tobą było inaczej. Poprzez śmierć stałaś się wspaniałą, zasługującą na podziw kobietą. Pozostaje jeszcze kwestia twojego komentarza...

Cofnęłam się instynktownie. Mama spaliła moje książki i nie znosiła mojego uwielbienia dla *Pawilonu Peonii*.

– Nie powiedziałaś mi o tylu ważnych sprawach, Peonio... – westchnęła ze smutkiem. – Straciłyśmy tyle czasu...

Miała rację. Na dodatek nie miałyśmy już szans, żeby to sobie zrekompensować. Zamrugałam pośpiesznie, starając się powstrzymać łzy. Mama ujęła moją dłoń i poklepała ją pocieszająco.

– Za życia dowiedziałam się o komentarzu Rena do *Pawilonu Peonii* – podjęła. – Kiedy go przeczytałam, wydawało mi się, że słyszę twój głos. Zdawałam sobie sprawę, że to niemożliwe, więc przekonałam samą siebie, że to tylko złudzenia pogrążonej w żałobie matki. Dopiero po dotarciu na

Widokowy Taras i spotkaniu z Babcią poznałam prawdę, całą prawdę. Oczywiście Babcia także musiała dowiedzieć się ode mnie paru rzeczy...

– No, dalej! – ponagliła ją Babcia. – Powiedz jej, dlaczego właściwie tutaj jesteśmy!

Mama wzięła głęboki oddech.

– Musisz skończyć swoją pracę – powiedziała. – Nie będzie to wiersz, nabazgrany na murze przez zdesperowaną kobietę. Twój ojciec i ja, twoja babka i cała nasza rodzina – ci, którzy jeszcze żyją, i liczne pokolenia przodków, którzy nad tobą czuwają – wszyscy będziemy z ciebie bardzo dumni...

Zastanowiłam się nad jej słowami. Babcia chciała, aby mąż jej wysłuchał i docenił, a w rezultacie by dostąpiła zaszczytu fałszywego męczeństwa. Mama także chciała być wysłuchana, ale tylko zatraciła samą siebie. Mnie zależało na tym samym, chociaż oczywiście pragnęłam skupić na sobie uwagę tylko jednego człowieka. Ren poprosił mnie o to w Pawilonie z Widokiem na Księżyc. Chciał, żebym spróbowała powiedzieć coś od siebie. I stworzył mi taką możliwość, podczas gdy świat, społeczeństwo i nawet rodzice woleli, żebym milczała.

– Ale w jaki sposób mogę wrócić do komentarza po tym wszystkim... – zaczęłam niepewnie.

– O mało nie umarłam, pisząc ten wiersz – zwierzyła się Mama. – Ty umarłaś, pisząc swój komentarz. Musiałam przejść przez ból i gwałt, żeby napisać na murze tamte słowa. Widziałam, jak marniałaś w oczach, bo słowa pożerały twoją *qi*. Bardzo długo myślałam, że może przeznaczenie wymaga od nas tego poświęcenia, dopiero patrząc na ciebie, gdy w ciągu tych ostatnich lat czuwałaś nad Yi, uświadomiłam sobie, że pisanie chyba jednak nie pociąga za sobą poświęcenia. Może przeżywanie doświadczeń poprzez pędzle, tusz i papier jest darem, nie upośledzeniem. Ja pisałam z rozpaczy, lęku i nienawiści, ty z pożądania, radości i miłości. Każda z nas zapłaciła wysoką cenę za wypowiedzenie swoich myśli, ujawnienie uczuć i próby tworzenia, ale przecież było warto, prawda, córko?

Nie zdążyłam odpowiedzieć. W korytarzu rozległ się śmiech, ktoś z rozmachem otworzył drzwi i do pokoju weszły moje cztery stryjenki oraz Miotła, Orchidea, Kwiat Lotosu i ich córki. Mój ojciec wezwał je wszystkie, żebym została potraktowana jak prawdziwa panna młoda. Poprawiły kukłę, równiutko ułożyły plisy spódnicy, wygładziły jedwab tuniki i kilkoma spinkami z piór zimorodka umocowały koronę.

– Szybko! – rzuciła Babcia, słysząc dźwięk cymbałów i bębenków. – Musimy się pośpieszyć!

– Ale moja tabliczka...

– Zapomnij o niej na razie – poleciła. – Ciesz się swoim ślubem najlepiej jak potrafisz, ponieważ to jedyne takie przeżycie, jakie jest ci dane, i na pewno różni się od wszystkiego, co wyobrażałaś sobie wiele lat temu, samotnie leżąc w łóżku...

Na moment zamknęła oczy, uśmiechnęła się do siebie, podniosła powieki i klasnęła w dłonie.

– Szybko! – powtórzyła.

Starałam się pamiętać o wszystkim, co w tej sytuacji nakazuje tradycja. Trzy razy skłoniłam się przed matką i podziękowałam jej za wszystko, co dla mnie zrobiła. Potem złożyłam trzy ukłony babce i także jej podziękowałam. Mama i Babcia ucałowały mnie i podprowadziły do lalki. Nie mogłam w nią wejść, bo na mojej tabliczce zabrakło kropki, ale owinęłam się dookoła niej.

Babcia miała rację. Musiałam się cieszyć tym, co otrzymałam, a nie było to trudne. Stryjenki wychwalały moją urodę, kuzynki przepraszały za swoje zachowanie z dziewczęcych lat, ich córki wyrażały żal, że nie mogły mnie poznać. Druga i Czwarta Stryjenka podniosły mnie, posadziły na krześle i wyniosły z pokoju. Mama i Babcia dołączyły do procesji kobiet z rodziny Chen, kroczącej korytarzami, obok pawilonów, stawu i skalnika prosto do Sali Przodków. Nad ołtarzem, obok zwojów z podobiznami dziadków, wisiał portret mojej matki. Jej skóra wydawała się świetlista, włosy były upięte jak u panny młodej, wargi zachwycały pełną linią i pogodnym wyrazem. Pewnie tak właśnie wyglądała w pierwszym, szczęśliwym okresie małżeństwa. Nikogo nie zdołałaby skłonić do właściwego zachowania surowym spojrzeniem, ale wiele osób udałoby jej się zachęcić i zainspirować do dobrego.

Na ołtarzu wszystkie potrzebne przedmioty ustawiono w dość chaotycznych grupkach, aby podkreślić, że nie jest to typowa ślubna ceremonia. Ręce Taty drżały, kiedy nalewał dziewięć czarek wina dla rozmaitych bogów i bogiń, następnie po trzy czarki dla każdego z moich przodków. Potem położył na ołtarzu pięć brzoskwiń i jedenaście melonów.

Służący podnieśli moje krzesło i zanieśli mnie do głównej bramy. Bardzo długo marzyłam, aby przejść przez nią i udać się do domu męża, a teraz wreszcie miało się to wydarzyć. Zgodnie ze zwyczajem obowiązującym tylko w przypadku ślubów z duchem Wierzba trzymała nad moją głową wypleciony z ryżowych łodyg kosz, aby osłonić mnie przed spoglądającymi z Niebios istotami. Umieszczono mnie nie w czerwonym, ale zielonym palankinie i poniesiono dookoła jeziora do domu męża na górze Wushan, ścieżką obok świątyni. Drzwi palankinu otworzyły się i przesadzono mnie na inne krzesło. Mama i Babcia stały na schodach obok pani Wu, która powitała mnie w tradycyjny sposób, potem zaś odwróciła się, żeby przywitać mojego ojca. W przypadku takich ślubów rodzice są zwykle tak szczęśliwi, że wreszcie mogą pozbyć się z domu okropnych, budzących obrzydzenie i lęk stworzeń i że świętują tę okazję w domowym zaciszu, ale Tata podążył za mną, w palankinie, który cały czas trzymał się tuż za moim. Chciał, aby wszyscy mieszkańcy Hangzhou wiedzieli, że jego córka, córka jednego z najbogatszych i cieszących się największym szacunkiem rodów w mieście, wreszcie wychodzi za mąż. Kiedy przeniesiono mnie przez próg domu Wu, moje serce było tak szczęśliwe, że perły wysypały się z niego na teren posiadłości mojego małżonka.

Procesja żywych i zmarłych dotarła do Sali Przodków, gdzie ściany usiane były cieniami rzucanymi przez czerwone świece. Ren czekał tam na mnie i na jego widok ogarnęło mnie ogromne wzruszenie. Miał na sobie ślubny strój, który sama dla niego przygotowałam. W moich oczach, oczach istoty nie z tego świata, nadal był tak przystojny jak zawsze. Szczegółem, który odróżniał go od innych nowożeńców, były czarne rękawice, przypominające wszystkim obecnym, że ceremonia ta, chociaż dla mnie radosna, związana była ze strefą mroku i tajemnicy.

Odprawiono ceremonię. Służący podnieśli moje krzesło i przechylili je, abym razem z mężem mogła pokłonić się nowym przodkom. W tym momencie oficjalnie przeszłam ze swojej rodziny do rodziny męża. Odbyło się wspaniałe, wystawne przyjęcie, w którym wzięli udział moi stryjowie ze stryjenkami, ich córki z mężami i dziećmi. Bao – nadal otyły, z oczkami jak koraliki – siedział przy stole z żoną i synami, także krępymi, o zbyt blisko osadzonych oczach. Zjawiły się nawet konkubiny z rodziny Chen, dla których przeznaczono stół pod tylną ścianą sali. Plotkowały i gadały jak najęte, zadowolone, że trafiła im się okazja wyjścia z domu. Ja siedziałam na honorowym miejscu, z mężem po jednej, a ojcem po drugiej stronie.

– Kiedyś niektórzy z moich krewnych uważali, że wydaję córkę za człowieka z niżej postawionej rodziny – rzekł mój ojciec do Rena, gdy służący podali ostatnią, trzynastą potrawę. – Prawdą jest, że pod względem majątku i pozycji nie byliśmy sobie równi, ale ja kochałem i szanowałem twojego ojca. Był dobrym człowiekiem. Patrząc na ciebie i Peonię w dziecięcym wieku, wiedziałem, że naprawdę jesteście sobie przeznaczeni. Moja córka byłaby z tobą szczęśliwa.

– To samo mogę powiedzieć o sobie – odparł Ren, unosząc czarkę do ust. – Teraz Peonia zostanie ze mną na zawsze...

– Dobrze się nią opiekuj, synu!

– Na pewno, ojcze...

Po bankiecie odprowadzono Rena i mnie do komnaty panny młodej. Kukłę ułożono na łóżku i wszyscy wyszli. Drżąc ze zdenerwowania, położyłam się obok lalki i nie spuszczałam wzroku z rozbierającego się Rena. Długo wpatrywał się w malowaną twarz, zanim wyciągnął się obok nas na łóżku.

– Nigdy nie przestałem o tobie myśleć... – wyszeptał. – I ani na chwilę nie przestałem cię kochać. Jesteś żoną mojego serca.

Potem otoczył kukłę ramionami i przytulił do siebie.

Rano Wierzba zapukała cicho do drzwi. Ren, który już wstał i teraz siedział przy oknie, kazał jej wejść. Spełniła polecenie, a razem z nią do środka weszły Mama i Babcia. Wierzba postawiła na stole tacę z herbatą, filiżankami i nożem. Nalała Renowi herbaty, zbliżyła się do łóżka, pochyliła nad lalką i zaczęła rozpinać jej tunikę.

Ren zerwał się na równe nogi.

– Co robisz?!

– Przyszłam, żeby wyjąć ze środka tabliczkę Małej Panienki – pokornie wyjaśniła Wierzba, nie podnosząc głowy. – Trzeba postawić ją na ołtarzu w Sali Przodków...

Ren podszedł do niej, wyjął nóż z jej dłoni i schował go do kieszeni.

– Nie chcę, żeby ktoś dźgał ją nożem – rzekł, patrząc na kukłę. – Długo czekałem na Peonię i teraz chcę zatrzymać ją przy sobie taką, jaka jest. Przygotuj dla niej pokój. Tam będziemy oddawać jej cześć.

Wzruszył mnie ten pomysł, ale takie rozwiązanie nie wchodziło w grę. Odwróciłam się do Mamy i Babci.

– Co z moją tabliczką? – spytałam.

Bezradnie rozłożyły ręce i rozwiały się w powietrzu. Nagle skończyły się chwile ogromnego szczęścia, które przeniknęło mnie w czasie ślubnej ceremonii.

Zgodnie z przewidywaniami Yi rytualny ślub z duchem uspokoił szalejący w domu lęk. Wszyscy wrócili do normalnych zajęć, pozwalając Yi skoncentrować się na dziecku. Ren przeznaczył dla lalki ładny pokój z widokiem na ogród i polecił Wierzbie, aby tam się nią zajmowała. Sam przychodził codziennie, czasami zostając na godzinę lub dłużej, żeby poczytać lub coś napisać. Yi przestrzegała wszystkich zwyczajów, traktując mnie jako oficjalną pierwszą małżonkę Rena, składając mi ofiary i recytując modlitwy, lecz w głębi serca szczerze mnie opłakiwała. Pokochałam tę rodzinę, która spełniła moje pragnienie zawarcia ślubu, ale bez kropki na tabliczce (tym „paskudztwie") nadal byłam tylko głodnym duchem, mimo że wyposażonym w piękne nowe stroje, buciki oraz bandaże od matki i babki. Na razie w ogóle nie myślałam o prośbie Mamy i Babci, abym dokończyła komentarz, bo przecież Yi miała wkrótce urodzić dziecko.

Nadszedł ostatni miesiąc ciąży. Yi zgodnie z zaleceniami przez dwadzieścia osiem dni nie myła włosów, ja zaś dbałam, aby dużo odpoczywała, nie denerwowała się, nie wchodziła po schodach i nie jadła ciężkich potraw. Pani Wu odprawiła specjalną ceremonię, mającą zapewnić przychylność demonów, które uwielbiają zabijać rodzące kobiety. Umieściła na stole półmiski z jedzeniem, kadzidło, świece, kwiaty, papierowe pieniądze oraz dwa żywe kraby i wyrecytowała ochronne zaklęcia. Po zakończeniu ceremonii kazała Wierzbie wyrzucić kraby na ulicę, wiedząc, że oddalając się od domu, zabiorą ze sobą demony. Popiół z kadzidła owinęła w papier i powiesiła nad łóżkiem Yi, gdzie miał pozostać przez trzydzieści dni po narodzinach dziecka, żeby uchronić położnicę przed odejściem do Jeziora Gromadzącej się Krwi. Mimo tych wszystkich zabiegów poród nie należał do łatwych.

– Jakiś zły duch nie pozwala dziecku wyjść na świat –

oświadczyła akuszerka. – To jeden z demonów specjalnej kategorii, być może osoba z poprzedniego życia, która wróciła odebrać niespłacony dług...

Pośpiesznie opuściłam pokój, przestraszona, że może chodzi o mnie, ale kiedy krzyki Yi nasiliły się, wróciłam. Od razu się uspokoiła. Kiedy akuszerka ocierała pot z jej czoła, uważnie rozejrzałam się po pokoju. Nie zobaczyłam nic i nikogo, ale wyczułam jakąś złą obecność, czyhającą tuż poza zasięgiem mojej mocy.

Yi słabła. Kiedy zaczęła wzywać matkę, Ren poszedł po maga, który obejrzał całą scenę (pogniecioną pościel, krew na udach Yi, przerażoną akuszerkę) i kazał postawić jeszcze jeden ołtarz. Wyjął trzy talizmany na paskach żółtego papieru, szerokich na siedem centymetrów i długich prawie na metr. Jeden powiesił na drzwiach sypialni, żeby odegnać złe duchy, drugi na szyi Yi, natomiast trzeci spalił, zmieszał popiół z wodą i polecił położnicy wypić tę mieszankę. Potem spalił trochę papierowych pieniędzy i przez pół godziny wyśpiewywał modlitwy i bębnił w stół.

Bałam się. Dziecko cierpiało. Trzymało je coś, czego żadne z nas nie mogło zobaczyć ani usunąć. Ze wszystkich sił starałam się przekazać swój dar mojemu mężowi. Powtarzałam sobie, że zrobiłam wszystko, co było w mojej mocy.

Kiedy mag stwierdził, że dziecko uczepiło się wnętrzności matki i jest złym duchem, który dybie na życie Yi, posługując się dokładnie tymi samymi słowami, co przy łóżku Ze, uznałam, że muszę odważyć się zrobić coś niebezpiecznego i drastycznego. Kazałam magowi od nowa wyśpiewywać modlitwy oraz inkantacje, pani Wu poleciłam nacierać brzuch Yi gorącą wodą, Wierzbie usiąść za rodzącą i podeprzeć ją, akuszerce zaś rozmasować okolice dróg rodnych, aby kanał rozluźnił się i otworzył. Potem wpłynęłam do środka i znalazłam się twarzą w twarz z synem Rena. Wokół szyi owiniętą miał pępowinę, która przy każdym skurczu zaciskała się coraz mocniej. Chwyciłam jej koniec i pociągnęłam, aby obluzować ją w ukrytej przed moim wzrokiem głębi. Coś szarpnęło ją w drugą stronę, ciałko dziecka zadrgało. Poczułam, jak ogarnia mnie chłód, w niczym niepodobny do przyjaznego ciepła, które powinno otaczać małego. Wsunęłam się pod pępowinę, chcąc zwolnić ucisk na szyi dziecka, złapałam drugi koniec i szarpnęłam go z całej siły. Powoli zaczęliśmy poruszać się w stronę wyjścia. Przyjmowałam na siebie wszystkie skurcze, osłaniając syna Rena tak długo, aż w końcu znaleźliśmy się w dłoniach akuszerki. Jednak nasza radość okazała się krótkotrwała.

Dziecko złapało pierwszy oddech i zostało ułożone na piersi matki, było jednak sine i letargiczne. Nie miałam cienia wątpliwości, że padło ofiarą nieprzychylnych elementów i bałam się, że nie przeżyje, oczywiście nie ja jedna. Pani Wu, Wierzba i swatka pomogły magowi odprawić kolejne cztery ochronne rytuały. Pani Wu przyniosła spodnie syna i zawiesiła je w nogach łóżka, potem zaś usiadła przy stole, na kawałku czerwonego papieru wypisała cztery znaki mówiące: „wszystkie złe wpływy mają wejść w te spodnie", i wetknęła go do nogawki.

Następnie pani Wu i akuszerka luźno obwiązały stópki i rączki dziecka czerwonym sznurkiem z monetą. Moneta odgrywała rolę talizmanu chroniącego przed złem, natomiast sznurek miał sprawić, aby dziecko w tym czy jakimkolwiek przyszłym życiu nie stało się niesforne i nieposłuszne. Wierzba zdjęła żółty pas papieru z szyi Yi, zrobiła z niego kapelusik i włożyła go dziecku na główkę, żeby osłona przeszła teraz z matki na małego. W tym samym czasie mag zdjął papierowy pas z drzwi, spalił go i zmieszał popiół z wodą. Trzy dni później miksturą tą pierwszy raz umyto syna Rena. Po tym oczyszczeniu sine zabarwienie skóry znikło, ale oddech małego nadal był nierówny i płytki. Chłopiec potrzebował jeszcze więcej talizmanów, zadbałam więc, aby zostały zebrane, zawiązane w kawałek jedwabiu i zawieszone po zewnętrznej stronie drzwi. Były tam włosy pozbierane z ciemnych kątów, aby odgłosy wydawane przez psy i koty nie budziły w nim lęku, węgiel, aby był silny, cebula, by miał bystry umysł, oraz pestki pomarańczy, gwarantujące powodzenie i szczęście.

Matka i dziecko przetrwali pierwsze cztery tygodnie. Po tym okresie rodzina wydała wielkie przyjęcie z okazji zakończenia pierwszego miesiąca życia dziecka. Podano ogromne ilości czerwonych jaj i ciast. Kobiety zachwycały się małym, mężczyźni klepali Rena po plecach i pili mocne wino. W końcu kobiety udały się do wewnętrznych izb, gdzie zgromadziły się wokół Yi z małym i szeptem przekazywały sobie informacje o pierwszej wizycie cesarza Kangxi w Hangzhou.

– Chciał zrobić na wszystkich wrażenie miłośnika sztuki, ale każdy centymetr jego podróży kosztował mieszkańców naszego kraju centymetr srebra – narzekała Li Shu. – Całą trasę wyłożono żółtym cesarskim jedwabiem, a mury i kamienne balustrady w miejscach, gdzie szedł pieszo, ozdobiono rzeźbionymi smokami...

– Cesarz trzymał chorągiew – dodała Hong Zhize.

Z radością odkryłam, że córka Hong Shenga wyrosła na piękną i utalentowaną poetkę.

– Pędził przez pole i w galopie strzelał z łuku, a każda strzała trafiała w cel. Nie spudłował, nawet kiedy jego rumak stanął dęba. Ten widok poruszył mojego męża i tej nocy jego strzały także trafiły w cel...

Jej słowa zachęciły inne kobiety do zwierzeń, że godne najdzielniejszego z wojowników popisy cesarza odmieniły także ich małżonków.

– Nie dziwcie się, jeżeli za dziesięć miesięcy w naszej okolicy nastąpi wysyp przyjęć po pierwszym miesiącu życia – powiedziała jedna z kobiet, a pozostałe przytaknęły.

Li Shu podniosła ręce, aby położyć kres ogólnej wesołości. Pochyliła się do przodu i zniżyła głos.

– Cesarz mówi, że przeżywamy początek epoki dobrobytu, ale ja trochę się martwię. Nasz władca zdecydowanie potępia *Pawilon Peonii*. Mówi, że ta opera demoralizuje dziewczęta i kładzie zbyt duży nacisk na *qing*. Moraliści natychmiast uczepili się tego argumentu i teraz zatruwają ulice smrodem swojego nawozu...

Kobiety usiłowały pocieszać się odważnymi słowami, lecz w ich głosach pojawiła się nuta niepewności i lęku. To, co z początku było luźnym komentarzem, powtarzanym przez niektórych mężów, teraz powoli stawało się cesarską polityką.

– Uważam, że nikt nie może zabronić nam lektury *Pawilonu Peonii* ani czegokolwiek innego – oświadczyła Li Shu z przekonaniem, w które jakoś nikt już nie wierzył.

– Ale jak długo? – zagadnęła zaniepokojona Yi. – Ja nawet jeszcze nie przeczytałam *Pawilonu*...

– Przeczytasz! – w drzwiach stanął Ren.

Podszedł do żony, wziął syna z jej ramion, uniósł go, a potem przytulił do piersi.

– Pracowałaś długo i wytrwale, aby zrozumieć utwory, które kocham – rzekł. – Teraz zaś dałaś mi syna, więc jakże mógłbym nie podzielić się z tobą czymś, co ma dla mnie tak duże znaczenie...

Sala Chmur

Słowa Rena rozbudziły we mnie pragnienie dokończenia komentarza, nie byłam jednak jeszcze całkiem gotowa, aby znowu przystąpić do pracy, podobnie jak Yi. Od czasu, kiedy oglądałam operę, minęło piętnaście lat. Wydawało mi się, że w tym czasie pohamowałam swoje złe skłonności, ale teraz, gdy w domu pojawiło się dziecko, musiałam być tego całkowicie pewna. Poza tym przed lekturą *Pawilonu Peonii* Yi musiała jeszcze trochę pogłębić swoją edukację. Zaangażowałam Li Shu, Rena oraz panią Wu do pomocy w przygotowaniu mojej siostry-żony i po upływie kolejnych dwóch lat, w czasie których dbałam o rodzinę i sprawdziłam się w tej roli, w końcu pozwoliłam mężowi dać Yi należący wcześniej do mnie i Ze tom *Pawilonu Peonii.*

Codziennie rano Yi ubierała się i wychodziła do ogrodu, żeby zerwać kwiat peonii. Potem wstępowała do kuchni po świeżą brzoskwinię, miseczkę wiśni albo melona, zostawiała polecenia dla kucharki i zanosiła swoje dary do Sali Przodków. Najpierw zapalała kadzidło i oddawała pokłon przodkom Wu, następnie kładła owoce przed tabliczką Ze. Dopełniwszy tego obowiązku, szła do pokoju, w której rezydowała moja kukła, i wstawiała peonię do wazonu. Informowała ukrytą w lalce tabliczkę o swoich nadziejach co do syna i pragnieniu, aby jej mąż i teściowa żyli w zdrowiu i pomyślności.

Później szłyśmy do Pawilonu z Widokiem na Księżyc. Yi otwierała tu *Pawilon Peonii* i przeglądała spisane na marginesach notatki na temat miłości. Czytała zwykle do późnego popołudnia, w lekkiej sukni, której fałdami poruszał wiatr, z włosami opadającymi luźną falą na plecy, ze skupionym wyrazem twarzy, gdy rozważała ten czy inny fragment. Czasami przerywała lekturę, zamykała oczy i zamierała bez ruchu, wtapiając się w historię. Przypomniałam sobie, że w czasie spektaklu Liniang robiła to samo, posługując się chwilą całkowitego spokoju, aby widzowie mogli sięgnąć do serc i odnaleźć w nich najgłębsze uczucia. Marzenia, marzenia, marzenia... Ale czy to nie marzenia dają nam siłę, nadzieję i pragnienie?

Czasami skłaniałam Yi, aby porzucała książkę i wyruszała na poszukiwanie Rena, Li Shu albo pani Wu. Pytała ich o operę, a ja zachęcałam ją do następnych pytań, wiedząc, że im więcej się nauczy, tym szerzej otworzy się jej umysł. Kazałam jej także pytać o inne napisane przez kobiety komentarze; kiedy Yi dowiadywała się, że te utwory zostały zniszczone lub spalone, popadała w zamyślenie.

– Dlaczego myśli tylu kobiet są jak kwiaty na wietrze? – zwróciła się Yi do Li Shu. – Dlaczego odpływają z prądem i znikają bez śladu?

Jej pytanie zaskoczyło mnie i uświadomiło, jak daleko zaszła na drodze edukacji.

Mimo ciekawości Yi nigdy nie była natrętna czy nieuprzejma, nigdy też nie zaniedbywała obowiązków żony, synowej i matki. Była entuzjastką *Pawilonu*, ja jednak czuwałam, aby nie zboczyła z drogi zainteresowania na bezdroża obsesji. Za pośrednictwem Yi dowiedziałam się o życiu i miłości znacznie więcej niż do chwili śmierci czy później, kiedy sterowałam poczynaniami mojej pierwszej siostry-żony. Raz na zawsze rozstałam się z dziewczęcymi ideami romantycznej miłości i domysłami na temat roli chmur i deszczu. Yi nauczyła mnie cenić miłość płynącą z głębi serca.

Widziałam, z jaką wyrozumiałością uśmiechnęła się do

Rena, gdy powiedział, że nie boi się duchów, aby ukoić jej lęki okresu ciąży. Widziałam, jak patrzyła na niego, kiedy trzymał syna na kolanach, konstruował z nim latawce i uczył, jak stać się mężczyzną, który zadba o matkę, gdyby owdowiała. Widziałam, jak chwaliła męża za jego osiągnięcia, nawet te niewielkie. Ren nie był wielkim poetą z moich dziewczęcych marzeń ani też przeciętnym człowiekiem, którego Ze uwielbiała poniżać. Był po prostu mężczyzną, miał zalety i wady. Dzięki Yi zrozumiałam, że głęboka miłość oznacza darzenie kogoś uczuciem mimo jego ograniczeń i z ich powodu.

Pewnego dnia, po wielu miesiącach lektury i przemyśleń, Yi wyszła z domu, stanęła pod śliwą, obok której mieszkałam, i polała jej korzenie winem.

– To drzewo jest symbolem Du Liniang – powiedziała. – Daję ci moje serce. Proszę, pomóż mi zbliżyć się do moich dwóch sióstr-żon.

Liniang odpowiedziała na dar deszczem płatków śliwy. Byłam zbyt ostrożna, aby spróbować czegoś równie efektownego, ale zachowanie Yi świadczyło, że jest już gotowa zacząć pisać. Poprowadziłam ją korytarzem do Sali Chmur, niewielkiej i pełnej uroku, o ścianach pomalowanych na kolor nieba i błękitnych szybach w oknach. Na prostym biurku stały białe irysy w niebieskim wazonie. Yi usiadła przy nim z naszym egzemplarzem *Pawilonu Peonii,* zmieszała tusz i sięgnęła po pędzel. Zajrzałam jej przez ramię. Była przy scenie, w której duch Liniang uwodzi Mengmei i napisała:

Charakter Liniang przebija przez melancholię, w której jest pogrążona, kiedy zbliża się do uczonego. Jest duchem, to prawda, ale pozostaje osobą prawą i dobrą z natury.

Przysięgam, że nie podsunęłam jej tych słów. Napisała je sama, stanowiły jednak wierne odbicie tego, w co sama wierzyłam. Następny fragment tekstu przekonał mnie jednak, że zainteresowania Yi daleko odbiegały od spraw, nad którymi dawno temu zastanawiałam się w łóżku:

Matka nie może być zbyt ostrożna, gdy jej córka zaczyna myśleć o chmurach i deszczu.

Następnie Yi wróciła pamięcią do własnych dziewczęcych marzeń i porównała je z rzeczywistością dorosłej kobiety:

Liniang jest nieśmiała i niepewna, kiedy mówi, że pozbawiony cielesności duch może ulec namiętności, lecz kobieta musi być posłuszna tradycji. Liniang nie jest bezwstydna. Jest prawdziwą kobietą, która chce być kochana jako żona.

Te słowa naprawdę pozostawały w zgodzie z moimi własnymi myślami! Umarłam młodo, ale w czasie tułaczki zrozumiałam, co to znaczy być żoną, a nie dziewczyną, która oddaje się marzeniom w swoim pokoju.

Tan Ze wzorowała swój charakter pisma na moim. Jakżeby mogło być inaczej, skoro tak często prowadziłam jej rękę... W tamtym okresie miałam nadzieję, że Ren zauważy, iż cały tekst wygląda tak, jakby napisała go jedna osoba, i zrozumie, iż wszystkie przemyślenia pochodzą ode mnie, lecz teraz w ogóle się tym nie przejmowałam. Zależało mi, żeby Yi była dumna z tego, co robi.

Napisała jeszcze kilka zdań i podpisała się. Tak, napisała u dołu strony swoje imię! Ja nigdy bym tego nie zrobiła, nie pozwoliłabym też na to Ze.

W następnych miesiącach Yi codziennie chodziła do Sali Chmur, aby zapisywać na marginesach nowe komentarze. Powoli, stopniowo coś zaczęło się dziać. Rozpoczęłyśmy coś w rodzaju dialogu. Ja szeptałam, a Yi zapisywała:

Smętne pieśni ptaków i insektów, westchnienia smaganego deszczem wiatru... Nastrój zaświatów, który przeziera spoza tych słów i wersów, przytłacza każdego.

Kiedy kończyłam myśl, ona zanurzała pędzel w tuszu i dodawała własne słowa:

Gdyby ktoś czytał to sam, w pochmurną noc, z pewnością uległby przerażeniu.

Własne doświadczenie podpowiadało jej komentarze:

W dzisiejszych czasach ludzie często rezygnują z zawarcia dobrego małżeństwa, ponieważ są wybredni, jeśli chodzi o pozycję i pochodzenie rodziny, i zależy im na zgromadzeniu ogromnego posagu. Ciekawe, kiedy ta sytuacja ulegnie zmianie...

Jakże mogła nie rozumieć, że to miłość – nie pieniądze, status ani rodzinne koneksje – jest fundamentem, na którym należy budować małżeństwo, skoro sama żyła tą prawdą?

Czasami trudno mi było oprzeć się wrażeniu, że jej słowa są jak spływające z pędzla kwiaty:

Mengmei zmienił imię z powodu snu. Liniang rozchorowała się z powodu snu. Każde z nich miało swoją namiętność. Każde miało swój sen. Oboje traktowali sny jak rzeczywistość. Duch to tylko sen, a sen to tylko duch...

Kiedy to przeczytałam, zapomniałam o latach własnej obsesji i rozpromieniłam się w uśmiechu, dumna z wnikliwości i wrażliwości Yi.

Yi odpowiadała na moje myśli, a czasami na zapiski Ze. W pewnych fragmentach cały czas słyszałam Ze tak wyraźnie, jakby nadal była z nami. Po wszystkich tych latach pojęłam wreszcie, że Ze wniosła w nasz komentarz o wiele większy wkład, niż sądziłam. Chociaż Yi nie wykazywała najmniejszej skłonności, aby zapaść na tę samą przypadłość co my, wydawało się, że wzywa nas i rozmawia z nami, my zaś odpowiadałyśmy tu i ówdzie rozmazanymi od łez pociągnięciami pędzla.

Cieszyłam się z osiągnięć Yi i pomagałam jej najlepiej jak

umiałam. W nocy, kiedy Yi czytała, rozjaśniałam płomyk świecy, by nie nadwyrężała oczu. Gdy wzrok jej się męczył, przypominałam, żeby przemywała oczy zieloną herbatą, która działa odświeżająco i koi zaczerwienienia. Nagradzałam siostrę-żonę za każdy zrozumiany fragment, każdy trafnie zanalizowany cytat, każdą nasyconą emocjami scenę, którą odczuła i opisała. Dbałam o bezpieczeństwo jej synka, kiedy wędrował sam po ogrodzie, strzegąc go od bolesnych upadków, ukąszeń insektów lub ucieczki przez uchyloną główną bramę. Ostrzegłam wodne duchy, aby nie przywoływały go na brzeg stawu, a duchy drzew, żeby nie pozwoliły mu potykać się o wystające korzenie.

Zaczęłam także zmieniać i chronić całą posiadłość. Za życia Ze znałam praktycznie tylko sypialnię i uważałam, że rezydencja rodziny Chen jest o wiele bardziej atrakcyjna. Teraz uświadomiłam sobie, że tym, co podobało mi się w moim rodzinnym domu, był chłód i dystans, których korzenie tkwiły w bogactwie – mieliśmy za dużo palców, za mało prywatności i spokoju, za dużo plotek i strategicznych rozgrywek o pozycje. Teraz mieszkałam w domu prawdziwego artysty i jego żony pisarki. Stopniowo Yi przekształciła Salę Chmur w pomieszczenie, gdzie mogła schronić się przed innymi domownikami, pisać w ciszy i spokoju oraz zapraszać męża na miłe wspólne wieczory. Robiłam, co w mojej mocy, aby czas mijał im w jeszcze przyjemniejszej atmosferze – wprowadzałam przez okno zapach jaśminu, dmuchałam na niebieskie szyby, aby wydawały się chłodniejsze, i leciuteńko targałam palcami korony kwitnących w ogrodzie kwiatów, żeby ich płatki rzucały drżące cienie na ściany.

Świat przyrody otwierał się przede mną, a ja naginałam go do swojej woli. Ujawniałam swoje uczucia w obfitym rozkwicie peonii na wiosnę, z nadzieją, że rodzina Wu odnajdzie wspomnienie o mnie w urodzie i zapachu tych kwiatów; w śniegu, który otulał drzewa zimą, w porze mojej śmierci; w delikatnych powiewach wiatru wśród wierzb, które powinny przypominać Renowi, że dla mnie zawsze będzie jak Liu Mengmei; i w ciężkich owocach zwisających z gałęzi śliwy, których pojawienie się powinni uważać za cud. Takie były moje podarunki dla Rena, Yi oraz ich syna. Yi składała mi ofiary, ja zaś musiałam się jej odwzajemnić.

Któregoś dnia, kiedy Yi odkurzała książki w bibliotece Rena, spomiędzy kart jednego z tomów wypadło kilka kawałków bambusowego papieru. Yi podniosła kruche, popękane skrawki i przeczytała na głos:

– „Nauczyłam się haftować wzór z motyli i kwiatów...".

Napisałam ten wiersz tuż przed śmiercią i razem z innymi ukryłam go w bibliotece ojca. Bao sprzedał je Renowi, gdy Ze leżała już na łożu śmierci.

Moja siostra-żona przeczytała pozostałe wiersze, spisane na pożółkłych, kruchych ze starości kartkach. Rozpłakała się, a ja po raz pierwszy od dawna pomyślałam o tym, jak długo już nie żyję. Rozsypujące się w proch kawałki papieru przypomniały mi, że moje ciało także ulega gdzieś rozkładowi.

Yi ułożyła wiersze na swoim biurku i przeczytała je jeszcze kilka razy. Wieczorem powiedziała o nich Renowi.

– Myślę, że teraz rozumiem siostrę-żonę Tong – wyznała. – Och, mężu, przeczytałam jej wiersze i wydaje mi się, że ją znam, chociaż tylu rzeczy jeszcze nie wiem...

Ren, który miał na głowie mnóstwo trosk, kiedy odkupił wiersze od mojego adoptowanego brata, dopiero teraz przeczytał je w skupieniu. Były dziewczęce i niedojrzałe, lecz na wspomnienie o mnie oczy Rena napełniły się łzami.

– Polubiłabyś ją – powiedział.

Nigdy wcześniej nikomu nie zdradził, że kiedyś rzeczywiście się spotkaliśmy. Wypełniła mnie ogromna radość.

Następnego dnia Yi przepisała moje wiersze na świeży papier, dodając kilka własnych wersów w miejsce tych, które kompletnie wyblakły i nie dały się odczytać. W ten sposób nasze dusze i umysły zjednoczyły się na dobre.

Kiedy pracowała, z półki spadła jakaś książka. Yi ostrożnie pozbierała rozsypane zwoje. Miała teraz w rękach „prawdziwą" historię komentarza, który kazałam napisać żonie Rena, Ze. Ze wyrwała ją później i ukryła, lecz Ren ją znalazł i schował w inne miejsce. Te kawałki papieru nie były stare, rozsypujące się ani podarte. Nadal wydawały się nietknięte. Kiedy Yi dała je Renowi, smutek napełnił jego serce.

I właśnie wtedy wpadłam na pewien pomysł – musiałam postarać się, aby moja praca została opublikowana. Pisarki, których utwory zebrano dwa tysiące lat temu, pisarki, których dzieła moi rodzice gromadzili w naszej bibliotece, oraz kobiety z Klubu Bananowego Ogrodu cieszyły się szacunkiem i czcią, ponieważ ich prace wydano drukiem. Szeptem przekazałam swoją myśl Yi i uzbroiłam się w cierpliwość.

Parę dni później Yi zebrała całą swoją ślubną biżuterię i zawiązała ją w jedwabnym szaliku. Potem poszła do biblioteki Rena, położyła węzełek na stole i zaczekała, aż jej mąż podniesie wzrok znad książki. Kiedy to zrobił, natychmiast odczytał smutek w spojrzeniu Yi. Zaniepokojony, zapytał, co się stało i jak mógłby jej pomóc.

– Siostra-żona Tong napisała komentarz do pierwszej części opery, a siostra-żona Ze do drugiej. Dzięki ich słowom zdobyłeś sławę, ale ich imiona nie zostały ujawnione i pokrywają się kurzem zapomnienia. Jeżeli nie ujawnimy prawdy i nie pozwolimy, aby moje siostry zasłynęły jako pisarki, to myślę, że będą czuły się niespełnione i niezadowolone w zaświatach...

– Czego ode mnie oczekujesz? – ostrożnie zapytał Ren.

– Pozwolenia na wydanie całego komentarza.

Ren nie odniósł się do tej propozycji w tak pozytywny sposób, na jaki liczyłam.

– To kosztowne przedsięwzięcie – rzekł.

– Dlatego chcę wykorzystać moją ślubną biżuterię, aby zapłacić za druk – odparła Yi i rozwiązała szal, odsłaniając pierścionki, naszyjniki, kolczyki i bransolety.

– Co zamierzasz z tym wszystkim zrobić? – spytał Ren.
– Zabiorę te rzeczy do lombardu.
Kobieta z dobrej rodziny nie powinna nawet zaglądać do takich miejsc, ale ja towarzyszyłabym Yi, chroniąc ją i kierując jej krokami.
Ren w zamyśleniu uszczypnął się w brodę.
– I tak nie wystarczy ci pieniędzy – zauważył.
– Więc zastawię też moje ślubne dary...
Próbował jej to wyperswadować. Próbował rozmawiać z nią jak surowy mąż, który sam podejmuje wszystkie decyzje.
– Nie życzę sobie, aby ludzie uznali, że szukasz sławy, ty albo którąś z moich poprzednich żon! – wykrztusił. – Miejsce utalentowanych kobiet jest w wewnętrznych komnatach...
Tego rodzaju uwagi zupełnie do niego nie pasowały. Yi i ja pozostałyśmy niewzruszone.
– Niewiele obchodzi mnie, czy ktoś uzna, że szukam sławy, ponieważ wcale nie zależy mi na renomie – spokojnie odparowała Yi. – Robię to dla moich sióstr-żon. Czyż nie powinny cieszyć się ogólnym uznaniem?
– Ale one nigdy nie pragnęły sławy! Peonia nie pozostawiła nic, co wskazywałoby, że chciała, aby jej słowa czytali obcy, a Ze nie zależało na uznaniu! – Ren próbował opanować zdenerwowanie. – Ze znała swoje miejsce w rodzinie...
– Na pewno obie szczerze teraz żałują, że nie kazały opublikować swoich komentarzy...
I tak zmagali się ponad godzinę. Yi cierpliwie słuchała Rena, ale nie zmieniała zdania. Była tak zdeterminowana, że w końcu Ren wyjawił jej prawdziwy powód swojego zaniepokojenia.
– Komentarz nie przyniósł żadnej z nich nic dobrego – powiedział. – Gdyby coś ci się stało...
– Za bardzo się o mnie martwisz. Zauważyłeś już chyba, że jestem silniejsza, niż wskazywałby na to mój wygląd...
– Nie mogę przestać się martwić...

Rozumiałam go, ponieważ sama troszczyłam się o Yi, ale publikacja wierszy była mi po prostu potrzebna. Yi także bardzo na tym zależało. Odkąd ją znałam, nigdy nie prosiła nikogo o nic dla siebie.

– Proszę, zgódź się, mężu...

Ren ujął dłonie Yi i poważnie popatrzył jej w oczy.

– Zgadzam się, stawiam jednak dwa warunki – rzekł w końcu. – Masz dobrze się odżywiać i normalnie spać. Jeżeli zaczniesz niedomagać, będziesz musiała natychmiast przerwać pracę nad publikacją komentarza.

Yi przystała na warunki męża i natychmiast zabrała się do przepisywania całego tekstu z wydania Shaoxi oraz komentarzy Ze i swojego własnego, zawartych w nowym tomie *Pawilonu Peonii*. Chciała jak najszybciej oddać utwór w ręce drukarzy. Wtopiłam się w tusz i zrobiłam ze swoich palców włosie przesuwającego się po papierze pędzla.

Skończyłyśmy pracę wieczorem na początku zimy. Yi zaprosiła Rena do Sali Chmur, aby uczcił wraz z nią tę okazję. W koszu płonął ogień, ale w pokoju panował chłód. Na zewnątrz gałązki bambusa trzaskały w mroźnym powietrzu, a z nieba sypał mokry śnieg. Yi zapaliła świecę i podgrzała wino, potem zaś oboje porównali nowe kartki z wersją oryginalną. Była to metodyczna praca. Z zapartym tchem i wielkim podziwem przyglądałam się, jak Ren odwraca kartki, zatrzymując się tu i ówdzie, żeby przeczytać moje słowa. Kilka razy uśmiechnął się serdecznie. Czy wspominał naszą rozmowę w Pawilonie z Widokiem na Księżyc? Kilka razy jego oczy zamgliły się. Czy myślał o mnie, samotnej w łóżku, rozpaczliwie tęskniącej za jego ramionami?

Wziął głęboki oddech, uniósł podbródek, rozprostował ramiona i wysunął pierś do przodu. Jego palce spoczęły na ostatnich słowach, jakie napisałam jako żywa dziewczyna: „Kiedy ludzie żyją, kochają. Kiedy umierają, kochają nadal".

– Jestem dumny z ciebie – powiedział do Yi. – Skończyłaś wielkie dzieło.

Gdy jego palce pieściły moje słowa, odgadłam, że w końcu mnie usłyszał. Ogarnęła mnie euforia, uniesienie, ekstaza. Patrząc na Rena i Yi, pojęłam, że w pełni podzielali moje zadowolenie i radość.

– Wciąż pada śnieg – zauważyła Yi kilka godzin później. Podeszła do okna, a Ren wziął do ręki nową kopię i stanął obok żony. Razem otworzyli okno. Ciężki śnieg okleił gałęzie lśniącymi płatkami, które wyglądały jak najwspanialszy biały nefryt. Ren wydał radosny okrzyk, chwycił żonę za rękę i wybiegł z nią w sypiący z chmur śnieg. Tańczyli, śmiali się i co chwila wpadali w zaspy. Śmiałam się razem z nimi, szczęśliwa, że widzę ich w tak beztroskim nastroju.

Nagle coś skłoniło mnie, żebym spojrzała przez ramię. W ostatniej chwili zobaczyłam, jak świeca przewraca się na wydanie z Shaoxi.

Nie! Dopadłam książki, ale spóźniłam się. Kartki stanęły w ogniu, pokój wypełnił dym. Nadbiegli Yi i Ren. Mój mąż złapał dzban i chlusnął winem w płomienie, co tylko pogorszyło sytuację. Wpadłam w panikę, nie wiedziałam, co robić. Yi chwyciła kołdrę i zdławiła ogień.

W Sali Chmur zapanowała ciemność. Yi i Ren padli na podłogę, dysząc z wysiłku, zrozpaczeni i przejęci stratą. Ren objął szlochającą żonę. Opadłam na ziemię obok nich, owinęłam się wokół Rena, także szukając u niego wsparcia i pocieszenia. Trwaliśmy tak kilka minut. Potem Ren podniósł się powoli i ostrożnie, znalazł świecę i zapalił ją. Lakierowane biurko było poważnie nadpalone, podłogę zalało wino. Powietrze przenikał ciężki zapach alkoholu, spalonego gęsiego pierza i dymu.

– Czy to możliwe, że moje dwie siostry-żony nie życzą sobie, aby ich słowa pozostały w świecie ludzi? – drżącym głosem odezwała się Yi. – Czy to ich duchy wywołały tę katastrofę? Czy w pobliżu kręci się jakaś demoniczna istota, która z zazdrości pragnie zniszczyć naszą pracę?

Mąż i żona popatrzyli na siebie niepewnie, z obawą.

Pierwszy raz od dnia ich ślubu poszukałam schronienia pod sufitem, gdzie owinęłam się wokół belki, wstrząsana dreszczami rozpaczy. Pozwoliłam sobie na odrobinę nadziei i teraz byłam zdruzgotana.

Ren pomógł Yi wstać i podprowadził ją do krzesła.

– Zaczekaj tutaj – powiedział, wychodząc do ogrodu.

Po chwili wrócił z jakimś przedmiotem w rękach. Zsunęłam się z belki, żeby zobaczyć, co to takiego. Ren trzymał w dłoni nową kopię komentarza, którą Yi przygotowała dla drukarzy.

– Upuściłem to, kiedy dostrzegliśmy ogień – rzekł.

Obie przyglądałyśmy się niespokojnie, jak otrzepywał okładkę ze śniegu. Potem otworzył książkę, żeby sprawdzić, czy nie uległa uszkodzeniu. Westchnęłyśmy z ulgą. Wszystko było w porządku.

– Może ten pożar był błogosławieństwem, wcale nie złym znakiem. – Ren się uśmiechnął. – Dawno temu ogień strawił oryginalne zapiski Peonii, teraz zaś zniszczył tom, który kupiłem dla Ze. Nie rozumiesz, Yi? W rezultacie wszystkie trzy będziecie w jednej księdze... Wszystkie pracowałyście bardzo ciężko i nic już nie przeszkodzi nam w wydaniu waszych komentarzy... Dopilnuję tego.

Łzy wdzięczności, płynące z oczu głodnego ducha, mieszały się z łzami siostry-żony, nieszczęsnej istoty z zaświatów.

Następnego dnia rano Yi kazała służącemu wykopać dziurę pod śliwą. Pozbierała popioły i spalone resztki tomu z Shaoxi, owinęła je w surowy jedwabny adamaszek i pogrzebała pod drzewem. Połączyły się tam ze mną i służyły jako przypomnienie tego, co się wydarzyło, oraz ostrzeżenie, że powinnam, a raczej powinniśmy zachować w naszych poczynaniach daleko posuniętą ostrożność.

Przyszło mi do głowy, że dobrze by było, gdyby jeszcze kilka osób przeczytało moje słowa, zanim zostaną wypuszczone w szeroki świat. Czytelniczki, do których miałam zaufanie (jedyne zresztą, jakie znałam), należały do Klubu Bananowego Ogrodu. Opuściłam posiadłość, zeszłam nad jezioro i dołączyłam do nich pierwszy raz od szesnastu lat. Były teraz jeszcze bardziej sławne niż wtedy, kiedy przylgnęłam do nich podczas wygnania. Ich zainteresowanie twórczością innych kobiet rosło i rozwijało się, w miarę jak odnosiły coraz większe sukcesy, nie było więc trudno szeptem wspomnieć im o mieszkającej na górze Wushan kobiecie, która miała nadzieję opublikować jedyny w swoim rodzaju komentarz literacki. Wszystkie zareagowały zaciekawieniem i radością. Kilka dni później Yi otrzymała zaproszenie na wycieczkę po jeziorze w towarzystwie członkiń klubu.

Yi nigdy nie jeździła na wycieczki ani nie spotykała się z kobietami o takich zdolnościach i pozycji. Była przerażona, Ren wspierał ją swoim optymizmem, a ja czułam pewien niepokój. Zrobiłam wszystko, aby Yi została dobrze przyjęta. Pomogłam jej ubrać się w prostym, skromnym stylu, potem zaś przylgnęłam do jej ramion i razem wyszłyśmy na dziedziniec.

– Nie denerwuj się – powiedział Ren, zanim wsiadłyśmy do palankinu, który miał nas zabrać nad jezioro. – Oczarujesz je swoim wdziękiem...

I tak się stało.

Yi opowiedziała pisarkom z klubu o swoim żarliwym poświęceniu, przeczytała im napisane przeze mnie wiersze i pokazała egzemplarz *Pawilonu Peonii* z naszymi zapiskami na marginesach.

– Czujemy się tak, jakbyśmy znały Chen Tong – odezwała się Gu Yurei.

– Jakbyśmy już kiedyś słyszały jej głos... – dodała Lin Yining.

Płakały nade mną, chorą z miłości panną, która nie wiedziała, że śmierć zbliża się do niej wielkimi krokami.

– Zechciałybyście może napisać coś, co mogłabym umieścić na końcu naszego komentarza? – zagadnęła Yi.

Gu Yurei uśmiechnęła się do niej.

– Z przyjemnością napisałabym dla ciebie kolofon – oznajmiła.

– Ja także! – zawołała Lin Yining.

Byłam zachwycona.

Obie z Yi odwiedziłyśmy członkinie klubu jeszcze kilka razy, żeby miały okazję przeczytać i omówić uwagi, które napisałam razem z siostrami-żonami. Nie wtrącałam się w żaden sposób, świadoma, że przedstawiona przez nie interpretacja powinna pochodzić od nich samych. W końcu nadszedł dzień, kiedy kobiety wyjęły pędzle, tusz i papier.

Gu Yurei utkwiła wzrok w przeciwległym brzegu jeziora, na którym rozwijały się kwiaty lotosu, i napisała:

Wiele czytelniczek, między innymi Xiaoqing, z niezwykłą wnikliwością analizowało Pawilon Peonii. *Szczerze żałuję, że żaden z ich komentarzy nie został przedstawiony światu. Dziś w nasze ręce trafia wspólny komentarz trzech żon z rodziny Wu. Wyjaśniają one motywy sztuki tak dokładnie, że nawet ukryte między linijkami podteksty wydają się w pełni zrozumiałe. Mamy prawdziwe szczęście, prawda? Tyle kobiet żyje nadzieją, że uda im się znaleźć wspólnotę – siostrzany związek – istot takich jak one. Trzy żony, o których tu mowa, miały za co dziękować losowi – odnalazły wspólnotę myśli we wspólnie tworzonym dziele.*

Podpłynęłam do Lin Yining i zajrzałam jej przez ramię. Oto co napisała:

Nawet sam Tang Xianzu nie zdołałby przedstawić jaśniejszego i pełniejszego komentarza do swojej sztuki.

Odpowiadając na zastrzeżenia tych, którzy uważali, że Liniang zachowuje się niewłaściwie i daje zły przykład młodym kobietom, dodała:

Dzięki utworowi trzech żon imię Liniang odzyskuje pełny blask. Główna bohaterka sztuki nie przekracza granic dobrego wychowa-

nia i kolejne pokolenia dziewcząt mogą spokojnie korzystać z dziedzictwa, jakim jest jej wdzięk oraz elegancja.

Do ewentualnych oponentów wystosowała wyjątkowo ostre słowa:

Z takimi prostakami nie warto nawet rozmawiać.

Nie miała też cierpliwości dla tych, którzy chcieli znowu zamknąć kobiety w wewnętrznych izbach, skąd nikt nie mógłby usłyszeć ich głosu.

Widzimy tu trzy żony, wszystkie ogromnie utalentowane, z których każda przyczyniła się do powstania tego monumentalnego komentarza. Od dziś wszyscy, którzy pragną zdobyć mądrość lub po mistrzowsku opanować literackie teorie, muszą zacząć pracę od tej książki. Ten wspaniały utwór będzie wysoko ceniony przez całe wieki.

Wyobraźcie sobie, jak się poczułam, kiedy to przeczytałam!

W następnych tygodniach Yi i ja przekazałyśmy nasz egzemplarz *Pawilonu Peonii* z notatkami na marginesach także innym kobietom, między innymi Li Shu oraz Hong Zhize. One także postanowiły sięgnąć po pędzel i utrwalić swoje myśli na papierze. Li Shu napisała, że czytając komentarz, roniła łzy wzruszenia. Hong Zhize wspominała, że jako mała dziewczynka, siedząc na kolanach ojca, słuchała wyznań Rena, że nie napisał pierwotnej wersji komentarza, ale próbuje osłonić swoje żony przed atakami krytyków. Dodała:

Żałuję, że urodziłam się za późno, aby poznać pierwsze dwie żony Wu Rena.

Teraz, kiedy razem z Yi odbywałam tyle wycieczek, doceniłam odwagę pisarek, które dostrzegły wagę naszej pracy i zdecydowały się jej bronić. Świat bardzo się zmienił. Większość mężczyzn twierdziła, że pisanie stanowi zagrożenie dla kobiet i jest wyjątkowo niekobiecym zajęciem. W tym okresie tylko nieliczne rodziny z dumą publikowały utwory swoich kobiet, jednak Yi i ja nie tylko brnęłyśmy naprzód, ale także doczekałyśmy się poparcia ze strony innych pisarek.

Znalazłam malarza, który miał wyciąć w drzewie projekty ilustracji, natomiast Yi poprosiła Rena o napisanie przedmowy do komentarza oraz eseju w formie pytań i odpowiedzi. W eseju Ren zawarł całą prawdę o naszym utworze. Z każdym jego słowem coraz wyraźniej uświadamiałam sobie, że nadal darzy mnie miłością. Potem Yi przepisała moje wiersze na marginesy tekstu Rena:

Te wiersze poruszyły mnie tak głęboko, że zamieszczam je tutaj z nadzieją, iż przyszli kolekcjonerzy kobiecej literatury będą długo sycić się ich trwałym aromatem i kojącym wpływem.

W ten to sposób Yi na zawsze postawiła mnie obok mojego męża. Był to jeszcze jeden dar, tak wielki, że nie miałam pojęcia, jak zdołam jej się odwdzięczyć.

Ren bez reszty zaraził się naszym entuzjazmem i zaczął wraz z nami chodzić na spotkania z rozmaitymi rzemieślnikami oraz kupcami. Jakże się cieszyłam, że możemy spędzić trochę czasu we troje, chociaż w gruncie rzeczy Yi i ja wcale nie potrzebowałyśmy pomocy!

– Chodzi mi o naprawdę piękne drzeworyty – powiedziała Yi piątemu kupcowi, którego odwiedziłyśmy.

Zaprezentowano nam duży wybór, lecz mnie wszystkie drzeworyty wydały się zbyt drogie. Szeptem przekazałam swoje zastrzeżenia Yi. Skinęła lekko głową.

– Czy masz jakieś już użyte ilustracje, które mogłabym wykorzystać, panie? – spytała.

Kupiec obrzucił Yi szacującym spojrzeniem i zaprowadził nas do pomieszczenia na tyłach sklepu.

– Te są praktycznie nowe – oznajmił.

– Świetnie – powiedziała Yi, kiedy już je obejrzała. – Zaoszczędzimy sporo pieniędzy, nie rezygnując z dobrej jakości... – Poleciłam jej to powiedzieć, ale ona po chwili przygryzła wargi. – Chodzi mi też o trwałość – dorzuciła od siebie. – Chcę wydrukować tysiąc egzemplarzy...

– Najprawdopodobniej nie uda ci się sprzedać ani jednego, pani – skomentował kupiec, nie kryjąc lekceważenia.

– Mam nadzieję na mnóstwo wydań i tłumy czytelników – odparowała Yi.

Kupiec zwrócił się do naszego męża.

– Ależ, panie, istnieje wiele ważniejszych utworów, w których można by wykorzystać te ilustracje... Nie byłoby rozsądniej zachować je do własnych dzieł?

Jednak Ren nie myślał o następnym tomie swoich wierszy lub krytycznych tekstów.

– Dobrze wykonaj swoje zadanie, a wrócimy tutaj, kiedy przyjdzie czas na następne wydanie – powiedział. – W przeciwnym razie chętnie pomoże nam ktoś inny...

Po intensywnych negocjacjach obie strony przystały na rozsądną cenę. Potem wyruszyliśmy na poszukiwanie drukarza, dobrych tuszów oraz kogoś, kto wykonałby skład tekstu. Wszystko, co zostało zapisane na marginesach albo między wierszami, zostało przesunięte do góry, natomiast tekst opery znalazł się niżej. Kiedy szczotki drukarskie były już gotowe, wszyscy przystąpiliśmy do wyszukiwania błędów, a gdy już odesłaliśmy tekst do drukarza, pozostało mi tylko oczekiwanie.

Tylko sen

„Wschodni wiatr znowu niesie ból serca" – śpiewała Liniang i teraz wschodni wiatr dotarł do posiadłości rodziny Wu. Yi zawsze była fizycznie wątła, a w ostatnich miesiącach ciężko pracowała. Chociaż czuwałam nad nią, a Ren pilnował, żeby odpowiednio się odżywiała, zachorowała. Ukryła się w swoim pokoju i nie przyjmowała żadnych gości. Straciła apetyt, co z kolei doprowadziło do utraty wagi oraz energii. Bardzo szybko – zbyt szybko – nie miała już siły, aby usiąść na krześle. Teraz leżała w łóżku, wychudzona, zniszczona i wyczerpana. Był środek lata, panował upał.

– Czy to miłosna choroba? – zapytał Ren, kiedy doktor Zhao zbadał nową pacjentkę.

– Ma gorączkę i głęboki kaszel – ponuro wygłosił Zhao. – Niewykluczone, że ma wodę w płucach. Mogła też zebrać się tam krew.

Przygotował napar z suszonej morwy, który Yi posłusznie wypiła. Kiedy nie poprawiło to stanu płuc, wsypał jej do gardła sproszkowane ciało z nadmorskiego wróbla, żeby odstraszyć czające się tam trucizny *yin*, lecz moja siostra-żona nadal marniała w oczach. Zachęcałam ją, żeby zmobilizowała wewnętrzne siły, które przez wszystkie minione lata utrzymywały ją przy życiu, ale doktor był coraz bardziej ponury.

– Twoja żona cierpi na zablokowanie *qi* – powiedział. –

Ucisk w klatce piersiowej powoli ją dusi i odbiera apetyt. Trzeba natychmiast usunąć ten ciężar. Jeśli wpadnie w gniew, jej *qi* podniesie się i zrobi wyłom w istniejącej blokadzie...

Doktor Zhao próbował w ten sposób leczyć mnie wiele lat temu, bezskutecznie, niestety. Przyglądałam się ze smutkiem, jak wywlekli Yi z łóżka i zaczęli krzyczeć jej prosto w ucho, że jest złą żoną, do niczego niezdatną matką i marną gospodynią, która na dodatek w okrutny sposób odnosi się do służby. Nogi Yi zwisały bezwładnie, stopy ślizgały się po podłodze, kiedy popychali ją i ciągnęli, starając się tak ją rozdrażnić, aby wreszcie kazała im przestać. Yi nie nawrzeszczała na nich. Nie potrafiła. Miała w sobie za dużo dobroci. Kiedy dostała krwawych wymiotów, położyli ją do łóżka.

– Nie mogę jej stracić – wyznał Ren. – Mieliśmy się razem zestarzeć, spędzić ze sobą sto lat i spocząć w tym samym grobie...

– Wszystko to jest bardzo romantyczne, ale niekoniecznie praktyczne – odparł doktor. – Musisz pamiętać, że nic na tym świecie nie jest trwałe, panie Wu. Jedyną trwałą i pewną rzeczą jest nietrwałość.

– Ale moja żona przeżyła zaledwie dwadzieścia trzy lata – z rozpaczą jęknął Ren. – Miałem nadzieję, że jeszcze długo będziemy jak dwa ptaki, które razem szybują pod niebem...

– Słyszałem, że twoja żona syciła się lekturą *Pawilonu Peonii* – powiedział doktor. – Czy to prawda?

Kiedy Ren przytaknął, z piersi Zhao wyrwało się ciężkie westchnienie.

– Od wielu lat obserwuję, ile spustoszenia czyni ta opera... – Pokiwał głową. – Od lat tracę pacjentki, którym siły odbiera trucizna sącząca się z jej kart...

Cała rodzina poddała się ostrej dyscyplinie. Najpierw mag wypisał zaklęcia, które następnie spalono. Popiół zebrano i przekazano Wierzbie, ona zaś dała je kucharce. Razem ugotowały wywar z rzepy i z połowy popiołu, aby zmniejszyć kaszel chorej. Drugi wywar przygotowano z ziarna do połowy zjedzonego przez robaki oraz z drugiej części popiołu, żeby obniżyć gorączkę. Pani Wu paliła kadzidło, złożyła ofiary i modliła się. Gdyby działo się to zimą, Ren położyłby się na śniegu, żeby wychłodzić ciało, a potem przytuliłby się do Yi, zbijając w ten sposób gorączkę, ale było lato, musiał więc zrobić coś innego. Wyszedł na ulicę, złapał psa i położył go na łóżku obok Yi, licząc, że nieszczęsne zwierzę wyssie z niej chorobę. Żaden z wymienionych tu środków nie podziałał.

W następnych dniach w pokoju niespodziewanie zaczęło robić się coraz zimniej i zimniej. Małe obłoczki mgły snuły się pod ścianami i oknami. Ren, pani Wu i służący zarzucali sobie kołdry na ramiona, żeby nie zmarznąć. Ogień huczał w koszu, ale z ust Rena wydobywały się kłębki pary. Yi oddychała coraz słabiej i przestała się ruszać. Nie otwierała już oczu i nawet nie kasłała. *Długi był jej nieprzytomny sen, głębokie uśpienie.* Tylko jej skóra wciąż płonęła żywym ogniem.

Było lato, więc skąd to nagłe ochłodzenie? Przy umierających często zbierają się duchy, wiedziałam jednak, że to nie ja jestem powodem tych problemów. Mieszkałam razem z Yi od wielu lat i, jeśli nie liczyć operacji krępowania stóp, nigdy nie obdarzyłam jej bólem, smutkiem czy uczuciem dyskomfortu. Wręcz odwrotnie, zawsze chroniłam i dodawałam jej sił. Straciłam resztki optymizmu i popadłam w stan przygnębienia.

– Szkoda, że lisie duchy nie chronią twojej żony, panie – z rezygnacją oświadczył doktor Zhao. – Przydałaby jej się ich wesołość, ciepło i mądrość. Niestety, duchy zgromadziły się już, żeby zabrać ją z tego świata. Są to istoty pełne melancholii, chore, posiadające za dużo *qing*. Wyczuwam ich obecność w nieregularnym tętnie twojej małżonki i w jej wysokiej gorączce. Doprowadzają jej krew do wrzenia, zupełnie jakby już teraz przebywała w jednym z piekieł... Przepływ krwi w jej sercu i płomienne *qi* to oczywiste oznaki ataku duchów... – Zhao z szacunkiem skłonił głowę. – Możemy tylko czekać...

W pokoju zawieszono lustra i sito, co bardzo ograniczyło pole mojego poruszania się. Wierzba i pani Wu na zmianę zamiatały podłogę, a Ren wymachiwał mieczem, aby odegnać mściwe duchy, gotowe w każdej chwili porwać Yi w zaświaty. Wszystkie te działania zmusiły mnie do ucieczki na belki pod sufitem, ale kiedy rozejrzałam się po pokoju, nie zauważyłam żadnych wrogich stworzeń. Opadłam na łóżko Yi, cudem unikając tnącego powietrze miecza, zamiatających kobiet i odbijanych przez tafle lustra promieni światła. Położyłam dłoń na jej czole. Było rozgrzane jak płonący węgiel. Położyłam się obok niej, odrzucając wszystkie ochronne bariery, którymi otoczyłam się w ciągu minionych lat, i starając się, aby wypełniający mnie chłód nasączył jej ciało i obniżył gorączkę.

Przytuliłam ją mocno. Z moich oczu popłynęły łzy, które chłodziły jej twarz. Wychowywałam ją, krępowałam jej stopy, opiekowałam się nią w chorobie, wydałam ją za mąż i pomogłam przyjść na świat jej synowi, ona zaś na wiele sposobów oddawała mi cześć. Byłam z niej taka dumna, okazała się bowiem oddaną żoną, kochającą matką i...

– Kocham cię, Yi... – szepnęłam jej do ucha. – Jesteś nie tylko wspaniałą siostrą-żoną... Uratowałaś mnie i pozwoliłaś, aby mój głos zabrzmiał czysto i wyraźnie... – Zamilkłam na chwilę, ponieważ w moim sercu wezbrała wielka fala macierzyńskiej miłości, tak intensywnej, że aż bolesnej. – Jesteś radością mojego życia – wyznałam szczerze. – Kocham cię tak mocno, jakbyś była moją własną córką...

– Ha!

Ostry, triumfujący i z całą pewnością nie ludzki głos.

Odwróciłam się gwałtownie, znowu cudem unikając miecza, i stanęłam twarzą w twarz z Tan Ze. Lata spędzone w Jeziorze Gromadzącej się Krwi oszpeciły ją i zdeformowały. Na widok mojego zdumienia wybuchnęła śmiechem. Wierzba, Ren i jego matka zamarli ze strachu, a ciałem Yi szarpnął potężny atak kaszlu.

Przez chwilę byłam zbyt wstrząśnięta, aby się odezwać, zbyt przerażona, co może grozić tym, których kochałam.

– Skąd się tu wzięłaś? – wykrztusiłam wreszcie.

Było to głupie pytanie, ale zupełnie się pogubiłam i kompletnie nie wiedziałam, co robić.

Ze nie odpowiedziała. Nie musiała. Jej ojciec znał konieczne rytuały, był bogaty i wpływowy. Musiał opłacić kapłanów, aby modlili się za córkę, na pewno podarował im długie sznury monet, które następnie zostały przekazane urzędnikom nadzorującym Jezioro Gromadzącej się Krwi. Po uwolnieniu Ze mogła dołączyć do grona przodków, ale najwyraźniej wybrała inną ścieżkę.

Miecz Rena ze świstem uciął kawałek mojej szaty. Yi jęknęła.

Poczułam wzbierający we mnie gniew.

– Wleczesz się za mną przez całe życie – powiedziałam. – Nawet po śmierci miałam przez ciebie kłopoty. Dlaczego to zrobiłaś? Dlaczego?

– Ty miałaś kłopoty przeze mnie? – głos Ze zaskrzypiał jak zardzewiałe zawiasy.

– Przykro mi, że cię straszyłam – rzekłam. – Przepraszam, że cię zabiłam. Nie wiedziałam, co robię, ale nie mogę wziąć na siebie całej winy za to, co cię spotkało. Poślubiłaś Rena. Na co właściwie liczyłaś?

– Był mój! Wypatrzyłam go w pierwszą noc opery, uprzedziłam cię, że wybrałam go dla siebie! A kiedy ona umrze, wreszcie będę miała go dla siebie! – Wskazała Yi palcem.

W tej sytuacji wyjaśniło się wiele zdarzeń z poprzednich miesięcy. Kiedy Yi znalazła moje wiersze, to Ze musiała zrzucić z półki książkę zawierającą karty, które wydarła z komentarza. W ten sposób skupiła uwagę Rena na sobie i nie pozwoliła, aby o mnie myślał. Zmusiła Yi, aby napisała komentarz do jej własnych uwag, zapisanych na marginesie kart opery. Niska temperatura w dniu, kiedy spłonęło wydanie z Shaoxi, także była jej sprawką. Nie rozumiałam, co się dzieje, ponieważ całą moją uwagę przykuł widok tańczących na śniegu Rena i Yi. Chłód w sypialni Yi... Jej choroba... Wcześniej trudny poród... Teraz byłam przekonana, że to Ze wdarła się w głąb łona Yi i próbowała udusić chłopca pępowiną, coraz mocniej zaciskając ją wokół jego szyi, podczas gdy ja starałam się rozluźnić śmiertelną pętlę.

Oderwałam wzrok od Ze, zastanawiając się, gdzie ukrywała się przez cały ten czas. W wazonie, pod łóżkiem, w płucach Yi, w jej macicy? W kieszeni doktora, w jednym z bucików Wierzby, w wywarze z nadgryzionego przez robaki ziarna, który miał obniżyć gorączkę chorej? Ze mogła być w każdym z tych miejsc i wszystkich jednocześnie, a ja nigdy bym się tego nie domyśliła, ponieważ w ogóle jej nie szukałam.

Ze wykorzystała moment, w którym moja uwaga uległa rozproszeniu, i z rozmachem usiadła na piersi Yi.

– Pamiętasz, kiedy mi to zrobiłaś?! – zaskrzeczała.

– Nie! – krzyknęłam.

Wyciągnęłam ręce, chwyciłam Ze i szarpnęłam ją w górę.

Wierzba upuściła miotłę i zatkała sobie uszy. Ren odwrócił się szybko i mieczem zranił Ze w nogę. Trysnęła niewidoczna dla oczu żyjących krew.

– Ren cię kochał – jęknęła Ze. – Nigdy się nie spotkaliście, a jednak cię kochał...

Może powinnam powiedzieć jej prawdę? Czy teraz mogło to mieć jakiekolwiek znaczenie?

– Ciągle o tobie myślał – ciągnęła z bezlitosnym uporem. – Byłaś jego marzeniem, musiałam więc stać się tobą... Przypomniałam sobie, że rozchorowałaś się z miłości i przestałaś jeść...

– Nie powinnam była tego robić! – przerwałam jej gwałtownie. – Popełniłam okropny błąd!

Nagle nawiedziło mnie inne wspomnienie. Zawsze uważałam doktora Zhao za głupca, tymczasem on od początku miał rację. Ze była zazdrosna. Powinien był zmusić ją do zjedzenia zupy na zazdrość. Przypomniałam też sobie fragment opery: „Tylko złośliwe kobiety są zazdrosne; tylko zazdrosne są złośliwe".

– Pamiętam – ciągnęła Ze. – Wszystko pamiętam! Pokazałaś mi konsekwencje głodzenia się, więc przestałam jeść, żeby upodobnić się do ciebie...

– Ale dlaczego?!

– Bo Ren był mój!

Wbiła czarne pazury w belkę i uwiesiła się na niej jak obrzydliwa zmora. Była obrzydliwym, ohydnym stworzeniem.

– To ja zobaczyłam go pierwsza! – zaskrzeczała.

Ren padł na kolana obok łóżka. Chwycił dłoń Yi i rozpłakał się. Wiedziałam, że już niedługo moja siostra-żona popłynie po niebie. I w końcu w całej pełni zrozumiałam poświęcenie, na jakie moja matka zdobyła się dla ojca. Teraz sama byłam gotowa na wszystko, byle tylko uratować córkę mojego serca.

– Nie wymierzaj kary tej nieważnej żonie – powiedziałam. – Ukarz mnie!

Zbliżyłam się do Ze z nadzieją, że zapomni o Yi i zaatakuje mnie. Oderwała się od belki i tchnęła mi prosto w twarz cuchnącą chmurą.

– W jaki sposób zadać ci najwięcej bólu? – zapytała.

W jej głosie słyszałam głos małej dziewczynki, która była tak samolubna – nie, raczej pozbawiona poczucia bezpieczeństwa, ale za późno to sobie uświadomiłam – że nie pozwalała nikomu się odezwać, ponieważ bała się, że to odwróci uwagę innych od jej osoby.

– Przepraszam, że nie pozwoliłam ci jeść – spróbowałam jeszcze raz, bez nadziei i bezradnie.

– Nie słuchasz, co mówię! – krzyknęła. – Nie zabiłaś mnie! Nie zmiażdżyłaś, nie skradłaś mi oddechu! Przestałam jeść i chociaż raz miałam całkowitą kontrolę nad swoim losem! Chciałam zagłodzić tę istotę, którą umieściłaś w moim brzuchu!

Cofnęłam się, wstrząśnięta i przerażona.

– Zabiłaś własne dziecko?!

Na twarzy Ze pojawił się pełen satysfakcji uśmiech.

– Przecież ono nic ci nie zrobiło! – wybuchnęłam.

– Trafiłam za to do Jeziora Gromadzącej się Krwi – przyznała. – Ale było warto... Nienawidziłam cię i powiedziałam ci to, co mogło sprawić ci największy ból. Uwierzyłaś mi i popatrz, czym się stałaś – słabą istotą o ludzkich uczuciach...

– Więc nie zabiłam cię?

Usiłowała znowu zadrwić z mojej ignorancji, ale z jej ust zamiast śmiechu wydobył się jęk smutku.

– Nie zabiłaś mnie. Nie umiałabyś tego zrobić.

Przytłaczający ciężar wielu lat cierpienia, poczucia winy i żalu stoczył się z mojej piersi i rozwiał w zimnym powietrzu.

– Nigdy się ciebie nie bałam – ciągnęła Ze, nie zauważywszy, że nagle stałam się lekka i swobodna jak piórko. – Przeszkadzało mi tylko twoje wspomnienie. Byłaś duchem, który mieszkał w sercu mojego męża...

Pierwszy raz zrobiło mi się żal Ze. Miała wszystko i nic. Pustka, która ją wypełniała, nie pozwalała jej rozbudzić w sobie żadnych pozytywnych uczuć w stosunku do męża, ojca, matki czy mnie.

– Ale ty też byłaś duchem, który mieszkał w jego sercu... – Zbliżyłam się do niej, wiedząc, że jeśli rzeczywiście tak bardzo mnie nienawidzi, w końcu zaatakuje mnie. – Nie mógł porzucić żadnej z nas, ponieważ kochał nas obie. Jego miłość do Yi to tylko kontynuacja tamtego uczucia. Widzisz, jak na nią patrzy? Wyobraża sobie, jak musiałam wyglądać, kiedy samotnie umierałam z miłości, i jak wyglądałaś w chwili śmierci...

Jednak Ze nie przyjmowała żadnych argumentów i nie chciała widzieć tego, co mogłaby zobaczyć. Obie byłyśmy skazane na cierpienie, ponieważ przyszłyśmy na świat jako dziewczynki. Mogłyśmy liczyć tylko na to, że ktoś uzna nas za bezwartościowy lub cenny towar. Obie byłyśmy żałosne.

Nie zabiłam Ze (co za ulga!) i nie wierzyłam, że ona naprawdę chce zabić Yi.

– Popatrz na niego, Ze... Czy rzeczywiście chcesz znowu go zranić?

Opuściła ramiona.

– Pozwoliłam, aby nasz mąż zdobył sławę dzięki naszej pracy nad *Pawilonem Peonii* – przyznała. – Zrobiłam to, ponieważ pragnęłam jego miłości...

– Kochał cię. Szkoda, że nie widziałaś, jak cię opłakiwał...

Ale Ze nie słuchała.

– Myślałam, że pokonam cię chociaż po śmierci. Mój mąż i nasza nowa siostra-żona składali mi ofiary, wiesz jednak, że ta rodzina nigdy nic nie znaczyła...

Czekałam, zgadując, jakiego określenia użyje.

– To przeciętny ród. Na szczęście udało mi skłonić ojca, żeby wykupił mnie z Jeziora Gromadzącej się Krwi. Odzyskałam wolność i co znalazłam w domu? – szarpnęła pasmo swoich włosów. – Nową żonę!

– Popatrz jednak, co dla ciebie zrobiła – powiedziałam. – Co zrobiła dla nas obu... Usłyszała nasze słowa. Byłaś obecna na marginesie kart *Pawilonu Peonii,* tak samo jak ja. I pomogłaś Yi przy drugiej części, nie zaprzeczaj... – Zbliżyłam się do Ze. – Nasza siostra-żona uświadomiła Renowi, że może kochać nas wszystkie, każdą inaczej, ale tak samo mocno. Nasz utwór zostanie opublikowany, czy to nie cud? Wszystkie trzy będziemy czczone i wspominane...

Łzy popłynęły z oczu Ze i spłukały z niej całą ohydę lat spędzonych w Jeziorze Gromadzącej się Krwi, wściekłość, gorycz, zazdrość i egoizm. Uczucia te, tak uparte i silne, podążyły za nią w zaświaty, utrwalając jej straszliwą rozpacz, przygnębienie i tęsknotę. Teraz poczucie klęski, nieszczęścia i samotności wydobywało się z niej jak robaki z ziemi po wiosennym deszczu, aż w końcu moim oczom ukazała się prawdziwa esencja Ze – śliczna dziewczyna, która mieszkała w jej snach i pragnęła miłości. Wcale nie była demonem ani złym duchem. Zmieniła się w istotę, której serce zostało kiedyś złamane, i prawdziwą chorą z miłości pannę.

Przywołałam wewnętrzną siłę mojej matki i babki i otoczyłam Ze ramieniem. Nie dopuściłam, żeby znowu zaczęła się ze mną spierać. Pociągnęłam ją za sobą, omijając zamiatającą Wierzbę, lustra i sito. Wypłynęłyśmy na zewnątrz i tam puściłam ją wolno. Przez parę sekund unosiła się nade mną, potem zwróciła twarz ku niebu i powoli zniknęła.

Wróciłam do pokoju i z radością patrzyłam, jak płuca Yi opróżniają się ze szkodliwych płynów. Moja siostra-żona zakrztusiła się, złapała oddech i wciągnęła powietrze głęboko do płuc. Ren szlochał z wdzięczności.

Lśnienie

K*omentarz trzech żon* został wydany pod koniec zimy w trzydziestym drugim roku panowania cesarza Kangxi; gdybym żyła, skończyłabym właśnie czterdzieści pięć lat. Książka natychmiast odniosła niezwykły sukces. Ku mojemu wielkiemu zdumieniu i radości, moje imię, podobnie jak imiona Ze i Yi, stało się znane w całym kraju. Poważni kolekcjonerzy, tacy jak mój ojciec, poszukiwali naszej książki jako wyjątkowej, cennej pozycji. Kupowano ją do wszystkich bibliotek, nawet w najbogatszych domach. Kobiety czytały ją i ciągle wracały do tej lektury, wzruszając się do łez moją samotnością i wrażliwością. Płakały, wspominając swoje własne zagubienie, spalone lub zapomniane słowa. Wzdychały, żałując, że nie pisały o wiosennej miłości i jesiennym smutku.

Dość szybko ich mężowie, bracia i synowie także sięgnęli po książkę. Ich interpretacja i sposób przeżywania lektury okazały się zupełnie inne. Mężczyźni czuli się bardziej męscy, mając świadomość, że twórczość jednego z nich zwróciła uwagę kobiet i zafascynowała je (nie tylko nas trzy, ale wszystkie chore z miłości panny) do tego stopnia, że mogłyśmy przestać jeść i spać i w końcu byłyśmy gotowe umrzeć, poruszone jego utworami. Poczuli się silniejsi i lepsi, a to pomogło im odzyskać część utraconej męskości.

Kiedy nadszedł Nowy Rok, Yi razem z rodziną sprzątała, składała ofiary i spłacała długi, ja widziałam jednak, że myślami błądzi gdzieś daleko. Zaraz po zakończeniu pracy szybko poszła przez dziedziniec do pokoju, w którym trzymano moją kukłę. Weszła do środka, zawahała się chwilę, spomiędzy fałd spódnicy wyjęła nóż, w dniach bezpośrednio poprzedzających Nowy Rok przedmiot zakazany, i uklękła obok lalki. Z przerażeniem patrzyłam, jak zdziera jej twarz, zdejmuje z niej strój, składa go starannie, potem rozcina brzuch.

Nie byłam w stanie myśleć. Nie wiedziałam, dlaczego chce zniszczyć lalkę, i miałam świadomość, że Ren wpadnie w gniew, kiedy dowie się o jej czynie, jednak zdawałam sobie sprawę, że jeśli Yi wyjmie moją tabliczkę, to zobaczy, że nie ma na niej kropki. Przycupnęłam tuż nad nią, nagle pełna cudownej nadziei. Yi wsunęła dłoń do środka lalki i wyciągnęła tabliczkę. Pośpiesznie otrzepała ją ze źdźbeł słomy i wróciła do swojego pokoju. Po chwili przyniosła stamtąd mały stolik i znowu wyszła. Tym razem wróciła z egzemplarzem *Komentarza trzech żon*, wazonem i kilkoma innymi przedmiotami. Postawiła moją tabliczkę i portret na stoliku, zapaliła świece i złożyła ofiarę w postaci książki, owoców oraz wina. Następnie oddała mi cześć jako jednej z przodków.

Chcę tu podkreślić, że wydawało mi się, iż taką właśnie miała intencję.

Ren wyszedł na balkon i ujrzał pogrążoną w modłach żonę.

– Co robisz? – zawołał do niej.

– Jest Nowy Rok – odparła. – Składamy ofiary członkom rodziny, ja zaś chcę podziękować Liniang. Pomyśl tylko, jaką inspiracją stała się dla mnie i twoich pozostałych żon...

Zaśmiał się, rozbawiony jej naiwnością.

– Nie można oddawać czci komuś, kto nie istnieje!

Yi poczuła się nieco urażona.

– Duch kosmosu napełnia wszystko – oświadczyła. – Nawet kamień może się stać domem jakiegoś stworzenia, duch może zamieszkać nawet w drzewie...

– Przecież sam Tang Xianzu powiedział, że Liniang nigdy nie istniała! Dlaczego składasz jej ofiarę?

– Skąd ty albo ja możemy wiedzieć, czy Liniang naprawdę istniała, czy nie?

Była wigilia Nowego Roku, okres, w którym nie wolno było się spierać, żeby nie zdenerwować przodków, więc Ren pośpiesznie skapitulował.

– Masz rację. Myliłem się. Teraz chodź tutaj i napij się ze mną herbaty. Chciałbym przeczytać ci, co dzisiaj napisałem.

Znajdował się zbyt daleko, aby dostrzec namalowaną na kawałku papieru twarz czy napis na mojej tabliczce, nie zapytał też, skąd Yi wzięła przedmioty, które miały symbolizować Liniang.

Później Yi wróciła pod śliwę i schowała tam wyjęte wcześniej rzeczy. Ze smutkiem przyglądałam się, jak znowu zaszywa moją tabliczkę w brzuchu kukły, ubiera ją i sadza w takiej pozycji jak przed ceremonią. Starałam się otrząsnąć z rozczarowania, ale znowu ogarnęło mnie przygnębienie.

Nadszedł czas, żeby Yi w końcu mnie poznała. To ja jej pomagałam, nie Liniang. Przypomniałam sobie słowa, które Yi napisała na marginesie opery: „Duch to tylko sen, a sen to tylko duch". To zdanie przekonało mnie, że jeśli nie chcę jej śmiertelnie wystraszyć, powinnam spotkać się z nią w jej śnie.

Tej nocy, kiedy tylko Yi zasnęła i zaczęła wędrować, weszłam do jej sennego ogrodu, w którym natychmiast rozpoznałam ten ze snu Liniang. Wszędzie dookoła kwitły peonie. Weszłam do Pawilonu Peonii i czekałam. Gdy Yi przyszła i ujrzała mnie, nie krzyknęła i nie rzuciła się do ucieczki. W jej oczach byłam olśniewająco piękna.

– Czy ty jesteś Liniang? – zapytała.

Uśmiechnęłam się do niej, lecz zanim zdążyłam powiedzieć, kim jestem, w ogrodzie pojawiła się nowa postać. Był to Ren. Od czasu tamtych spotkań ani razu nie stanęliśmy twarzą w twarz. Patrzyliśmy na siebie bez słowa, głęboko poruszeni. Nie mogłam oprzeć się wrażeniu, że czas cofnął się do dni naszej młodości. Moja miłość do Rena wprawiała powietrze w drżenie, bałam się jednak przemówić, bo obok nas stała Yi. Ren spojrzał na moją siostrę-żonę i znowu popatrzył na mnie. Nie był w stanie wydobyć z siebie głosu, ale jego oczy pełne były miłości.

Ułamałam małą gałązkę śliwy i mu ją podałam. Pamiętając zakończenie snu Liniang, wzbiłam w powietrze obłok płatków z całego ogrodu i obsypałam nimi Rena oraz Yi. Postanowiłam, że następnej nocy znowu wejdę w sen Yi. Będę gotowa na przybycie Rena i jeżeli się zjawi, powiem mu, że...

W rzeczywistym świecie Ren gwałtownie obudził się ze snu. Oddech leżącej obok niego Yi zatrzymał się na moment, wrócił do normy i znowu się zatrzymał. Ren potrząsnął jej ramieniem.

– Obudź się! Obudź się!

Yi otworzyła oczy, ale zanim Ren zdążył się odezwać, pośpiesznie opowiedziała mu swój sen.

– Mówiłam ci, że Liniang istnieje – powiedziała z radością.

– Miałem ten sam sen – rzekł Ren. – Ale to nie była Liniang... – Zacisnął palce na dłoniach Yi. – Skąd wzięłaś tabliczkę, którą posłużyłaś się w czasie wczorajszej ceremonii?

Yi potrząsnęła głową i spróbowała uwolnić ręce, ale Ren mocno je trzymał.

– Nie będę się na ciebie gniewał, ale powiedz mi prawdę...

– Nie zdjęłam jej z ołtarza twoich przodków. – W głosie Yi brzmiała nuta lęku. – Nie należała do jednej z twoich stryjenek ani...

– Yi, błagam! Powiedz mi!

– Chciałam użyć tabliczki osoby, która moim zdaniem najlepiej oddaje ducha Liniang i sposób jej śmierci... – Przygryzła wargę, przestraszona gwałtownym zachowaniem

Rena. – Wzięłam ją od twojej Peonii, ale potem odłożyłam na miejsce – wyznała w końcu. – Nie złość się na mnie...

– To Peonia odwiedziła cię we śnie – rzekł Ren, szybko podnosząc się z łóżka i wkładając szlafrok. – Przywołałaś ją...

– Mężu...

– To ona, wierz mi. Nie mogłaby odwiedzić cię, gdyby należała do grona przodków. Znaczy to, że jest...

Yi usiadła na łóżku.

– Zostań tutaj – rozkazał Ren. – Muszę to zrobić sam.

Bez słowa wyszedł z pokoju i pobiegł korytarzem do pokoju, w którym znajdowała się moja lalka. Ukląkł obok niej i położył dłoń w miejscu, gdzie powinno bić serce. Pozostał w tej pozycji dość długo, potem zaś, bardzo powoli, rozpiął żabki tworzące zapięcie ślubnej tuniki. Cały czas patrzył prosto w oczy kukły, ja zaś wpatrywałam się w jego oczy. Postarzał się. Włosy na jego skroniach posiwiały, zmarszczki pocięły skórę wokół oczu, lecz dla mnie wciąż był tak samo męski i przystojny. Dłonie miał długie i szczupłe, ruchy nieśpieszne, pełne czułości. Kochałam go za radość, jaką obudził w młodej dziewczynie, mieszkającej w rezydencji rodziny Chen, oraz za miłość i lojalność, jaką okazał Ze i Yi.

Odsłoniwszy muślinowy brzuch kukły, przysiadł na piętach i rozejrzał się po pokoju, nie znalazł jednak tego, co było mu potrzebne. Wsunął dłonie do kieszeni, lecz tam także nic nie znalazł. Potem wziął głęboki oddech i jednym ruchem rozdarł brzuch lalki. Wyjął moją tabliczkę, podniósł ją do oczu, zmoczył kciuk śliną i starł kurz z plakietki. Gdy zorientował się, że nie ma kropki, przycisnął tabliczkę do piersi i spuścił głowę. Uklękłam przed nim. Dwadzieścia dziewięć lat cierpiałam jako głodny duch i teraz, patrząc w jego twarz, ujrzałam wyraz bólu. Ren odgadł, jak bardzo musiałam się męczyć.

Podniósł się, zaniósł tabliczkę do biblioteki i wezwał Wierzbę.

– Każ kucharce zabić koguta – rzucił. – Kiedy to zrobi, natychmiast przynieś mi krew...

Wierzba nie zadawała żadnych pytań. Gdy minęła mnie, wychodząc z pokoju, rozpłakałam się z ulgi i wdzięczności. Tak długo czekałam, żeby ktoś wreszcie postawił kropkę na mojej tabliczce. Aż do dzisiaj...

Dziesięć minut później Wierzba wróciła z miską pełną gorącej krwi. Ren odprawił ją, potem zaś postawił naczynie na stole i nisko skłonił się przed moją tabliczką. W tym momencie coś poruszyło się we mnie, a cały pokój wypełnił niebiański aromat. Ren ze łzami w oczach podniósł się i zanurzył pędzel w świeżej krwi. Jego dłoń nie drżała, kiedy stawiał kropkę na mojej tabliczce, zupełnie jak Mengmei, który czynem potwierdził swoją miłość do Liniang.

I nagle już nie byłam głodnym duchem. Dusza, która mieszkała w moim kształcie, rozdzieliła się na dwie części. Jedna odnalazła przysługujące jej miejsce w tabliczce; stąd miałam z bliska czuwać nad moją rodziną. Druga część, wreszcie wolna, wyruszyła w dalszą podróż w zaświaty. Nie zostałam przywrócona do życia, lecz w końcu odzyskałam należną mi pozycję jako pierwsza żona Rena. Wróciłam na swoje miejsce w społeczeństwie, rodzinie i wszechświecie.

Promieniałam radością, a razem ze mną promieniała i lśniła cała posiadłość rodziny Wu. Zaraz potem uniosłam się nad ziemię, aby zakończyć swoją wędrówkę i dołączyć do przodków. Odwróciłam głowę i ostatni raz spojrzałam na Rena. Wiedziałam, że minie jeszcze wiele lat, zanim mój przystojny poeta ponownie spotka się ze mną na wyżynach zaświatów. Do chwili spotkania miałam żyć dla niego w moim dziele.

Nota od autorki

W 2000 roku napisałam dla magazynu „Vogue" krótki tekst o *Pawilonie Peonii*, wystawionym przez Lincoln Center. Zbierając materiały do tego artykułu, zetknęłam się ze zjawiskiem, jakim były chore z miłości panny. Zaintrygowały mnie i nie mogłam przestać myśleć o nich nawet już po oddaniu tekstu. Zwykle słyszymy, że w przeszłości nie było kobiet, które tworzyły literaturę, malowały, zajmowały się opracowaniami historycznymi czy zatrudniały się jako szefowe kuchni, ale oczywiście kobiety robiły to wszystko. Problem polegał na tym, że zbyt często efekty ich pracy ulegały zniszczeniu, zapomnieniu albo celowemu zafałszowaniu. Kiedy więc tylko miałam wolną chwilę, starałam się dowiedzieć czegoś o chorych z miłości pannach i odkryłam, że stanowią one część znacznie szerszego zjawiska.

W połowie siedemnastego wieku w Chinach, w delcie rzeki Jangcy, wydawano dzieła większej liczby pisarek niż na całym świecie. Chcę tu powiedzieć, że w tym okresie drukiem pojawiały się dzieła tysięcy kobiet, którym krępowano stopy i które często żyły odcięte od świata, nie opuszczając swoich zamożnych domów. Niektóre rodziny publikowały pojedynczy wiersz, napisany przez matkę albo córkę, które chciano w ten sposób uczcić lub uhonorować, były jednak i inne kobiety, zawodowo zajmujące się pisarstwem, które nie tylko tworzyły dla szerokiej rzeszy czytelników, lecz także utrzymywały ze swojej pracy własne rodziny. Zaczęłam zadawać sobie pytanie, dlaczego nic nie wiedziałam o tak niezwykłych dokonaniach tylu kobiet. Dlaczego nikt o tym nic nie wiedział? W tym czasie natknęłam się na *Komentarz trzech żon*, pierwszą tego rodzaju książkę, napisaną przez kobiety (tytułowe „trzy żony") i opublikowaną. Po przeczytaniu *Komentarza* moje zaciekawienie przerodziło się w obsesję.

Na moją fascynację złożyło się kilka elementów – opera Tang Xianzu, chore z miłości panny, historia *Komentarza trzech żon* oraz przemiany społeczne, dzięki którym książka została napisana. Zdaję sobie sprawę, że są to dość skomplikowane i zazębiające się kwestie, proszę więc czytelników o cierpliwość.

Tang Xianzu umiejscowił akcję *Pawilonu Peonii* w czasach panowania dynastii Song (960–1127), pisał jednak o epoce dynastii Ming (1368–1644), okresie artystycznego fermentu, a także politycznych niepokojów i korupcji.

W 1598 roku, po ukończeniu opery, Tang stał się jednym z najważniejszych promotorów pojęcia *qing* – głębokich uczuć i romantycznej miłości. Podobnie jak wszyscy dobrzy pisarze, Tang pisał o sprawach doskonale mu znanych, co nie znaczyło, że rząd chciał o nich usłyszeć. Prawie natychmiast rozmaite grupy wystąpiły z sugestiami ocenzurowania opery, uznanej za zbyt polityczną i przesiąkniętą aurą lubieżności. Błyskawicznie pojawiły się nowe wersje, aż wreszcie z pierwotnych pięćdziesięciu pięciu scen wystawiono jedynie osiem. Sam tekst potraktowano jeszcze gorzej. Niektóre wersje skrócono, natomiast inne poddano korekcie lub napisano od nowa, aby spełnić wymagania zmieniającego się społeczeństwa i jego zwyczajów.

W 1780 roku, za panowania cesarza Qianlonga, sprzeciw wobec opery osiągnął swoiste apogeum – *Pawilon* znalazł się na czarnej liście, dzieło Tang Xianzu określono mianem obrazoburczego. Minęło sto lat i cesarz Tongzhi wydał pierwszy oficjalny zakaz wystawiania opery, uznając jej treść za moralnie rozwiązłą, a także rozkaz spalenia wszystkich egzemplarzy.

Cenzorskie zapędy wobec opery trwają do dziś. Spektakl w Lincoln Center przesunięto na późniejszy termin, kiedy władze Chin poznały zawartość przywróconych scen i nie pozwoliły aktorom wraz z kostiumami i dekoracjami na opuszczenie kraju, jeszcze raz dowodząc, że im bardziej czasy się zmieniają, w tym większym stopniu najważniejsze ludzkie problemy pozostają takie same.

Jeśli pominiemy kwestię seksualnego związku między dwojgiem ludzi wolnego stanu oraz krytykę poczynań rządu (oczywiście nie umniejszam tu znaczenia obu tych spraw), pojawia się pytanie, dlaczego opera spotkała się z tak silnym sprzeciwem. *Pawilon Peonii* był pierwszym literackim dziełem w historii Chin, którego bohaterka – szesnastoletnia dziewczyna – wybrała własny los, co okazało się wstrząsające i podniecające zarazem. Główny wątek zafascynował kobiety, które, z nielicznymi wyjątkami, mogły tylko czytać tekst opery, nie mogły natomiast oglądać jej ani słuchać. Namiętne uczucia i dyskusje, jakie wzbudził *Pawilon*, porównywano z fanatycznym zainteresowaniem *Werterem* Goethego w osiemnastowiecznej Europie czy też powieścią *Przeminęło z wiatrem* w Stanach Zjednoczonych. W Chinach szczególnie podatne na wpływ tej historii były młode, wykształcone, kobiety z zamożnych rodzin, zwłaszcza te między trzynastym a szesnastym rokiem życia, których związki małżeńskie zostały już zaplanowane i zaaranżowane. Wierząc, że życie naśladuje sztukę, naśladowały Liniang: rezygnowały z jedzenia, traciły siły i umierały z nadzieją, że przez śmierć będą mogły wybrać swoje przeznaczenie, tak jak uczynił to duch Liniang.

Nie można mieć całkowitej pewności, co zabiło chore z miłości dziewczęta, nie da się jednak wykluczyć, że większość z nich rzeczywiście zagłodziła się na śmierć. Prawie wszyscy uważamy anoreksję za problem naszych czasów, ale mylimy się. Niezależnie od tego, czy mówimy o średniowiecznych świętych, chorych z miłości pannach w Chinach siedemnastego wieku czy dzisiejszych dorastających dziewczętach, musimy zauważyć, że kobiety zawsze miały potrzebę choćby niewielkiej autonomii. Jak wyjaśnia współczesny uczony Rudolph Bell, młode kobiety, głodząc się, mogą przeistoczyć walkę toczącą się w świecie zewnętrznym – w którym nie mają kontroli nad swoim losem i muszą pogodzić się z pozornie pewną porażką – w wewnętrzną bitwę, której celem jest zdobycie władzy nad sobą i pragnieniami swojego ciała. Przed śmiercią wiele chorych z miłości panien, między innymi Xiaoqing i Yu Niang, które pojawiają się w tej opowieści, pisało wiersze, które później były publikowane.

Jednak te piszące kobiety, czy to chore z miłości dziewczęta, czy członkinie Poetyckiego Klubu Bananowego Ogrodu, nie pojawiły się ani nie zniknęły w pustce. W połowie siedemnastego wieku Chiny przeżyły zmianę dynastii – dynastia Ming upadła, a mandżurscy najeźdźcy z północy założyli dynastię Qing. Na blisko trzydzieści lat kraj pogrążył się w chaosie. Stary reżim był skorumpowany, a wojna brutalna (w Yangzhou, gdzie zginęła babka Peonii, w ciągu kilku dni zabito osiemdziesiąt tysięcy ludzi). Wielu Chińczyków straciło domy. Mężczyźni zostali upokorzeni i zmuszeni do wygolenia czół w dowód posłuszeństwa wobec nowego cesarza. Pod władzą nowego reżimu system hierarchii i samego istnienia cesarskich uczonych uległ zachwianiu i sposób, w jaki mężczyźni tradycyjnie zdobywali prestiż, majątek i władzę, nagle okazał się niefunkcjonalny. Mężczyźni z najwyższych warstw społecznych wycofywali się z rządu i życia cesarskich uczonych, znajdując ucieczkę w zbieraniu kamieni, pisaniu wierszy, smakowaniu herbaty i paleniu kadzidełek.

Kobiety, które i tak zajmowały już bardzo niską pozycję na drabinie społecznej, doświadczyły gorszego losu. Niektórymi handlowano jak przedmiotami, sprzedając je „na wagę, jak ryby", przy czym kilogram kobiety kosztował mniej niż kilogram soli. Wiele z nich – między innymi rzeczywiście żyjąca Xiaoqing czy fikcyjna Wierzba z mojej powieści – stawało się „chudymi szkapami" i trafiało do właścicieli jako konkubiny. Jednak inne kobiety czekało zupełnie odmienne i lepsze życie. Mężczyźni mieli tyle problemów, że zostawiali frontowe bramy otwarte i kobiety, tak długo żyjące w odosobnieniu, wychodziły na zewnątrz. Stawały się zawodowymi pisarkami, malarkami, łuczniczkami, historykami i poszukiwaczami przygód. Jeszcze inne, tworząc wczesne formy literackich grup i klubów, spotykały się, aby pisać wiersze, czytać książki i dyskutować o ideach. Na przykład członkinie Poetyckiego Klubu Bananowego Ogrodu (początkowo było ich pięć, później siedem) wybierały się razem na wycieczki, opisywały to, co widziały i przeżywały, i mimo to nie traciły miana uczciwych, szlachetnych, dumnych i godnych szacunku kobiet. Z pewnością nie odniosłyby sukcesu, gdyby nie wzrost umiejętności czytania i pisania wśród kobiet, zdrowa gospodarka, dostępność środków drukowania oraz chwilowe skupienie uwagi mężczyzn na innych kwestiach.

Nie wszystkie te dzieła były wyrazem szczęścia i zadowolenia z życia. Niektóre kobiety, jak na przykład matka Peonii, zostawiały wiersze na murach; utwory te zyskiwały później popularność ze względu na wstrząsający obraz smutku i ciekawość, jaka towarzyszy poznawaniu myśli osób stojących na progu śmierci. Wiersze tego rodzaju, podobnie jak utwory chorych z miłości panien, naznaczone były specyficznym romantyzmem, łączącym ideały *qing* z atrakcyjnością kobiet, które rozstają się z tym światem z powodu choroby albo w połogu, jako męczennice, umierające w samotności, zżerane tęsknotą za ukochanym.

Chen Tong, Tan Ze i Qian Yi żyły naprawdę. (Pierwotnie nadane imię Chen Tong zostało zmienione, ponieważ takie samo nosiła jej przyszła teściowa, nie wiemy jednak, jak brzmiało). Starałam się jak najwierniej oddać ich historię – tak wiernie, że często czułam się ograniczona faktami, które wydawały się zbyt niezwykłym zbiegiem okoliczności, aby mogły być prawdziwe. Na przykład Qian Yi posłużyła się tabliczką przodków, aby odprawić ceremonię pod śliwą ku czci fikcyjnej postaci, jaką była Du Liniang, która następnie nawiedziła ją i Wu Rena we śnie. O ile mi jednak wiadomo, Chen Tong nigdy nie spotkała swojego niedoszłego małżonka ani nie wróciła na ziemię jako głodny duch.

Wu Ren pragnął uhonorować i rozsławić wszystkie swoje trzy żony, lecz jednocześnie nie chciał narazić ich na niesławę i obmowę, więc na okładce książki znalazł się tytuł: *Wspólny komentarz trzech żon Wu Wushana do Pawilonu Peonii.* „Wushan" był jednym z literackich pseudonimów Wu Rena. Imiona Tan Ze, Qian Yi oraz Chen Tong pojawiły się tylko na stronie tytułowej oraz w materiałach dodatkowych.

Książka została gorąco przyjęta i zdobyła liczne rzesze czytelników, ale po pewnym czasie koło fortuny wykonało kolejny obrót i w miejsce pochwał zabrzmiały słowa gorzkiej, często zjadliwej krytyki. Wu Ren został uznany za prostaczka, który tak pragnął uznania dla swoich żon, że całkowicie zatracił poczucie tego, co właściwe i stosowne. Moraliści, którzy od lat opowiadali się przeciwko *Pawilonowi Peonii,* teraz zaczęli wysuwać sugestie ocenzurowania opery przez karcenie w łonie rodziny oraz wprowadzenia oficjalnych zakazów. Twierdzili, że spalenie wszystkich egzemplarzy *Pawilonu,* a także dzieł dodatkowych, takich jak *Komentarz trzech żon,* będzie najskuteczniejszym sposobem ostatecznego wyeliminowania obrazoburczych i buntowniczych słów. Czytanie takich książek – argumentowali – może sprawić, że kobiety, z natury głupie i niewyrafinowane, staną się rozwiązłe i uparte, przede wszystkim jednak przypominali, że tylko pozostająca w stanie niewiedzy kobieta, całkowita ignorantka, może być uznana za naprawdę dobrą i przyzwoitą. Moraliści nalegali, aby mężczyźni uświadamiali swoim matkom, żonom, siostrom i córkom, że w Czterech Cnotach nie ma żadnej wzmianki o „pisaniu" czy „własnej naturze". To, co wcześniej zainspirowało kobiety do pisania, malowania i odbywania wycieczek, teraz zostało obrócone przeciwko nim. Powrót do rytuału oznaczał tylko jedno: powrót do milczenia.

Po pewnym czasie argumenty znowu uległy zmianie i moraliści zaczęli zadawać pytania. Jak to możliwe, że trzy kobiety – żony, ni mniej, ni więcej – wykazały się taką przenikliwością w swoich przemyśleniach na temat miłości? Jak to możliwe, że napisały tak „uczony" komentarz? Jak to się stało, że w celach porównawczych zgromadziły wszystkie wydania opery? Dlaczego oryginalne manuskrypty autorstwa Chen Tong i Tan Ze zginęły w płomieniach? To ostatnie wydawało się bardzo dogodne, ponieważ nie można było porównać stylów kaligrafii trzech żon. W nocie dodatkowej Qian Yi napisała, że złożyła ofiarę swoim dwóm poprzedniczkom pod drzewem śliwy. Ona i jej mąż opisali także sen, w którym spotkali Du Liniang. Czyżby tych dwoje nie umiało odróżnić rzeczywistości od fikcji, żywych od zmarłych, jawy od snu? Ludzie mogli dojść do tylko jednego wniosku: Wu Ren sam napisał komentarz. Jego odpowiedź brzmiała: „Niech ci, którzy wierzą, wierzą dalej, a ci, co wątpią, pozostaną przy swoich wątpliwościach".

W czasie, kiedy toczyły się te wszystkie dyskusje, należało przywrócić porządek w państwie. Cesarz wydał kilka proklamacji, których celem było poddanie społeczeństwa władzy. Robienie chmur i deszczu, jak wynikało z obwieszczeń, mogło odbywać się wyłącznie między mężem i żoną, a podstawą aktu powinno być *li*, nie *qing*. Zakazano pisania poradników małżeńskich i udająca się do domu męża świeżo poślubiona dziewczyna nie miała szans dowiedzieć się, co czeka ją w noc poślubną. Cesarz przyznał także ojcom całkowitą władzę nad córkami – gdyby któraś przyniosła wstyd przodkom, ojciec miał prawo ją poćwiartować. Kobiety bardzo szybko ponownie wepchnięto za zamknięte drzwi, gdzie w tym czy innym sensie pozostały do upadku dynastii Qing i proklamowania republiki w 1912 roku.

W maju 2005 roku, dziesięć dni przed moim wyjazdem do Hangzhou w celu dokładniejszego poznania historii trzech żon, odebrałam telefon z redakcji magazynu „More". Poproszono mnie o napisanie artykułu na temat Chin. Był to doskonały moment. Odwiedziłam nie tylko Hangzhou, ale także kilka miasteczek w delcie Jangcy (niektóre z nich zatrzymały się w rozwoju sto lub więcej lat temu), miejsc, o których wspominam w powieści (uprawy herbaty w Longjing oraz rozmaite świątynie), a także Suzhou (tamtejsze wspaniałe posiadłości z ogrodami naprawdę mnie zainspirowały).

Pisząc artykuł, przystąpiłam do poszukiwania mojej wewnętrznej chorej z miłości panny. Muszę przyznać, że nie było to trudne, ponieważ bardzo często ulegam obsesji, lecz zlecenie zmusiło mnie do przenikliwszego zajrzenia w głąb mojego serca i zastanowienia się nad tym, co naprawdę myślę o pisaniu i uniwersalnym pragnieniu kobiet, aby ich głos został usłyszany – przez mężów, dzieci, pracodawców. Wiele myślałam też o miłości. Wszystkie kobiety na świecie – mężczyźni również – mają nadzieję, że uda im się napotkać na swojej drodze miłość, która nas przemieni, wyrwie z szarej codzienności i doda odwagi, jakiej wymaga przeżywanie naszych małych śmierci: cierpienia, które niosą niespełnione marzenia, rozczarowania zawodowe i osobiste oraz zerwane miłosne związki.

Podziękowania

Zakochana Peonia to powieść historyczna, której nie potrafiłabym napisać bez wspaniałych opracowań wielu uczonych. Jeśli chodzi o miejsce i czas akcji, chciałabym podziękować George'owi E. Birdowi, Frederickowi Douglasowi Cloudowi, Sarze Grimes i George'owi Katesowi za wspomnienia i przewodniki po Hangzhou i Chinach. Za informacje dotyczące chińskich ceremonii pogrzebowych, zaświatów, trzech części duszy, zdolności i słabości duchów, a także rytuałów zaślubin z duchami (odprawianych także i dziś) składam podziękowania Myronowi L. Cohenowi, Davidowi K. Jordanowi, Susan Naquin, Stuartowi E. Thompsonowi, Jamesowi L. Watsonowi, Arthurowi P. Wolfowi i Anthony'emu C. Yu. Chociaż czasami Justus Doolittle i John Nevius (dziewiętnastowieczni podróżnicy po Chinach) piszą w nieco protekcjonalnym tonie, obaj dokonali wielkiego dzieła, dokumentując chińskie zwyczaje i wierzenia. *Chińskie wierzenia i zwyczaje* V.R. Burkhardta nadal są przydatnym i praktycznym przewodnikiem tematycznym, natomiast książka *Seks, prawo i społeczeństwo w Chinach późnej epoki imperialnej* dokładnie opisuje regulacje zachowań seksualnych oraz prawa mężczyzn i kobiet pod panowaniem dynastii Qing.

Lynn A. Struve znalazła, przetłumaczyła i skatalogowała pisane w pierwszej osobie wspomnienia z okresu przejściowego między dynastiami Ming i Qing. Dwie z tych historii stały się źródłem doświadczeń rodziny Chen, odgrywającej ważną rolę w *Zakochanej Peonii*. Pierwsza z nich powstała na podstawie opisu autorstwa Liu Sanxiu, wziętej w niewolę i kilka razy sprzedanej, zanim ostatecznie stała się mandżurską księżniczką. Druga to wstrząsające, przerażające wspomnienia Wang Xiuchu z masakry w Yangzhou. Przeżycia jego rodziny w brutalny sposób zmuszają do zastanowienia się nad różnicą między dobrowolnym poświęceniem się dla rodziny i zmuszeniem do takiego poświęcenia się, spowodowanym przekonaniem innych, że osoba, która ma się poświęcić jest istotą niższej kategorii. (W powieści skróciłam czas trwania masakry z dziesięciu do pięciu dni).

W ostatnich latach przeprowadzono sporo niezwykle pożytecznych badań, dotyczących życia kobiet w Chinach. Za te cenne opracowania jestem szczerze wdzięczna Patricii Buckley Ebrey (życie kobiet za panowania dynastii Song), Susan Mann (życie i edukacja kobiet w osiemnastym wieku), Maureen Robertson (liryczna poezja kobieca w późnym okresie imperialnym), Ann Waltner (wizjonerka T'An-Yang-Tzu) oraz Ellen Widmer (literacka spuścizna Xiaoqing). Mocno rozbawiła mnie – i nieco przeraziła – wydrukowana w niedawnym wydaniu gazety „Shanghai Tatler" lista dwudziestu wymagań dla dobrej żony. Chociaż sugestie te napisano w 2005 roku, wiele z nich zawarłam w powieści jako rady dla żyjących w siedemnastym wieku kobiet, pragnących uszczęśliwić swego małżonka. Osobom zainteresowanym praktyką krępowania stóp z całego serca polecam klasyczne opracowanie Beverley Jackson *Splendid Slippers* (Cudowne pantofelki), a także błyskotliwe i niezwykle pouczające książki Dorothy Ko *Cinderella's Slippers* (Pantofelki Kopciuszka) oraz *Every Step a Lotus* (Każdy krok kwiatem lotosu). Chciałabym tu także podkreślić, że wiedza doktor Ko o życiu kobiet w siedemnastowiecznych Chinach, ze szczególnym uwzględnieniem trzech żon, jest imponująca i inspirująca zarazem.

Tłumaczenie *Pawilonu Peonii* pióra Cyrila Bircha to klasyka – niniejszym serdecznie dziękuję władzom University of Indiana Press za pozwolenie wykorzystania jego pięknych słów. W czasie gdy pisałam ostatnie strony powieści, miałam szczęście zobaczyć cudowną dziewięciogodzinną wersję opery, napisaną i wystawioną przez Kennetha Pai w Kalifornii. Za bardziej naukowe podejście do opery jestem wdzięczna Tinie Lu i Catherine Swatek, od których zaczerpnęłam wiele informacji.

Nad moją książką niczym matka chrzestna-wróżka czuwała Judith Zeitlin z Uniwersytetu Chicagowskiego. Wszystko zaczęło się od ożywionej wymiany zdań e-mailem na temat *Komentarza trzech żon*. Judith Zeitlin poleciła mi kilka napisanych przez siebie artykułów o kobiecych duchach w Chinach, piśmie duchów, autoportretach jako odbiciu duszy oraz trzech żonach. Bardzo cieszę się, że udało mi się spotkać w Chicago z doktor Zeitlin i spędzić z nią wspaniały wieczór na rozmowie o miłosnej chorobie, kobiecej literaturze i duchach. Niedługo po tym spotkaniu otrzymałam przesyłkę, a w niej kopię oryginalnego wydania *Komentarza*, którego właścicielem jest prywatny kolekcjoner. Judith Zeitlin bez wahania dzieliła się ze mną swoją ogromną wiedzą i prosiła innych o pomoc dla mnie.

Jeśli chodzi o tłumaczenia, korzystałam z wielu różnych źródeł. Dokładne cytaty z *Komentarza*, sporządzony przez Wu Rena opis wydarzeń towarzyszących powstawaniu dzieła, wspomnienia Qian Yi o śnie, w którym pojawia się Liniang, pochwały napisane przez wielbicieli książki oraz inne dodatkowe materiały opublikowane razem z *Komentarzem* zaczerpnęłam z tłumaczeń Dorothy Ko, Judith Zeitlin, Jingmei Chen (z jej dysertacji *The Dream World of Love-Sick Maidens;* Świat snów chorych z miłości panien), a także Wilta Idema i Beaty Grant z *The Red Brush* (Czerwonego pędzla), ich imponującego i bogatego dziewięćsetstronicowego wyboru utworów kobiecych z epoki imperialnych Chin.

Jestem głęboko wdzięczna wymienionym wyżej uczonym nie tylko za udostępnienie mi materiałów związanych z *Pawilonem Peonii,* ale i za ich tłumaczenia utworów wielu innych pisarek tamtego okresu. Starałam się uhonorować głosy tych kobiet, używając słów i fraz z ich wierszy, podobnie jak Tang Xianzu w *Pawilonie Peonii* stworzył pastisze, oparte na dziełach wielu innych autorów. *Zakochana Peonia* to powieść, więc wszystkie błędy i zmiany w przygodach trzech żon są moim dziełem, mam jednak nadzieję, że udało mi się oddać ducha ich historii.

Dziękuję redaktorom pism „More" i „Vogue", których zamówienia zaowocowały powstaniem tej książki. Fotoreporter Jessica Antola oraz jej asystentka Jennifer Witcher okazały się wspaniałymi towarzyszkami mojej podróży po Chinach. Wang Jian i Tony Tong byli znakomitymi przewodnikami i tłumaczami, a Paul Moore jeszcze raz nadzorował realizację moich niezwykle skomplikowanych planów podróży. Pragnę także w szczególny sposób podziękować pisarce Anchee Min, która zorganizowała dla mnie spotkanie z Mao Wei-tiao, jedną z najsławniejszych śpiewaczek operowych kunqu. Pani Mao pokazała mi, poprzez niezwykle interesujące połączenie ruchu i bezruchu, głębię i urodę chińskiej opery.

Dziękuję również: Aimee Liu za jej wiedzę o anoreksji; Buf Meyer za prowokacyjne przemyślenia na temat uczuć przodków; Janet Baker za wspaniałą redakcję; Chrisowi Chandlerowi za nieskończoną cierpliwość i pomoc w wysyłaniu e-maili; i wreszcie Amandzie Strick za określenie „po męsku piękny", za jej miłość do literatury chińskiej oraz fakt, że jest tak niezwykle inspirującą młodą kobietą.

Składam podziękowania także Ginie Centrello, Bobowi Loomisowi, Jane von Mehren, Benjaminowi Dreyerowi, Barbarze Fillon, Karen Fink, Vincentowi La Scala i wszystkim z wydawnictwa Random House za dobroć i cierpliwość. Od lat cieszę się, że moją agentką jest Sandy Dijkstra, bo lepszej od niej nie ma na całym świecie. W jej biurze na rzecz mojej książki pracowali bez chwili wytchnienia Taryn Fagerness, Elise Capron, Elisabeth James i Kelly Sonnack.

Bardzo serdecznie dziękuję mojej rodzinie: synom, Christopherowi i Alexandrowi, którzy zawsze dodają mi odwagi i kibicują; mamie, Carolyn See, za wiarę we mnie i słowa zachęty, bym nie poddawała się i była świadoma swojej wartości; i mojemu mężowi, Richardowi Kendallowi, który zadawał zmuszające do myślenia pytania, miał wspaniałe pomysły i bardzo dzielnie znosi moje długie nieobecności. Do niego kieruję słowa – na tę wieczność i wszystkie inne.